"十三五"国家重点出版物出版规划项目

中国中药资源大典

湖南卷 14

黄璐琦 / 总主编

张水寒 刘 浩 / 湖南卷主编

钟 灿 谢昭明 刘 浩 / 主 编

北京科学技术出版社

图书在版编目（CIP）数据

中国中药资源大典. 湖南卷. 14 / 钟灿, 谢昭明, 刘浩主编. -- 北京 : 北京科学技术出版社, 2024. 6.
ISBN 978-7-5714-3961-3

Ⅰ. R281.4

中国国家版本馆CIP数据核字第2024BT5517号

责任编辑：	侍　伟　李兆弟　尤竞爽　王治华　吕　慧　庞璐璐　刘　雪
责任校对：	贾　荣
图文制作：	樊润琴
责任印制：	李　茗
出 版 人：	曾庆宇
出版发行：	北京科学技术出版社
社　　址：	北京西直门南大街16号
邮政编码：	100035
电　　话：	0086-10-66135495（总编室）　0086-10-66113227（发行部）
网　　址：	www.bkydw.cn
印　　刷：	北京博海升彩色印刷有限公司
开　　本：	889 mm × 1 194 mm　1/16
字　　数：	1 076千字
印　　张：	48.5
版　　次：	2024年6月第1版
印　　次：	2024年6月第1次印刷
审 图 号：	GS京（2023）1758号
ISBN 978-7-5714-3961-3	

定　价：490.00元

《中国中药资源大典·湖南卷》

编写委员会

总 主 编 黄璐琦

顾 问 邵湘宁 郭子华 肖文明 蔡光先 谭达全 秦裕辉 葛金文

主 编 张水寒 刘 浩

技术牵头单位 湖南省中医药研究院

普查队依托单位（按拼音排序）

安化县中医医院	安仁县中医医院
安乡县中医医院	保靖县中医院
茶陵县中医医院	长沙市中医医院
长沙县中医医院	常德市第二中医医院
常德市第一中医医院	常宁市中医医院
郴州市中医医院	辰溪县中医医院
城步苗族自治县中医医院	慈利县中医医院
道县中医医院	东安县中医医院
洞口县中医医院	凤凰县民族中医院
古丈县中医医院	桂东县中医医院
桂阳县中医医院	汉寿县中医医院
赫山区中医医院	衡东县中医医院
衡南县中医医院	衡山县中医医院
衡阳市中医医院	衡阳市中医正骨医院
衡阳县中医医院	洪江市第一中医医院
湖南省直中医医院	湖南医药学院
湖湘中医肿瘤医院	华容县中医医院
花垣县民族中医院	会同县中医医院

嘉禾县中医医院	江华瑶族自治县民族中医医院
江永县中医院	津市市中医医院
靖州苗族侗族自治县中医医院	蓝山县中医医院
耒阳市中医医院	冷水江市中医医院
澧县中医医院	醴陵市中医院
涟源市中医医院	临澧县中医医院
临武县中医医院	临湘市中医医院
零陵区中医医院	浏阳市中医医院
龙山县中医院	隆回县中医医院
娄底市中医医院	泸溪县民族中医院
渌口区淦田镇中心卫生院	麻阳苗族自治县中医医院
汨罗市中医医院	南县中医医院
宁乡市中医医院	宁远县中医医院
平江县中医医院	祁东县中医医院
祁阳市中医医院	汝城县中医医院
桑植县民族中医院	邵东市中医医院
邵阳市中西医结合医院	邵阳市中医医院
邵阳县中医医院	韶山市人民医院
石门县中医医院	双峰县中医医院
双牌县中医医院	绥宁县中医医院
桃江县中医医院	桃源县中医医院
通道侗族自治县民族中医医院	望城区人民医院
武冈市中医医院	湘潭市中医医院
湘潭县中医医院	湘乡市中医医院
湘阴县中医医院	新化县中医医院
新晃侗族自治县中医医院	新宁县中医医院
新邵县中医医院	新田县中医医院

溆浦县中医医院	炎陵县中医医院
宜章县中医医院	益阳市中医医院
永顺县中医院	永兴县中医医院
永州市中医医院	攸县中医院
沅江市中医医院	沅陵县中医医院
岳阳市中医医院	岳阳县中医医院
云溪区中医医院	张家界市中医医院
芷江侗族自治县中医医院	资兴市中医医院

主编简介

>> 张水寒

二级研究员，博士研究生导师。享受国务院政府特殊津贴专家、享受湖南省政府特殊津贴专家、湖南省卫生健康高层次人才医学学科领军人才，入选国家"百千万人才工程"，并被授予"有突出贡献中青年专家"荣誉称号。主要从事中药资源、中药制剂及中药质量标准方面的研究。

近 10 年来，主持和参与"重大新药创制"、国家自然科学基金、"十二五"国家科技支撑计划等 20 余项课题。获得新药证书 12 项、药物临床批件 22 项、国家发明专利 13 项。发表学术论文 200 余篇，其中以第一作者和通讯作者发表 SCI 论文 30 余篇，编写专著 7 部。获得国家科学技术进步奖二等奖 1 项、省部级奖励 5 项。

2011 年以来，担任湖南省第四次全国中药资源普查技术总负责人、湖南省中药资源动态监测省级中心主任，主持建立"技术分层、突出量化、严把质控"的中药资源普查组织管理与技术保障模式；开展重点品种研究示范，大力推动普查成果转化、应用。

主编简介

>> 刘 浩

副研究员。湖南省中医药研究院中药资源研究所中药资源与鉴定研究室主任。主要从事中药资源、中药鉴定与本草学研究。

历任湖南省中药资源普查工作领导小组办公室成员、专家委员会委员、专家委员会办公室副主任,负责湖南省第四次全国中药资源普查组织管理与技术保障工作的具体实施,采集、鉴定普查标本近10万号,参与建成湖南省中药资源数据库、药用植物标本馆,熟悉湖南省中药资源基本情况及道地药材传承与发展的情况,编制省级、县级中药材产业发展规划10余份。2014年起任湖南省中药资源动态监测省级中心秘书,参与建成"一个中心,三个监测站,百个监测点"的湖南省中药资源动态监测与技术服务体系。

《中国中药资源大典·湖南卷 14》
编写委员会

主　　编　钟　灿　谢昭明　刘　浩

副 主 编　周　馨　沈冰冰　王勇庆　镇兰萍　周建军

编　　委　（按姓氏笔画排序）

王勇庆（湖南省中医药研究院）

尹玲桃（娄底市中医医院）

邓纭鹏（湖南省中医药研究院）

冯晓婷（湖南省中医药研究院附属医院）

刘　闯（湖南中医药大学）

刘　浩（湖南省中医药研究院）

刘彧君（湖南省中医药研究院）

李足意（浏阳市中医医院）

沈冰冰（湖南省中医药研究院）

周　馨（湖南省中医药研究院）

周建军（湖南省农林工业勘察设计研究院有限公司）

钟　灿（湖南省中医药研究院）

谢昭明（湖南省中医药研究院）

雷芝芝（湖南省中医药研究院）

镇兰萍（湖南省中医药研究院）

潘　根（湖南省中医药研究院）

《中国中药资源大典·湖南卷14》
编辑委员会

主任委员 章 健

委 员 （按姓氏笔画排序）

王明超　王治华　尤竞爽　毕经正　吕 慧　任安琪　刘 雪　孙 硕

李小丽　李兆弟　侍 伟　庞璐璐　赵 晶　贾 荣

序言

中药资源是中医药事业和产业发展的重要物质基础。随着中医药事业和产业蓬勃发展，社会各界对中药资源的需求量逐渐增加。为摸清中药资源家底，科学制定中药资源保护和产业发展政策措施，国家中医药管理局组织实施了第四次全国中药资源普查，对促进中药资源可持续利用、助力健康中国行动的实施和区域社会经济发展做出了重要贡献。

湖南地处云贵高原向江南丘陵、南岭山脉向江汉平原过渡的地带，属大陆性亚热带季风湿润气候区，独特的地理环境孕育了丰富的中药资源。锦绣潇湘，物华天宝，人杰地灵。湖南省作为首批6个中药资源普查试点省区之一，由湖南省中医药研究院作为技术牵头单位，组织全省技术人员队伍，出色地完成了湖南第四次中药资源普查工作任务。

张水寒和刘浩两位"伙计"基于湖南中药资源普查获得的第一手调查资料，系统整理分析、总结普查成果，牵头主编了《中国中药资源大典·湖南卷》。该书既有湖南自然社会概况、中药资源种类等总体情况介绍，又有湖南特色中药资源的历史源流与生产现状阐述，还对4 196种中药资源的基本情况进行详细介绍。该书可作为认识和了解湖南中药资源的工具书，具有重要的学术价值和应用价值。希望该书的出版，能助力湖南中药产业高质量发展，为中药资源的可持续发展、优化中药产业布局、促进学术交流和科学研究起到积极推动作用。

付梓之际，欣然为序。

中国工程院院士

中国中医科学院院长

第四次全国中药资源普查技术指导专家组组长

2024 年 4 月

前言

　　湖南地处云贵高原向江南丘陵过渡、南岭山脉向江汉平原过渡的中亚热带，位于东经108°47′~114°15′、北纬24°38′~30°08′。东以幕阜、武功诸山系与江西交界，西以云贵高原东缘连贵州，西北以武陵山脉毗邻重庆，南枕南岭与广东、广西相邻，北以滨湖平原与湖北接壤，形成了东、南、西三面环山，中部丘岗起伏，北部湖盆平原展开的马蹄形地形。湖南有半高山、低山、丘陵、岗地和平原等多种地貌类型，其中山地面积占全省总面积的51.22%。湖南位于长江以南的东亚季风区，加之离海洋较远，形成了气候温暖、四季分明、热量充足、雨水集中、春温多变、夏秋多旱、严寒期短、暑热期长、雨热同期的亚热带季风湿润气候。湖南为华东、华中、华南、滇黔桂4个植物区系的过渡地带，其境内植物具有较明显的东西、南北过渡性。地带性植被为常绿阔叶林，地带性土壤为红壤。湖南亚热带季风的大气候与复杂地势地貌的小环境，共同孕育了丰富的中药资源。

　　湖南历史文化悠久，是华夏文明的重要发祥地之一。道县玉蟾岩遗址出土了世界上现存最早的人工栽培稻标本，距今1.2万年。澧县城头山古文化遗址被称为"中国最早的城市"，距今约6 000年。宋代罗泌《路史》载炎帝"崩，葬长沙茶乡之尾……唐世尝奉祀焉"。《古今图书集成·衡州府古迹考》载："炎帝神农氏陵，在酃之康乐乡。""康乐乡"即今株洲市炎陵县鹿原镇。长沙马王堆汉墓出土的16部医书涉及方剂学、脉学、经络学等多门学科，代表了我国先秦时期的医药成就，其中《五十二病方》是我国现存最早的方书。

湖南中药资源的研究与应用历史悠久。马王堆汉墓出土的药材有桂皮、花椒、干姜、藁本、佩兰、辛夷、牡蛎、朱砂等，出土医书中的中药名共406个。《新唐书·地理志》载："岳州巴陵郡贡鳖甲，潭州长沙郡贡木瓜，永州零陵郡贡零陵香、石蜜、石燕，道州江华郡贡零陵香、犀角，辰州泸溪郡贡光明砂、犀角、水银、黄连、黄牙……锦州卢阳郡贡光明丹砂、犀角、水银。"唐代柳宗元《捕蛇者说》云："永州之野产异蛇，黑质而白章。"此即常用中药蕲蛇。宋代苏颂等编撰的《本草图经》，实际上是继《新修本草》后本草史上第二次全国药物普查的成果，集中反映了宋代实际的药物出产与使用情况，该书收载了当时湖南境内8州的28幅药图，包括辰州丹砂、道州石钟乳、道州滑石、道州石南、永州石燕、衡州菖蒲、衡州玄参、衡州栝楼、衡州地榆、衡州百部、衡州马鞭草、衡州五加皮、衡州乌药、澧州莎草、邵州苦参、邵州天麻、邵州乌头、鼎州茅根、鼎州连翘、鼎州地芙蓉、鼎州水麻、岳州假苏、岳州薄荷等。清代吴其濬所著《植物名实图考》收载的湖南药用植物达267种。明清之际，湖南各府县广泛修著地方志，并在"物产"中记载本地所产药材，如清道光《宝庆府志》（1849）与光绪《邵阳县志》（1876）均记载："百合，邵阳出者特大而肥美。"清末《邵阳县乡土志》（1907）载："玉竹参一名葳蕤，又名女萎，近谷皮洞多产此。"并载邵阳常见中药材尚有黄精、香附子、金樱子、栀子、金银花、桑白皮、厚朴、丹皮、天花粉、天南星、何首乌、前胡、桔梗、牛膝、五倍子、络石藤、吴茱萸、木通、车前草、香薷、木鳖子等。

中华人民共和国成立以来，党和政府高度重视中医药的传承与发展。湖南先后开展了4次全省范围的中药资源调查工作，掌握了全省中药资源的种类、分布、产量与民间药用情况的本底资料。20世纪50年代末，湖南开展了"群众性的中医采风运动"，全省献方达数十万个，湖南中医药研究所（1957年创办，1962年更名为湖南省中医药研究所，1984年更名为湖南省中医药研究院）组织专家对献方进行了研究，为各地挖掘使用中药资源奠定了坚实的基础。20世纪60—70年代，湖南开始兴起中草药群众运动。为了更好地开展中草药群众运动，湖南省中医药研究所对基层医疗工作者、赤脚医生、老药农、老草医与地方卫生局、药品检验所、医药公司提供的大量标本和资料进行了整理与鉴定，系统地梳理了这一时期湖南中药资源的种类和应用情况。1962年，湖南省中医药研究所出版了《湖南药物志（第一辑）》，该书收载药用植物417种。1972年，《湖南药物志（第二辑）》出版，收载药用植物406种。1979年，《湖南药物志（第三辑）》出版，收载药用植物341种。20世纪80年代，湖南第三次中药资源普查正式开始，此次普查共采集植物、动物、矿物标本298 785份，拍摄照片13 457张，调查到全省中药资源种类2 384种，其中植物药2 077种，动物药256种，矿物药51种；全国重点调查的363种药材中，湖南产241种；测算全省植物药蕴藏量107.8万t，动物药蕴藏量1 306 t，矿物药蕴藏量1 147万t；共收集单验方25 355个，经各地（州、市）筛选汇编的有8 000多个，经名老中医严格审查选用的有2 400余个，这2 400余个单验方编成了《湖南省中草药民间单验方选编》。

2011年，第四次全国中药资源普查试点工作启动。湖南作为首批6个试点省区之一率先启动普查工作，历时11年，先后分6批，进行了全省122个县级行政区域的中药资源普查工作。湖南本次普查共调查代表区域550个，代表区域总面积149 101.03 km²；调查样地4 598个，样方套22 904个；采集腊叶标本116 443号、药材样品10 204份、种质资源5 913份；调查传统知识1 252份；拍摄照片1 519 340张；计算蕴藏量的种类584种；调查栽培品种160种、市场流通中药材479种；调查数据约210万条。本次普查全面掌握了湖南中药资源种类与分布、重点品种的资源量、中药材市场流通等信息，为湖南中医药事业、产业发展提供了科学依据。

湖南第四次中药资源普查为适应时代发展需求，创新应用了大量现代技术，提高了工作效率，保障了数据的完整性、一致性、准确性和实用性。通过引入空间信息技术与分层抽样方法设置的调查区域与样地更具代表性，从而使资源蕴藏量的估算更加科学。野外调查中应用GPS、数码相机、信息采集软件等获取经度、纬度、海拔等信息化数据，搭建了信息化工作平台。湖南在约210万条数据的基础上建成了湖南省中药资源数据库，实现了全省中药资源数据的长久保存、可视查询、成果转化和共享服务。本书中的基原图片、资源分布等内容充分利用了数据库的查询、统计功能，湖南省最新中药资源区划也利用了普查数据，全省被划分为湘西北武陵山中药资源区、湘西南雪峰山中药资源区、湘南南岭北部中药资源区、湘中湘东丘陵中药资源区、洞庭湖及环湖丘岗中药资源区5个中药资源分区。

编著一套图文并茂、系统全面反映湖南中药资源家底的著作是普查工作的重要组成部分。2021年，湖南第四次中药资源普查进入收尾阶段，我们组织专家对《中国中药资源大典·湖南卷》的编写体例、资源名录、图片整理及分工安排进行了多轮讨论，最后形成了编写工作方案。野外工作得到的一手数据，是我们编著本书的关键素材，书中的图片来源于野外拍摄，分布信息来源于凭证标本的采集地点，资源蕴藏量信息来源于实际调查，因此，本书充分体现了湖南第四次中药资源普查的全方位成果。

第四次全国中药资源普查技术指导专家组组长黄璐琦院士多次带领普查专家组莅临湖南指导普查工作。湖南省委、省政府高度重视中药资源普查工作；湖南省中医药管理局作为普查组织实施单位，构建了符合湖南实际情况的普查组织模式；湖南省中医药研究院作为技术牵头单位，组织成立了专家委员会，指导全省普查工作。在各方的共同努力下，湖南顺利完成了第四次中药资源普查工作。我们向支持普查工作的社会各界表示由衷的感谢，向奋战在普查一线的"伙计们"致以诚挚的敬意！

普查的大量数据是我们编著本书的优势，同时也为整理图片、撰写文稿带来了巨大的挑战，加之编者学术水平有限，书中难免存在资料取舍失当及错漏之处，敬请有关专家、学者批评指正。

编　者

2024 年 4 月

凡 例

（1）本书共14册，分为上、中、下篇。上篇综述了湖南自然社会概况、中药资源调查历史、第四次中药资源普查情况、中药资源分布；中篇论述了34种湖南道地、大宗中药资源；下篇共收录中药资源4 196种，其中药用菌类资源36种、药用植物资源3 799种、药用动物资源315种、药用矿物资源46种。另外，附录中收录药用资源305种。

（2）分类系统。菌类参考Index Fungorum最新的分类学研究成果。蕨类植物采用秦仁昌分类系统（1978）。裸子植物采用郑万钧分类系统（1978）。被子植物采用恩格勒系统（1964）。

（3）本书下篇主要介绍各中药资源，以中药资源名为条目名，下设药材名、形态特征、生境分布、资源情况、采收加工、药材性状、功能主治、用法用量及附注等，其中采收加工、药材性状、用法用量为非必要项，资料不详者项目从略。各项目编写原则简述如下。

1）条目名。该项记述中药资源物种及其科属的中文名、拉丁学名。其中蕨类植物、裸子植物、被子植物的名称主要参考《中国植物志》，藻类、动物、矿物的名称主要参考《中华本草》。

2）药材名。该项记述中药资源的药材名、药用部位与药材别名。凡《中华人民共和国药典》等法定标准收载者，原则上采用法定药材名；法定标准未收载者，主要参考《中华本草》《全国中草药名鉴》《中国中药资源志要》。药材别名记载湖南各地乡村中医、草医及民间习惯用名。

3）形态特征。该项简要描述中药资源的形态特征，突出鉴别特征。主要参考《中国植物志》，并结合普查实际所获取的信息进行描述。

4）生境分布。该项记述中药资源在湖南的生存环境与分布区域。生存环境主要源于凭证标本的生境，并参考相关志书的描述。分布区域源于凭证标本的采集地，以"地市级行政区划（县级行政区划）"的形式进行描述。在湖南五大中药资源分区中皆有分布且凭证标本超过20号者，记述为"湖南各地均有分布"。

5）资源情况。该项记述中药资源的蕴藏量情况，用丰富、较丰富、一般、较少、稀少来表示；并用"野生"或"栽培"记述药材的主要来源。

6）采收加工。该项记述药材的采收时间与加工方法。

7）药材性状。该项主要记述药材的性状特征、品质评价等内容。

8）功能主治。该项记述药材的性味、毒性、归经、功能和主治。

9）附注。该项记述中药资源最新的分类学地位与接受名的变动情况；记述《中华人民共和国药典》与地方标准收载的物种学名；描述物种的濒危等级、其他医药相关用途，以及本草、地方志书中的资源方面的记载情况等。

（4）附录。以名录形式收载中篇、下篇没有收载的湖南分布的中药资源。

目录

Contents

动物 ………………………………… [14] 1

钜蚓科 …………………………… [14] 2
　参环毛蚓 …………………… [14] 2
正蚓科 …………………………… [14] 3
　缟蚯蚓 ……………………… [14] 3
环口螺科 ………………………… [14] 4
　褐带环口螺 ………………… [14] 4
医蛭科 …………………………… [14] 5
　日本医蛭 …………………… [14] 5
黄蛭科 …………………………… [14] 6
　宽体金线蛭 ………………… [14] 6
　光润金线蛭 ………………… [14] 7
田螺科 …………………………… [14] 8
　中华圆田螺 ………………… [14] 8
　中国圆田螺 ………………… [14] 10
　方形环棱螺 ………………… [14] 11
　梨形环棱螺 ………………… [14] 13
肋齿螺科 ………………………… [14] 14
　皱巴坚螺 …………………… [14] 14
蛞蝓科 …………………………… [14] 15
　野蛞蝓 ……………………… [14] 15
　黄蛞蝓 ……………………… [14] 16
嗜黏液蛞蝓科 …………………… [14] 18
　双线嗜黏液蛞蝓 …………… [14] 18
巴蜗牛科 ………………………… [14] 19
　同型巴蜗牛 ………………… [14] 19

江西巴蜗牛 …………………… [14] 20
灰蜗牛 ………………………… [14] 21
条华蜗牛 ……………………… [14] 22
蚌科 ……………………………… [14] 23
　褶纹冠蚌 …………………… [14] 23
　三角帆蚌 …………………… [14] 25
　圆头楔蚌 …………………… [14] 26
　背角无齿蚌 ………………… [14] 27
　圆顶珠蚌 …………………… [14] 28
　短褶矛蚌 …………………… [14] 29
　巨首楔蚌 …………………… [14] 30
蚬科 ……………………………… [14] 31
　河蚬 ………………………… [14] 31
　闪蚬 ………………………… [14] 32
缩头水虱科 ……………………… [14] 33
　鱼怪 ………………………… [14] 33
长臂虾科 ………………………… [14] 34
　日本沼虾 …………………… [14] 34
方蟹科 …………………………… [14] 35
　中华绒螯蟹 ………………… [14] 35
平甲虫科 ………………………… [14] 37
　平甲虫 ……………………… [14] 37
园蛛科 …………………………… [14] 39
　大腹园蛛 …………………… [14] 39
　横纹金蛛 …………………… [14] 41
　悦目金蛛 …………………… [14] 42

草蛛科 ———————————— [14] 43
  迷路漏斗网蛛 ———————— [14] 43
山蛩科 ———————————— [14] 44
  燕山蛩 ————————————— [14] 44
蜈蚣科 ———————————— [14] 46
  少棘巨蜈蚣 ———————— [14] 46
衣鱼科 ———————————— [14] 48
  糖衣鱼 ————————————— [14] 48
  衣鱼 ——————————————— [14] 49
  多毛栉衣鱼 ———————— [14] 51
蜻科 ——————————————— [14] 52
  红蛉 ——————————————— [14] 52
  夏赤卒 ————————————— [14] 53
蜓科 ——————————————— [14] 54
  大蜻蜓 ————————————— [14] 54
蜚蠊科 ———————————— [14] 55
  美洲大蠊 ——————————— [14] 55
  东方蜚蠊 ——————————— [14] 57
鳖蠊科 ———————————— [14] 59
  地鳖 ——————————————— [14] 59
鼻白蚁科 ———————————— [14] 61
  台湾乳白蚁 ———————— [14] 61
螳螂科 ———————————— [14] 62
  中华大刀螂 ———————— [14] 62
  中华绿螳螂 ———————— [14] 64
斑腿蝗科 ———————————— [14] 66
  中华稻蝗 ——————————— [14] 66
剑角蝗科 ———————————— [14] 67
  中华剑角蝗 ———————— [14] 67
斑翅蝗科 ———————————— [14] 68
  东亚飞蝗 ——————————— [14] 68
蟋蟀科 ———————————— [14] 69
  多伊棺头蟋 ———————— [14] 69
  污褐油葫芦 ———————— [14] 70
  蟋蟀 ——————————————— [14] 71

蝼蛄科 ———————————— [14] 72
  东方蝼蛄 ——————————— [14] 72
  蝼蛄 ——————————————— [14] 73
蝉科 ——————————————— [14] 74
  黑蝉 ——————————————— [14] 74
  鸣蝉 ——————————————— [14] 76
  黑翅红娘子 ———————— [14] 78
蚧科 ——————————————— [14] 80
  白蜡蚧 ————————————— [14] 80
瘿绵蚜科 ———————————— [14] 82
  五倍子蚜 ——————————— [14] 82
  梧蛋蚜 ————————————— [14] 83
兜蝽科 ———————————— [14] 84
  九香虫 ————————————— [14] 84
  小皱蝽 ————————————— [14] 86
刺蛾科 ———————————— [14] 87
  黄刺蛾 ————————————— [14] 87
蚕蛾科 ———————————— [14] 88
  家蚕蛾 ————————————— [14] 88
粉蝶科 ———————————— [14] 90
  白粉蝶 ————————————— [14] 90
凤蝶科 ———————————— [14] 91
  凤蝶 ——————————————— [14] 91
  柑橘凤蝶 ——————————— [14] 92
弄蝶科 ———————————— [14] 93
  香蕉弄蝶 ——————————— [14] 93
灯蛾科 ———————————— [14] 94
  灯蛾 ——————————————— [14] 94
大蚕蛾科 ———————————— [14] 95
  柞蚕 ——————————————— [14] 95
虻科 ——————————————— [14] 97
  华虻 ——————————————— [14] 97
狂蝇科 ———————————— [14] 98
  蜂蝇 ——————————————— [14] 98
丽蝇科 ———————————— [14] 99
  大头金蝇 ——————————— [14] 99

隐翅虫科	[14] 101
多毛隐翅虫	[14] 101

龙虱科	[14] 102
黄边大龙虱	[14] 102
三星龙虱	[14] 103

芫菁科	[14] 104
红头豆芫菁	[14] 104
毛胫豆芫菁	[14] 105
大斑芫菁	[14] 106
芫菁	[14] 107
锯角豆芫菁	[14] 108

天牛科	[14] 109
云斑天牛	[14] 109
橘褐天牛	[14] 111
桑天牛	[14] 113

沟胫天牛科	[14] 114
星天牛	[14] 114

金龟子科	[14] 115
神农蜣螂	[14] 115
屎壳郎	[14] 117

犀金龟科	[14] 118
双叉犀金龟虫	[14] 118

鳃金龟科	[14] 119
暗黑鳃金龟	[14] 119
华北大黑鳃金龟	[14] 120

象虫科	[14] 121
大竹象	[14] 121
竹象鼻虫	[14] 122

蚁科	[14] 123
赤胸多刺蚁	[14] 123

蜾蠃科	[14] 124
蜾蠃	[14] 124

蜜蜂科	[14] 125
东方蜜蜂中华亚种	[14] 125
蜜蜂	[14] 128
意大利蜜蜂	[14] 130

马蜂科	[14] 132
果马蜂	[14] 132

胡蜂科	[14] 133
金环胡蜂	[14] 133

鲟科	[14] 134
中华鲟	[14] 134
达氏鲟	[14] 135

白鲟科	[14] 137
白鲟	[14] 137

鲱科	[14] 138
鲥鱼	[14] 138

鳀科	[14] 139
鲚鱼	[14] 139

鲤科	[14] 140
鲫	[14] 140
金鱼	[14] 141
鲤	[14] 142
三角鲂	[14] 144
翘嘴鲌	[14] 145
青鱼	[14] 146
草鱼	[14] 148
鳡	[14] 149
赤眼鳟	[14] 150
高体鳑鲏	[14] 151
鳙	[14] 152
鲢	[14] 153
翘嘴红鲌	[14] 154
红鳍鲌	[14] 155
厚唇重唇鱼	[14] 156
唇䱻	[14] 157
鲦鱼	[14] 158
鲸	[14] 159
鲈鲤	[14] 160
华鲮	[14] 161
黄尾鲴	[14] 162
银鲴	[14] 163

宽鳍鱲	[14] 164	雨蛙科	[14] 189
鳅科	[14] 165	中国雨蛙	[14] 189
泥鳅	[14] 165	无斑雨蛙	[14] 191
大鳞泥鳅	[14] 166	蛙科	[14] 192
鲿科	[14] 167	沼水蛙	[14] 192
黄颡鱼	[14] 167	泽蛙	[14] 194
鮠鱼	[14] 169	青蛙	[14] 196
鲇科	[14] 170	金线蛙	[14] 198
鲇	[14] 170	虎纹蛙	[14] 199
胡子鲇科	[14] 171	棘胸蛙	[14] 201
胡子鲇	[14] 171	棘腹蛙	[14] 202
鳗鲡科	[14] 172	花臭蛙	[14] 204
鳗鲡	[14] 172	树蛙科	[14] 206
合鳃科	[14] 173	斑腿树蛙	[14] 206
黄鳝	[14] 173	姬蛙科	[14] 208
鮨科	[14] 174	花姬蛙	[14] 208
鳜	[14] 174	蛇蜥科	[14] 210
月鳢科	[14] 176	脆蛇蜥	[14] 210
乌鳢	[14] 176	龟科	[14] 212
塘鳢科	[14] 177	乌龟	[14] 212
沙塘鳢	[14] 177	黄缘闭壳龟	[14] 215
鳢科	[14] 178	平胸龟	[14] 217
月鳢	[14] 178	壁虎科	[14] 220
鲀科	[14] 179	多疣壁虎	[14] 220
弓斑东方鲀	[14] 179	无蹼壁虎	[14] 222
攀鲈科	[14] 180	石龙子科	[14] 223
歧尾斗鱼	[14] 180	中国石龙子	[14] 223
隐鳃鲵科	[14] 181	蓝尾石龙子	[14] 225
大鲵	[14] 181	铜蜓蜥	[14] 226
蝾螈科	[14] 182	游蛇科	[14] 228
东方蝾螈	[14] 182	王锦蛇	[14] 228
中国蝾螈	[14] 183	黑眉锦蛇	[14] 229
蟾蜍科	[14] 184	玉斑锦蛇	[14] 230
中华蟾蜍	[14] 184	紫灰锦蛇	[14] 231
黑眶蟾蜍	[14] 188	双斑锦蛇	[14] 232
		翠青蛇	[14] 233

乌梢蛇	[14] 235	秋沙鸭	[14] 276
赤链蛇	[14] 237	普通秋沙鸭	[14] 277
黄链蛇	[14] 239	麝鸭	[14] 278
草腹链蛇	[14] 240	**鸬鹚科**	[14] 279
灰鼠蛇	[14] 241	鸬鹚	[14] 279
滑鼠蛇	[14] 243	**鹭科**	[14] 280
渔游蛇	[14] 244	白鹭	[14] 280
中国水蛇	[14] 246	大白鹭	[14] 282
眼镜蛇科	[14] 247	牛背鹭	[14] 283
银环蛇	[14] 247	池鹭	[14] 284
金环蛇	[14] 249	**鹰科**	[14] 285
眼镜蛇	[14] 250	苍鹰	[14] 285
眼镜王蛇	[14] 251	鸢	[14] 286
蝰科	[14] 252	金雕	[14] 287
尖吻蝮	[14] 252	白尾海雕	[14] 288
山烙铁头蛇	[14] 254	白尾鹞	[14] 289
竹叶青蛇	[14] 255	鹗	[14] 290
烙铁头	[14] 257	**雉科**	[14] 291
蝮蛇	[14] 258	家鸡	[14] 291
原矛头蝮	[14] 259	鹌鹑	[14] 293
鹛鹛科	[14] 261	灰胸竹鸡	[14] 294
小鹛鹛	[14] 261	白鹇	[14] 295
霸鹟科	[14] 262	环颈雉	[14] 296
红尾伯劳	[14] 262	鹧鸪	[14] 297
鹎鹕科	[14] 263	白腹锦鸡	[14] 298
斑嘴鹈鹕	[14] 263	白颈长尾雉	[14] 299
鸭科	[14] 264	**鸨科**	[14] 300
家鹅	[14] 264	大鸨	[14] 300
鸿雁	[14] 266	**三趾鹑科**	[14] 301
大天鹅	[14] 267	黄脚三趾鹑	[14] 301
赤麻鸭	[14] 268	**鹤科**	[14] 302
绿头鸭	[14] 269	白鹤	[14] 302
家鸭	[14] 270	**鹬科**	[14] 303
豆雁	[14] 272	白腰草鹬	[14] 303
斑嘴鸭	[14] 273	**秧鸡科**	[14] 304
鸳鸯	[14] 274	黑水鸡	[14] 304

鸥科	[14] 305
红嘴鸥	[14] 305
鸠鸽科	[14] 306
家鸽	[14] 306
岩鸽	[14] 307
山斑鸠	[14] 308
灰斑鸠	[14] 310
珠颈斑鸠	[14] 311
戴胜科	[14] 313
戴胜	[14] 313
鸱鸮科	[14] 314
斑头鸺鹠	[14] 314
雕鸮	[14] 315
啄木鸟科	[14] 316
灰头啄木鸟	[14] 316
蚁䴕	[14] 317
棕腹啄木鸟	[14] 318
大斑啄木鸟	[14] 319
燕科	[14] 320
家燕	[14] 320
金腰燕	[14] 321
灰沙燕	[14] 322
椋鸟科	[14] 323
八哥	[14] 323
灰椋鸟	[14] 324
鸦科	[14] 325
喜鹊	[14] 325
大嘴乌鸦	[14] 326
秃鼻乌鸦	[14] 327
寒鸦	[14] 328
河乌科	[14] 329
褐河乌	[14] 329
鹪鹩科	[14] 331
鹪鹩	[14] 331
鹟科	[14] 332
鹊鸲	[14] 332

雀科	[14] 334
麻雀	[14] 334
黄胸鹀	[14] 336
猬科	[14] 337
刺猬	[14] 337
蝙蝠科	[14] 339
东方蝙蝠	[14] 339
山蝠	[14] 341
普通伏翼蝠	[14] 342
蹄蝠科	[14] 343
大马蹄蝠	[14] 343
菊头蝠科	[14] 345
中菊头蝠	[14] 345
猫科	[14] 346
家猫	[14] 346
豹	[14] 348
豹猫	[14] 350
云豹	[14] 352
灵猫科	[14] 353
大灵猫	[14] 353
小灵猫	[14] 355
犬科	[14] 356
狗	[14] 356
狼	[14] 359
豺	[14] 361
貉	[14] 362
赤狐	[14] 363
熊科	[14] 365
黑熊	[14] 365
鼬科	[14] 367
水獭	[14] 367
狗獾	[14] 369
猪獾	[14] 370
黄鼬	[14] 372
鼬獾	[14] 373

马科	[14] 375		豪猪科	[14] 428	
驴	[14] 375		豪猪	[14] 428	
马	[14] 377		河豚科	[14] 430	
骡	[14] 380		白鱀豚	[14] 430	
猪科	[14] 381		鼠河豚科	[14] 431	
猪	[14] 381		江豚	[14] 431	
野猪	[14] 383		兔科	[14] 432	
鹿科	[14] 385		华南兔	[14] 432	
獐	[14] 385		草兔	[14] 434	

矿物   [14] 435

林麝	[14] 387	芒硝	[14] 436	
小鹿	[14] 389	钾硝石	[14] 438	
梅花鹿	[14] 390	滑石	[14] 439	
马鹿	[14] 394	阳起石	[14] 441	
水鹿	[14] 396	蛭石	[14] 443	
毛冠鹿	[14] 397	萤石	[14] 444	
麋鹿	[14] 398	蛇纹石	[14] 446	
牛科	[14] 399	石膏	[14] 447	
水牛	[14] 399	硬石膏	[14] 449	
黄牛	[14] 401	理石	[14] 450	
绵羊	[14] 404	方解石	[14] 451	
山羊	[14] 406	石灰岩	[14] 455	
鬣羚	[14] 409	白云母	[14] 456	
青羊	[14] 411	多水高岭石	[14] 457	
猴科	[14] 413	高岭石	[14] 458	
猕猴	[14] 413	高岭土	[14] 459	
短尾猴	[14] 417	明矾石	[14] 461	
鲮鲤科	[14] 419	石英	[14] 462	
鲮鲤	[14] 419	软锰矿	[14] 464	
松鼠科	[14] 421	赤铁矿	[14] 465	
赤腹松鼠	[14] 421	磁石	[14] 467	
红白鼯鼠	[14] 422	褐铁矿	[14] 469	
竹鼠科	[14] 423	黄铁矿	[14] 471	
中华竹鼠	[14] 423	水绿矾	[14] 473	
鼠科	[14] 425	胆矾	[14] 474	
褐家鼠	[14] 425			
黄胸鼠	[14] 427			

扁青	[14] 475	自然金	[14] 493
氯铜矿	[14] 477	自然银	[14] 495
紫铜矿	[14] 478	水银	[14] 496
菱锌矿	[14] 479	琥珀	[14] 499
砷华	[14] 480	石燕	[14] 500
毒砂	[14] 482	锡石	[14] 502
雄黄	[14] 483	水	[14] 503
雌黄	[14] 485	陈壁土	[14] 504
辰砂	[14] 487	伏龙肝	[14] 505
方铅矿	[14] 489	铁落	[14] 506
自然硫	[14] 491		

中文笔画索引 [14] 507

拉丁学名索引 [14] 581

附录 湖南省中药资源名录 [14] 737

动物

| 钜蚓科 | Megascolecidae | 环毛蚓属 | *Pheretima* |

参环毛蚓
Pheretima aspergillum (E. Perrier)

动物别名	蛐蟮、地龙、曲虫。
药 材 名	地龙（药用部位：全体。别名：广地龙）。
形态特征	圆筒状，口在前端。全体由 100 多体节组成，每节有一环刚毛。生殖环带在第 14 ~ 16 节之间，无节沟，状如指环，雄性生殖孔 1 对，在第 18 节腹面两侧，雌性生殖孔 1，在第 14 节腹面正中央。受精囊孔 3 对，在 6/7、7/8、8/9 3 节间沟的腹面两侧，体背灰紫色。
分布情况	生活于田园、草地潮湿、疏松的泥土中。养殖于菜地、果园、桑园、防空洞等肥沃、保水的土壤中。分布于湖南邵阳（绥宁）等。
资源情况	野生资源稀少。养殖资源丰富。药材来源于养殖。
采收加工	春、夏、秋季捕捉，于温水中洗去黏液，拌入草木灰，待死后剖开腹部，除去内脏和泥土，晒干或烘干。
药材性状	本品为长条状薄片，弯曲，边缘略卷，长 15 ~ 20 cm，宽 1 ~ 2 cm，全体具环节，背部棕褐色至紫灰色，腹部浅黄棕色，第 14 ~ 16 节为生殖环带，较光亮，习称"白颈"。体前端稍尖，尾端钝圆，刚毛圈粗糙而硬，色稍浅，体轻，略呈革质，不易折断，气腥，味微咸。
功能主治	咸，寒。归肝、脾、膀胱经。清热定惊，通络，平喘，利尿。用于高热神昏，惊痫抽搐，关节痹痛，肢体麻木，半身不遂，肺热喘咳，水肿尿少。
用法用量	内服煎汤，5 ~ 10 g。外用捣敷；或研末敷；或化水调敷。

正蚓科 Lumbricidae   异唇蚓属 Allolbophora

缟蚯蚓
Allolobophora caliginosa trapezoids (Duges)

| 动物别名 | 背暗异唇蚓。 |

| 药 材 名 | 地龙（药用部位：全体。别名：土地龙）。 |

| 形态特征 | 体长 100 ~ 270 mm，褐红色，每节有刚毛对，组成不连续的环圈，生殖环带在第 26 ~ 34 节之间，环节在腹面不环合，呈马鞍状，第 9 ~ 11 节间有受精囊孔 2 对。 |

| 分布情况 | 栖息于田地、草地、潮湿疏松的泥土中。养殖于菜地、果园、桑园、防空洞等肥沃、保水的土壤中。分布于湖南邵阳（绥宁）等。 |

| 资源情况 | 野生资源稀少。药材来源于养殖。 |

| 采收加工 | 春、夏、秋季捕捉，于温水中洗去黏液，拌入草木灰，待死后剖开腹部，除去内脏和泥土，晒干或烘干。 |

| 药材性状 | 本品呈弯曲的圆柱形，长 5 ~ 10 cm，直径 0.3 ~ 0.7 cm，外皮灰褐色或灰棕色，多皱缩不平，生殖环带多不明显。体轻脆，易折断，肉薄，中间充满泥土。 |

| 功能主治 | 咸，寒。归肝、脾、膀胱经。清热定惊，通络，平喘，利尿。用于高热神昏，惊痫抽搐，关节痹痛，肢体麻木，半身不遂，肺热喘咳，水肿尿少。 |

| 用法用量 | 内服煎汤，5 ~ 10 g。外用捣敷；或研末敷；或化水调敷。 |

环口螺科 Cyclophoridae 环口螺属 Cyclophorus

褐带环口螺 *Cyclophorus marensianus* (Moellendorff)

| 药 材 名 | 褐带环口螺（药用部位：全体）。 |

| 形态特征 | 贝壳呈圆球形，壳质厚，有 5 螺层。壳面有细的生长线和螺纹，呈浅黄褐色。在体螺层周缘下面有红褐色色带 2。壳口圆形，周缘完整而有折皱，有呈黑色的角质厣遮盖壳口，厣上有同心圆线，脐孔较大，呈洞穴状，壳顶尖，壳高 16 ~ 28 mm，宽 17 ~ 27 mm。 |

| 分布情况 | 生活于潮湿的树林落叶下腐殖质丰富的地方。湖南各地均有分布。 |

| 资源情况 | 野生资源丰富。药材来源于野生。 |

| 采收加工 | 夏、秋季采收，鲜用。 |

| 功能主治 | 咸，平。涩尿，止痢。用于小儿夜尿，尿频，赤白痢疾等。 |

| 用法用量 | 内服煎汤，4 ~ 5 个；或用文火烘烧，或用黄泥包裹入火中煨，待螺肉熟后服用。 |

医蛭科 Hirudinidae 医蛭属 Hirudo

日本医蛭 *Hirudo nipponica* (Whitman)

| 动物别名 | 医用蛭、线蚂蟥、蚂蟥。

| 药 材 名 | 水蛭（药用部位：全体。别名：蛭蛛、至掌、虮）。

| 形态特征 | 体长 30 ~ 50 mm，宽 4 ~ 6 mm。背面呈黄绿色或黄褐色，有 5 黄白色的纵纹，但背部和纵纹的色泽变化很大。背中线的 1 纵纹延伸至后吸盘上。腹面暗灰色，无斑纹。体环数 103。雄性和雌性的生殖孔分别位于 31/32、36/37 环沟间，两孔相间 5 环。阴茎露出时呈细线状。眼 5 对，排列成马蹄形。前吸盘较大，口内有 3 颚，颚脊上有 1 列细齿。后吸盘呈碗状，朝向腹面。

| 分布情况 | 栖息于水田、沟渠中。养殖于水库、稻田、池塘、沼泽等。湖南各地均有分布。

| 资源情况 | 野生资源丰富。药材来源于野生和养殖。

| 采收加工 | 夏、秋季捕捉，洗净，用沸水烫死，晒干或低温干燥。

| 药材性状 | 本品呈扁长圆柱形，体多弯曲扭转，长 2 ~ 5 cm，宽 0.2 ~ 0.3 cm。全体黑棕色，由多数环节构成。背面黑褐色，稍隆起，腹面灰褐色，背面与腹面均有细密横环纹。切面灰白色至棕黄色，胶质状。质脆。气微腥。

| 功能主治 | 苦、咸，平；有小毒。归肝经。破血通经，逐瘀消癥。用于血瘀经闭，癥瘕痞块，中风偏瘫，跌打损伤，无名肿毒，肝积，胁痛等；外用于痈肿，丹毒。

| 用法用量 | 内服煎汤，1 ~ 3 g。外用适量，捣敷。

黄蛭科 Haemopidae 金线蛭属 *Whitmania*

宽体金线蛭 *Whitmania pigra* (Whitman)

| **动物别名** | 蚂蟥、水蛭。 |

| **药 材 名** | 水蛭（药用部位：全体。别名：蛭蝚、至掌、虮）。 |

| **形态特征** | 体较其他蛭类大，成体长 60 ~ 120 mm，宽 13 ~ 14 mm。背面通常呈暗绿色，有黑色和淡黄色斑纹间杂排列而成的 5 纵纹。腹面两侧各有 1 淡黄色纵纹，其余部分灰白色，杂有茶褐色斑点。体环数 107，前吸盘小。腭齿不发达。不吸血。雄、雌生殖孔分别位于 33/34、38/39 环沟间。 |

| **分布情况** | 栖息于有机质丰富的池塘或无污染的水田、河流、湖泊等。养殖于水库、稻田、沼泽、池塘等。湖南各地均有分布。 |

| **资源情况** | 野生资源丰富。药材来源于野生和养殖。 |

| **采收加工** | 夏、秋季捕捉，洗净，用沸水烫死，晒干或低温干燥。 |

| **药材性状** | 本品呈扁平纺锤形，有多数环节，略弯曲，长 4 ~ 10 cm，宽 0.5 ~ 2 cm。背部黑褐色或黑棕色，稍隆起，用水浸后可见由黑色斑点排成的 5 纵纹；腹部平坦，两侧棕黄色，前端略尖，后端钝圆，两端各具 1 吸盘，前吸盘不显著，后吸盘较大。质脆，易折断，断面胶质状。气微腥。 |

| **功能主治** | 苦、咸，平；有小毒。归肝经。破血通经，逐瘀消癥。用于血瘀经闭，癥瘕痞块，中风偏瘫，跌打损伤，无名肿毒，肝积，胁痛等；外用于痈肿，丹毒。 |

| **用法用量** | 内服煎汤，3 ~ 9 g；或入丸、散剂，0.5 ~ 1.5 g，大剂量可用至 3 g。外用适量，捣敷。 |

黄蛭科 Haemopidae 金线蛭属 *Whitmania*

光润金线蛭 *Whitmania laevis* (Baird)

药 材 名	水蛭（药用部位：全体。别名：蚂蟥）。
形态特征	本种与宽体金线蛭体形近似，但较小，体长一般为 32 ～ 81 mm，体宽 5 ～ 12 mm。背部榄绿色或棕色，有由黄斑组成的 5 纵纹，中间 1 纵纹较宽。体的正侧面有 2 淡黄色的带。腹面两侧有 2 纵行黑褐色斑点，腹面有零星分布的黑褐色斑点，但斑点排列不规则，第 13、14 环在腹面有环沟。雄性生殖孔位于第 34 环的中部，雌性生殖孔位于第 39 环的中部或前半部，两孔间有 5 环。
分布情况	栖息于稻田、田间水沟等水体中。养殖于水库、稻田、沼泽、池塘等。湖南各地均有分布。
资源情况	野生资源丰富。药材来源于野生和养殖。
采收加工	夏、秋季捕捉，洗净，用沸水烫死，晒干或低温干燥。
功能主治	苦、咸，平；有小毒。归肝经。破血通经，逐瘀消癥。用于血瘀经闭，癥瘕痞块，中风偏瘫，跌打损伤，无名肿毒，肝积，胁痛等；外用于痈肿，丹毒。
用法用量	内服煎汤，3 ～ 9 g；或入丸、散剂，0.5 ～ 1.5 g，大剂量可用至 3 g。外用适量，捣敷。

田螺科 Viviparidae 圆田螺属 Cipangopaludina

中华圆田螺 *Cipangopaludina cathayensis* (Heude)

| 动物别名 | 螺蛳、蜗螺牛。

| 药 材 名 | 田螺（药用部位：全体）、田螺壳（药用部位：贝壳）、田螺厣（药用部位：厣）。

| 形态特征 | 成体壳高约 50 mm，壳宽约 35 mm，呈卵圆形，质薄而坚固。螺层 6~7，各螺层的宽度增长迅速，壳面膨胀。缝合线明显。螺旋部稍短而宽，体螺层极膨大。壳顶尖锐，壳面呈绿褐色或黄褐色，壳口卵圆形，周缘常具有黑色框边，外唇简单，内唇肥厚，遮盖脐孔，脐孔呈缝状。厣角质，为黄褐色卵圆形薄片，具有明显的同心圆生长线，带核位于内唇中央。

| 分布情况 | 栖息于池塘、湖泊、水田及小溪中。养殖于稻田、浅水沟、低洼地

等湿地。湖南各地均有分布。

| **资源情况** | 野生资源丰富。药材来源于野生和养殖。

| **采收加工** | 田螺：春季至秋季捕捉，洗净，鲜用。
田螺壳：捕捉后洗净，除去肉，晒干。
田螺厣：捕后放入沸水中，取厣，晒干。

| **药材性状** | 田螺：参见 | **形态特征** | 项。
田螺壳：本品呈长圆锥形或卵圆形，有 6 ~ 7 螺层。表面黄褐色，壳口卵圆形，周缘有黑色框边。质薄而坚实。
田螺厣：本品为卵圆形薄片。表面黄褐色，有环纹。角质，质坚韧，不易折断。

| **功能主治** | 田螺：甘、咸，寒。清热利水，止咳，解毒。用于小便赤涩，目赤肿痛，黄疸，脚气，水肿，消渴，痔疮，疔疮肿毒。
田螺壳：甘，平。归胃、大肠、小肠经。和胃，收敛。用于反胃吐食，胃脘疼痛，泄泻，便血，疮疡脓水淋漓，子宫脱垂。
田螺厣：甘，平。祛翳明目。用于目翳。

| **用法用量** | 田螺：内服煎汤，3 ~ 5 个；或煅存性，研末。外用适量，捣敷。
田螺壳：内服煅研为末，3 ~ 6 g。外用适量，研末调敷。
田螺厣：外用适量，煅存性，研极细末，点眼。

田螺科 Viviparidae 圆田螺属 Cipangopaludina

中国圆田螺 *Cipangopaludina chinensis* (Gray)

动物别名	螺蛳、蜗螺牛。
药材名	田螺（药用部位：全体）、田螺壳（药用部位：贝壳）、田螺厣（药用部位：厣）。
形态特征	贝壳巨大，成体壳高可达 60 mm，壳宽约 40 mm，呈圆锥形，壳薄而坚固。螺层 6 ~ 7，各螺层高度、宽度增长迅速，壳面凸。缝合线极明显。螺旋部高起，呈圆锥形，其高度大于壳口高度，壳顶尖锐，体螺层膨大。贝壳表面光滑，无肋，具有细密而明显的生长线，有时体螺层具褶襞。壳面呈黄褐色或绿褐色，壳口呈卵圆形，上方有 1 锐角，周缘具有黑色框边，外唇简单，内唇上方贴覆于体螺层上，部分或全部遮盖脐孔。脐孔呈缝状。厣角质，为黄褐色卵圆形薄片，具有明显的同心圆生长线，厣核位于内唇中央。
分布情况	栖息于水草茂盛的湖泊、水库、河沟、池塘及水田内。养殖于稻田、浅水沟、低洼地等湿地。湖南各地均有分布。
资源情况	野生资源丰富。药材来源于野生和养殖。
采收加工	同"中华圆田螺"。
药材性状	同"中华圆田螺"。
功能主治	同"中华圆田螺"。
用法用量	同"中华圆田螺"。

田螺科 Viviparidae 环棱螺属 Bellamya

方形环棱螺 *Bellamya guadrata* (Benson)

| 动物别名 | 金螺、石螺、湖螺。

| 药 材 名 | 螺蛳（药用部位：全体）、白螺蛳壳（药用部位：贝壳）。

| 形态特征 | 贝壳中等大小，全体呈长圆锥形。壳高 26～30 mm，壳宽 14～17 mm，壳质厚，极坚固。螺层 7 层，自上而下缓慢、均匀地增长。缝合线极清晰。壳塔高，呈长圆锥形，其高度约等于壳高的 2/3。壳顶尖，各螺层壳面平直，体螺层亦不膨胀。壳表面绿褐色或黄褐色，具有细密而明显的生长线及螺棱，体螺层上的螺棱较粗而显著。壳口呈卵圆形，上方有 1 锐角，周缘完整，外唇简单，内唇肥厚，上方贴覆于体螺层上。厣角质，卵圆形，较薄，表面黄褐色，具有同心圆生长线，厣核略靠近内唇中央。脐孔不明显。

| **分布情况** | 栖息于腐殖质丰富的浅水水域。养殖于池塘等。湖南各地均有分布。

| **资源情况** | 野生资源丰富。药材来源于野生和养殖。

| **采收加工** | **螺蛳**：全年均可采收，洗净，鲜用。
白螺蛳壳：全年均可采收，洗净，晒干。

| **药材性状** | **螺蛳**：参见 | **形态特征** | 项。
白螺蛳壳：本品为不规则的碎片，大小不一，向内卷曲或呈螺旋状。外表面灰白色或黄白色。质坚硬，断面不平坦，角质样，灰白色。气微，味淡。

| **功能主治** | **螺蛳**：咸，寒。清热化痰，软坚散结，制酸止痛，生肌敛疮。用于痰热咳嗽，瘰疬，吞酸，溃疡，脱肛，烫伤等。
白螺蛳壳：甘、淡，平。化痰，散结，止痛，敛疮。用于痰热咳嗽，反胃，胃痛，吞酸，瘰疬，溃疡，烫火伤。

| **用法用量** | **螺蛳**：内服煎汤，5 ~ 15 g。外用适量。
白螺蛳壳：内服研末，5 ~ 15 g；或入丸剂。外用适量，研末撒或调敷。

田螺科 Viviparidae 环棱螺属 Bellamya

梨形环棱螺 *Bellamya purificata* (Heude)

动物别名	螺蛳、豆田螺、石螺。
药 材 名	螺蛳（药用部位：全体。别名：蜗螺、师螺）。
形态特征	贝壳较方形环棱螺粗大，成体壳高 37 mm 左右，呈梨形，壳质厚，坚实。螺层 6 ~ 7，各螺层膨胀，螺旋部呈宽圆锥形。缝合线明显，壳面较光滑，呈黄棕色或黄绿色，在体螺层上及倒数第 2 螺层上常具 3 ~ 4 棱，体螺层上的螺棱甚明显。壳口呈卵圆形，常具有黑色框边，上方有 1 锐角，外唇简单，内唇肥厚，上方外折贴覆于体螺层上，脐孔明显。厣为黄褐色的卵圆形薄片。
分布情况	栖息于湖泊、河流及池塘底层或水草上。养殖于池塘等。湖南各地均有分布。
资源情况	野生资源丰富。药材来源于野生和养殖。
采收加工	全年均可捕捉，洗净，鲜用。
功能主治	甘，寒。清热，利水，明目。用于黄疸，水肿，淋浊，消渴，痢疾，目赤翳障，痔疮，肿毒等。
用法用量	内服煎汤，20 个；或煮食；或捣汁饮。外用适量，捣敷。

肋齿螺科 Pleurodontidae 坚螺属 Camaena

皱巴坚螺 *Camaena cicatricose* (Müller)

动物别名	天螺、圆螺。
药材名	皱巴坚螺（药用部位：贝壳）。
形态特征	壳体呈扁圆球形，左旋，较大，高约 3.5 cm，宽约 5 cm，壳质厚。螺层 5.5，前几个螺层增长较快，略凸出，螺旋部呈拱状，体螺层上部平坦，下部膨胀，靠近壳口的体螺层周缘有钝的龙骨突起。壳面呈黄褐色，有多条栗色色带，其中体螺层周缘下方 1 色带较宽，并有较粗的生长线。壳顶钝。缝合线浅。壳口呈半月形，口缘锋利，向外折，呈白瓷色，轴缘外折，将脐孔遮盖一半，内唇贴覆于体螺层上而形成透明、光滑的胼胝部。脐孔宽大，呈圆形。
分布情况	生活于山区、丘陵附近潮湿的树林、灌丛、石块下、芭蕉丛、石灰岩洞穴或缝隙及田埂边。湖南各地均有分布。
资源情况	野生资源丰富。药材来源于野生。
采收加工	春、秋季采捕，捕得后于沸水中略煮，除去肉，取贝壳晒干。
功能主治	苦，温。归心经。收敛止血，解毒消疮，滋阴壮阳。用于咯血，吐血，衄血，尿血，便血，崩漏，痈疽疮疡，腰膝酸软，阳痿，遗精，白带过多等。
用法用量	内服适量，煎汤。外用适量，研末调敷；或煅酥研末撒。

蛞蝓科 Limacidae 野蛞蝓属 Agriolimax

野蛞蝓 *Agriolimax agrcstis* (Linnaeus)

| **动 物 别 名** | 鼻涕虫、土蜗。

| **药 材 名** | 蛞蝓（药用部位：全体）。

| **形 态 特 征** | 虫体伸直时呈长梭形，长 3 ～ 6 cm，宽 0.4 ～ 0.6 cm，柔软、光滑而无外壳。体表暗黑色、暗灰色、黄白色或灰红色，有的个体具浅而不明显的暗条纹或斑点。触角 2 对，暗黑色，下面 1 对为前触角，长约 1 mm，上面 1 对为后触角，长约 4 mm，端部具眼。口腔内有角质齿舌。体背前端具外套膜，外套膜长为体长的 1/3，边缘卷起，其内有退化的贝壳（即盾板），盾板长约 0.4 cm，宽约 0.2 cm，上有明显的同心圆生长线，同心圆生长线中心在外套膜后端偏右。呼吸孔在体右侧前方，其上有细小的色线环绕。嵴钝。黏液无色。右触角后方约 2 mm 处有生殖孔。雌雄同体，异体受精，亦可同体受精。阴茎单一，先端具短而不分支的附属物 1。

| **分 布 情 况** | 生活于阴暗潮湿、腐殖质丰富的地方。湖南各地均有分布。

| **资 源 情 况** | 野生资源丰富。药材来源于野生。

| **采 收 加 工** | 夏季于潮湿阴暗处捕捉，鲜用。

| **药 材 性 状** | 参见 | **形态特征** | 项。

| **功 能 主 治** | 咸，寒。祛风定惊，清热解毒，消肿止痛。用于中风㖞僻，筋脉拘挛，惊痫，气喘，咽肿，喉痹，痈肿，丹毒，痰核，痔疮肿痛，脱肛等。

| **用 法 用 量** | 内服焙干研末或研烂为丸，2 ～ 3 条。外用研末调敷，5 ～ 10 条；或捣敷。

蛞蝓科 Limacidae 蛞蝓属 Limax

黄蛞蝓 *Limax flavus* (Linnaeus)

| 动物别名 |

鼻涕虫。

| 药 材 名 |

蛞蝓（药用部位：全体）。

| 形态特征 |

无外壳，体呈不规则圆柱形，柔软，体前端宽大，后端狭小，尾部具有短的尾嵴，最大者活动时体长可达 12 cm，体宽为 1.2 cm。全体黄褐色或深橙色，具有淡黄色斑点，靠近足部两侧的颜色较浅，跖足为淡黄色。头部具有 2 对浅蓝色的触角，大触角先端具眼点。身体背部前端 1/3 处有椭圆形的外套膜，其前半部呈游离状态，背面具有同心圆折皱。外套膜内为薄而透明的椭圆形石灰质内壳。

| 分布情况 |

生活于阴暗潮湿、腐殖质丰富的地方。湖南各地均有分布。

| 资源情况 |

野生资源丰富。药材来源于野生。

| **采收加工** | 夏季于潮湿阴暗处捕捉，鲜用。

| **药材性状** | 参见 | **形态特征** | 项。

| **功能主治** | 咸，寒。祛风定惊，清热解毒，消肿止痛。用于中风㖞僻，筋脉拘挛，惊痫，气喘，咽肿，喉痹，痈肿，丹毒，痰核，痔疮肿痛，脱肛等。

| **用法用量** | 内服焙干研末或研烂为丸，2～3条。外用研末调敷，5～10条；或捣敷。

| 嗜黏液蛞蝓科 | Philomycidae | 嗜黏液蛞蝓属 | Philomycus

双线嗜黏液蛞蝓 *Philomycus bilineatus* (Benson)

| 药 材 名 | 蛞蝓（药用部位：全体）。

| 形态特征 | 体柔软，裸露，外套膜覆盖全身，仅露出足的前端。体表灰白色或淡黄色,并有黑色斑点。背中及身体两侧各有1黑色长纵带。触角2对，前对短，后对长。尾部有1嵴状突起，肠面亦具有黏液腺。伸展时体长为 35 ~ 37 mm，体宽为 6 ~ 7 mm。

| 分布情况 | 生活于农田、住宅附近的石块下、落叶下或草丛等。湖南各地均有分布。

| 资源情况 | 野生资源丰富。药材来源于野生和养殖。

| 采收加工 | 夏季于潮湿阴暗处捕捉，鲜用。

| 药材性状 | 参见 | 形态特征 | 项。

| 功能主治 | 咸，寒。祛风定惊，清热解毒，消肿止痛。用于中风㖞僻，筋脉拘挛，惊痫，气喘，咽肿，喉痹，痈肿，丹毒，痰核，痔疮肿痛，脱肛等。

| 用法用量 | 内服焙干研末或研烂为丸，2 ~ 3 条。外用研末调敷，5 ~ 10 条；或捣敷。

巴蜗牛科 Bradybaenidae 缓行螺属 Bradybaena

同型巴蜗牛
Bradybaena similaris (Ferussac)

| 动物别名 | 牛螺、蜗蠃、天螺蛳。 |

| 药 材 名 | 蜗牛（药用部位：全体或贝壳）。 |

| 形态特征 | 贝壳扁球形，高约 1.2 cm，宽约 1.5 cm，壳质厚，坚实。壳体有 5～6 螺层，顶部几个螺层增长缓慢，略膨胀，螺旋部低矮，体螺层增长迅速。壳顶钝。缝合线深。壳面呈黄褐色或红褐色，有稠密而细致的生长线。体螺层周缘或缝合线处常有 1 暗褐色带。壳口呈马蹄形，口缘锋利，轴缘外折，遮盖部分脐孔。脐孔小而深，呈洞穴状。个体形态变异较大。 |

| 分布情况 | 生活于潮湿的灌丛、草丛、田埂、乱石堆、枯枝落叶下、作物根际土块中，以及温室、菜窖、畜圈附近。湖南各地均有分布。 |

| 资源情况 | 野生资源丰富。药材来源于野生。 |

| 采收加工 | 夏、秋季捕捉，静养使其排出粪便，洗净，用沸水烫死，晒干或鲜用。 |

| 药材性状 | 本品螺壳直径约 1 cm，外面灰褐色，有光泽，质脆，易碎。破碎者内部为乳白色。以完整不破碎、干净无泥者为佳。 |

| 功能主治 | 咸，寒；有小毒。清热解毒，镇惊消肿。用于风热惊痫，小儿脐风，消渴，喉痹，疟腮，瘰疬，痈肿，丹毒，痔疮，脱肛，蜈蚣咬伤。 |

| 用法用量 | 内服煎汤，30～60 g；或捣汁；或焙干研末。外用鲜品 30～100 g，捣敷；或焙干，研末调敷。 |

巴蜗牛科 Bradybaenidae 缓行螺属 Bradybaena

江西巴蜗牛
Bradybaena kingsiensis (Martens)

动物别名	土牛、蜒蚰螺、天螺。
药 材 名	蜗牛（药用部位：全体或贝壳）。
形态特征	贝壳圆锥形，较大，高度和宽度均为 3 cm。壳质厚，坚固。壳体有 6 ~ 6.5 螺层。缝合线深。壳顶尖。前几螺层缓慢增长，略膨胀；体螺层特别膨大。壳面呈琥珀色或黄褐色，有光泽，有稠密细微的生长线和折皱。体螺层中部有 1 红褐色色带环绕。壳口呈椭圆形，口缘完整而锋利，略外折，轴缘在脐孔处外折，略遮盖脐孔。脐孔洞穴状。
分布情况	生活于树林中、石块下、芭蕉丛中、石灰岩洞里、山区草丛中。湖南各地均有分布。
资源情况	野生资源丰富。药材来源于野生和养殖。
采收加工	春季至秋季捕捉，晒干或鲜用。
药材性状	同"同型巴蜗牛"。
功能主治	同"同型巴蜗牛"。
用法用量	同"同型巴蜗牛"。

巴蜗牛科 Bradybaenidae 蜗牛属 *Fruticicola*

灰蜗牛 *Fruticicola ravida* (Benson)

| 动物别名 | 水牛、蜒蚰螺。

| 药 材 名 | 蜗牛（药用部位：全体或贝壳）。

| 形态特征 | 贝壳形状多变，呈盘形或锥形。壳口无突起，壳面常有彩色带。生殖器官特殊，有恋矢囊，内有石灰质恋矢及呈圆形或棒状的黏液腺。阴茎常有鞭状器。幼体长仅 2 mm，需要 8 个月左右的时间长成成体。成体一般长 30 mm，最长可达 36 mm。螺层 5 ~ 6。

| 分布情况 | 生活于阴暗潮湿、土壤疏松、腐殖质丰富的环境中。湖南各地均有分布。

| 资源情况 | 野生资源丰富。药材来源于野生。

| 采收加工 | 同"同型巴蜗牛"。

| 药材性状 | 同"同型巴蜗牛"。

| 功能主治 | 同"同型巴蜗牛"。

| 用法用量 | 同"同型巴蜗牛"。

巴蜗牛科 Bradybaenidae 华蜗牛属 Cathaica

条华蜗牛
Cathaica fasciola (Draparnaud)

| 药 材 名 | 蜗牛（药用部位：全体或贝壳）。 |

| 形态特征 | 贝壳低矮圆锥形，中等大小，高约 1 cm，宽约 1.5 cm，壳面黄褐色或黄色，壳质薄而坚实。壳体有 5 ~ 5.5 螺层，螺旋部低矮，略呈圆盘状。壳顶尖。缝合线明显。体螺层极膨大，周缘具有 1 淡褐色色带，各螺层下部靠近缝合线处也有一颜色较浅的色带。壳口椭圆形，其内有 1 白色瓷状肋。脐孔呈洞穴状。 |

| 分布情况 | 生活于灌丛、草丛、石块下或石缝中。 湖南有分布。 |

| 资源情况 | 野生资源稀少。药材来源于野生。 |

| 采收加工 | 同"同型巴蜗牛"。 |

| 药材性状 | 同"同型巴蜗牛"。 |

| 功能主治 | 同"同型巴蜗牛"。 |

| 用法用量 | 同"同型巴蜗牛"。 |

蚌科 Unionidae 冠蚌属 Cristaria

褶纹冠蚌 *Cristaria plicata* (Leach)

| **动物别名** | 湖蚌、燕蛤蜊、大江贝。

| **药 材 名** | 珍珠（药用部位：受刺激而形成的含碳酸钙的矿物珠粒）、珍珠母（药用部位：贝壳）。

| **形态特征** | 贝壳巨大，较坚厚，外形略似不等边三角形。贝壳前部短而低，前背缘具有不明显的冠突；后部长而高，后背缘向上斜出伸展而成为大型的冠，后背部自壳顶起向后有逐渐粗大的纵肋；后缘圆，腹缘长，近直线状。壳顶位于距前端壳的约1/6处，生长纹为同心圆肋脉。背缘冠常残缺，易折断。壳表面黄绿色至黑褐色，从壳顶到腹缘均具绿色或黄色辐射带。韧带粗大，位于冠的基部，在贝壳外部不易看到。左、右两壳无主齿，均具有高大的后侧齿及细弱的前侧齿，后侧齿的下方具有与壳面相应的纵肋与凹沟。前闭壳肌痕大，呈楔形。伸足肌痕小，亦呈楔形，前缩足肌痕小而深，后闭壳肌痕大而浅，外套膜肌痕宽。珍珠层上半部多呈肉红色，下半部多呈淡蓝色，并具有珍珠光泽。

| **分布情况** | 栖息于水流较缓或静水的河流、湖泊、沟渠及池塘等大、中、小水体的泥底或泥沙底中。湖南各地均有分布。

| **资源情况** | 野生资源丰富。药材来源于野生和养殖。

| **采收加工** | **珍珠：** 秋季捕取养殖2～3年的珍珠母蚌，剪断前、后闭壳肌，用手指捏出外套膜上的珍珠，先用清水洗涤，然后混入少量食盐，用布擦去珠面的体液和污物，接着用肥皂水洗涤，再用清水洗净，最后用柔软的绒布或纱布打光。
珍珠母： 全年均可采收，除去泥土，放入碱水中煮，再放入淡水中浸洗，取出后刮去外层黑皮，晒干或烘干。

| **药材性状** | **珍珠**：本品呈圆球形、矩圆形或不规则球形，直径 1 ~ 6 mm。表面半透明状，呈银白色、黄白色、淡粉红色或浅蓝色，光滑圆润，具特有的色彩和光泽。质坚硬，破碎后断面具同心层纹，有的中心部位有少许异物存在。用火烧之有爆裂声。在紫外线灯照射下可见浅蓝紫色或浅绿黄色荧光，外周呈半透明状。无臭，味微咸。以粒大、形圆、珠光闪耀、平滑细腻、断面有层纹者为佳。

珍珠母：本品呈不等边三角形，后背缘向上伸展成大型的冠，壳内面外套痕略明显，前闭壳肌痕大，呈楔形，后闭壳肌痕呈不规则圆形，后侧齿下方有与壳面相应的纵肋或凹沟，左、右壳均具一短而略粗的后侧齿及一细弱的前侧齿，均无拟主齿。

| **功能主治** | **珍珠**：安神镇静，清热明目，收敛生肌。用于热病惊痫，烦渴不眠，咽喉肿痛，口舌生疮，溃疡不敛，目赤翳障，肌肤粗裂等。

珍珠母：平肝息风，益阴潜阳，定惊止血。用于癫狂惊痫，头目眩晕，心悸，耳鸣，吐血，衄血，崩漏，翳障等。

| **用法用量** | **珍珠**：内服煎汤，0.5 ~ 1 g。
珍珠母：内服煎汤，15 ~ 50 g。

蚌科 Unionidae 帆蚌属 Hyriopsis

三角帆蚌 *Hyriopsis cumingii* (Lea)

| 动物别名 | 大燕蛤蜊。

| 药 材 名 | 珍珠（药用部位：受刺激而形成的含碳酸钙的矿物珠粒）、珍珠母（药用部位：贝壳）。

| 形态特征 | 贝壳大而扁平，略呈三角形，壳质重厚而坚硬。后背缘向上扩展成三角帆状翼，此翼脆弱，易折断，腹缘近直线，略呈弧形。壳外面不平滑，壳顶部有粗大的肋脉。生长线同心环状排列，距离宽。后背区有由结节状大突起组成的斜行粗肋 2。壳内面平滑，珍珠层为乳白色。左壳有不同大小的拟主齿 2 及长侧齿 2，右壳亦有 2 拟主齿和 1 大侧齿。

| 分布情况 | 栖息于常年不干涸的大、中型湖泊及河流内。湖南各地均有分布。

| 资源情况 | 野生资源丰富。药材来源于野生和养殖。

| 采收加工 | **珍珠**：同"褶纹冠蚌"。
珍珠母：本品略呈不等边四角形，壳面生长轮呈同心型排列，后背缘向上凸起，形成大的三角形帆状后翼。壳内面外套痕明显，前闭壳肌痕呈卵圆形，后闭壳肌痕略呈三角形，左右壳均具 2 拟主齿，左壳具 2 长条形侧齿，右壳具 1 长条形侧齿。具光泽。质坚硬。气微腥，味淡。

| 药材性状 | 同"褶纹冠蚌"。

| 功能主治 | 同"褶纹冠蚌"。

| 用法用量 | 同"褶纹冠蚌"。

蚌科 Unionidae 楔蚌属 Cuneopsis

圆头楔蚌 *Cuneopsis heudei* (Heude)

| 动物别名 | 老窝贼、条梗、阿氏楔蚌。

| 药材名 | 珍珠母（药用部位：贝壳）。

| 形态特征 | 贝壳中等大小，壳长 80 mm，壳高 33 mm，壳宽 25 mm。壳质厚而坚固，两侧不对称，前部宽而圆，从壳顶向后宽度与高度均逐渐变小，至后部窄尖，呈楔形。壳顶肥大，高出背缘之上，并稍向前倾，左、右两壳顶紧接在一起，位于距前端壳长的 1/7 处。壳前部膨胀，前缘钝圆，后部膨胀度较小，背缘呈截状，腹缘稍弯曲，伸长成锐角。壳顶常被腐蚀，具有 3 ~ 4 粗肋，壳面具有较细致的同心圆生长线，在壳后生长线略弯向背缘。壳面呈灰褐色或黑褐色，无光泽。

| 分布情况 | 生活于河流及湖泊内的泥沙底或泥底。湖南各地均有分布。

| 资源情况 | 野生资源稀少。药材来源于野生。

| 采收加工 | 全年均可采收，洗净，晾干。

| 药材性状 | 本品呈不等边三角形，后背缘向上伸展成大型的冠，壳内面外套痕略明显，前闭壳肌痕大，呈楔形，后闭壳肌痕呈不规则圆形，后侧齿下方有与壳面相应的纵肋或凹沟，左、右壳均具一短而略粗的后侧齿及一细弱的前侧齿，均无拟主齿。

| 功能主治 | 平肝息风，益阴潜阳，定惊止血。用于癫狂惊痫，头目眩晕，心悸，耳鸣，吐血，衄血，崩漏，翳障等。

| 用法用量 | 内服煎汤，15 ~ 50 g。

蚌科 Unionidae 无齿蚌属 Anodonta

背角无齿蚌
Anodonta woodiana woodiana (Lea)

| **动物别名** | 蛤蜊、河蛤蜊、河蚌。 |

| **药材名** | 珍珠母（药用部位：贝壳）。 |

| **形态特征** | 贝壳略呈卵圆形，稍有角突，壳长约为壳高的 1.5 倍，前端稍圆，后部略呈斜切状，腹缘呈弧形。壳顶位于背缘中央稍前方，前背缘比后背缘短。后背部有自壳顶射出的 3 粗肋脉。壳面绿褐色，平滑，有环形细肋脉，壳顶具略呈同心圆的 4 ~ 6 肋脉。无铰合齿。闭壳肌痕长椭圆形，大而浅。壳内面珍珠层乳白色，有强光泽，边缘部青灰色。 |

| **分布情况** | 多栖息于淤泥底或静水水域内。湖南各地均有分布。 |

| **资源情况** | 野生资源丰富。药材来源于野生。 |

| **采收加工** | 同"圆头楔蚌"。 |

| **药材性状** | 同"圆头楔蚌"。 |

| **功能主治** | 同"圆头楔蚌"。 |

| **用法用量** | 同"圆头楔蚌"。 |

蚌科 Unionidae 珠蚌属 Unio

圆顶珠蚌 *Unio douglasise* (Gray)

药 材 名	土牡蛎（药用部位：贝壳）。
形态特征	贝壳不大，长椭圆形，长度为高度的 2 倍。前部钝圆，后部伸长，末端稍窄扁。壳面生长线粗大，呈同心圆状。铰合部发达，左壳有 2 拟主齿和 2 长侧齿，1 拟主齿向前伸，1 拟主齿在壳顶下方，右壳有 2 拟主齿和 1 长大侧齿，前方的拟主齿极小。
分布情况	生活于河流及湖泊内。湖南有分布。
资源情况	野生资源稀少。药材来源于野生。
采收加工	秋季捞取，除去软体部分，晒干。
药材性状	本品呈半椭圆形或船形，因久为河水冲击及泥水覆盖，多显枯松状态。壳片沉重厚实，腹面边缘较薄，顶部较厚。外表面棕褐色或灰棕色，角质层多已剥落，呈粉灰状，剥落处显出银白色内层；角质层质地较光滑，并有较细的环纹；内表面银白色，有光泽，附有白色粉霜，细致，易粘手。质坚硬，击碎后断面起层。嗅之略有石灰气味。以色白、壳厚实沉重、表面具粉霜、有光泽者为佳。
功能主治	涩，微寒。固精敛汗，散结软坚。用于盗汗遗精，红崩白带，瘰疬结核，虚热外浮，头晕烦躁等。
用法用量	内服煎汤，10 ~ 20 g；或入丸、散剂。
附 注	本种为中国特有种。

蚌科 Unionidae **矛蚌属** *Lanccolaria*

短褶矛蚌 *Lanccolaria grayana* (Lea)

| **动物别名** | 长蚌、盐条子。

| **药 材 名** | 马刀（药用部位：贝壳）。

| **形态特征** | 贝壳较大或中等大小，壳长可达 170 mm，壳高 44 mm，壳宽 39 mm，略膨胀，两侧不对称，呈长矛形，壳质厚，坚固。壳顶稍膨胀，低于背缘，靠近前端，经常被腐蚀。前缘钝圆，前背缘直，后背缘在全壳的 1/2 处逐渐向下倾斜，腹缘直，背腹缘几乎平行，腹缘中部稍凹，后缘略圆，呈锐角。小月面长，发达。壳面灰褐色，生长轮脉细致，贝壳中部生长轮脉间具有许多排列整齐、粗短颗粒形的纵褶，壳顶处有锯齿状纵褶，因此称为"短褶矛蚌"。铰合部发达，左壳具有略呈三角锥形的拟主齿 2、长刃状侧齿 2，右壳有拟主齿 2、侧齿 1。

| **分布情况** | 栖息于河流、湖泊及池塘内。湖南有分布。

| **资源情况** | 野生资源稀少。药材来源于野生。

| **采收加工** | 秋季捞取，除去软体部分，晒干。

| **功能主治** | 辛，微寒；有毒。消瘿，止带，通淋。用于瘿气，淋病，妇女赤白漏下。

| **用法用量** | 内服煎汤，5 ~ 15 g。

蚌科 Unionidae 楔蚌属 Cuneopsis

巨首楔蚌 *Cuneopsis capitata* (Heude)

| 动物别名 | 老鸦嘴。

| 药 材 名 | 马刀（药用部位：贝壳）。

| 形态特征 | 贝壳中等大小，一般壳长 50 ~ 80 mm，壳高 22 ~ 40 mm，壳宽 18 ~ 30 mm，前部极膨大，向后部高度及宽度急剧变小，呈长三角状楔形，壳质厚而坚硬。前端圆，极短，膨大，背缘向下倾斜，呈斜截状，前腹缘圆，腹缘弯，后背缘与后腹缘相连成 1 尖锐角。贝壳前端膨大，膨大处的后部有凹痕，凹痕略位于壳中部。壳顶位于贝壳近前端，膨大，高出背缘，经常被腐蚀。壳面呈棕褐色，有光泽，具有同心圆生长纹，后端弯向背缘。铰合部发达，左壳具有 2 拟主齿及 2 侧齿，前拟主齿呈片状且与壳前背缘平行，后拟主齿大且高起，呈三角锥形，顶部具有细裂纹，右壳具有 1 高大的三角形前拟主齿及 1 长侧齿。

| 分布情况 | 栖息于河流及湖泊内。湖南各地均有分布。

| 资源情况 | 野生资源丰富。药材来源于野生。

| 采收加工 | 秋季捞取，除去软体部分，晒干。

| 功能主治 | 辛，微寒；有毒。消瘿，止带，通淋。用于瘿气，淋病，妇女赤白漏下。

| 用法用量 | 内服煎汤，5 ~ 15 g。

蚬科 Corbiculidae 蚬属 Corbicula

河蚬
Corbicula fluminca (Muller)

动物别名	扁螺、黄蚬、沙蜊。
药 材 名	蚬肉（药用部位：肉）、蚬壳（药用部位：贝壳）。
形态特征	贝壳中等大小，成体壳长约 40 mm，壳高约 37 mm，壳宽约 20 mm，略呈正三角形，壳质稍厚而坚硬。两壳膨胀，前部稍短于后部。前缘圆，背缘略呈截状，腹缘近半圆形。壳顶位于近背缘中央，突出并向内和向前弯曲，故两壳顶极为接近，多数壳顶呈破蚀状态。壳面具有粗糙的同心圆生长线。壳外面颜色因个体栖息环境及年龄不同而不同，或棕黄色，或黄绿色，或黑褐色；壳内面珍珠层为淡紫色或鲜艳紫色，并有瓷状光泽。壳顶窝很深。前、后闭壳肌痕皆呈卵圆形，略等大；外套痕完整而明显。铰合部发达，左、右壳各具 3 主齿，左壳具有前、后侧齿各 1，右壳具前、后侧齿各 2。因栖息环境和年龄不同，本种形态变异极大。
分布情况	栖息于淡水、咸淡水的河流、湖泊、池塘及沟渠内。湖南各地均有分布。
资源情况	野生资源丰富。药材来源于野生和养殖。
采收加工	**蚬肉：** 全年均可捕捞，捕后置沸水中烫死，待壳张开后将肉与壳分开，取肉，鲜用或晒干。 **蚬壳：** 全年均可捕捞，捕后置沸水中烫死，待壳张开后将肉与壳分开，取贝壳，晒干。
功能主治	**蚬肉：** 清热解毒，利湿退黄。用于疔疮肿毒，湿热黄疸，小便不利等。 **蚬壳：** 辛、甘、平。入肺、脾经。止咳化痰，制酸止痛，生肌敛疮。用于痰喘咳嗽，反胃吞酸，湿疹，疮疡等。
用法用量	**蚬肉：** 内服煮食，50 ~ 150 g。外用适量，捣敷。 **蚬壳：** 内服煎汤，10 ~ 15 g；或入散剂。外用适量，煅存性，研末撒或调敷。

蚬科 Corbiculidae 蚬属 Corbicula

闪蚬 *Corbicula nitens* (Philippi)

| 动物别名 | 蚬子。

| 药 材 名 | 蚬肉（药用部位：肉）、蚬壳（药用部位：贝壳）。

| 形态特征 | 贝壳较小，全体卵圆形，壳顶一般不突出于背缘之上，壳质较薄，尚坚硬，壳长约 25 mm，壳高约 23 mm，壳宽约 13 mm。两壳侧扁，略膨胀。前、后缘均呈弧形，前、后背缘几乎等长，且均略向下倾斜；腹缘弧度不大。壳顶位于近背缘中央，较小且常呈破蚀状态。壳面具细密的同心生长线。壳表面黄褐色或深褐色；壳内面珍珠层呈紫色或灰白色。壳顶窝较浅。外套痕明显，外套痕下缘呈暗紫色。铰合部弱，韧带不突出，但相当厚实。左、右壳各具斜行的细长主齿 3。侧齿片状，左壳前后各有 1 侧齿，右壳前后各有 2 侧齿。

| 分布情况 | 栖息于河流中。湖南各地均有分布。

| 资源情况 | 野生资源丰富。药材来源于野生。

| 采收加工 | 同"河蚬"。

| 功能主治 | 同"河蚬"。

| 用法用量 | 同"河蚬"。

■ 缩头水虱科 ■ Cymothoidae ■ 鱼怪属 ■ *Ichthyoxenus*

鱼怪 *Ichthyoxenus japonensis* (Richardson)

| 动物别名 | 鲤怪、鱼虱、鱼寄生。

| 药 材 名 | 鱼怪（药用部位：全体）。

| 形态特征 | 雌虫体长 19 ~ 28 mm，宽 11 ~ 15 mm；身体两侧有时不十分对称；头节小，呈横的椭圆形或菱形，有 1 对复眼；第 1 触角 8 节，第 2 触角 9 节，均短小；头节的附肢有大颚、第 1 小颚、第 2 小颚及颚足；胸部宽大，分 7 节，第 1 胸节的前缘和第 7 节的后缘均内凹；胸部的腹面有由 4 对鳞片状抱卵板构成的育卵室，内含卵可多至数百粒；胸足 7 对，执握状，前 3 对向前伸，后 4 对向后伸；腹部较窄，舌片状，分 6 节，前 5 节短小，尾节大而呈半圆形，腹板 5 对，双肢型，为呼吸器官；腹部的最后 1 对附肢为尾肢。雄虫体长 11 ~ 16 mm，宽 6 ~ 8 mm，比雌虫明显窄小，一般为两侧对称；颚足较雌体的窄长，其腹部第 2 附肢内侧有 1 根棒状突起，此为交接器官。雌、雄虫生活时为乳白色，固定标本逐渐变为黄色，体背部遍布黑色素点。

| 分布情况 | 寄生在鲤、鲫的胸腔中。湖南各地均有分布。

| 资源情况 | 野生资源丰富。药材来源于野生和养殖。

| 采收加工 | 春、秋、冬季采收，捕鱼时将寄生有鱼怪的鱼拣出，自鱼鳍部白色囊中取出鱼怪，晒干。

| 药材性状 | 本品呈卵圆形或椭圆形，长 10 ~ 18 mm，宽 6 ~ 9 mm。黄白色至褐色，有的皱缩，触角多脱落，并带有残存的足。背面有明显的节棱。质脆。气腥。

| 功能主治 | 咸，寒。降逆，开郁，解毒，止痛。用于噎膈，气逆，胸胁胀痛等。

| 用法用量 | 内服煎汤，0.9 ~ 1.2 g；或研末。

长臂虾科 Palaemonidae 沼虾属 Macrobrachium

日本沼虾 *Macrobrachium nipponensis* (de Haan)

| **动物别名** | 青虾。

| **药材名** | 青虾（药用部位：全体）。

| **形态特征** | 体短粗，长 4 ~ 8 cm，有青绿色及棕色斑纹。头胸部较粗大，头胸甲前缘向前延伸成三角形的剑额，上缘平直，具 11 ~ 14 齿，下缘具 2 ~ 3 齿。剑额两侧具有柄的眼 1 对。头部附肢 5 对，胸部附肢 8 对，其中 3 对为颚足，5 对为步足。腹部 7 节，分节明显，腹部附肢 6 对，第 6 对为尾肢，甚宽大，与尾节组成尾鳍。尾节短于尾肢，末缘中央呈尖刺状，后缘各具小刺 2。

| **分布情况** | 栖息于淡水湖泊、河流中。湖南各地均有分布。

| **资源情况** | 野生资源丰富。药材来源于野生和养殖。

| **采收加工** | 4 ~ 10 月捕捞，鲜用。

| **药材性状** | 本品体较短粗，有青绿色及棕色斑纹。头胸部粗大，前部有三角形的剑额。头部附肢 5 对，胸部附肢 8 对，腹部 7 节，附肢 6 对，第 6 对为尾肢，与尾节组成尾鳍。尾节背面有 2 对短小的活动刺。

| **功能主治** | 补肾壮阳，通乳，托毒。用于阳痿，乳汁不下，丹毒，痈疽，臁疮等。

| **用法用量** | 内服捣烂，黄酒冲服，25 ~ 50 g。

方蟹科　Grapsidae　绒螯蟹属　Eriocheir

中华绒螯蟹 *Eriocheir sinensis* (H. Milne-Edwards)

动物别名	河蟹、毛蟹、毛夹子。
药　材　名	方海（药用部位：全体）、蟹壳（药用部位：甲壳）。
形态特征	甲壳方而近圆形，背面有强大的头胸甲，长约 5.5 cm，宽约 6.1 cm，后半部略宽于前半部，背面凸起。步足 5 对，第 1 对螯足强大有毛，后 4 对为横行的步足。腹部缩小，紧贴于头胸部的下方。雄性腹部稍尖，雌性腹部宽大。眼 1 对，具柄，能转动。
分布情况	多栖息于河流、湖泊等。湖南各地均有分布。
资源情况	野生资源丰富。药材来源于野生和养殖。

| 采收加工 | **方海**：夏、秋季捕捉，洗净，将螯肢和附肢以绳捆之，放铁筒中用沸水烫死，晒干。
蟹壳：春、秋季捕捞，取甲壳，洗净，晒干。

| 药材性状 | **方海**：本品头胸甲圆方形，后半部宽于前半部，额宽，分 4 齿，前侧缘有 4 锐齿，雄性螯足比雌性大，掌节与指节基部的内、外面均密生绒毛，最后 3 对步足较扁平，腕节与前节有刚毛，腹部雌圆雄尖，表面枯红色或土黄褐色，肢多脱落。壳硬脆，体软。气腥，味咸。
蟹壳：本品为不规则的碎片。外表面杏黄色或浅黄色，内表面黄白色或浅黄白色。质坚硬。气微腥，味咸。

| 功能主治 | **方海**：咸，寒。清热散血，续断伤。用于筋骨损伤，疥癣，漆疮，烫伤，产后血瘀，经闭，无名肿毒，冻伤，乳腺炎等。
蟹壳：酸，寒。破瘀消积。用于瘀血积滞，胁痛，腹痛，乳痈，冻疮。

| 用法用量 | **方海**：内服研末，5 ~ 15 g。外用适量，烧灰调敷。
蟹壳：5 ~ 15 g，内服，或烧灰调敷。

| 附　　注 | 方海和蟹壳的混淆品较多，据文献记载其来源有馒头蟹科、菱蟹科、蝤蛑科、寄居蟹科等多种动物，应注意区别，避免混用。

平甲虫科 Armadillididae　平甲虫属 Armadillidium

平甲虫 *Armadillidium vulgare* (Latreille)

| **动物别名** | 暗板虫、潮虫、西瓜虫。 |

| **药 材 名** | 鼠妇虫（药用部位：全体）。 |

| **形态特征** | 体呈长椭圆形，稍扁，长约 10 mm，宽约 6 mm，表面灰色，具光泽。背部呈弓形。有眼 1 对、触角 2 对，第 1 对触角小，共 3 节，第 2 对触角呈鞭状，共 6 节。胸部 7 节，每节有同形且等长的足 1 对；第 1 胸节前缘向头部前边延伸，后侧偶向后突出，第 2～7 胸节各节侧突不显著。腹部小，分为 5 节，第 1～2 腹节狭，第 3～5 腹节侧缘整齐而圆。尾肢扁平，外肢与第 5 腹节嵌合齐平。 |

| **分布情况** | 多栖息于朽木、腐叶、石块等下面，有时也出现在房屋、庭院内。湖南各地均有分布。 |

| 资源情况 | 野生资源丰富。药材来源于野生。

| 采收加工 | 多于 4 ～ 9 月捕捉，捕后用开水烫死，晒干或焙干。本品易遭虫蛀，最好放在石灰缸中贮存。

| 药材性状 | 本品多卷曲成球形或半圆形，长约 7 mm，宽约 5 mm。背隆起，平滑，腹向内陷。体灰白色，有光泽。由多数近平行的环节构成，胸部 7 节，每节有同形的脚 1 对，向前、向后逐渐延长。腹部较短，宽圆形，分为 5 节。质脆易碎。气腥臭。以完整、色灰白者为佳。

| 功能主治 | 酸、咸，凉。破瘀消癥，通经，利水，解毒，止痛。用于癥瘕，疟母，血瘀经闭，小便不通，惊风撮口，牙齿疼痛，鹅口诸疮等。

| 用法用量 | 内服煎汤，3 ～ 6 g；或入丸、散剂。外用适量，研末调敷。

园蛛科 Argiopidae 鬼蛛属 Aranea

大腹园蛛 Aranea ventricosa (L. Koch)

| 动物别名 | 蜘蛛、檐蛛、喜虫。

| 药 材 名 | 蜘蛛（药用部位：全体、网丝、蜕壳）。

| 形态特征 | 雌性成体长约 30 mm，雄性成体长约 15 mm。头胸部与腹部皆呈黑褐色。头胸部梨形，扁平，有小白毛。8 眼分聚于 3 眼丘上，前缘中央眼丘上有 4 眼，两侧眼丘上各有 2 眼。螯肢强壮，有 7 小齿。步足强大，多刺，上有深色环带。腹部近圆形，较大。肩部隆起。背面中央有清晰的叶状斑带，沿中线有 8 对细小圆斑，其中第 2 ~ 6 对圆斑易见。腹面有 1 对白斑。生殖厣有黑色长舌状体。纺器锥形。

| 分布情况 | 多栖息于屋檐、墙角和树间，结车轮状网，傍晚及夜间活动。湖南各地均有分布。

| 资源情况 | 野生资源丰富。药材来源于野生。

| 采收加工 | 全体，夏、秋季捕捉，入沸水烫死，晒干或烘干。网丝，随采随用。蜕壳，随采随用。

| 药材性状 | 本品全体呈圆形或椭圆形，头胸部赤褐色，边缘黑色。腹部黄褐色，有明显的黑色叶状斑纹，有 2 对黑色肌斑；腹部前端中央有黄色或红色斑点，腹部下面灰黄色。纺器黑褐色。步足黄褐色或黑褐色，有赤褐色或黑褐色环纹，附肢 6 对，常残缺。体轻，质脆。

| 功能主治 | 全体，苦，寒，有毒，祛风散结，消肿解毒。用于狐疝偏坠，中风口歪，小儿慢惊，口噤，疳积，水肿，喉风肿闭，聤耳，痈肿疔毒，瘰疬，恶疮，痔漏，脱肛，蛇虫咬伤等。网丝，苦，微寒，归肝经，止血，消赘疣。用于金创出血，吐血，毒疮等。蜕壳，苦，平，归脾、胃经，杀虫，止血。用于龋齿，牙疳等。

| **用法用量** | 全体，内服研末，0.3 ~ 1 g，或浸酒，或入丸、散剂；外用适量，捣敷，或绞汁涂，或研末撒、调敷。网丝，内服适量，研末；外用适量，缠扎，或研末撒。蜕壳，外用适量，研末调敷或棉裹填塞。

园蛛科 Argiopidae 金蛛属 Argiope

横纹金蛛
Argiope bruennichii (Scopoli)

| **动物别名** | 布氏黄金蛛、花蜘蛛。 |

| **药 材 名** | 蜘蛛（药用部位：全体）。 |

| **形态特征** | 雌蛛体长 18 ~ 22 mm，雄蛛体长 5.5 mm。雌蛛头胸部呈卵圆形，背面灰黄色，密被银白色毛。螯肢基节、触肢颚叶和下唇皆呈黄色。中窝横向排列，中窝、颈沟和放射沟皆呈深灰色。胸板中央黄色，边缘棕色。步足黄色，上有黑色点及黑色斑，膝节至后跗节各节部均有黑色轮纹。腹部长椭圆形，背面黄色，前端两侧肩部各有 1 隆起。自前至后共有黑褐色横纹约 10，故名"横纹金蛛"。腹部腹面中央有黑色斑，两侧各有 1 黄色纵纹。外雌器的垂体楔状。雄蛛体色不如雌蛛鲜丽，腹部背面淡黄色，无黑色横纹。 |

| **分布情况** | 生活于有阳光照射的草丛、潮湿地带。湖南各地均有分布。 |

| **资源情况** | 野生资源稀少。药材来源于野生。 |

| **采收加工** | 夏、秋季捕捉，鲜用，或用开水烫死，晒干。 |

| **药材性状** | 本品头胸部、腹部与步足均断落，但可见完整的椭圆形腹部，腹部呈淡黄色，上面有黑色横纹，断落的步足淡黄色，带有黑色轮纹及黑刺，并有褐色细糙毛。体轻，质脆。 |

| **功能主治** | 苦，平。益肾兴阳，解毒消肿。用于阳痿，瘰疬，疮肿，毒蛇咬伤等。 |

| **用法用量** | 内服，0.5 ~ 1 g；或研末入丸、散剂，每天 1 只。外用适量，研末撒或调敷。 |

园蛛科 Argiopidae 金蛛属 Argiope

悦目金蛛 *Argiope amoena* (L. Koch)

| 动物别名 | 美丽金蛛。

| 药 材 名 | 花蜘蛛（药用部位：全体）。

| 形态特征 | 雌蛛体长 20 ~ 23 mm，雄蛛体长 5 mm。雌蛛头胸部扁圆形，背面黑褐色，密被白色毛，中窝横向排列，自中窝向前伸向中眼处有 2 深色细纹，螯肢 黑褐色，触肢淡黄色，胸板黑褐色，中央淡黄色，步足全部为黑色，有淡色轮纹，腹部背面前方两侧稍隆起，底色为暗灰褐色，其上有 3 鹅黄色宽横带，腹面褐色，有 1 对不连续的淡黄色纵斑。纺器被红色斑包围。

| 分布情况 | 生活于向阳灌丛中。湖南有分布。

| 资源情况 | 野生资源稀少。药材来源于野生。

| 采收加工 | 夏、秋季捕捉，鲜用，或用开水烫死，晒干。

| 功能主治 | 解毒。用于瘟病，疮肿，毒蛇咬伤等。

| 用法用量 | 内服研末入丸、散剂，0.5 ~ 1 g；外用适量，研末撒或调敷。

草蛛科 Agelenidae 漏斗蛛属 Agelena

迷路漏斗网蛛 *Agelena labyrinthica* (Clerck)

| **动物别名** | 迷路草蛛、草蜘蛛。 |

| **药 材 名** | 草蜘蛛（药用部位：全体。别名：迷路草蛛）。 |

| **形态特征** | 体长 0.8 ~ 1.4 cm，呈椭圆形，全体灰绿色。头胸部有白色车轮状斑纹。口小。单眼 4 对，位于头胸部背面下端，下有附肢 6 对，第 1 对附肢螯状，内通毒腺，第 2 对附肢为足须，似触角，其余 4 对附肢为步足，由 7 节组成，跗节末端有钩爪 2。腹部椭圆形，有"八"字形白斑 5 对，前腹面有生殖孔，上有生殖板，腹面后端有肛门，前方有 3 对疣状纺锤突，第 3 对纺锤突延伸成尾状。 |

| **分布情况** | 生活于草间，结网，匿居其中。白天活动，夜间隐匿。湖南各地均有分布。 |

| **资源情况** | 野生资源丰富。药材来源于野生。 |

| **采收加工** | 夏季于草丛中捕捉。 |

| **药材性状** | 本品体椭圆形，头胸部橙黄色，眼区黑色，头胸部中央有凹陷，自凹陷向左右两侧伸出放射状黑色条纹。腹部灰褐色，有浅色纵纹，纵纹两侧有褐色线条，腹部下面橙黄色。步足浅褐色，有灰褐色环纹。纺器较长，橙黄色。 |

| **功能主治** | 解毒。用于恶疮肿毒等。 |

| **用法用量** | 外用适量，捣汁敷。 |

山蛩科 Spirobolidae 山蛩属 Spirobolus

燕山蛩 *Spirobolus bungii* (Brandt)

| 动物别名 | 约安巨马陆、马陆、闷棒虫。

| 药 材 名 | 滚山虫（药用部位：全体）。

| 形态特征 | 体长约 120 mm，宽约 7 mm。触角长 5 mm，末端有 4 个以上圆锥状感觉体。头鞘平滑，前中央有 1 纵沟。触角基部后每边约有 50 单眼集结并排成三角形，似复眼。从颈板到肛节共有环节 54（雄性 53），体节表面光滑，呈圆形。约自第 6 背板以后，每节侧面各有 1 对臭腺孔。第 1 节缺步肢，第 2 ~ 4 节均有步肢 1 对，自第 5 节起至肛节前，每节有步肢 2 对；各步肢具 6 节，末端有爪。肛门在两肛门瓣之间，上方有 1 背板，背板并不突出，下方为 1 小肛下板。生殖肢由第 7 节步肢变成。胸板略呈"V"形。前肢由 1 阔基节及 1 侧板向后包裹，端肢弧状，有不明显的分节；后肢在上述端肢后面，

分为内肢和钩形主干。躯干背面黑褐色，后缘淡褐色，前缘盖住部分淡黄色。颈板深褐色。步肢黑褐色，最后 1 对步肢色淡。

| 分布情况 | 多栖息于阴暗潮湿地区。湖南各地均有分布。

| 资源情况 | 野生资源丰富。药材来源于野生。

| 采收加工 | 夏季捕捉，晒干或鲜用。

| 药材性状 | 本品多呈半环状，全长 5 ~ 6 cm，直径 5 ~ 6 mm。全体黑褐色，具 50 余环节，每环节具 1 棕色环，步肢多脱落。体轻，质脆，易断，断面中空。气微，味淡。

| 功能主治 | 辛，温；有毒。破积解毒。用于腹中癥积痞块，乳蛾，疮毒等。

| 用法用量 | 内服研末，0.3 ~ 1 g。外用适量，研末撒；或浸酒搽；或捣敷；或熬膏敷贴。

蜈蚣科 Scolopendridae 蜈蚣属 Scolopendra

少棘巨蜈蚣 *Scolopendra subspinipes mutilans* L. Koch

| 动物别名 | 吴公、天龙、百足虫。

| 药 材 名 | 蜈蚣（药用部位：全体。别名：天龙、吴公、百脚）。

| 形态特征 | 体长 110 ~ 160 mm。头板和第 1 有足体节的背板呈金黄色，与墨绿色或黑褐色的其他背板显然不同。步足多为黄色，最末步足多为赤褐色，也有步足均为赤褐色的个体。头板无纵沟线。触角分为 17 节，基部的 6 节无细密的绒毛。颚齿为 5+5（即左右齿板上各有 5 小齿），每侧小齿常被一间隙分作 2+3 二组。背板纵沟线从第 4 ~ 9 背板至第 20 背板，最末背板无纵沟线。胸板纵沟线从第 2 胸板至第 19 胸板。体部背板两侧的棱缘从第 5 ~ 9 背板至最末背板。第 20 步足和前面步足一样都有 1 跗棘，基侧板突起末端常有 2 小棘，少有 1 或 3 小棘。最末步足（即第 21 步足）无跗棘；前股节背面内侧有 1 棘；腹面外

侧有 2 棘，而内侧有 1 棘。雄性生殖区前生殖节胸板两侧有 1 对生殖肢。

| 分布情况 | 栖息于丘陵地带和多石少土的低山、杂草丛中、乱石堆下、路旁和田坎等处的缝隙中。湖南各地均有分布。

| 资源情况 | 野生资源丰富。药材来源于野生和养殖。

| 采收加工 | 4～6 月捕捉，捕捉后用两头削尖的长竹片，插入头尾两部晒干即得；或先用沸水烫过，晒干或烘干。

| 药材性状 | 本品呈扁平长条形，长 9～15 cm，宽 0.5～1 cm。由头部和躯干部组成，全体共 22 环节。头部暗红色或红褐色，略有光泽，有头板覆盖，头板近圆形，前端稍突出，两侧贴有颚肢 1 对，前端两侧有触角 1 对。躯干部第 1 背板与头板同色，其余 20 背板为棕绿色或墨绿色，具光泽，第 4～20 背板上常有 2 纵沟线；腹部淡黄色或棕黄色，皱缩；自第 2 节起，每节两侧有步足 1 对；步足黄色或红褐色，偶有黄白色，呈弯钩形，最末 1 对步足尾状，故又称尾足，易脱落。质脆，断面有裂隙。气微腥，有特殊刺鼻的臭气，味辛、微咸。

| 功能主治 | 辛，温；有毒。归肝经。息风镇痉，通络止痛，攻毒散结。用于肝风内动，痉挛抽搐，小儿惊风，中风口㖞，半身不遂，破伤风，风湿顽痹，偏正头痛，疮疡，瘰疬，蛇虫咬伤。

| 用法用量 | 内服煎汤，2～5 g；或研末，0.5～1 g；或入丸、散剂。外用适量，研末撒；或油浸；或研末调敷。

衣鱼科 Lepismatidae 衣鱼属 Lepisma

糖衣鱼
Lepisma saccharinum (Linnaeus)

| **动物别名** | 西洋衣鱼、白鱼、蛃鱼。

| **药 材 名** | 衣鱼（药用部位：全体）。

| **形态特征** | 体长而扁，长约 10 mm，被银灰色鳞片。头前下方和侧下方有密集的银白色长毛。复眼大而突出，由许多小眼聚集而成，棕黑色。单眼退化。触角细长，其长度超过体长的 1/2，由 30 以上丝状环节构成。口器外口式，适于咀嚼，下唇须 4 节。胸部是体躯最宽阔的区域，有气门 2 对，两侧有长毛。无翅。足 3 对，跗节 3 节，并有爪 1 对。腹部有完整的环节 10，后端环节较前端环节小，每节有气门 2 对，背板上均具 2 ~ 3 簇生刚毛。第 11 腹节特化为中尾丝。尾须 1 对，等长。腹板上有 1 对腹刺。足基部无刺突。

| **分布情况** | 栖息于树叶、石块、树干、青苔下等湿润处，以及蚁巢、房屋及火炉周围等。湖南各地均有分布。

| **资源情况** | 野生资源丰富。药材来源于野生。

| **采收加工** | 用毛刷或毛笔将虫体刷至热水中烫死，捞出，晾干。

| **功能主治** | 咸，温。归膀胱、肝经。利尿通淋，祛风明目，解毒散结。用于淋病，尿闭，中风口歪，小儿惊痫，重舌，目翳，瘢痕等。

| **用法用量** | 内服煎汤，5 ~ 10 只；或研末。外用适量，研末撒、调敷或点眼。

衣鱼科 *Lepismatidae* 衣鱼属 *Lepisma*

衣鱼 *Lepisma saccharina* (Linnaeus)

| 动物别名 | 蠹鱼、白鱼。

| 药 材 名 | 衣鱼（药用部位：全体）。

| 形态特征 | 体长而扁，长约 10 mm。头小。触角为鞭状。口器退化。无复眼，而有由 12 小眼合成之集眼。胸部较宽阔，有气门 2 对，无翅，有足 3 对。腹部分 10 环节，有气门 8 对，末端有 2 等长之尾毛及 1 尾状毛。全体被银色细鳞。

| 分布情况 | 生活于衣箱或书箱内。湖南各地均有分布。

| 资源情况 | 野生资源丰富。药材来源于野生。

| 采收加工 | 全年均可捕捉，置沸水中烫死，晒干。

| 功能主治 | 咸，温。归膀胱、肝经。利尿通淋，祛风明目，解毒散结。用于淋病，尿闭，中风口㖞，小儿惊痫，重舌，目翳，瘕痕等。

| 用法用量 | 内服煎汤，5～10只；或研末。外用适量，研末撒、调敷或点眼。

衣鱼科 Lepismatidae 栉衣鱼属 Ctenolepisma

多毛栉衣鱼 Ctenolepisma villosa (Fabricius)

| **动物别名** | 书虱、白鱼、壁鱼。

| **药材名** | 衣鱼（药用部位：全体）。

| **形态特征** | 体长 9 ~ 13 mm，体背密覆银灰色鳞片并具棘状毛束，腹部基半的节各有 3 对栉状毛，后半部的节各具 2 对栉状毛，体腹面银白色。头部小。复眼小而远离。触角线状，多节，长 11 ~ 12 mm。下颚须 5 节。胸部宽阔，腹端渐尖。足 3 对，跗节 3 节，有爪 1 对。腹末有尾须 1 对、中尾须 1 根及针状突 2 对。雌虫大于雄虫，产卵管伸于腹末之外。

| **分布情况** | 栖息于阴暗、潮湿处或隐蔽处。湖南各地均有分布。

| **资源情况** | 野生资源丰富。药材来源于野生。

| **采收加工** | 同"衣鱼"。

| **功能主治** | 同"衣鱼"。

| **用法用量** | 同"衣鱼"。

蜻科 Libellulidae 红蜻属 Crocothemis

红蜻
Crocothemis servillia (Drury)

| 动物别名 | 红蜻、红蜓、赤蜻蛉。

| 药 材 名 | 蜻蜓（药用部位：全体）。

| 形态特征 | 体长 42 ~ 48 mm，腹部长 35 ~ 38 mm，后翅长 30 ~ 38 mm。雄虫体黄褐色，雌虫体鲜红色。复眼极大，2 复眼盖过头顶且彼此连接。额部向前突出，头前面棕色，并生有棕色小毛。翅透明，基部具橙黄色斑纹；翅脉橙褐色，前缘脉上有 2 排锯状小齿，亚缘脉无齿，径脉和臀脉上均有小齿，翅痣黄色，其上、下翅脉加宽，黑色，由于翅脉有高有低，所以翅面波状起伏，翅顶淡褐色。足橙色，胫节下缘两侧生有 2 行黑色巨型长刺，腿节外侧有 1 排黑色刺，腿节基部的刺较短，越前端的刺越长。胸部密布淡棕色细毛，胸背有 1 列纵脊，其后端分叉。腹部橙色，上、下扁，背面拱起，呈瓦状。腹面纵脊深褐色，越靠近末端颜色越深，至第 8 ~ 9 节以后为黑色，纵脊上有黑色小刻点或短刺。腹背两侧缘有黑色小齿，腹节背板的后缘亦有黑色小齿。腹部腹面中央有 2 行黑色小齿。

| 分布情况 | 产卵于水生植物的组织内，稚虫水生，成虫常见于水边田野。湖南各地均有分布。

| 资源情况 | 野生资源丰富。药材来源于野生。

| 采收加工 | 夏、秋季捕捉，处死后晒干或烘干。

| 功能主治 | 微寒。补肾益精，解毒消肿，润肺止咳。用于阳痿遗精，咽喉肿痛，顿咳等。

| 用法用量 | 内服入丸、散剂，3 ~ 8 只。

蜻科 Libellulidae 赤蜻属 *Sympetrum*

夏赤卒 *Sympetrum darwinianum* (Selys)

动物别名	夏赤蜻、夏茜、赤衣使者。
药材名	蜻蜓（药用部位：全体）。
形态特征	雄虫红色，雌虫黄色。雄虫腹长 23 mm，后翅长 29 mm；雌虫腹长 25 mm，后翅长 30 mm。复眼褐色，极大。颜面黄色，密生棕色毛，并有 2 黑斑。头顶黑褐色。合胸褐色，第 1 条纹中间间断，第 2 条纹稍超过气孔，第 3 条纹中间狭窄。翅透明；翅脉黑色，前缘脉有 2 列黑色锯状小齿，翅缘周围也有黑色锯状小齿或刻点；翅痣黄褐色。前足基节黄色，腿节下缘黄色，上缘黑色，胫节及跗节黑色，中足及后足基节黄色，其余节为黑色。腿节外缘有 1 列黑色刺，基部的刺短小，越靠近末端刺越长；胫节两侧有黑色长刺。腹部侧扁，黄褐色，各节有黑褐色斑，腹背中央有 1 黑褐色纵脊，纵脊上有小齿或刻点。肛附器黄褐色。
分布情况	产卵于水生植物的组织内，稚虫水生，成虫常见于水边田野。湖南各地均有分布。
资源情况	野生资源丰富。药材来源于野生。
采收加工	夏、秋季捕捉，处死后晒干或烘干。
药材性状	本品体较小，长 2～3 cm，宽约 0.5 cm。下唇淡灰黄色，上唇淡赤褐色，额赤黄褐色，2 复眼暗褐色，在头顶前方以一点相接触。胸部侧板暗黄色，胸部背板及腹部背板暗赤色。翅透明，翅痣长方形，褐色，后翅臀域淡黄褐色。
功能主治	补肾益精，解毒消肿，润肺止咳。用于阳痿遗精，咽喉肿痛，百日咳等。
用法用量	内服入丸、散剂，3～8 只。

蜓科 Aeshnidae 伟蜓属 Anax

大蜻蜓 *Anax parthenope* (Selys)

| **动物别名** | 绿蜻蜓、绿豆大蜻蜓、马大头。 |

| **药材名** | 蜻蜓（药用部位：全体）。 |

| **形态特征** | 大型蜻蜓，腹部长达 50 mm。全体大部分为青绿色，面部黄色，腹部棕色。横带中部凹陷成一沟纹，此为本种的主要特征。额两侧及横带之后有许多黑色纤毛。复眼巨大。胸部淡绿色。脊突及足基之上为棕色。翅膜质，透明。静止时 4 翅平伸，翅膜上常有轻微金黄色闪光，前缘及翅痣黄色。腹部背面褐色，侧面黄色，腹基部膨大并带蓝色，腹背中央有不高但很明显的锯形纵脊，腹侧及腹下两侧各有锯形纵脊纹 1。 |

| **分布情况** | 产卵于水生植物的组织内，稚虫水生，成虫常见于水边田野。湖南各地均有分布。 |

| **资源情况** | 野生资源丰富。药材来源于野生。 |

| **采收加工** | 夏、秋季以纱网捕捉，置沸水中烫死，晒干或烘干。 |

| **功能主治** | 微寒。补肾益精，清热，解毒，消肿，止咳定喘。用于阳痿遗精，咽喉肿痛，咳嗽喘促，百日咳等。 |

| **用法用量** | 内服入丸、散剂，5 ~ 10 个。 |

蜚蠊科 Blattidae 大蠊属 *Periplaneta*

美洲大蠊 *Periplaneta americana* (Linnaeus)

| **动物别名** | 美洲蜚蠊、油婆、蟑螂。 |

| **药 材 名** | 蜚蠊（药用部位：全体）。 |

| **形态特征** | 雄虫体长 27 ～ 32 mm，前翅长 26 ～ 32 mm，总长 38 ～ 42 mm；雌虫体长 28 ～ 32 mm，前翅长 20 ～ 27 mm，总长 38 mm。体大，椭圆形。头顶及复眼间黑褐色，下颚须淡褐色，端部 2 节褐色。前胸背板梯形，黄色，中部有 1 赤褐色至黑褐色大斑，其后缘中部向后延伸似小尾，前缘有黄色 "T" 形小斑，后缘黑褐色。前翅赤褐色，后翅色稍淡。腹部赤褐色，雄虫各节后侧角钝圆，雌虫后端数节向后略突出。足赤褐色。雄虫肛上板宽大，近四方形，无色，透明，两侧缘弧形，后缘中央有 1 深三角形切口，切口端几乎达肛上板之 1/2 处；雌虫肛上板略呈三角形，赤褐色，不透明，后缘具 1 小三角形切口，先端钝圆，两侧形成 2 叶片，各叶片端角钝圆。尾须赤褐色，细长且多节，比肛上板几乎长 1 倍，端部尖锐。 |

| **分布情况** | 多隐匿于避光的缝隙、墙角等，昼伏夜出。湖南各地均有分布。 |

| **资源情况** | 野生资源丰富。药材来源于野生和养殖。 |

| **采收加工** | 全年均可捕捉，用开水烫死，晒干或烘干。 |

| **药材性状** | 本品呈椭圆形，较大，长 2.7 ～ 3.2 cm。体红褐色。背腹扁平。头小，向腹面倾斜。触角 1 对，长线状。复眼发达，肾形；单眼 2。前胸扩大如盾，具黄色宽带纹。足 3 对，侧扁，基节宽大，腿节和胫节具刺，跗 5 节，末端有 2 爪。翅 2 对，膜质，前翅小，后翅大，掩盖腹端。腹部末端有尾须 1 对。质松脆，易碎。气微腥，味微咸。 |

| 功能主治 | 咸，寒；有毒。破瘀化积，消肿解毒。用于癥瘕积聚，疳积，疔疮，乳蛾，痈肿，蛇虫咬伤等。

| 用法用量 | 内服焙干研末，3～5只。外用适量，捣敷。

蜚蠊科 Blattidae 蠊属 Blatta

东方蜚蠊 *Blatta orientalis* (Linnaeus)

| 动物别名 | 黑蜚蠊、小蜚蠊。

| 药 材 名 | 蜚蠊（药用部位：全体）。

| 形态特征 | 雌雄异体。雄虫体长 19 mm，翅短，前翅长 12.5 mm，仅能盖住腹部 2/3，后翅短于前翅；翅前半部分棕色，后半部分无色透明。雌虫比雄虫大且长，体长 22 mm，翅已退化，前翅仅剩 2 小片，长约 4 mm，分列于中胸两侧，后翅缺。胸腹背面裸露，体深褐色，触角细长，几乎与身体等长。肛上板横阔。头顶及复眼间深褐色，上唇深褐色，上唇基淡褐色，下颚须褐色，触角和虫体几乎等长，其第 2 节和第 3 节约等长。前胸背板略呈梯形，前缘弧形，后缘略呈弧形。雄虫前翅黑褐色，较短，仅覆盖腹部的 2/3，有时端部平截，后翅比前翅略短，前半部褐色，后半部无色透明。雌虫前翅呈叶片状，位于中胸背板两侧，由于翅短而窄，两翅互不接触，其长度仅超过中胸背板后缘，达后胸背板处，后翅缺。腹部各节发育正常，不特化，雄虫仅第 9 节后缘凹陷。雄虫肛上板横宽，梯形，后缘有一较深的三角形缺刻，基部两侧有长尾须 1 对，长尾须黑褐色，各节上生许多感觉毛。下生殖板宽阔，后缘向后突，呈弧形，基部两侧有长尾须 1 对，长尾须细棒状，较长。雌虫肛上板后缘弧形，基部两侧有长尾须 1 对，其形及颜色与雄虫的相同，下生殖板中部隆起，两侧上倾，形如船底。

| 分布情况 | 多栖息于温暖、潮湿、食物丰富的厨房或仓库内。湖南各地均有分布。

| 资源情况 | 野生资源丰富。药材来源于野生和养殖。

| 采收加工 | 全年均可捕捉，用开水烫死，晒干或烘干。

| **药材性状** | 本品呈椭圆形，背腹扁平，长约 2.5 cm，外表面深褐色，有油状光泽。

| **功能主治** | 咸，寒；有毒。破瘀化积，消肿解毒。用于癥瘕积聚，疳积，疔疮，乳蛾，痈肿，蛇虫咬伤等。

| **用法用量** | 内服焙干研末冲，3 ～ 5 只。外用适量，捣敷。

| **附　　注** | 澳洲大蠊 *Periplaneta australasiae* (Fabricius) 和德国蜚蠊 *Blattella germanica* (L.) 亦可作蜚蠊入药。

蜚蠊科 Corydiidae　地鳖属 Eupolyphaga

地鳖 *Eupolyphaga sinensis* (Walker)

| 动物别名 |

土鳖、土元、中华真地鳖。

| 药 材 名 |

土鳖虫（药用部位：全体。别名：地鳖虫）。

| 形态特征 |

体呈扁圆形，盖状，黑色，具光泽，雌雄异形，雄虫有翅，雌虫无翅。雌虫长约 3 cm。头小，触角丝状。腹面深棕色，胸足具细毛及较多刺。

| 分布情况 |

生活于腐殖质丰富的林地或潜伏于屋内外的墙脚、木柴堆、杂物中等。湖南各地均有分布。

| 资源情况 |

野生资源丰富。药材来源于野生和养殖。

| 采收加工 |

5～8月捕捉，用沸水烫死，晒干或烤干；亦可先用清水洗净，再用盐水煮，捞出，晒干或烤干。

| **药材性状** | 本品呈扁平卵圆形，头部较窄，尾部较宽，长 1.3 ~ 3 cm，宽 1.2 ~ 2.4 cm。头部较小，棕黑色，有丝状触角 1 对，触角常脱落。背部紫褐色，有光泽，甲壳状。胸背板 3 节，前胸背板较发达，盖住头部；腹背板 9 节，呈覆瓦状排列。腹面深棕色，有光泽。胸部有足 3 对，足弯曲，具细毛和刺。后腹部隆起，有横环节，尾部节较宽而略尖。质松脆，易破碎。腹内有灰黑色内含物。气腥臭，味微咸。 |

| **功能主治** | 咸，寒；有毒。活血祛瘀，消肿止痛，通经下乳。用于血积癥瘕，经闭，产后腹痛，跌打损伤，乳汁不通等。 |

| **用法用量** | 内服煎汤，5 ~ 15 g；或入丸、散剂。外用适量，煎汤含漱；或捣敷。 |

鼻白蚁科 Rhinotermitidae 乳白蚁属 Coptotermes

台湾乳白蚁 *Coptotermes formosanus* (Shiraki)

动物别名	家白蚁、飞蚁、台湾泌乳蟹。
药 材 名	白蚁（药用部位：全体）。
形态特征	兵蚁头长 2.2 ~ 2.48 mm，宽 1.1 ~ 1.25 mm；头及触角浅黄色，上颚黑褐色，腹部乳白色；由背面观头呈椭圆形，最宽处在头的中段以后，前端及后端皆较中段狭窄；触角 14 ~ 16 节；前胸背板平坦，较头狭窄，前缘及后缘中央有缺刻。有翅成虫长 1.61 ~ 1.77 mm，宽 1.6 ~ 1.63 mm；头背面深黄褐色，胸腹面褐黄色，较头色淡，腹部腹面黄色，翅淡黄色；复眼近圆形，单眼长圆形；触角 20 节。前胸背板前缘向后凹，侧缘与后缘连成半圆形，后缘中央向前方凹入。工蚁头微黄。腹部白色；头后部呈圆形，而前部呈方形；后唇基很短，长度相当于宽度的 1/4，微隆起；触角 15 节；前胸背板前缘略翘起；腹部长，略宽于头，微膨大。
分布情况	生活于阴暗潮湿的环境中。湖南各地均有分布。
资源情况	野生资源稀少。药材来源于野生。
采收加工	夏季捕捉，多于黄昏在蚁群飞动时用网捕捉，或掘蚁穴拾取，用沸水烫死，晒干。
功能主治	咸，平。滋补强壮，益精补血，散结镇痛。用于年老体衰，久病气血虚弱等。
用法用量	内服研末冲，3 ~ 5 g。

螳螂科 Mantidae 大刀螳属 Tenodera

中华大刀螳 *Tenodera sinensis* (Saussure)

| **动物别名** | 中华大刀螳、长螳螂、南方刀螳。

| **药 材 名** | 团螵蛸（药用部位：卵鞘）。

| **形态特征** | 体大，雌虫体长 92 mm 左右，雄虫体长 78 mm 左右。全体淡褐色或暗黄绿色。头部大，比前胸背板宽，近三角形，宽大于高。复眼椭圆形，浅褐绿色；单眼 3，三角形排列。触角丝状，柄节粗大，鞭节细小。前胸背板、肩部较发达，后部至前肢基部稍宽。前胸细长。前翅浅褐色或浅绿色，末端有较明显的褐色翅脉；后翅扇形，比前翅稍长，有深浅不等的黑褐色斑点散布其间。雌虫腹部极膨大。足 3 对，前胸足粗大，镰状，中足和后足细长。

| **分布情况** | 栖息于草丛及树枝上。湖南各地均有分布。

| 资源情况 | 野生资源丰富。药材来源于野生。

| 采收加工 | 秋季至翌年春季采收，除去杂质，蒸20～40分钟（以处死其中的卵，防止幼虫孵化），晒干或烘干。

| 药材性状 | 本品略呈圆柱形或半圆形，由多数膜状薄层组成，长2.5～4 cm，宽2～3 cm。表面浅黄褐色，上面带状隆起不明显，底面平坦或有凹沟。体轻，质松而韧。横断面外层海绵状，内层为许多放射状排列的小室，室内均有一细小的椭圆形卵，卵深棕色，有光泽。气微腥，味淡、微咸。

| 功能主治 | 甘、咸，平。归肝、肾经。补肾助阳，固精缩尿。用于遗尿尿频，遗精滑精，小便白浊，腰膝酸软等。

| 用法用量 | 内服煎汤，5～10 g；或研末，3～5 g；或入丸剂。外用适量，研末撒或油调敷。

螳螂科 Mantidae 绿螳属 Paratenodera

中华绿螳螂 *Paratenodera sinensis* (Saussure)

| 动物别名 | 刀螂、中国螳螂、长螳螂。

| 药 材 名 | 桑螵蛸（药用部位：卵鞘。别名：螳螂巢、螳螂窝、螳螂子）。

| 形态特征 | 体大，黄褐色或绿色，长 7.5 ~ 9 cm。头部三角形，复眼大而突出，卵形，两触角间稍上方有 3 单眼，单眼呈倒三角形排列，前胸背板甚长于胫节，其两侧几平行，边缘有细小的齿。前胸背板前部长约为后部的 1/3，前部中央有 1 浅纵沟，纵沟边缘有细齿。前足基节三角形，上部有 1 三角状隆脊，其上有 18 小刺，下缘有许多细小齿。腿节三角形，有刺 3 行，下外缘有刺 4，下内缘有刺 17，中间有刺 9。中足和后足细长，跗节 5 节，末端具爪和爪垫。前翅外侧缘浅绿色，内侧大部分黄褐色；后翅浅黄褐色，透明，有棕褐色斑纹。

| 分布情况 | 栖息于茂密的茅草丛中。湖南有分布。

| 资源情况 | 野生资源稀少。药材来源于野生。

| 采收加工 | 秋季至翌年春季采收，除去树枝，置笼屉内蒸 30 ~ 40 分钟，晒干，切片。

| 药材性状 | 本品长条形，长 2.8 ~ 5 cm，宽 0.7 ~ 1 cm。表面黄白色，背部中央有 42 ~ 58 膜状薄层，薄层呈覆瓦状排列。中央脊两侧各有 1 黑褐色浅沟。肋纹明显，腹部呈凹沟状。体轻，质脆。横断面外层为一极薄而坚实的黄白色壳，内层为 13 ~ 15 黑褐色卵室，卵室呈放射状排列。卵室壁有光泽，每室有长椭圆形卵 1。纵切面可见纵向排列的 20 ~ 26 卵室，卵室底部为一层极薄的壳，上部膜状薄层与其间的充填物可占纵切面面积的 1/2。湿润后加热有清香气。

| **功能主治** | 甘、咸、涩，平。补肾固阳，固精缩尿。用于阳痿，遗精，遗尿，小便频数，带下等。

| **用法用量** | 内服煎汤，5～15 g；或入丸剂。外用适量，捣敷；或研末嗜鼻；或研末吹喉；或研末调敷。

斑腿蝗科 Catantopidae 稻蝗属 Oxya

中华稻蝗 *Oxya chinensis* (Thunberg)

| 动物别名 | 蝗虫、蚂蚱、蚱蜢。

| 药 材 名 | 蚱蜢（药用部位：全体。别名：蝗虫）。

| 形态特征 | 雄虫体长 24.5 ～ 30 mm，前翅长 23 ～ 28.5 mm；雌虫体长 28 ～ 35 mm，前翅长 28 ～ 33 mm。体绿色或黄绿色，眼后至前胸背板两侧有黑褐色纵条纹。复眼灰色，复眼间头顶的宽度大于颜面隆起在中单眼处的宽度。触角不达或超过前胸背板的后缘。头顶有圆形凹窝，颜面中部沟深。前胸背板侧缘平行。雄虫前翅前缘具弱刺，从复眼起到胸部两侧各有一明显的棕色带纹，前翅超过后足股节先端甚远。后足股节、胫节与体同色。雄虫肛上板三角形，宽大于长，平，尾须圆锥形，顶上缘略倾斜，先端尖，下生殖板短锥形。雌虫下生殖板平，后缘有 2 齿。

| 分布情况 | 湖南各地均有分布。

| 资源情况 | 野生资源丰富。药材来源于野生。

| 采收加工 | 夏、秋季捕捉，鲜用或沸水烫死后晒干或烘干。

| 功能主治 | 辛、甘，温。归肺、肝、脾经。祛风解痉，止咳平喘。用于小儿惊风，破伤风，百日咳，哮喘等。

| 用法用量 | 内服适量。

剑角蝗科 Acrididae 剑角蝗属 Acrida

中华剑角蝗 *Acrida cinerea* (Thunberg)

| 动物别名 | 中华蚱蜢、尖头蚱蜢、担丈。

| 药 材 名 | 蚱蜢（药用部位：全体。别名：蝗虫）。

| 形态特征 | 雄虫体长 30 ~ 47 mm，前翅长 25 ~ 36 mm；雌虫体长 58 ~ 81 mm，前翅长 47 ~ 65 mm。体绿色或枯草色。有的个体复眼后方至前胸背板侧片上部、前翅肘脉域具较宽的淡红色条纹。有的枯草色个体沿中脉域具黑褐色纵条纹。后翅淡绿色。后足股节、胫节绿色或褐色。颜面甚后倾，颜面隆起，全长具纵沟。头顶突出。前胸背板侧隆线近平行，在沟后区分开，后横沟在侧隆线间直，不向前呈弧形突出；侧片后缘凹入深，后角为锐角形。中胸腹板侧叶间之中隔的长度为其最狭处的 2.5 ~ 3 倍。前翅超过后足股节的先端，先端尖锐。后足跗节爪间中垫超过爪的先端。雄虫下生殖板较粗，上缘直。雌虫下生殖板后缘中突与侧突等长。

| 分布情况 | 生活于草地、农田。湖南各地均有分布。

| 资源情况 | 野生资源丰富。药材来源于野生。

| 采收加工 | 同"中华稻蝗"。

| 药材性状 | 参见 | 形态特征 | 项。

| 功能主治 | 止咳平喘，定惊息风，清热解毒。用于支气管哮喘，百日咳，小儿惊风等；外用于冻伤。

| 用法用量 | 内服煎汤，5 ~ 10 只。外用适量。

斑翅蝗科 Oedipodidae 飞蝗属 Locusta

东亚飞蝗 *Locusta migratoria migratoria* (Meyen)

| 动物别名 | 飞蝗、蚂蚱、飞蝱。

| 药 材 名 | 蚱蜢（药用部位：全体。别名：蝗虫）。

| 形态特征 | 雄虫体长 32.4 ~ 48.1 mm，雌虫体长 38.6 ~ 52.8 mm；雄虫前翅长 34 ~ 43.8 mm，雌虫前翅长 44.5 ~ 55.9 mm。体通常呈绿色或黄褐色。复眼前下方常具暗色条纹。前翅褐色，具若干暗色斑点；后翅本色。后足股节上侧暗色斑纹不明显。后足胫节橘红色。颜面隆起，两侧缘近平行。复眼棕色，卵圆形，复眼后有较狭的淡色纵条纹，复眼下前方常有暗色斑条纹。单眼 3，三角形排列。触角刚超过前胸背板的后缘。前胸背板中隆线呈弧形隆起，后缘呈直角。胸部腹面具长而密的细绒毛。前、后翅发达，超过后足胫节的中部。腹部 11 节，第 1 腹节上有听器，第 2 ~ 8 腹节上有气门 8 对，末端有尾毛。

| 分布情况 | 生活于禾本科作物田间、河套、沟边、河床边沿、田埂、向阳坡面等。湖南各地均有分布。

| 资源情况 | 野生资源丰富。药材来源于野生。

| 采收加工 | 夏、秋季捕捉，鲜用或沸水烫死，晒干或烘干。

| 功能主治 | 辛、甘，温。归肺、肝、脾经。祛风解痉，止咳平喘。用于小儿惊风，破伤风，百日咳，哮喘等。

| 用法用量 | 内服煎汤，10 ~ 15 只。

蟋蟀科 *Gryllidae* 棺头蟋属 *Loxoblemmus*

多伊棺头蟋 *Loxoblemmus doenitzi* (Stein)

| 动物别名 | 大扁头蟋、棺头蟀、棺材头。

| 药 材 名 | 蟋蟀（药用部位：成虫）。

| 形态特征 | 体中型，长 13.5 ~ 22 mm。头顶黑褐色，后头区有 6 黄色纵纹，额突近前缘有 1 黄色横纹。雄虫颜面扁平，极度倾斜，在复眼下方侧向扩展成角状，中单眼区黄色，凹陷。雌虫颜面略倾斜。前胸背板黄褐色，有黑褐色斑，侧叶黑褐色，前下角处有 1 黄斑。前翅伸达腹末端，后翅超过腹端，似长尾；雄虫前翅斜脉 2，发音镜斜长方形；雌虫前翅脉斜向平行，纵脉间有小横脉相连构成规则小室。

| 分布情况 | 生活于地势低、阴湿的环境。湖南有分布。

| 资源情况 | 野生资源稀少。药材来源于野生。

| 采收加工 | 夏、秋季于田间杂草下捕捉，捕后用沸水烫死，晒干或烘干。

| 功能主治 | 辛、咸，温；有小毒。归膀胱、小肠经。解毒退热，利水消肿。用于癃闭，水肿，腹水，小儿遗尿等。

| 用法用量 | 内服煎汤，4 ~ 6 只；或研末，1 ~ 3 只。外用适量，研末敷。

蟋蟀科 Gryllidae 油葫芦属 Teleogryllus

污褐油葫芦
Teleogryllus testaceus (Walker)

动物别名	油葫芦、土蚂蚱子、土蚱子。
药 材 名	蟋蟀（药用部位：全体）。
形态特征	体长圆形，长约 2 cm，雌者较大。体背面黑褐色，有光泽，腹面色较淡。头部有复眼 1 对，复眼半球形突出，复眼的内缘和两颊黄褐色。触角 1 对，细长，有时左右不对称。前胸背板黑褐色，有 2 月牙纹。前翅淡褐色，有光泽；后翅黄褐色，尖端纵折而露出腹端。中胸腹板的后缘有内洼。足 3 对，后足的腿节甚粗壮。尾毛 1 对，褐色，雌者另有 1 产卵管，亦为褐色，似 3 尾。
分布情况	栖息于较湿润而疏松的土壤中。湖南有分布。
资源情况	野生资源稀少。药材来源于野生。
采收加工	秋季捕捉，用沸水烫死，烘干。
功能主治	辛、咸，温。利水消肿，解毒。用于水肿，小便不利，流注等。
用法用量	内服研末，5 ~ 9 只。

蟋蟀科 Gryllidae 蟋蟀属 Scapsipedus

蟋蟀
Scapsipedus aspersus (Walker)

动物别名	蛐蛐、夜鸣虫、斗鸡。
药 材 名	蟋蟀（药用部位：全体）。
形态特征	全体黑色，有光泽。头棕黑色，头项短而圆，头后有6短而不规则纵沟。复眼大，半球形，黑褐色，单眼黄色，位于头顶两端，中间的1单眼大，左右的单眼小。触角细长，淡褐色。前翅棕褐色，后翅灰黄色。足3对，淡黄色，并有黑褐色斑及弯曲的斜线，后足发达，背面有单行排列的刺，腿节膨大。腹部近圆筒形，背面黑褐色，腹面灰黄色。
分布情况	多生活于杂草丛中，也见于枯枝烂叶及砖石之下，昼伏夜出。湖南各地均有分布。
资源情况	野生资源丰富。药材来源于野生。
采收加工	秋季捕捉，放沸水中烫死，晒干或烘干。
药材性状	本品呈长圆形，黑色，长1.5～2.2 cm，宽约5 mm。头略呈三角形。复眼1对，椭圆形，长径约1 mm。触角1对，多数脱落。前胸背板略呈长方形。中、后胸被翅遮盖，后胸末端有尾毛1对。尾毛长1～3 mm，雌虫的尾毛之间有1产卵管，产卵管长约1 cm。胸足3对，多数脱落。气臭。
功能主治	辛、咸，温。利尿消肿，清热解毒。用于水肿，小便不利；外用于痈肿疮毒。
用法用量	内服煎汤，4～6只；或入散剂。

蝼蛄科 Gryllotalpidae　蝼蛄属 Gryllotalpa

东方蝼蛄 *Gryllotalpa orientalis* (Burmeister)

| 动物别名 | 地蝲蛄、土狗、南方蝼蛄。

| 药 材 名 | 蝼蛄（药用部位：成虫）。

| 形态特征 | 体中型，雌虫体长 31 ~ 35 mm，雄虫体长 30 ~ 32 mm。全体棕褐色至暗褐色，密生细毛。头部近圆锥形，暗黑色，向前下方突伸。复眼较小，单眼大，呈卵形，斜向排列。触角丝状，黄褐色，长约等于头和前胸长之和。前胸背板宽大，前缘稍向内凹，后缘略圆；后胸腹板的后缘锐凸，左右两侧片的内缘距离较近。前翅长 12 mm，伸达腹部的 1/2；后翅纵折如卷须，伸过腹端。足跗节 3 节，前足基部 2 跗节呈三角形，中后足第 2 跗节短小；后足胫节背面有 4 粗刺，个别者有 3 或 5 粗刺。腹部较长，端部 2 节背面有向内伸的毛丛。尾须细长而多毛，其长度与前翅相同或略短于前翅。

| 分布情况 | 生活于潮湿地区，如河边、池塘和沟渠附近。湖南各地均有分布。

| 资源情况 | 野生资源丰富。药材来源于野生。

| 采收加工 | 夏、秋季间耕地翻土时捕捉，或晚上点灯诱捕，用淡盐沸水烫死，晒干或烘干。

| 药材性状 | 本品为干燥的虫体，多已碎断，完整者长约 3 cm，体色稍浅。腹部圆筒形。后足胫节背侧内缘有刺 1。

| 功能主治 | 咸，寒。归大肠、小肠、膀胱经。消肿通淋，解毒。用于水肿，小便不利，尿潴留，泌尿系统结石等。

| 用法用量 | 内服煎汤，10 ~ 15 只。外用适量。

蝼蛄科 Gryllotalpidae 蝼蛄属 *Gryllotalpa*

蝼蛄
Gryllotalpa africana Palisot et Boauvois

动物别名	非洲蝼蛄。
药 材 名	蝼蛄（药用部位：全体）。
形态特征	体中等，长约30 mm，长圆形，淡黄褐色或暗褐色，密被短小软毛。前足腿节下外缘较直，后足胫节背侧内缘有可动的棘3或4，翅伸过腹部末端，前足胫齿短，前胸腹板2突起连在一起。
分布情况	生活于潮湿、温暖的砂壤土中。湖南各地均有分布。
资源情况	野生资源丰富。药材来源于野生。
采收加工	夏、秋季耕地翻土时捕捉，或晚上点灯诱捕，捕得后用沸水烫死，晒干或烘干。
药材性状	本品头部圆锥形，褐色或黑褐色。复眼卵形，黄褐色而有光泽。口器棕黄色，亦有光泽。翅膜质，黄褐色，多碎落。足多折断，前足为开掘足，扁平发达，转节生有粗大的距，指向前方，胫节扁阔铲状。后足胫节中部背侧有3大刺，偶有4大刺。腹部皱缩，腹面土黄色。
功能主治	咸，寒。利水，通便。用于水肿，石淋，小便不利，瘰疬，痈肿恶疮。
用法用量	内服煎汤，5～7.5 g。外用适量，研末撒或鼻嗅。

蝉科 Cicadidae 蚱蝉属 *Cryptotympana*

黑蝉 *Cryptotympana atrata* (Fabricius)

| 动物别名 |

黑蚱蝉、蝉、知了。

| 药 材 名 |

蝉干（药用部位：全体）、蝉蜕（药用部位：若虫羽化时脱落的皮壳）。

| 形态特征 |

体大，黑色而有光泽，被金黄色细毛。雄虫体长 4.4 ~ 4.8 cm，翅展约 12.5 cm，雌虫体稍短。复眼 1 对，大型，2 复眼间有单眼 3，3 单眼三角形排列。触角 1 对。口器发达，刺吸式，唇基梳状，上唇宽而短，下唇延长成管状。胸部发达，后胸腹板上有 1 显著的锥状突起，突起向后延伸。足 3 对。翅 2 对，膜质，翅膜焦黑色，基部黄褐色。腹部分 7 节，雄蝉腹部第 1 节间有特殊的发音器官，雌蝉同一部位有听器。

| 分布情况 |

生活于枝条上。湖南各地均有分布。

| 资源情况 |

野生资源丰富。药材来源于野生。

| 采收加工 | 蝉干：6～7月采集，洗净，晒干，用木箱或竹篓装好放在干燥处。
蝉蜕：夏、秋季捕捉，拣去杂质，洗净，晒干。

| 药材性状 | 蝉干：本品略呈椭圆形而弯曲，长约3.5 cm，宽约2 cm。表面黄棕色，半透明，有光泽。头部有丝状触角1对，多已断落。复眼突出。额部先端突出。口吻发达，上唇宽而短，下唇伸长成管状。胸部背面呈"十"字形裂开，裂口向内卷曲，脊背两旁具小翅2对；腹面有足3对，被黄棕色细毛。腹部钝圆，共9节。体轻，中空，易碎。气微，味淡。
蝉蜕：本品头部有丝状触角1对，触角多已断落。复眼突出。额部先端突出。口吻发达，上唇宽而短，下唇伸长成管状。胸部背面呈"十"字形裂开，裂口向内卷曲，脊背两旁有小翅2对；腹面有足3对，被黄棕色细毛。腹部钝圆，共9节。体轻，中空，易碎。无臭，味淡。

| 功能主治 | 蝉干：甘、咸，寒。清热镇惊。用于小儿惊风，夜啼不眠，三叉神经痛等。
蝉蜕：甘，寒。归肝、肺经。疏散风热，利咽透疹，明目退翳，解痉。用于风热感冒，咽痛音哑，麻疹不透，风疹瘙痒，目赤翳障，惊风抽搐，破伤风等。

| 用法用量 | 蝉干：内服煎汤，1～3个；或入丸、散剂。
蝉蜕：内服煎汤，3～6 g。外用适量。

蝉科 Cicadidae 蚱蟟属 Oncotympana

鸣蝉 *Oncotympana maculaticollis* (Motschulsky)

| 动物别名 |

鸣鸣蝉、蚂螂、蛁蟟。

| 药 材 名 |

蝉干（药用部位：全体）、蝉蜕（药用部位：若虫羽化时脱落的皮壳）。

| 形态特征 |

体色暗绿，体长36 mm左右。头冠及前胸背板绿色。复眼暗绿褐色，单眼红色。前胸背板短于中胸背板。腹部黑色，第2腹节背板后缘靠近背板内的2斑点栗色。足绿色。前翅与后翅均透明，翅脉深褐色。

| 分布情况 |

生活于枝条上。湖南各地均有分布。

| 资源情况 |

野生资源丰富。药材来源于野生。

| 采收加工 |

同"黑蝉"。

| 药材性状 |

同"黑蝉"。

| 功能主治 | 同"黑蝉"。

| 用法用量 | 同"黑蝉"。

蝉科 Cicadidae 红娘子属 Huechys

黑翅红娘子
Huechys sanguinea (De Geer)

| 动物别名 | 黑翅红蝉、红娘子、红蝉。 |

| 药 材 名 | 红娘子（药用部位：成虫）。 |

| 形态特征 | 雄虫体长 17.2 ~ 23.5 mm，雌虫体长 21.4 ~ 25.5 mm。头胸部黑色，密被黑色长毛。雄虫头冠稍宽于中胸背板基部，雌虫头冠宽度与中胸背板基部约相同。头、复眼黑色，单眼红色，中单眼颜色较淡。额部突然向下垂直，向前伸出与颜面成直角。后唇基血红色，明显突出，中央具纵沟，两侧具横脊，密被成排的黑色长毛；喙管黑色，刚伸过中足基节。前胸背板漆黑色，中胸背板两侧具 1 对近圆形大红斑。胸腹腹面及足黑色，无斑纹。前足腿节具刺。雄虫前翅长 20.8 ~ 24.6 mm，雌虫前翅长 23.4 ~ 30.9 mm，黑褐色，不透明，结线不明显，翅脉黑色，具 8 端室；后翅淡褐色，半透明，翅脉黑褐色，具 6 端室。腹部长于头胸部，基部宽，向末端渐变窄，呈塔状，朱红色，被黄褐色短毛。雌虫的产卵管为深褐色。 |

| 分布情况 | 成虫栖息于低矮树丛内，若虫生活于砂壤土中。湖南各地均有分布。 |

| 资源情况 | 野生资源丰富。药材来源于野生。 |

| 采收加工 | 夏季早晨露水未干时捕捉，捕时宜戴手套及口罩，捕后放纱笼内蒸死，晒干。 |

| 药材性状 | 本品体呈长圆形，尾部较狭，似蝉而形较小，长 1.5 ~ 2.5 cm，宽 0.5 ~ 0.7 cm。头黑色，嘴红色。复眼大而突出。颈部棕黑色，两肩红色。背部有 2 对黑棕色有膜质翅，内翅较薄而透明，2 对翅均有明显的细纹。胸部棕黑色，有足 3 对，多已脱落。腹部红色，具 8 环节。尾部尖。质松而轻，剖开后可见体内呈淡黄色。气微臭，味 |

微辛，极毒。

| **功能主治** | 苦、辛，平；有毒。攻毒，通瘀，破积。用于血瘀经闭，狂犬咬伤；外用于瘰疬，恶疮，疥癣等。

| **用法用量** | 内服研末，1～5个。

蚧科 Coccidae 白蜡蚧属 *Ericerus*

白蜡蚧 *Ericerus pela* (Chavannes)

| **动物别名** | 白蜡虫。 |
| | |

药 材 名 | 虫白蜡（药用部位：分泌物）。

形态特征 | 雌虫成体呈半球形，寄生在植物的枝条上。产卵后虫体背面多为褐色或棕褐色，腹面膜质柔软。触角6节，其中第3节触角最长。胸足纤细，具正常节数。跗节与胫节几乎等长，两者的关节处无硬化片。爪略弯曲，爪下有小齿。跗冠毛细，爪冠毛较跗冠毛粗，且先端明显膨大。胸气门十分发达，其开口宽阔。气门腺路由五格腺组成。每组气门刺约由11刺组成，刺之大小及粗细不完全相同，其中3~4刺较长而强劲。多格腺分布在虫体腹面，常在前足基节附近或靠近前胸气门柄基部处，在中胸和腹部的腹面也分布较多。瓶状腺数量也很多，分布于虫体背面和腹面，在虫体腹面体缘呈宽带状分布，在虫体背面呈星状分布。体缘刺为圆锥形，其先端比较尖锐，排列紧密，呈单列分布，各刺近等大，与气门刺大小相同或稍小于气门刺。肛裂很宽。肛板的侧角钝圆，使肛板呈半椭圆形。虫体背面有极小的圆锥形背刺。

分布情况 | 成虫群栖于白蜡树、女贞树等枝干上。湖南各地均有分布。

资源情况 | 野生资源丰富。药材来源于野生和养殖。

采收加工 | 在清晨、阴天或雨天采收植物枝干上白蜡蚧分泌的蜡，立即进行加工，加工方法有熬煮加工和蒸汽加工2种。

药材性状 | 本品呈不规则块状，白色或类白色。表面平滑，或稍有皱纹，具光泽。体轻，质硬而稍脆，搓捻则粉碎。断面呈条状或颗粒状。气微，味无。

| **功能主治** | 甘、淡，温。归肝经。止血生肌，定痛补损，续筋接骨。用于金疮，尿血，下血，疮疡久溃不敛，下疳等。

| **用法用量** | 内服入丸、散剂，3～6 g。外用适量，熔化后调制药膏。

瘿绵蚜科 Pemphigidae　倍蚜属 Melaphis

五倍子蚜 *Melaphis chinensis* (Bell) Baker

| 动物别名 | 倍蚜。

| 药 材 名 | 五倍子（药用部位：五倍子蚜寄生于盐肤木而成的虫瘿。别名：木附子、百虫仓、倍子）。

| 形态特征 | 成虫分有翅型和无翅型 2 种。有翅型成虫均为雌虫，全体灰黑色，长约 2 mm，头部触角 5 节，第 3 节最长，感觉芽分界明显，缺缘毛；翅 2 对，透明，前翅长约 3 mm，痣纹长镰状；足 3 对；腹部略呈圆锥形。无翅型成虫，雄者绿色，雌者褐色，口器退化。

| 分布情况 | 寄生于盐肤木上。湖南各地均有分布。

| 资源情况 | 野生资源丰富。药材来源于野生和养殖。

| 采收加工 | 5 ~ 6 月采摘肚倍，9 ~ 10 月采摘角倍，采后用沸水煮 3 ~ 5 分钟，杀死内部蚜虫，晒干或阴干。

| 药材性状 | 本品肚倍呈长圆形或纺锤形囊状，长 2.5 ~ 9 cm，直径 1.5 ~ 4 cm；表面灰褐色或灰棕色，微有柔毛；质硬而脆，易破碎，断面角质样，有光泽，壁厚 0.2 ~ 0.3 cm，内壁平滑，有黑褐色死蚜虫及灰色粉状排泄物。气特异，味涩。角倍呈菱形，具不规则的钝角状分枝，柔毛较明显，壁较薄。

| 功能主治 | 酸、涩，寒。归肺、大肠、肾经。敛肺降火，涩肠止泻，敛汗，止血，收湿敛疮。用于肺虚久咳，肺热痰嗽，久泻久痢，自汗盗汗，消渴，便血痔血，外伤出血，痈肿疮毒，皮肤湿烂。

| 用法用量 | 内服煎汤，3 ~ 10 g；或研末，1.5 ~ 6 g；或入丸、散剂。外用适量，煎汤熏洗；或研末撒；或研末调敷。

瘿绵蚜科 *Pemphigidae* 倍蚜属 *Melaphis*

棓蛋蚜
Melaphis peitan (Tsai et Tang)

药 材 名	五倍子（药用部位：在盐肤木、青麸杨或红麸杨等树上形成的虫瘿。别名：肚倍）。
形态特征	本种与五倍子蚜的区别在于秋季迁移蚜的触角第Ⅲ节较第Ⅴ节略短，感觉圈界限不明显，虫瘿蛋形。
分布情况	同"五倍子蚜"。
资源情况	同"五倍子蚜"。
采收加工	同"五倍子蚜"。
药材性状	本品呈长圆形或囊状纺锤形，长 2.5 ~ 9 cm，直径 1.5 ~ 4 cm。表面灰褐色或淡棕色，被灰黄色滑软的柔毛。质硬而脆，易破碎，断面角质状，有光泽，壁厚 2 ~ 3 mm，内壁平滑，内有黑褐色死蚜及灰色粉末状排泄物。气特异，味涩。
功能主治	同"五倍子蚜"。
用法用量	同"五倍子蚜"。

兜蝽科 Dinidoridae 瓜蝽属 Aspongopus

九香虫 *Aspongopus chinensis* (Dallas)

| 动物别名 | 打屁虫、臭屁虫、黑兜虫。

| 药 材 名 | 九香虫（药用部位：全体）。

| 形态特征 | 体椭圆形，紫黑色，带铜色光泽，长 1.7 ～ 2.2 cm，宽 1 ～ 1.2 cm。头黑色，略呈三角形，头部边缘稍向上卷起。单眼 1 对，红黄色；复眼突出，卵圆形，黑褐色。触角丝状，黑色，第 5 节红黄色或暗红色，第 2 节长于第 3 节。前盾片有横皱纹，前侧缘稍向上卷起，小盾片末端呈舌形，革质部紫色。后翅膜质，暗灰色。胸部下面黑色，前胸及后胸每侧的后缘区为暗红黄色。3 对足和基节均为紫黑色。腹部背面红黄色，侧接缘黑色，每节中间有明显或隐约的暗黄色点，腹部下面侧区铜绿色，中间为暗铜红色，其侧边每节有 1 暗黄色点。雌虫后足胫节中间扩大，内侧有一长椭圆形的内凹，雄虫无。后胸腹板近前缘区有 2 气孔，气孔位于后足基节前外侧，由此放出臭气。腹部每节气孔下均有 1 浅沟。雄虫第 9 节为生殖节，其端缘呈弧形，中央弓凸。雌虫第 8 节分为 4 片，第 9 节分为 2 片，第 10 节极小。

| 分布情况 | 寄生于南瓜、冬瓜等瓜类作物上。湖南各地均有分布。

| 资源情况 | 野生资源丰富。药材来源于野生和养殖。

| 采收加工 | 春、秋季捕捉，放于罐内，加酒，盖紧，将其闷死，或置沸水中烫死，取出，晒干或烘干。

| 药材性状 | 本品呈六角状扁椭圆形，长 1.6 ～ 2 cm，宽 1 ～ 1.2 cm。表面棕褐色或棕黑色，略有光泽。头极小，与胸部呈类三角形。单眼 1 对，复眼突出，卵圆形。触角 1 对，多已脱落。背部有翅 2 对，翅棕黄色或棕褐色，外面 1 对翅基部较硬，里面 1 对翅为膜质。将翅除去

后可见背部呈棕红色，有节。胸部有足3对，多已脱落。腹部棕红色或棕黑色，分为5~6节，每节近边缘处有凸起的小点。质脆，折断后腹内有浅棕色内含物。气特异，味微咸。以个大、均匀、油性、无虫蛀者为佳。

| 功能主治 | 咸，温。归肝、脾、肾经。理气止痛，温中助阳。用于胃寒胀痛，肝胃气滞作痛，肾虚阳痿，腰膝酸痛等。

| 用法用量 | 内服煎汤，3~9 g；或入丸、散剂，0.6~1.2 g。外用适量，研末调敷或点眼。

兜蝽科 Dinidoridae 皱蝽属 *Cyclopelta*

小皱蝽 *Cyclopelta parva* (Distana)

| 动物别名 | 小兜蝽、小九香虫。

| 药 材 名 | 小九香虫（药用部位：成虫）。

| 形态特征 | 体卵圆形，雄虫体长约11 mm，体宽约6 mm，雌虫体长约12.5 mm，体宽约7 mm。头短，侧缘稍向上卷起。触角丝状，纯黑色。吻越过前足，基部稍呈黄色。翅膜棕褐色，半透明。腹部背面深紫色，侧接缘外边稍凸起，无刺，暗黑色。

| 分布情况 | 成虫聚生于槐树下杂草丛生的土表层越冬。湖南各地均有分布。

| 资源情况 | 野生资源丰富。药材来源于野生。

| 采收加工 | 春、秋季捕捉，用沸水烫死，晒干或烘干。

| 功能主治 | 甘、辛、咸，温。归脾、肾经。行气止痛，补肾壮阳。用于脾胃气滞，中阳不足，脘腹胀痛，阳痿早泄，腰膝酸软等。

| 用法用量 | 内服，5～9 g，煎汤。

刺蛾科 Limacodidae 黄刺蛾属 *Cnidocampa*

黄刺蛾 *Cnidocampa flavescens* (Walker)

| 药 材 名 | 雀瓮（药用部位：带有石灰质硬茧的幼虫。别名：天浆子）。

| 形态特征 | 成虫体长 10 ~ 17 mm，翅展达 24 ~ 38 mm，雌虫较雄虫大。头和胸部黄色，足暗红褐色，腹部黄褐色。前翅内半部黄色，外半部褐色，2 暗褐色横线从翅尖向后斜伸，里面 1 横线伸至中室下角后成松散的圆斑，为 2 种颜色的分界线，外面 1 横线伸达近后角处；后翅赭黄色。幼虫老熟时长 16 ~ 25 mm，呈长方形。头小，黄褐色。从第 2 节开始，每节有 4 枝刺，每枝刺上有许多黑色的刺毛。腹足退化为吸盘。体黄绿色，背中央有一中段狭的紫褐色纵纹，纵纹外侧衬有蓝色边。末节背面有 4 褐色小斑，气门上线淡青色，下线淡黄色。茧椭圆形，长 11.5 ~ 14.5 mm，灰白色，上有数条褐色宽纵纹，质地坚硬，形似雀蛋。

| 分布情况 | 幼虫生活于苹果、梨、桃、杏、李、枣、桑、山楂等树上，结茧于树杈或枝干上。湖南有分布。

| 资源情况 | 野生资源丰富。药材来源于野生。

| 采收加工 | 秋季从树枝上取下，蒸后干燥。

| 药材性状 | 本品为椭圆形的空壳，粗者直径为 6 ~ 10 mm，一侧断面呈截断形，正面则为一圆口，色灰白而有褐色纵条纹，侧面有 1 棕色纵条沟，此为附着于树枝上的残痕。体轻，石灰质，捏则易碎。味淡。

| 功能主治 | 甘，平。清热止惊，散风解毒。用于小儿惊风，瘫痪，乳蛾，流涎，脐风等。

| 用法用量 | 内服入丸、散剂，1 ~ 5 个。

蚕蛾科 *Bombycidae* 家蚕属 *Bombyx*

家蚕蛾 *Bombyx mori* (Linnaeus)

| 动物别名 | 晚蚕蛾、桑蚕。

| 药 材 名 | 白僵蚕（药用部位：幼虫感染白僵菌而僵死的干燥全体。别名：僵蚕、天虫、僵虫）、白僵蛹（药材来源：桑蚕蛹经白僵菌发酵的制品）、原蚕沙（药用部位：幼虫的粪便。别名：蚕沙、二蚕沙、蚕屎）、原蚕蛾（药用部位：雄性成虫。别名：晚蚕蛾、雄原蚕蛾）、蚕茧（药用部位：茧壳。别名：蚕衣、蚕茧壳）。

| 形态特征 | 触角栉齿状。体翅黄白色至灰白色，前翅外缘顶角后方向内凹切，各横切线色稍暗，不甚明显，端线与翅脉灰褐色，后翅较前翅色淡，边缘鳞毛稍长。雄蛾略小于雌蛾。幼虫体灰白色至白色。胸部第 2 ~ 3 节稍膨大，有皱纹，腹部第 8 节背面有 1 尾角。

| 分布情况 | 生活于扶桑、桑、柞木、榕树、柘木、构树等树上。湖南各地均有分布。

| 资源情况 | 野生资源丰富。药材来源于野生和养殖。

| 采收加工 | **白僵蚕：** 收集病死的僵蚕，倒入石灰中拌匀，吸去水分，晒干或焙干。
白僵蛹： 取白僵菌在 25 ~ 28 ℃下经斜面培养 10 ~ 12 天，再将菌种用煮茧液做液体扩大培养，在摇床上振荡 36 小时左右，使菌液呈均匀混浊状，即可接蛹。另将蚕蛹洗净，烘干，将破碎的蚕蛹作为发酵底物，接种上述菌液。在 25 ~ 28 ℃下，封闭或半裸露培养 2 ~ 3 天，再浅盘裸露培养 5 ~ 7 天，使蚕蛹产生孢子而呈白色或白中带黄色，然后灭菌，烘干。
原蚕沙： 6 ~ 8 月采收二眠以上蚕的粪便，干燥，筛净土，除去杂质。
原蚕蛾： 夏、秋季采集，以沸水烫死，晒干。
蚕茧： 夏、秋季采收，晒干。

| 药材性状 | **白僵蚕**：本品圆柱形，多弯曲而皱缩，长 2～5 cm，直径 4～7 cm。表面灰白色或淡黄褐色，带有白霜。头部黄褐色，类圆形。足 8 对，呈突起状。质坚而脆，易折断，断面平坦，光亮，外层白色，显粉性，内有 4 褐色亮圈。气腐臭，味微咸。以条直、肥壮、质坚、色白、断面光亮者为佳。

白僵蛹：本品呈不规则块状，表面白色或黄白色。质轻脆，易碎。有霉菌味及特有的腥气。

原蚕沙：本品呈短圆柱形，长 2～5 mm，直径 1.5～3 mm。表面粗糙，有 6 明显纵棱及 3～4 横纹，两端平坦，呈六棱形，灰黑色或暗绿黑色。质坚硬，遇潮易破碎。具清馨气。以坚实、无杂质者为佳。

原蚕蛾：本品体长 2 cm 左右，翅展 4 cm 左右，全身密被白色鳞片。头部较小，复眼黑色，呈半圆形。触角 1 对，呈栉齿状，黑色，较长。腹部较狭窄，末端稍尖。质脆，易破碎。

蚕茧：本品长椭圆形或中间稍缢缩，长 3～4 cm，直径 1.7～2.1 cm。表面白色，有不规则皱纹，并有蚕丝附着，蚕丝呈绒毛状，其内壁的丝很有规律。质轻而韧，不易撕裂。未羽化的蚕茧内有黄棕色的蚕蛹 1 及成蛹前蜕下的淡棕色、皱缩的茧皮。

| 功能主治 | **白僵蚕**：辛、咸，平。祛风解痉，化痰散结，解毒。用于小儿惊风，抽搐，风痰，半身不遂，风热头痛，咽喉肿痛，风疮，疮疖，丹毒，淋巴结结核等。

白僵蛹：辛、咸，平。退热，止咳，化痰，镇静，止惊，消肿。用于癫痫，高热惊厥，流行性腮腺炎，慢性支气管炎，遗尿，荨麻疹等。

原蚕沙：甘、辛，温。祛风除湿，清热明目，活血定痛。用于风热目痛，风湿性心脏病，风湿性关节炎，腰脚冷痛，肢体麻木，风疹瘙痒，头痛，吐泻转筋等。

原蚕蛾：咸，温。涩精，壮阳，补益肝肾。用于阳痿，遗精，尿血，白浊，金疮，冻疮，烫火伤等。

蚕茧：甘，温。止渴，缩尿，止血，解毒。用于便血，尿血，血崩，消渴，反胃，痔疮，痈肿等。

| 用法用量 | **白僵蚕**：内服煎汤，5～15 g；或入丸、散剂。外用适量，研末撒或调敷。

白僵蛹：内服入片剂，每片 0.3 g，成人每日服 20～30 片，分 3 次服。

原蚕沙：内服煎汤，5～15 g；或入丸、散剂。外用适量，煎汤洗；或研末敷。

原蚕蛾：内服研末，1.5～9 g。外用适量，研末撒；或捣敷。

蚕茧：内服煎汤，5～15 g。外用适量，研末撒或调敷。

粉蝶科 Pieridae 粉蝶属 Pieris

白粉蝶
Pieris rapae (Linnaeus)

| **动物别名** | 白蝴蝶、粉蝶、菜白蝶。

| **药材名** | 白粉蝶（药用部位：成虫）。

| **形态特征** | 体长约 18 mm，展翅宽 45 ~ 65 mm。头小。复眼黑褐色，圆形。胸部黑色，有灰色长毛，并夹有白色长细毛。雌蝶翅基部的灰黑色部分几占全翅的一半，雄蝶灰黑色部分仅局限于翅基处。足细长，被白色细毛，跗节 5 节。腹部细小，末端略尖，密被白色鳞片。卵柠檬形，直径 0.4 mm，初产时呈鲜黄色，后渐变为淡黄色，表面有许多纵横线，纵横线形成许多长方形小格。老熟幼虫体长 28 ~ 35 mm，青绿色，腹面色略淡，背面密布小黑点。蛹灰黄色、灰绿色、淡褐色或青绿色，体长 18 ~ 21 mm，两端尖细，中部膨大，体背具 3 纵脊。

| **分布情况** | 主要生活于十字花科蔬菜上。湖南各地均有分布。

| **资源情况** | 野生资源丰富。药材来源于野生。

| **采收加工** | 夏季捕捉，鲜用，或用线穿起，置通风处保存。

| **功能主治** | 消肿止痛。用于跌扑损伤。

| **用法用量** | 外用适量。

凤蝶科 Papilionidae 凤蝶属 Papilio

凤蝶 *Papilio machaon* (Linnaeus)

| **药材名** | 茴香虫（药用部位：幼虫）。

| **形态特征** | 夏型成虫展翅达 107 mm，体暗黄色或淡黄绿色。复眼黑褐色，半球状，触角黑色，棒状。前翅每翅室基部均有黄斑 1，后翅内缘呈弓状内弯，黑色，每翅室基部均有黄斑 1。肛角附近有橙黄色圆纹 1，中心黑色。

| **分布情况** | 生活于柑橘、樟等树上。湖南各地均有分布。

| **资源情况** | 野生资源丰富。药材来源于野生。

| **采收加工** | 夏季捕捉，以酒醉死，晒干、烘干或鲜用。

| **功能主治** | 甘、辛，温。止痛，理气，止呃。用于胃痛，疝气，噎膈等。

| **用法用量** | 内服煎汤，1～3条；或入丸、散剂。

凤蝶科 Papilionidae 凤蝶属 Papilio

柑橘凤蝶 *Papilio xuthus* (Linnaeus)

| 动物别名 | 凤蝶、燕尾蝶、花椒凤蝶。

| 药 材 名 | 茴香虫（药用部位：幼虫）。

| 形态特征 | 成虫体长 25 ~ 30 mm，翅展 90 ~ 110 mm。体侧有灰白色或黄白色毛。体、翅的颜色随季节不同而变化：春型色淡，呈黑褐色，夏型色深，呈黑色。翅上的花纹黄绿色或黄白色，春、夏型排列一致的，但夏型雄蝶的后翅前缘多 1 黑斑。前翅中室基半部有 4 ~ 5 放射状斑纹，至端部断开并几乎相连，端半部有 2 横斑；外缘区有 1 列新月形斑纹；中后区有 1 列纵向斑纹，斑纹在外缘排列整齐而规则，且从前缘向后缘逐个递增，至 Cu_2 室有从翅基伸出的纵带 1，该带在中间呈角状弯曲，端部呈折钩形，沿后缘有 1 细纵纹。后翅基半部的斑纹均顺脉纹排列，且被脉纹分割；亚外缘区有 1 列蓝色斑，有时蓝色斑不明显；外缘区有 1 列弯月形斑纹，臀角有 1 环形或半环形红色斑纹。翅反面色稍淡，前、后翅亚外缘区斑纹明显，其余特征与正面相似。

| 分布情况 | 寄生于柑橘、花椒、椿叶花椒、黄檗等芸香科植物上。湖南各地均有分布。

| 资源情况 | 野生资源丰富。药材来源于野生。

| 采收加工 | 夏季捕捉，置沸水中略烫，取出，晒干。

| 功能主治 | 辛、甘，温。归肝、胃经。理气，化瘀，止痛，止呕。用于胃脘痛，呃逆，噎膈等。

| 用法用量 | 内服研末，1.5 ~ 3 g。

弄蝶科 Hesperidae 蕉弄蝶属 Erionota

香蕉弄蝶
Erionota thorax (Linnaeus)

| **动物别名** | 巴蕉卷叶蛾、蕉包虫。 |

| **药材名** | 香蕉弄蝶（药用部位：幼虫、成虫）。 |

| **形态特征** | 成虫体长 30 ～ 35 mm，翅展 75 ～ 85 mm。全体褐色或茶褐色，胸部全为长毛所盖。复眼大，呈半球形，棕黑色，基部有红棕色环。触角长，棍状，末端弯曲。前翅黑褐色，后翅棕黑色，基部有长鳞毛。卵浅灰色或红色，扁球形。幼虫初孵化时呈青灰色，被白色微毛，头黑色。老熟幼虫体长 50 ～ 64 mm，体外被白色蜡粉。蛹略呈圆筒形，体长 36 ～ 40 mm，被白色蜡粉。 |

| **分布情况** | 寄生于椰子、竹、桃椰、油棕、香蕉、芭蕉等树上。湖南各地均有分布。 |

| **资源情况** | 野生资源丰富。药材来源于野生。 |

| **采收加工** | 夏季捕捉，置瓦上焙干。 |

| **功能主治** | 清热解毒，消肿止痛。用于化脓性中耳炎。 |

| **用法用量** | 外用适量。 |

灯蛾科 Arctiidae 灯蛾属 Arctia

灯蛾
Arctia caja (Linnaeus)

| 动物别名 | 飞蛾、慕光、扑火蛾。 |

| 药材名 | 灯蛾（药用部位：全体）。 |

| 形态特征 | 体肥大，茶褐色，长约 3 cm，展翅约 8 cm。头小，两侧有复眼 1 对。口吻发达，下唇须长。触角 1 对，羽状。胸节连合，有红色部。翅 2 对，膜质，被鳞片，茶褐色，前翅具黄白色网状纹，后翅有黑纹数条。足 3 对。腹部肥大，橙黄色。幼虫长圆形，黑色，有灰黄色或赤褐色毛。 |

| 分布情况 | 生活于作物或草丛中。湖南各地均有分布。 |

| 资源情况 | 野生资源丰富。药材来源于野生。 |

| 采收加工 | 秋季捕捉，鲜用。 |

| 功能主治 | 解毒敛疮。用于瘘管。 |

| 用法用量 | 外用适量，研末撒。 |

大蚕蛾科　Saturniidae　柞蚕属　Antheraea

柞蚕
Antheraea pernyi (Guerin-Meneville)

动物别名	栎蚕、槲蚕。

药材名	柞蚕蛹（药用部位：蛹）、雄蚕蛾（药用部位：雄性成虫全体）。

形态特征	体长 30 ~ 45 mm，翅长 50 ~ 65 mm，体及翅黄褐色。头棕褐色。触角双栉形。雌性栉羽明显短于雄性，各节具暗色环。肩板、前胸及中胸前缘紫褐色，与前翅前缘的紫褐色线相接。前翅前缘紫褐色并杂有白色鳞毛；顶角外突，端部较尖；内线白色，外侧紫褐色，内线外侧在中室部位有紫色短斜线；外线黄褐色，两侧模糊不清；亚端线紫褐色，外侧镶有白边，接近顶角部位有较明显的白色闪形纹；中室端有较大的椭圆形斑，周围镶嵌白色、黑色及紫红色圆环，透明斑中明显可见中室端横脉，外横线贯穿上下。后翅颜色及斑纹与前翅近似，中室眼形透明斑圆，周围黑线更明显；内线白色不甚明显，紫色边深。前翅及后翅反面色斑与正面相同，内线及中线明显，亚端线由各脉间紫灰色、近三角形斑点组成，各点间不连贯；翅脉污黄色。

分布情况	生活于柞树上。湖南各地均有分布。

资源情况	野生资源丰富。药材来源于野生。

采收加工	**柞蚕蛹：** 冬季采收，鲜用或晒干。 **雄蚕蛾：** 夏季捕捉雄性蚕蛾，以沸水烫死，晒干。

药材性状	**柞蚕蛹：** 本品长 30 ~ 34 mm，深褐色，卵圆形，头钝尾尖。先端有1白色小方块，称为"蛹照"。触角、翅及 3 对胸足位于胸部腹面两侧，第 3 对胸足部分为翅所遮盖。 **雄蚕蛾：** 本品呈污白色，密被白色鳞片，体长约 2 cm，翅展约

4 cm。头部小。复眼 1 对，黑色，半圆形。口器退化，下唇须细小。触角 1 对，黑色。胸部有翅 2 对，前翅较大，近三角形，后翅较小，近圆形。腹较狭窄，末端稍尖。触角、翅等多已残缺。质脆，易碎。气微腥。

| 功能主治 | **柞蚕蛹：**生津止渴，消食理气，镇惊解痉。用于尿频，消渴，淋证，癫痫等。
雄蚕蛾：补肾壮阳。用于阳痿早泄，阳虚体寒，腰膝酸痛，手脚发凉，再生障碍性贫血等。

| 用法用量 | **柞蚕蛹：**内服煎汤，10 ~ 15 g；或研末。
雄蚕蛾：内服研末，1.5 ~ 5 g；或入丸剂。

虻科 Tabanidae 虻属 *Tabanus*

华虻 *Tabanus bivittatus* (Schiner)

| **动物别名** | 白斑虻、白纹虻。 |

| **药 材 名** | 虻虫（药用部位：全体）。 |

| **形态特征** | 体长16～18 mm，额高度约为基部宽度的4倍。基胛卵圆形，黄棕色；中胛柱状，与基胛相连。触角黑色，背角明显，有适中缺刻。第2节颚须浅黄灰色，具黑色毛，基部较粗，端部逐渐变细。翅第1后室关闭，腹部黑灰色，背板第1～5节中央具大而明显的白色三角斑，两侧有斜方形白斑，腹板灰色。 |

| **分布情况** | 幼虫生活在沼中，成虫生活在草丛或树林中。湖南各地均有分布。 |

| **资源情况** | 野生资源丰富。药材来源于野生。 |

| **采收加工** | 夏季捕捉，用沸水烫死，晒干。 |

| **药材性状** | 本品呈灰黑色，体长14～16 mm。复眼呈黑色。基胛近卵圆形，中胛柱状，与基胛相连。翅透明，脉棕色。腹部背板中央具大而明显的三角形白斑，两侧具斜方形斑。触角黑灰色，有适中缺刻。质松而脆，易破碎。气浓臭，味苦、咸。 |

| **功能主治** | 逐瘀，破积，通经。用于癥瘕积聚，少腹蓄血，血滞经闭，跌仆损伤等。 |

| **用法用量** | 内服煎汤，1.5～3 g；或研末，0.3～0.6 g；或入丸、散剂。 |

狂蝇科 Oestridae 蜂蝇属 *Eristalis*

蜂蝇
Eristalis tenax (Linnaeus)

动物别名	拟蜂蝇、花虻、鼠尾蛆。
药 材 名	蜂蝇（药用部位：幼虫）。
形态特征	体巨大，长约 15 mm，形状如蜜蜂，故又称"拟蜂蝇"。体黑褐色，全身被金黄色绒毛。腹部有光泽，翅脉多波曲。幼虫体圆筒形或椭圆形，具有鼠尾样的长尾，尾比体长得多。
分布情况	成虫常出入于花丛间，栖息于野外，产卵于污水粪坑或臭水潭中。幼虫生活于污水缸、粪坑。湖南各地均有分布。
资源情况	野生资源丰富。药材来源于野生。
采收加工	夏、秋季捞取，冲洗干净，拌以草木灰，再用清水洗净，置沸水中略烫，取出，晒干。
功能主治	消食积，健脾胃。用于消化不良，脘腹胀满，体倦无力等。
用法用量	内服煎汤，3 ~ 5 g。

丽蝇科 Calliphoridae 金蝇属 Chrysomyia

大头金蝇 *Chrysomyia megacephala* (Fabricius)

| **动物别名** | 金蝇、红点蝇、红头蝇。

| **药材名** | 五谷虫（药用部位：幼虫。别名：谷虫）。

| **形态特征** | 雄虫体长 10 mm 左右，雌虫体长 9 ~ 10 mm。腋瓣带棕色，具暗棕色至棕褐色缘，缘缨除上、下腋瓣交接处呈白色外，其余大部分呈灰色至黑色。雄虫 2 复眼密接，复眼上方 2/3 处有大型小眼片，与下方 1/3 范围内的小型眼面区有明显的区分；在额的长度范围内约有 25 排小眼面。侧额底色暗，上有金黄色粉被及黄毛。触角枯黄色，第 3 节长超过第 2 节长的 3 倍。芒毛黑色，长羽状毛达末端。颜、侧颜及颊杏黄色至橙色，均生黄毛，下后头毛亦为黄色，口上片与侧颜及颊同色且稍微突出，下颚须枯黄色，喙红棕色至黑色。胸部呈金属绿色，有铜色反光及蓝色光泽，前盾片被薄而透明的灰白色粉。腹侧片及第 2 腹板上的小毛大部分呈黑色。雌虫额宽率常为 0.3 ~ 0.37，在额部的眼前缘向内稍凹入，在额中段的间额常为一侧额的 2 倍或 2 倍以上；腹侧片及第 2 腹板上的黄色毛占多数。

| **分布情况** | 成虫喜居户外。幼虫生于人粪、垃圾、腐败物中。湖南各地均有分布。

| **资源情况** | 野生资源丰富。药材来源于野生。

| **采收加工** | 7 ~ 9 月收集，装入布袋，用流水反复清洗，使虫体内容物排除干净，晒干。

| **药材性状** | 本品体扁圆柱形。头部较尖，长 1 ~ 1.5 cm，宽 2 ~ 3 mm，黄白色，有的略透明。质松脆，易碎，断面多空泡。以体轻、干净、淡黄白色、无臭味者为佳。

| **功能主治** | 咸、甘，寒。归脾、胃经。化坚消石，清热，消滞。用于疳积发热，食积泻痢，疳疮，疳眼，走马牙疳等。

| **用法用量** | 内服研末，3 ~ 5 g；或入丸剂。外用适量，研末撒或调敷。

隐翅虫科 Staphilinidae 隐翅虫属 Paederus

多毛隐翅虫
Paederus densipennis (Bernh)

| 动物别名 | 黄蚂蚁。

| 药 材 名 | 花蚁虫（药用部位：成虫）。

| 形态特征 | 形如蚂蚁，全身散生褐色毛。鞘翅甚短，长方形，深蓝色或暗绿色。触角丝状，末端为暗褐色。小腮须由 3 ~ 4 节组成，第 4 节甚短，末端疣状，亦呈暗褐色。后头呈颈状，头及尾端的 2 节为黑色。前胸背板稍呈卵形，腹面及足皆为赤褐色。

| 分布情况 | 生活于田边、沟边及玉米根周围。湖南各地均有分布。

| 资源情况 | 野生资源丰富。药材来源于野生。

| 采收加工 | 夏、秋季捕捉，鲜用。

| 功能主治 | 解毒，杀虫，止痒。用于神经性皮炎，癣疮，瘾症等。

| 用法用量 | 外用适量。

龙虱科 Dytiscidae 龙虱属 Cybister

黄边大龙虱 *Cybister japonicus* (Sharp)

| 动物别名 | 黄缘龙虱。

| 药材名 | 龙虱（药用部位：成虫）。

| 形态特征 | 成虫体长 3.5 ~ 4 cm，长卵流线形，扁平，光滑。背棕黑色，常有绿色反光。腹部黄褐色，沿前胸和鞘翅两侧有棕红色带。头部略扁，缩入前胸内。上颚大而尖，下颚须短。复眼突出，体背腹面拱起。触角丝状，11 节。前胸背板两侧及鞘翅两侧的宽黄边中间夹有 1 黑纹条。翅上布满沟状刻纹。鞘翅侧缘黄边基部略宽于前胸背短侧缘黄边，翅侧绿黄边基部较窄、略后稍宽，再后渐窄。足 3 对；前足小，雄虫前足跗节基部 3 节显著增大；后足侧扁，有长毛，为游泳足；后基节与后胸腹板占据腹面的一大半。腹面有数列洗盘，披毛成刷。鞘翅紧贴腹部背面两侧，鞘翅与腹部之间有 1 气室，气室贮存空气。

| 分布情况 | 生活于池沼、水田或水沟。湖南各地均有分布。

| 资源情况 | 野生资源丰富。药材来源于野生。

| 采收加工 | 全年均可捕捉，捕得后用沸水烫死，晒干。

| 药材性状 | 本品呈长卵形，有光泽。背面黑色。鞘翅边缘有棕黄色狭边。除去鞘翅后可见浅色的膜质翅 1 对。腹面红褐色至黑褐色。腹部有横纹。质松脆。气腥，味微咸。

| 功能主治 | 补肾虚，缩小便，活血。用于肾虚之小便频数，小儿遗尿，肾亏血虚。

| 用法用量 | 内服研末，3 ~ 5 g；或入丸、散剂。

龙虱科 Dytiscidae 龙虱属 Cybister

三星龙虱 *Cybister tripunctatus orientalis* (Gschwendtner)

| 动物别名 | 东方潜龙虱、水鳖虫。

| 药 材 名 | 龙虱（药用部位：成虫）。

| 形态特征 | 体长圆形，前狭后宽。背面黑绿色，腹面黑色或黑红色，有时部分呈棕黄色。体翅周边有黄色带。头部近扁平，中央微隆起，两侧有稍凹陷的小刻点。触角黄褐色。前胸背板横阔，有细纵沟。鞘翅有3行不明显点线。腹下第3～5节两侧各有横斑1。足黄褐色，生有金色长毛，后足胫节短阔，胫端两侧有刺。雄虫前足跗节基部3节膨大成吸盘。

| 分布情况 | 生活于池沼、水田或水沟。湖南各地均有分布。

| 资源情况 | 野生资源丰富。药材来源于野生。

| 采收加工 | 同"黄边大龙虱"。

| 药材性状 | 同"黄边大龙虱"。

| 功能主治 | 同"黄边大龙虱"。

| 用法用量 | 同"黄边大龙虱"。

芫菁科 Meloidae | 豆芫菁属 *Epicauta*

红头豆芫菁 *Epicauta ruficeps* (Illiger)

| 动物别名 | 毛角芫菁。

| 药 材 名 | 葛上亭长（药用部位：成虫）。

| 形态特征 | 体长 9.5 ~ 22 mm，体宽 3.5 ~ 6.5 mm。体黑色。头部红色，刻点细小，较密。触角 11 节，细长；雄虫触角长度超过体长的 1/2，除末端 2 ~ 3 节外，其他各节的一侧具黑色长毛；雌虫触角长度约为体长的 1/2，无长毛；触角基部有 1 对光滑的瘤，瘤与头同色，雄虫的瘤较大而明显，雌虫的瘤小而不明显。前胸背板长、宽近相等，前端 1/3 向前束狭；盘区密布细小刻点，中间有 1 细纵凹纹，接近后缘的中部有 1 三角形凹洼。鞘翅狭长，两侧近平行。雄虫前足胫节端部具 1 细长端刺，外侧密布黑色长毛；雌虫胫节端部具 1 对细长端刺，外侧无长毛。

| 分布情况 | 生于树林中。湖南各地均有分布。

| 资源情况 | 野生资源丰富。药材来源于野生。

| 采收加工 | 4 ~ 5 月或 7 ~ 8 月，在清晨露水未干时捕捉，置于布袋中，用沸水烫死，晒干，或放入瓦罐里，加少许白酒，闷死，取出，晒干。

| 功能主治 | 辛，温；有毒。归肝经。逐瘀，破积，攻毒。用于血瘀经闭，癥瘕积聚，白癜，恶疮肿毒，疥癣等。

| 用法用量 | 内服入丸、散剂，1 ~ 2 只。外用适量，捣敷；或煮酒搽。

芫菁科 Meloidae 豆芫菁属 *Epicauta*

毛胫豆芫菁 *Epicauta tibialis* (Waterhouse)

| 动物别名 | 胫毛豆芫菁。

| 药 材 名 | 葛上亭长（药用部位：成虫）。

| 形态特征 | 体长 13 ~ 16 mm。头棕黄色，体躯、足和触角褐色。头略呈三角形，与身体垂直，有凹刻点；头中部有 1 红色纵纹，纵纹伸至头后缘。复眼黑色，长肾形。触角基部、复眼前方每边有与头部颜色相同的光滑的大瘤 1。触角丝状，11 节，第 1 节粗大，杯状，第 4 ~ 7 节较短而侧扁，第 8 ~ 11 节细长，第 1 ~ 3 节的内侧有长毛，其余部位有短毛。头后有细颈。前胸背板长大于宽，向前、后变窄，最大宽度在前胸的中部；前胸后端隆起，渐向前倾斜，具粗的凹刻点；前胸背板中央有一段深色纵线，纵线不伸至前缘和后缘。鞘翅具粗刻点，密布棕色短毛，鞘翅后缘有灰色短毛。足细长；前足胫节具 1 细而尖的端刺，腿节下缘、胫节外侧及第 1 跗节外侧有浓密的黑色长毛，腿节内侧及胫节下缘有灰色毛；中、后足具有短小的棕色毛。胸部腹面棕黑色，后胸腹板有黑色长毛。腹部两侧有灰色毛，腹部腹板黑色，具黑色短毛。

| 分布情况 | 同"红头豆芫菁"。

| 资源情况 | 同"红头豆芫菁"。

| 采收加工 | 同"红头豆芫菁"。

| 功能主治 | 同"红头豆芫菁"。

| 用法用量 | 同"红头豆芫菁"。

芜菁科 Meloidae 斑蝥属 *Mylabris*

大斑芜菁 *Mylabris phalerata* (Pallas)

| 动物别名 | 南方大斑蝥。

| 药 材 名 | 斑蝥（药用部位：全体）。

| 形态特征 | 体长 15 ~ 30 mm，全体被黑色毛。头圆三角形，密布细小刻点，额中有 1 纵纹。触角短，11 节，端部 5 节膨大成棒状。前胸两侧平行，前端束狭。背板密布细刻点，中部有 1 圆凹洼，接近后缘的中部有 1 三角形凹洼。鞘翅黄、黑色相间；翅基部具长方状圆形大黄斑，肩部外侧有 1 小黄斑，翅中部及下部均有横贯全翅的黄色宽横纹 1；翅上除黄斑、黄横纹处外，余处均为黑色。腹面及足均为黑色。

| 分布情况 | 生于山区树林中。湖南各地均有分布。

| 资源情况 | 野生资源丰富。药材来源于野生。

| 采收加工 | 夏、秋季早晨，当斑蝥翅湿不能起飞时捕捉，捕捉时应戴手套，以免斑蝥刺激皮肤引起皮炎，将捕到的斑蝥用沸水烫死，晒干或烘干。

| 药材性状 | 本品呈长圆形，长 1.5 ~ 2.5 cm，宽 0.5 ~ 1 cm。头及口器向下垂。有较大的复眼及触角各 1 对，触角多已脱落。背部具黑色革质翅 1 对，有黄色或棕黄色横纹 3；鞘翅下面有棕褐色、薄膜状的透明内翅 2。胸腹部乌黑色，胸部有足 3 对。有特殊的臭气。

| 功能主治 | 辛，热；有大毒。归肝、胃、肾经。破血逐瘀，散结消癥，攻毒蚀疮。用于癥瘕，经闭，顽癣，瘰疬，赘疣，痈疽不溃，恶疮死肌等。

| 用法用量 | 内服炒炙研末，每次 0.03 ~ 0.06 g；或入丸剂。外用适量，研末敷贴发泡；酒、醋浸或制成膏涂。

芜菁科 Meloidae 绿芜菁属 Lytta

芜菁
Lytta caragane (Pallas)

动物别名	青虫、相思虫。
药 材 名	芜菁（药用部位：成虫。别名：青娘子）。
形态特征	体长 0.8 ~ 2.2 mm。头略呈三角形，与身体垂直，头顶中央有 1 纵沟纹。额与头顶的中央有一红斑。复眼肾形。触角念珠状，末节末端尖锐。前胸背板光滑，两侧前后角隆起。鞘翅柔软，表面密布横皱纹，隐约可见平行纵脊纹 3，爪纵裂为 2 片。
分布情况	生于山区树林中。湖南各地均有分布。
资源情况	野生资源丰富。药材来源于野生。
采收加工	夏季捕捉，用沸水烫死，晒干或烘干。
药材性状	本品体呈长圆形，长 1 ~ 2 cm，宽 4 ~ 5 mm。头略呈三角形，蓝紫色，有光泽。眼小，微突。鞘翅绿色，蓝紫色或红紫色，光亮美丽，翅膜淡棕色，有 4 明显脉纹。胸部突起。腹部具 5 体节。足 3 对。触角及足多已脱落。气微臭。
功能主治	辛，微温；有毒。攻毒，逐瘀。用于瘰疬，狂犬咬伤。
用法用量	内服入丸、散剂，1 ~ 2 个。外用适量，研末调敷。

芫菁科 Meloidae 豆芫菁属 Epicauta

锯角豆芫菁 *Epicauta gorhami* (Marseul)

| 动物别名 | 豆芫菁、白条芫菁。

| 药 材 名 | 葛上亭长（药用部位：成虫）。

| 形态特征 | 体长 10.5 ~ 18.5 mm，体宽 2.6 ~ 4.6 mm。体和足黑色。头红色。唇基黑色。复眼黑褐色，肾形。口器黑色。触角黑色，基部 4 节红色；雌虫触角丝状，雄虫触角中部扁平，呈栉齿状。前胸长稍大于宽，两侧平行，在前端变狭。背板上有由灰白色毛构成的 1 纵纹。鞘翅黑色，内、外缘及中部均有由灰白色毛构成的 1 纵纹。胸部腹面被白色长毛。足细长。雌虫前足第 1 跗节有 1 凹陷。腹部各节后缘有白色长毛，白色长毛形成白色环带。

| 分布情况 | 寄生于大豆、豇豆等豆科植物上，也见于甜菜、茄等作物上。湖南各地均有分布。

| 资源情况 | 野生资源丰富。药材来源于野生。

| 采收加工 | 夏、秋季捕捉，入沸水烫死，晒干。

| 药材性状 | 本品体长 10.5 ~ 18.5 mm。头红色。体和足黑色。前胸背板有 1 白色纵纹。鞘翅黑色，内、外缘及中部均具灰白色纵纹。

| 功能主治 | 同“毛胫豆芫菁”。

| 用法用量 | 同“毛胫豆芫菁”。

天牛科 Cerambycidae 白条天牛属 Batocera

云斑天牛 *Batocera horsfieldi* (Hope)

| **动物别名** | 白条天牛、云斑白条天牛。

| **药材名** | 天牛（药用部位：全体。别名：白条天牛）。

| **形态特征** | 体长 34 ~ 61 mm，体宽 9 ~ 15 mm。全体黑褐色至黑色，密被灰白色和灰褐色绒毛。雄虫触角长约超过体长的 1/3，雌虫触角比体长；各节下方有稀疏细刺，第 1 ~ 3 节黑色且有光泽，并有刻点和瘤突，其余节黑褐色，第 3 节长约为第 1 节的 2 倍，有时第 9 ~ 10 节内端角突出并具小齿。前胸背板中央有 1 对白色或浅黄色肾形斑，侧刺突大而尖锐；小盾片近半圆形，除基部的小部分被暗灰色绒毛所覆盖外，其余部分皆密被白色绒毛。每鞘翅上均有由白色或浅黄色绒毛组成的云片状斑纹，斑纹大小变化较大，一般排列成 2 ~ 3 纵行，其中外面 1 行斑纹数量居多，并延至翅端部。鞘翅基部有大小不等的瘤状颗粒。肩刺大而尖，略斜向后上方，末端微向内斜切，外端角钝圆或略尖，缝角短刺状。从复眼后方起至最后 1 腹节有由白色绒毛组成的阔纵带 1。

| **分布情况** | 栖息于树干和大树枝上。湖南各地均有分布。

| **资源情况** | 野生资源丰富。药材来源于野生。

| **采收加工** | 夏季捕捉，入沸水中烫死，晒干或烘干。

| **药材性状** | 本品呈长筒形而略扁，乳白色或淡黄色。嘴部颜色较深，黄褐色至黑褐色。胸部 3 节，前胸较膨大，无足。腹部 10 节。虫体外表面常较粗糙，折断面为黄白色。以粗壮、干燥、完整者为佳。

| **功能主治** | 辛、苦、咸，寒。归肝经。活血祛瘀，镇肝息风，散瘀解毒。用于瘀血阻滞，经闭，崩漏带下，跌打损伤，乳汁不下，肝风内动，惊痫抽搐，小儿惊风，痈疽不溃，疔肿恶毒等。

| **用法用量** | 内服煎汤，5 ~ 15 g。外用适量。

天牛科 Cerambycidae 褐天牛属 Nadezhdiella

橘褐天牛 *Nadezhdiella cantori* (Hope)

| 动物别名 | 天牛虫、老木虫。

| 药 材 名 | 天牛（药用部位：全体。别名：天牛虫、老木虫）、蛴螬（药用部位：幼虫。别名：桑蠹虫）。

| 形态特征 | 体长 26 ～ 51 mm，体宽 10 ～ 14 mm。体黑色，被灰色或灰黄色短绒毛，具天鹅绒光泽。雄虫触角长超过体长的 1/3 ～ 1/2，雌虫触角较体略短；第 1 节特别粗大，密布细刻点，并有横皱纹，第 3 ～ 4 节末端膨大，略呈球形，第 4 节短于第 3 节和第 5 节，触角各节内端角均无小刺。触角基瘤隆起，其上方有 1 小瘤突，触角基瘤前、额中央有 2 弧形深沟。头顶 2 眼之间有 1 极深的中央纵沟。前胸宽大于长，两侧具有 1 坚硬的刺状突。背板上密生不规则的瘤状折皱，沿后缘 2 横沟间的中区较大，有时呈现 2 横脊。鞘翅肩部隆起，两侧近平行，末端较狭，端缘斜切，有时略圆或略凹，内端角尖狭，但不尖锐，翅面刻点细密。

| 分布情况 | 栖息于树干和大树枝上。湖南各地均有分布。

| 资源情况 | 野生资源丰富。药材来源于野生。

| 采收加工 | **天牛**：同"云斑天牛"。
蛴螬：冬季于桑、柳、柑橘等树干上捕取，捕得后用酒醉死，晒干或炕干。

| 药材性状 | **天牛**：同"云斑天牛"。
蛴螬：本品呈长筒形而略扁，乳白色或淡黄色。嘴部颜色较深，黄褐色至黑褐色。胸部 3 节，前胸较膨大，无足。腹部 10 节。虫体外表面常较粗糙，折断面呈黄白色。以粗壮、干燥、完整者为佳。

| 功能主治 | **天牛**：同"云斑天牛"。
蟪蛴：辛，平。通经络，化瘀血。用于劳伤血瘀，闭经，腰脊疼痛，跌打损伤。

| 用法用量 | **天牛**：同"云斑天牛"。
蟪蛴：内服煎汤，5 ~ 10 g；或入丸剂。

天牛科 Cerambycidae 粒肩天牛属 *Apriona*

桑天牛 *Apriona germari* (Hopen)

动物别名	桑蝎。
药材名	天牛（药用部位：全体。别名：蝤蛴）。
形态特征	体长 26 ~ 51 mm，黑色。全身密被绒毛，一般背面绒毛青棕色，腹面绒毛棕黄色。雄虫触角超出体长 2 ~ 3 节，雌虫触角仅较身体略长；触角柄节端疤开放式，自第 3 节起，每节基部约 1/3 的部分为灰白色。额狭。复眼下叶大而横阔，长于颊。前唇基棕红色。头部沿眼后缘有 2 ~ 3 行隆起的刻点。前胸背板宽大于长，两侧中央具细尖刺突，前、后横沟之间有不规则的横脊线，中央后方两侧、侧刺突基部均有隆起的刻点。鞘翅中缝侧缘及端缘通常有 1 青灰色狭边，基部约 1/4 范围内密生瘤状颗粒，翅外端角及缝角均呈刺状突出。幼虫乳白色，前胸硬皮板后半部密生赤褐色颗粒状小点，中间有 3 对白色尖叶状斑纹。
分布情况	栖息于构树、无花果、苹果等树上。湖南各地均有分布。
资源情况	野生资源丰富。药材来源于野生。
采收加工	冬季捕捉，捕得后用酒醉死，晒干或炕干。
药材性状	同"云斑天牛"。
功能主治	同"云斑天牛"。
用法用量	同"云斑天牛"。

沟胫天牛科 Lamiidae 星天牛属 *Anoplophora*

星天牛 *Anoplophora chinensis* (Forster)

动物别名	柑橘星天牛、铁牯牛、钻心虫。
药材名	天牛（药用部位：全体。别名：八角儿）。
形态特征	体长 1.9 ~ 39 mm，全体黑色，有时略带金属光泽，具白色小斑点。触角第 3 ~ 11 节基部有淡蓝色毛环。前胸背板上的瘤明显，两侧另有瘤状突起，侧刺突粗壮。鞘翅基部颗粒大小不等，鞘翅每侧有小型白色毛斑 20 余，毛斑排列成不整齐的 5 横行。
分布情况	栖息于榆、杨、柳、刺槐、梧桐等树上。湖南各地均有分布。
资源情况	野生资源丰富。药材来源于野生。
采收加工	夏季捕捉，入沸水中烫死，晒干或烘干。
药材性状	同"云斑天牛"。
功能主治	同"云斑天牛"。
用法用量	同"云斑天牛"。

金龟子科 Scarabaeidae 洁蜣螂属 Catharsius

神农蜣螂 *Catharsius molossus* (Linnaeus)

| 动物别名 | 犀粪蜣、蜣螂虫、屎壳螂。

| 药 材 名 | 蜣螂（入药部位：全体）。

| 形态特征 | 体宽卵圆形，甚圆隆，体长 23 ~ 27 mm，宽 16.8 ~ 19.6 mm。全体黑色，有时呈黑褐色至红棕色。头面密布鳞状横皱纹，唇基眼脊片连片呈扇面形；雄虫头面有 1 底大端尖角突，雌虫头面有 1 矮小锥凸。复眼大，眼周缘滑亮。触角 9 节，鳃片由前 3 节组成。前胸背板均匀密布颗粒刻纹，四缘边框完整；雄虫中部有高锐横脊，侧端有向前或向前侧方伸长的角突，雌虫前部有矮弱横脊。鞘翅基部有中断横脊，外侧除有缘折脊外，还有与鞘翅半长相等的纵脊。臀板近半圆形，微隆拱。前足胫节外缘有 3 齿，跗节退化，呈线形，中足后中胫节端部呈喇叭形。

| 分布情况 | 栖息于牛粪堆、人粪堆中，或在粪堆下掘土穴居。湖南有分布。

| 资源情况 | 野生资源较少。药材来源于野生。

| 采收加工 | 6 ~ 8 月晚上利用灯光诱捕，沸水烫死，晒干或烘干。

| 药材性状 | 本品呈椭圆形，黑褐色，有光泽。雄虫较雌虫稍大，头部前方呈扇面形，易脱落，中央具角突 1，长约 6 mm，前胸背板呈宽半月形，顶部有横形隆脊，两侧均有角突 1，后胸长约为体长的 1/2，为翅所覆盖；雌虫头部中央及前胸背板横形隆脊的两侧无角突。前翅革质，黑褐色，有纵向平行的纹理 7；后翅膜质，黄色或黄棕色。足 3 对。体质坚硬。有臭气。

| **功能主治** | 咸，寒；有毒。归肝、胃、大肠经。破瘀，定惊，通便，散结，拔毒去腐。用于癥瘕，惊痫，噎膈反胃，腹胀便秘，痔漏，疔肿，恶疮等。

| **用法用量** | 内服煎汤，3～5 g；或研末，1～2 g。外用适量，研末撒或调敷；或捣敷。

■金龟子科 ■ Scarabaeidae ■ 洁蜣螂属 *Catharsius*

屎壳郎 *Catharsius molossus* (L.)

动物别名	独角牛、推粪虫、黑牛儿。
药 材 名	蜣螂（药用部位：全体。别名：大将军）。
形态特征	全体宽卵圆形，黑色，略有光泽。胸下密被长绒毛。雄虫头部前方呈扇面形，表面密被鱼鳞状皱纹，头上有基部粗大且向上收尖的角突1。触角4节。前胸背板表面均匀分布细而圆的疣状刻纹，刻纹在中部稍后突出成锐形横背。鞘翅密布细皱纹，且有易辨的纵纹7。足短。雌虫头顶无角突，而具横脊状隆起。
分布情况	栖息于草原或牛、马、驴的粪堆下。湖南各地均有分布。
资源情况	野生资源丰富。药材来源于野生。
采收加工	6～8月晚上利用灯光诱捕，洗净，沸水烫死，晒干或烘干。
药材性状	同"神农蜣螂"。
功能主治	同"神农蜣螂"。
用法用量	内服煎汤，1～4 g；或入丸、散剂。外用适量，研末调敷；或捣敷。

犀金龟科 Dynastidae 叉犀金龟属 *Allomyrina*

双叉犀金龟虫 *Allomyrina dichotoma* (Linnaeus)

| **动物别名** | 独角仙、独角蜣螂虫。 |

| **药 材 名** | 蛴螬（药用部位：幼虫。别名：大脑袋虫子、地蚕、土蚕）。 |

| **形态特征** | 体极大，粗壮，长椭圆形，体长 35.1 ~ 60.2 mm，体宽 19.6 ~ 32.5 mm，红棕色、深褐色至黑褐色，被柔弱茸毛，雄虫因刻点微细、绒毛多被蹭掉而较光亮，雌虫因刻点粗皱、茸毛较粗而晦暗。头较小，唇基前缘侧端齿突，前胸背板边框完整。小盾片短阔三角形，有明显中纵沟。鞘翅肩凸、端凸发达，纵肋约略可辨。臀板短阔，两侧密布具毛刻点。胸下密被长绒毛。足粗壮，前足胫节外缘具 3 齿。性二态现象显著。雄虫头上面有 1 双分叉角突，斜向前、向上伸出；前胸背板极隆拱，表面刻纹致密似沙皮；中央有端部燕尾状分叉的短角突 1，角突端部指向前方。雌虫头上粗糙，无角突，额头顶部隆起，顶部横列 3 小丘突（中高侧低）；前胸背板刻纹粗大而挤皱，有短毛，无角突，中央前部有"Y"形洼纹。雄虫个体发育差异很大，弱小个体仅见头、前胸角突的痕迹。 |

| **分布情况** | 幼虫生活在以柞树为主的阔叶树锯末堆中。湖南有分布。 |

| **资源情况** | 野生资源较少。药材来源于野生。 |

| **采收加工** | 5 ~ 8 月翻土捕捉，洗净，用沸水烫死，晒干或烘干。 |

| **药材性状** | 本品长圆柱形，多弯曲成半环状，长 3 ~ 4 cm，直径 0.6 ~ 1.2 cm。黄褐色、棕黄色或黄白色，全体有轮节。头部较小，棕褐色。胸足 3 对，短而细。体轻，体壳薄，硬而脆，易破碎，体内空泡状。气微臭。 |

| **功能主治** | 咸，寒；有毒。解毒，消肿，通便，定惊。用于疮疡肿毒，痔疮，便秘，惊痫，癫狂，癥瘕，噎膈反胃，淋证，疳积，血痢等。 |

| **用法用量** | 内服研末，3 ~ 6 g；或入丸、散剂。外用适量，研末调敷。 |

鳃金龟科 Melolonthidae 黑金龟属 Holotrichia

暗黑鳃金龟 *Holotrichia parallela* (Waterhouse)

| 药 材 名 | 蛴螬（药用部位：幼虫。别名：老母虫）。

| 形态特征 | 体中等，长椭圆形，后方常稍膨阔，体长 16 ~ 21.9 mm，体宽 7.8 ~ 11.1 mm，体色变化很大，黄褐色、栗褐色、黑褐色至沥黑色，以黑褐色、沥黑色者为多，被淡蓝灰色粉状闪光薄层。腹部薄层较厚，闪光更明显。头阔大，唇基长大，前缘中凹微缓，侧角圆形，密布粗大刻点；额头顶部微隆拱，刻点稍稀。触角 10 节，鳃片部甚短小，由 3 节组成。前胸背板密布椭圆形大刻点，前侧方刻点较密，常有宽而亮中纵带；前缘边框阔，有成排纤毛；侧缘弧形扩出，前段直，后端微内弯，中点最阔；前侧角呈钝角，后侧角呈直角；后缘边框阔，为大型椭圆刻点所断。小盾片短而阔，近半圆形。鞘翅散布脐形刻点，4 纵肋清楚，纵肋 I 后方显著扩阔，并与缝肋及纵肋 I 相接。臀板长，几乎不隆起，具深而大刻点。胸下密被绒毛。后足跗节第 1 节明显长于第 2 节。

| 分布情况 | 幼虫生活在田间土壤中，成虫生活在乔木、灌木、农作物上。湖南各地均有分布。

| 资源情况 | 野生资源丰富。药材来源于野生。

| 采收加工 | 同"双叉犀金龟虫"。

| 药材性状 | 同"双叉犀金龟虫"。

| 功能主治 | 咸，微寒；有毒。破瘀止痛，散风平喘，明目去翳。用于经闭，癥瘕，哮喘等；外用于丹毒，恶疮，痔漏，目翳等。

| 用法用量 | 内服研末，2 ~ 5 g；外用适量。

鳃金龟科 Melolonthidae　鳃金龟属 Holotrichia

华北大黑鳃金龟
Holotrichia oblita (Faldermann)

| 动物别名 | 大黑金龟子、朝鲜黑金龟。 |

| 药 材 名 | 蛴螬（药用部位：幼虫。别名：大脑袋虫子、地蚕、土蚕）。 |

| 形态特征 | 体长椭圆形，栗褐色至棕褐色。头部稍小，密布刻点。触角黄褐色或赤褐色，鳃片部长约与前6节总长相等。前胸背板中点最宽，前段密布具毛小刻点。鞘翅上有几条隆起暗纹。足甚长，后跗第1节略短于第2节。爪齿位于中点之后，垂直生。 |

| 分布情况 | 幼虫长期生活在土中，有季节性垂直迁移现象。成虫生活在农作物幼苗上。湖南各地均有分布。 |

| 资源情况 | 野生资源丰富。药材来源于野生。 |

| 采收加工 | 夏季捕捉，洗净，沸水烫死，晒干或烘干。 |

| 药材性状 | 同"双叉犀金龟虫"。 |

| 功能主治 | 同"双叉犀金龟虫"。 |

| 用法用量 | 同"双叉犀金龟虫"。 |

象虫科 Curculionidae 竹象属 Cyrtotruchelus

大竹象 *Cyrtotruchelus longimanus* (Fabriciu)

| **药 材 名** | 竹象鼻虫（药用部位：成虫全体）。

| **形态特征** | 成虫体呈纺锤形，雌虫体长 20 ～ 32 mm，雄虫体长 22 ～ 34 mm。虫体红棕色，有光泽；头、触角及口吻黑色；足部棕黑色；胸部腹面黑色，有光泽。吻长，棍状方形，末端较大，分成 2 叉状叶，背面有 2 排小瘤状凸起。触角膝状，茎节甚长，鞭节 7 节，末节靴状。前胸发达，钟状，中部后缘有近长方形的大块黑斑 1，两侧后下缘亦各有大块黑斑 1，前胸前缘和后缘亦为黑色；表面光滑。翅短，不超过腹部末端；鞘翅基角亦有 1 大黑斑，每个鞘翅都有 9 平行的凹纵纹，腹部末端裸露于鞘翅之外。雌虫腹部末端较钝，喙的背面有瘤状颗粒凸起。雄虫腹部末端尖而下弯，喙的背面无颗粒状凸起。前足胫节内侧棕色毛短而稀，腿节下无毛；中足腿节和胫节下缘有金黄色长毛；后足腿节有金黄色短毛，胫节有金黄色长毛。

| **分布情况** | 幼虫在竹笋内生长，成虫羽化后于土中越冬。湖南各地均有分布。

| **资源情况** | 野生资源丰富。药材来源于野生。

| **采收加工** | 夏季捕捉，捕后用沸水烫死，晒干。

| **功能主治** | 祛风湿，止痹痛。用于风寒腰腿疼痛等。

| **用法用量** | 内服浸酒，3 ～ 5 个。

象虫科 Curculionidae 竹象属 Cyrtotruchelus

竹象鼻虫 *Cyrtotruchelus longimanus* (Fabr.)

动物别名	竹象、长竹弯颈象、笋蛆（幼虫）。
药 材 名	竹象鼻虫（药用部位：成虫全体）。
形态特征	体长 20 ~ 35 mm，纺锤形，红棕色，有光泽。头、触角及口吻黑色。足部棕黑色。胸部腹面黑色，有光泽。吻长，末端分为 2 叉状叶。前胸钟状，中部后缘有近长方形的大块黑斑 1，前胸前缘和后缘亦为黑色。
分布情况	成虫在土室内越冬。湖南各地均有分布。
资源情况	野生资源丰富。药材来源于野生。
采收加工	同"大竹象"。
功能主治	同"大竹象"。
用法用量	同"大竹象"。

蚁科 Formicidae 多刺蚁属 Polyrhachis

赤胸多刺蚁 *Polyrhachis lamellidens* F. Smith

| **动物别名** | 叶形多刺蚁。

| **药 材 名** | 蚂蚁（药用部位：全体）。

| **形态特征** | 工蚁体长 7.1 ~ 8.3 mm。并腹胸和结节暗红褐色；头和后腹部黑色，略带红色。头长略大于头宽，上颚 4 齿；唇基凸，前半部有中脊。并腹胸背板具较高棱边，使并腹胸形成凹的背面和直的侧面；前中胸背板缝和中并胸腹节背板缝深。前胸背板侧角向外侧延伸为 2 长刺，末端下弯；中胸背板有弯向上方外侧并伸向后方的 2 短刺，其长度为前胸刺长的 1/2；并胸腹节背板基面末端有 2 伸向后上方外侧的扁形钝刺，基面和斜面约等长。结节正面观长、宽近相等，上部很厚，有 1 对长面侧扁的钩状刺，弯向侧方。后腹部圆球形。

| **分布情况** | 多筑巢于朽木中或砖石下。湖南各地均有分布。

| **资源情况** | 野生资源丰富。药材来源于野生。

| **采收加工** | 夏、秋季捕捉，鲜用或捕后用沸水烫死，晒干。

| **功能主治** | 甘、酸，平；有小毒。归肝、肾经。补肾壮阳，舒筋活络，祛瘀消肿。用于腰膝酸软，风湿痹痛，毒蛇咬伤，疔毒肿痛等。

| **用法用量** | 内服研末，1 ~ 3 g；或浸酒；或入丸、散剂。外用适量，鲜品捣敷。

蜾蠃科 Eumenidae 蜾蠃属 Eumenes

蜾蠃
Eumenes pomefomis (Fabr.)

药 材 名	蠮螉（药用部位：成虫全体。别名：土蜂、细腰蜂、蟺蝓）。
形态特征	体长约 15 mm，展翅宽约 30 mm。全体青黑色。头部略呈球形。复眼 1 对，略呈肾形。触角 1 对，呈棍棒状。前胸背两旁延长达于翅的基部。翅 2 对，膜质。足 3 对。腹呈纺锤形，第 1 ~ 2 节稍小，呈细腰状，有 2 赤黄色斑纹。雌虫体长 25 ~ 27 mm。头部具密集小刻点，并有白色毛。复眼大，2 复眼间有 1 黑色宽带，2 复眼后的头顶上有 1 黄色宽带，靠近后头部有 1 黑色宽带。前胸背板前缘宽大于长，中胸背板中间有黑色纵脊。腹部第 2 节基部黑色，近基部 1/3 处有 1 深褐色宽横带，中部有 1 黑色宽横带。第 5 ~ 6 腹节基部及肛节黑色。
分布情况	营巢于树枝或墙壁上。湖南有分布。
资源情况	野生资源较少。药材来源于野生。
采收加工	夏、秋季捕捉，捕后用热水烫死，晒干。
功能主治	降逆止呕，清肺止咳，消痈肿。用于咳嗽，呕逆，痈肿，蜂螫等。
用法用量	内服，研末，0.5 ~ 1 g。外用适量，研末调敷。

蜜蜂科 Apidae 蜜蜂属 Apis

东方蜜蜂中华亚种 *Apis cerana cerana* (Fabriciu)

| 动物别名 | 蠓螉、蜡蜂、中华蜜蜂。

| 药 材 名 | 蜂蜜（药用部位：蜜蜂所酿的蜜。别名：石蜜、沙蜜、蜜糖）、蜂乳（药用部位：咽腺的分泌物。别名：蜂王浆、蜂皇浆、王浆）、蜂蜡（药用部位：蜡质分泌物。别名：蜜蜡、黄蜡、黄占）、蜂胶（药用部位：蜜蜂分泌的用于修补、封闭蜂箱的黏性物质）、蜂毒（药用部位：螫针内排出的毒汁）。

| 形态特征 | 工蜂体长 10 ~ 13 mm，前翅长 7.5 ~ 9 mm，喙长 4.5 ~ 5.6 mm；体黑色，体毛浅黄色；头部呈三角形，前端窄小，单眼周围及颅顶被灰黄色毛；唇基中央稍隆起，具三角形黄斑，上唇长方形，具黄斑；上颚先端有 1 黄斑；触角柄节黄色；小盾片黄色、棕色或黑色；足及腹部第 3 ~ 4 节背板红黄色，第 5 ~ 6 节背板色稍暗，各节

背板端缘均具黑色环带；后足胫节扁平，呈三角形，外侧光滑，有弯曲的长毛（花粉篮），端部表面稍凹，胫节端缘具栉齿，后足基跗节宽而扁平，基部端缘具夹钳，内表面具排列整齐的毛刷；后翅中脉分叉。蜂王体长 1.4 ~ 19 mm；前翅长 9.5 ~ 10.0 mm；体黑色和棕红色，被黑色及深黄色绒毛。雄蜂体长 11 ~ 14 mm，前翅长 10 ~ 12 mm，体黑色或棕黑色；复眼大，在头顶处靠近；足无采粉结构。

| 分布情况 | 营巢于树枝或墙壁上。湖南各地均有分布。

| 资源情况 | 野生资源丰富。药材来源于野生。

| 采收加工 | **蜂蜜：** 春、夏、秋季采收，过滤，静置沉淀，取上清液。

蜂乳： 移虫后 48 ~ 72 小时采收，采收前检查产浆群，如蜡杯已由工蜂改成王台，其中的幼虫也已长大，即可取浆，于褐色玻璃瓶内保存。

蜂蜡： 春、秋季取下蜂巢，除去蜂蜜，置水中加热至沸，除去泡沫，趁热过滤，放冷，蜡质即结块并浮于水面。将蜡块熔化，室温下放置，使其中杂质沉淀，将上层过滤后倒入模型中固化即成。

蜂胶： 温暖季节每隔 10 天左右刮取，刮取后捏成球形，外包蜡纸，放入塑料袋内，以防硬化。

蜂毒： 将取毒器置于蜂箱门口，蜜蜂触及电网后蜇下面的薄膜而排毒，待粘在薄膜下面的蜂毒干燥成胶状物后，取下薄膜，将蜂毒用水洗下，置于阴凉干燥处，密闭，避光储存，或将蜂毒制成注射剂。

| 药材性状 | **蜂蜜：** 本品为半透明、带光泽、浓稠的液体，白色至淡黄色或橘黄色至黄褐色，久置或遇冷渐有白色颗粒状结晶析出。气芳香，味极甜。

蜂乳： 本品为乳白色至淡黄色或带红色的胶状液体。以乳白色至淡黄色者为佳，色泽发红者较次。

蜂蜡： 本品为不规则团块，大小不一，呈黄色、淡黄棕色或黄白色，不透明或微透明，表面光滑。体较轻，蜡质，断面砂粒状，用手搓捏可软化。有蜂蜜样香气，味微甘。

蜂胶： 本品为树脂状团块，黄褐色或灰褐色。有黏性，低温下变硬、变脆，加热可熔化。具芳香气。

蜂毒： 本品为浅黄色透明液体，比重为 1.1313，pH 为 5.5。

| 功能主治 | **蜂蜜：** 甘，平。归脾、胃、大肠经。补中，润燥，止痛，解毒，生肌敛疮。用

于脘腹虚痛，肺燥干咳，肠燥便秘，乌头类药材中毒；外用于疮疡不敛，烫火伤等。

蜂乳：甘、酸，热。归肝、脾经。滋补强壮，益肝健脾。用于病后虚弱，小儿营养不良，哮喘，消渴，眩晕，头风，关节肿胀，胃溃疡，血证等。

蜂蜡：甘、微温。归脾经。解毒，敛疮，生肌，止痛。用于溃疡不敛，臁疮糜烂，外伤破溃，烫火伤等。

蜂胶：苦、辛，寒。归脾、胃经。补虚弱，化浊降脂，止消渴，解毒消肿，收敛生肌。用于体虚早衰，高脂血症，消渴等；外用于皮肤皲裂，烫火伤等。

蜂毒：辛、苦，平。祛风湿，止疼痛。用于风湿性关节炎，腰膝酸痛，坐骨神经痛，周围神经炎及神经痛，肌肉痛，腰肌劳伤，眩晕，头风，荨麻疹，闭经，神经官能症等。

| **用法用量** | **蜂蜜**：内服冲调，15～30 g；或入丸、膏剂。外用适量，涂敷。

蜂乳：内服温开水冲，2～5 g。

蜂蜡：外用适量，熔化敷。

蜂胶：内服入丸、散剂，0.2～0.6 g。外用适量。

蜂毒：有活蜂螫刺法及蜂毒注射法2种。活蜂螫刺法：每次用1～5只蜂，用手捏住蜂头，将蜂尾贴近患处皮肤，使之螫刺，约1分钟后，将蜂弹去，拔出蜂针，每日或隔日1次。蜂毒注射法：选用患处痛点、穴位及四肢穴位的皮内或皮下轮换注射，用量从每次1～3蜂毒单位（每1蜂毒单位含蜂毒0.1 ml）开始，后逐日增加1～2蜂毒单位，直至每日注射10～15蜂毒单位，再逐日下降至每日注射3～5蜂毒单位，维持1～2个月，每疗程总量200～300蜂毒单位，间歇3～5天进行第2疗程。

蜜蜂科 Apidae 蜜蜂属 Apis

蜜蜂 *Apis cerana* (Fabricius)

| 动物别名 | 中蜂。

| 药 材 名 | 同"东方蜜蜂中华亚种"。

| 形态特征 | 营群居生活，由工蜂、雌蜂（蜂王）及雄蜂组成。工蜂体长 10～13 mm，体表黑色，头、胸、背被灰黄色细毛；头略呈三角形，复眼1对，单眼3，触角1对，膝状弯曲，口器发达，适于咀嚼及吸吮，上唇基前方有1三角形黄斑；胸部3节，中胸最大；翅2对，膜质透明，后翅中脉分叉；足3对，股节、胫节及跗节等处均有采集花粉的结构；腹部圆锥形，背面黄褐色，1～4节有黑色环带，末端尖锐；有毒腺和螯针；腹下有蜡板4对，内有蜡腺，可分泌蜡质。雌蜂体最大，翅短小，腹部特长，生殖器发达。雄蜂较工蜂稍大，头呈球形，复眼很大，尾端圆形；无毒腺和螯针。雌蜂和雄蜂的口器均退化，足

上无采贮花粉的结构，腹下蜡板和蜡腺均无。

| **分布情况** | 营巢于树枝或墙壁上。湖南各地均有分布。

| **资源情况** | 野生资源丰富。药材来源于野生和养殖。

| **采收加工** | 同"东方蜜蜂中华亚种"。

| **药材性状** | 同"东方蜜蜂中华亚种"。

| **功能主治** | 同"东方蜜蜂中华亚种"。

| **用法用量** | 同"东方蜜蜂中华亚种"。

蜜蜂科 Apidae 蜜蜂属 Apis

意大利蜜蜂 *Apis mellifera ligustica* (Spin.)

| 药 材 名 | 同"东方蜜蜂中华亚种"。

| 形态特征 | 体较大。翅大能远飞。唇基黑色，不具三角形黄斑。后翅中脉不分叉。

| 分布情况 | 湖南各地均有分布。

| 资源情况 | 野生资源丰富。药材来源于野生和养殖。

| 采收加工 | 同"东方蜜蜂中华亚种"。

| 药材性状 | 同"东方蜜蜂中华亚种"。

| 功能主治 | 同"东方蜜蜂中华亚种"。

| **用法用量** | 同"东方蜜蜂中华亚种"。

| 马蜂科 | Polistidae | 马蜂属 | Polistes

果马蜂 *Polistes olivaceous* (De Geer)

| **动物别名** | 长脚马蜂。

| **药材名** | 蜂房（入药部位：蜂巢）。

| **形态特征** | 雌蜂体长约17 mm；头部黄色，前单眼周围黑色，后单眼处有1弧形黑斑，颅顶及颊部黄色，触角棕色，唇基黄色，端部中央角状突起，上颚黄色，端部3齿黑色；胸部前胸背板前缘领状突起，黄色，两侧各有1棕色带，中胸背板中间的纵隆线黑色，两侧各有2黄色纵带，小盾片、后小盾片、中胸侧板、后胸侧板均为黄色，但各骨片2节线处呈黑色；翅呈棕色，前翅前缘色略深；各足基节黄色，转节橙色，股节、胫节黄色，但背面色略深，跗节棕色，各足爪光滑，无齿，爪垫明显；腹部各节背板、腿板均为暗黄色；头、胸、腹各部较光滑，无明显刻点及短毛。雄蜂与雌蜂近似，腹部7节。

| **分布情况** | 多筑巢于树上和灌丛中，每年11月上旬在室内墙角或树洞过冬。湖南有分布。

| **资源情况** | 野生资源稀少。药材来源于野生。

| **采收加工** | 全年采收，采后略蒸，除去死蜂，晒干。

| **药材性状** | 本品完整者呈盘状、莲蓬状或宝塔状，商品多破碎成不规则的扁块状，大小不一，表面灰白色或灰褐色。腹面有多数整齐的六角形房孔，孔径3～4 mm或6～8 mm；背面有1或数个黑色短柄。体轻，质韧，略有弹性。气微，味辛、淡。

| **功能主治** | 甘，平。归胃经。攻毒杀虫，祛风止痛。用于疮疡肿毒，瘰疬，乳痈，牙痛，鹅掌风，风湿痹痛，皮肤顽癣等。

| **用法用量** | 内服煎汤，3～5 g。外用适量，研末油调敷；煎汤漱或洗。

胡蜂科 Vespidae 胡蜂属 Vespa

金环胡蜂 *Vespa mandarinia mandarinia* (Smith)

| 动物别名 | 斑胡蜂、中华大虎头蜂、桃胡蜂。

| 药 材 名 | 大黄蜂（药用部位：全体）、大黄蜂子（药用部位：幼虫）。

| 形态特征 | 雌蜂体长 30 ~ 40 mm，职蜂较小；头宽较胸宽小，略短于前胸背板前缘；整个头部橘黄色，额部及颊部有较稀的浅刻点，仅沿后头边缘有棕色毛；颊部宽；前胸背板前缘中央略隆起，被中胸背板端部分开，肩角明显，前缘两侧黄棕色，其余部位均呈黑褐色，但有的个体肩角处有 1 棕色斑，几乎无刻点，但有棕色毛，中胸背板略隆起，中央有细纵隆线，刻点细浅而稀，布有较稀棕色毛，各部位均呈黑褐色，但有些个体前缘两侧及近翅基片处各有 1 条状棕色斑，小盾片矩形，略隆起，光滑，稀布棕色毛，全体呈黑褐色或棕色；翅呈棕色，前翅前缘色略深；前、中、后足之各节均呈黑褐色，仅膝部及前足胫节背面呈棕色；腹部除第 6 节背板、腹板均呈橙黄色外，其余各节背板均为棕黄色与黑褐色相间，各节均较光滑，有浅细刻点及棕色毛。雄蜂体长约 34 mm，与雌蜂近似，但棕色毛较密，体上常有棕色斑。

| 分布情况 | 营巢于山区土穴内，不在土穴以外处营巢。湖南有分布。

| 资源情况 | 野生资源稀少。药材来源于野生。

| 采收加工 | **大黄蜂：**夏、秋季捕捉，捕后置沸水中烫死，晒干。

| 功能主治 | **大黄蜂：**咸、辛，凉。消肿解毒。用于风湿痹痛，痈肿疮毒，蜘蛛和蜈蚣咬伤等。
大黄蜂子：甘，凉；有小毒。用于胸腹胀痛，干呕。

| 用法用量 | **大黄蜂：**外用适量，水或火麻油调敷。
大黄蜂子：内服，煎汤或研末。

鲟科 Acipenoeridae 鲟属 Acipenser

中华鲟
Acipenser sinensis (Gray)

| 动物别名 | 鲟鱼、苦腊子。 |

| 药 材 名 | 鳇鱼肉（药用部位：肉）。 |

| 形态特征 | 体长，前后尖细，背部狭而腹面平直。吻近犁形，基部宽且厚，先端极尖，略向上翘，头部有光滑的骨板。口下位，成一横裂，口能够向外伸缩自如，上、下唇不发达，具有细小乳突。鳔大，1室，前部钝圆而后端尖。体背和头部青灰色，腹面白色，鳍均为青灰色。 |

| 分布情况 | 栖息于大江和近海中。 分布于湖南益阳（沅江）、常德（石门）、岳阳（临湘）等。 |

| 资源情况 | 野生资源稀少。药材来源于养殖。 |

| 采收加工 | 全年均可捕捞，捕捞后剖腹，除净内脏，取肉鲜用。 |

| 功能主治 | 甘，平。益气补虚，补血。用于气虚筋骨无力，病后体弱，贫血，营养不良，血淋，前列腺炎，淋巴结肿大。 |

| 用法用量 | 内服煎汤，50 ~ 100 g。 |

| 附　　注 | 本种在《湖南省国家重点保护野生动物名录》中被列为国家一级重点保护野生动物。 |

鲟科 Acipenoeridae 鲟属 Acipenser

达氏鲟
Acipenser dabryanus (Dumeril)

| 动物别名 | 长江鲟、沙腊子。

| 药 材 名 | 达氏鲟鳔（药用部位：鳔）。

| 形态特征 | 体粗长，呈鱼雷形，前段粗壮，向后渐细，横切面呈五边形。腹面平扁，尿殖孔以后较细，横切面呈椭圆形。幼鱼身体细长，呈长梭形，吻部尖长，微向上翘。侧骨板以上均为灰黑色或灰褐色，侧骨板至腹骨板之间为乳白色，腹部黄白色或乳白色，不同个体间体色变化较小。头部略呈圆锥形，侧面呈楔形，腹面平扁。触须2对。口下位，横裂，口角和下颌外侧有唇褶。吻部发达，布有陷器。眼位于头部两侧近体轴上方处，眼的横轴稍大于纵轴，微呈椭圆形，无上、下眼睑和瞬膜。躯干部具5行骨板，其中背骨板1行，位于体背中央，侧骨板2行，位于躯干两侧，腹面骨板2行，位于躯干部腹面的两侧；背骨板呈菱形，具棱和刺，锋利如刀矛，是5行骨板中最大者，数量通常为9～11，背鳍之后还有1～2；侧骨板呈三角形，具有棱和刺，是5行骨板中最小者，数量通常为29～36；腹骨板较大，斜菱形，有棱和刺，数量通常为9～13枚。位于尾部腹面臀鳍前的骨板为臀前骨板，其数量为1～2，位于臀鳍后的骨板为臀后骨板，其数量通常为2。具退化的泄殖腔，肛门、尿殖孔均开口于泄殖腔，此为本种与中华鲟的区别。尾部细而较短，具4行骨板，背骨板和侧面骨板是躯干部同行骨板的延续，腹骨板在腹鳍前终止，腹面仅有1行骨板。尾鳍为歪形尾，上叶长于下叶。

| 分布情况 | 主要生活于长江上游干流和部分重要支流。分布于湖南益阳（沅江）、常德（石门）等。

| 资源情况 | 野生资源稀少。

| 采收加工 | 避开春、秋季产卵期，用网、钩捕获。捕后剖腹取鳔，用凉水或温水洗净，去净血膜及其附属物，多个排列后压平，晒干。

| 药材性状 | 本品或为淡灰白色、半透明、坚韧角质样膜状物，或为无色透明、带光泽的叶片状，亦有切成细丝状或切成线条状者。无臭，无味。

| 功能主治 | 甘、咸，平。滋补强壮。

| 用法用量 | 内服煎汤，15 ~ 25 g。

| 附　注 | 本种于 1988 年被列为国家一级保护动物，2010 年被世界自然保护联盟（IUCN）列为极危级（CR）保护物种。在《湖南省国家重点保护野生动物名录》中本种被列为国家一级重点保护野生动物。

白鲟科 Polyodontidae 白鲟属 Psephurus

白鲟 *Psephurus gladius* (Martens)

| 动物别名 | 象鱼、象鼻鱼、柱鲟鱼。

| 药 材 名 | 鲟鱼肉（药用部位：肉）。

| 形态特征 | 体呈菱形，前部扁平，后部稍侧扁。头长超过体长的一半。吻呈剑状，特别延长，吻的两侧有宽而柔软的皮膜。口大，下位，呈弧形，上、下颌均具有尖细的齿。吻须 1 对，短小，位于腹面。眼小，鳃孔大。体光滑无鳞，或仅有已退化的鳞片痕迹，尾鳍上叶有 8 梭形鳞板，侧线完全。背鳍起点在尾鳍之后，鳍条数为 46 ~ 61，臀鳍条 50 ~ 55。尾鳍歪形。体背和尾鳍均为暗灰色，腹部白色。

| 分布情况 | 生活于河流中下层。湖南有分布。

| 资源情况 | 野生资源稀少。药材来源于养殖。

| 采收加工 | 全年均可捕捞，捕捞后剖腹，除去内脏，取肉，清水洗净，鲜用。

| 功能主治 | 甘，平。补虚益气，通淋活血。用于贫血，血淋等。

| 用法用量 | 内服炖煮，100 ~ 200 g。

| 附　　注 | 在《湖南省国家重点保护野生动物名录》中本种被列为国家一级重点保护野生动物。

鲱科 Clupeidae 鲥属 Macrura

鲥鱼
Macrura reeuesii (Richardson)

动物别名	时鱼、西江时鱼、三来鱼。
药 材 名	鲥鱼（药用部位：全体）。
形态特征	体长椭圆形，侧扁，长约 24 cm。头侧扁，前钝尖。口端位，口裂倾斜，上颌正中有 1 缺刻。鳃耙细密。无侧线，体侧纵列鳞 41 ~ 47，横列鳞 16 ~ 17。腹部狭窄，腹面有大而锐利的棱鳞，棱鳞排列为锯齿状的边缘，腹鳍前棱鳞为 17 ~ 19，腹鳍后棱鳞为 12 ~ 15。腹鳍小，胸鳍、腹鳍基部有大而长的腋鳞。背鳞 17 ~ 18，起点与腹鳍相对。臀鳍 18 ~ 20。尾鳍分叉，被小鳞。
分布情况	栖息于近海，每年春末夏初溯河行生殖洄游。湖南各地均有分布。
资源情况	野生资源丰富。药材来源于养殖。
采收加工	全年均可捕捞，以春季捕捞为佳，捕捞后洗净，除去内脏，鲜用。
功能主治	甘，平。补虚劳，益脾胃。用于虚劳，烫火伤等。
用法用量	内服适量，煮熟食用。
附　注	在《湖南省国家重点保护野生动物名录》中本种被列为国家一级重点保护野生动物。

鳀科 Engraulldae 鲚属 Coilia

鲚鱼
Coilia mystus (Linnaeus)

| **动物别名** | 凤尾鱼、刀鲚、子鱼。 |

| **药材名** | 鲚鱼（药用部位：全体或肉）。 |

| **形态特征** | 体侧扁而长,前部高,向后渐低,腹缘具锯齿状梭鳞。头短小,侧扁而尖。吻钝圆，突出。眼较小。鼻孔每侧2。口大，下位，口裂斜行。体被圆鳞。纵列鳞74 ~ 80，横列鳞10 ~ 12，腹缘棱鳞（18 ~ 212）+（27 ~ 34）。无侧线。 |

| **分布情况** | 成鱼多生活于海中，每年春季成群由海入江，沿江而上行生殖洄游。分布于湖南湘江流域大部分地区。 |

| **资源情况** | 野生资源丰富。药材来源于野生。 |

| **采收加工** | 全年均可捕捞，除去鳞及内脏，或取肉，鲜用。 |

| **功能主治** | 甘，温。补气活血，泻火解毒。用于胃肠功能紊乱，消化不良，疮疖痈疽等。 |

| **用法用量** | 内服煮食，100 ~ 200 g。 |

鲤科 Cyprinidae 鲫属 Carassius

鲫

Carassius auratus (Linnaeus)

| 动物别名 | 鲫瓜子、草鱼板子、鲫皮子。

| 药 材 名 | 鲫鱼（药用部位：全体或肉）。

| 形态特征 | 体侧扁，宽而高。腹部圆。头小。吻钝。口端位，呈弧形。无须。眼大。咽齿 1 行，侧扁，倾斜面有 1 沟纹。鳃耙一般为 37 ~ 46，细长，呈披针状。鳞大，侧线鳞 28（6 ~ 7/6）~ 30。背鳍Ⅲ，16 ~ 18，鳍长，有硬刺。臀鳍 1 ~ 5，鳍短，亦有硬刺。全身呈银灰色，背部色略暗，腹部一般为白色。体色因栖息环境不同而体色有所不同。

| 分布情况 | 栖息于江河、湖泊、池沼、河渠等淡水中。湖南各地均有分布。

| 资源情况 | 野生资源丰富。药材来源于野生和养殖。

| 采收加工 | 全年均可捕捞，捕获后剖腹，除去内脏及鳞片，或取肉，洗净，鲜用。

| 功能主治 | 平，甘。归脾、胃、大肠经。健脾利湿，温中和胃，活血通乳，利水消肿。用于反胃吐食，各种水肿，产妇乳汁少，脾胃虚弱，不思饮食，小儿麻疹初期或麻疹透发不畅，痔疮出血，久痢等。

| 用法用量 | 内服煮食，1 ~ 2 条，食肉饮汤。

鲤科 Cyprinidae 鲫属 Carassius

金鱼 *Carassius uratus* (L.) var. *goldfish*

| **动物别名** | 金鲫鱼、锦鱼、朱砂鱼。

| **药 材 名** | 金鱼（药用部位：全体或肉）。

| **形态特征** | 金鱼为鲫鱼的变种。经人工养殖后，体型变异甚大。体长一般为
60～100 mm。头、腹俱大，粗短。尾分单尾与双尾。头部变化大，
有平头、狮头、鹅头及绒球等多种，除平头者外，多生有草莓状
瘤。眼凸出，眼球膨大，按形状分有龙眼、朝天眼、水泡眼等。鳃
有正常鳃和反鳃。鳞片除有正常鳞外，尚有透明鳞和珍珠鳞，侧线
鳞22～28。鳍大，背鳍有或无，臀鳍有单鳍和双鳍，尾鳍多分为3
叶或4叶而披散。体色变化大，有灰色、黑色、白色、紫色、蓝色、
橘红色、橙红色、古铜色、杂斑色、五花色等。

| **分布情况** | 生活于鱼池和鱼缸中。湖南各地均有分布。

| **资源情况** | 野生资源丰富。药材来源于野生和养殖。

| **采收加工** | 全年均可捕捞，捕获后剖腹，除去内脏及鳞片，或取肉，洗净，鲜用。

| **功能主治** | 甘、咸，平；有小毒。清热解毒，利水消肿。用于水肿，黄疸，咳嗽等。

| **用法用量** | 内服捣碎，1～2条；或煮食。

鲤科 Cyprinidae 鲤属 *Cyprinus*

鲤
Cyprinus carpio (Linnaeus)

| **动物别名** | 鲤拐子、鲤子、仁鱼。

| **药 材 名** | 鱼肉（药用部位：全体或肉）、鱼胆（药用部位：胆）、鱼鳞（药用部位：鳞）、鱼齿（药用部位：齿）、鱼骨（药用部位：骨）。

| **形态特征** | 体纺锤形，侧扁。腹部圆。头宽阔。吻钝。口端位，呈马蹄形。口须2对。眼小，位于头纵轴的上方。咽齿齿式为1.1.3/3.1.1，外行呈臼齿形。鳞大，侧线鳞33（6/5 ~ 6）37。鳃耙18 ~ 21。背鳍基部较长，外缘内凹，起点位于腹鳍起点前上方，至吻端的距离较至尾基部之距离近，最后1硬刺粗大，后缘具锯齿。胸鳍末端圆，不达腹鳍基部。腹鳍末端不达肛门。臀鳍短小，最后1硬刺较大而坚实，后缘有锯齿，鳍末端可达尾鳍基部。尾鳍分叉较深，上、下叶对称。肛门靠近臀鳍。脊椎骨37 ~ 39。鳔分2室，前室大而长，后室末端尖。体色常随环境的变化而变化。活鱼通常呈金黄色，背部纯黑色，腹部淡白色。背鳍、尾鳍基部微黑，胸鳍、腹鳍橘黄色，臀鳍、尾鳍下叶呈橘红色。

| **分布情况** | 多栖息于江河、湖泊、水库、池沼的松软底层和水草丛生处。湖南各地均有分布。

| **资源情况** | 野生资源丰富。药材来源于野生和养殖。

| **采收加工** | **鱼肉：** 捕捞鲤后，全体或肉鲜用
鱼胆： 捕捞鲤后取鱼胆，鲜用。
鱼鳞： 捕捞鲤后刮取鱼鳞，晒干。
鱼齿： 捕捞鲤后取鱼齿，晒干。
鱼骨： 捕捞鲤后取鱼骨，晒干。

| **功能主治** | **鱼肉：** 甘，平。归脾、肾经。开胃健脾，消肿利尿，止咳平喘，下

乳安胎。用于胃痛，反胃吐食，久咳气喘，乳汁不通，小便不利，胸部胀痛，胎动不安等。

鱼胆： 苦，寒。归心、肝、脾经。清热明目，散翳消肿。用于目赤肿痛，翳障，喉痹，恶疮，中耳炎等。

鱼鳞： 甘、咸，寒。归脾、肺、肝经。养血散血，清热泻火，软坚散结。用于吐血，崩漏带下，瘀滞腹痛，痔漏，疮疡，无名肿毒，乳痈，烫火伤，再生障碍性贫血，血友病，白血病，产后血晕等。

鱼齿： 咸，寒。清热利湿，通淋排石。用于淋证，小便不通等。

鱼骨： 利湿，解毒。用于赤白带下，阴疽等。

| 用法用量 | **鱼肉：** 内服煎汤，65 ~ 250 g。

鱼胆： 内服，0.9 ~ 2.4 g。外用适量，取胆汁点涂。

鱼鳞： 内服焙干研末，30 片。外用适量，研末。

鱼齿： 内服烧灰酒冲，1.5 ~ 3 g。

鲤科 Cyprinidae 鲂属 *Megalobatrama*

三角鲂 *Megalobatrama terminalis* (Richardson)

| 动物别名 | 法罗鱼、花边、三角鳊。 |

| 药材名 | 鲂鱼（药用部位：全体或肉）。 |

| 形态特征 | 体高而侧扁，呈菱形。头后背部隆起，腹棱自腹鳍基部至肛门。头短小。口小，端位，口裂斜至鼻孔下方。上、下颌等长，其上盖有坚硬的角质，角质易脱落。下咽齿 3 行。眼侧位，至吻端的距离较至鳃盖后缘的距离近。鳃耙 16 ~ 22。侧线鳞 54 ~ 60。背鳍Ⅲ，7，起点位于腹鳍基部后方，具有强大而光滑的硬刺。背鳍高度显著大于头长。胸鳍可达腹鳍的基部，腹鳍仅伸至肛门。臀鳍Ⅲ，24 ~ 32，基部长，无硬刺，起点在背鳍基部末端正下方。尾鳍深分叉，下叶较上叶稍长。鳔 3 室，前室最大。腹膜灰色或灰黑色。体呈青灰色。头背面及体背部色较深，侧面为灰色，带有浅绿色光泽；腹面银灰色，各鳍均呈灰色。 |

| 分布情况 | 栖息于底质为淤泥或石砾的敞水区。湖南各地均有分布。 |

| 资源情况 | 野生资源丰富。药材来源于野生和养殖。 |

| 采收加工 | 全年均可捕捉，捕获后剖腹，除去内脏及鳞片，或取肉，洗净，鲜用。 |

| 功能主治 | 甘，平。归脾、胃经。健脾益胃，消食止泻。用于消化不良，胸腹胀满等。 |

| 用法用量 | 内服煮食，100 ~ 200 g。 |

鲤科 Cyprinidae 鲌属 Culter

翘嘴鲌
Culter alburnus (Basilewsky)

| **动物别名** | 鲌鱼、大白鱼。

| **药 材 名** | 白鱼（药用部位：全体或肉）。

| **形态特征** | 体长而侧扁。头背面几乎平直，后部微隆起。体长 200 mm 以下者，其头长比体高者大，体长 200 mm 以上者则相反。口上位，口裂伸至鼻孔前缘的垂直线下方。下咽齿 3 行，齿先端呈钩状。下颌肥厚，急剧突出而上翘。眼大，位于头的侧上方。鳃耙细长。侧线前段稍向腹弯曲，后段横贯体侧正中。鳞小，侧线鳞 83 ~ 93，多数为 86 ~ 90。背鳍 Ⅲ，7，具有强大而光滑的硬刺，其起点在腹鳍起点与臀鳍起点之中央稍前方，至吻端与至尾鳍基部的距离几相等。臀鳍 Ⅲ，21 ~ 25，基部较长。鳔 3 室，中室大而圆，后室细小。腹腔膜银白色。背部及体侧上部为灰褐色，腹部为银白色。各鳍灰色至灰黑色。

| **分布情况** | 常栖息于水体的中上层，冬季在深水处越冬。湖南各地均有分布。

| **资源情况** | 野生资源丰富。药材来源于野生和养殖。

| **采收加工** | 全年均可捕捞，捕获后剖腹，除去内脏及鳞片，或取肉，洗净，鲜用。

| **功能主治** | 甘，平。归脾、胃经。开胃消食，健脾行水。用于食积不化，胃气不舒，水肿等。

| **用法用量** | 内服煮食，100 ~ 250 g。

鲤科 Cyprinidae 青鱼属 Mylopharyngodon

青鱼 *Mylopharyngodon piceus* (Richardson)

| **动物别名** | 乌青、鲭、螺蛳青。 |

| **药材名** | 青鱼（药用部位：肉）、青鱼胆（药用部位：胆囊）、鱼脑石（药用部位：枕骨）。 |

| **形态特征** | 前部略呈圆筒形，向后渐侧扁。腹部圆，无腹棱。头顶部宽平。吻钝尖。口端位，呈弧形。下颌稍短。下咽齿1行，呈臼齿状，齿面光滑。圆鳞，侧线完整，侧线鳞39～46。背鳍Ⅲ，7～8，无硬刺，起点与腹鳍相对。臀鳍Ⅲ，8～9，无硬刺。胸鳍下侧位，不达腹鳍。腹鳍起点在背鳍第2分支鳍条下方，末端不达肛门。尾鳍深叉，上、下叶约等长。体背及体侧上半部青黑色，腹部灰白色。各鳍均呈黑灰色。 |

| **分布情况** | 栖息于江河港道、沿江湖泊及其附属水体中。湖南各地均有分布。 |

| **资源情况** | 野生资源丰富。养殖资源丰富。药材来源于野生和养殖。 |

| **采收加工** | **青鱼：**全年均可捕捞，捕得后除去鳞片及内脏，取肉，洗净，鲜用。
青鱼胆：全年均可捕捞，捕得后割取胆囊，悬挂于通风处阴干，或鲜用。
鱼脑石：全年均可捕捞，捕得后取出枕骨，阴干。 |

| **功能主治** | **青鱼：**甘，平。归肝经。益气化湿，养肝明目，养胃和中，截疟。用于脚气湿痹，烦闷，疟疾，血淋等。
青鱼胆：苦，寒。归肝、胆、肾经。泻热，明目。用于目赤肿痛，翳障，喉痹，恶疮，白秃疮等。
鱼脑石：咸，平。归心、肾经。散瘀止痛，利水。用于心腹疼痛，水气浮肿等。 |

| 用法用量 | 青鱼：内服煮食，100 ~ 200 g。

青鱼胆：内服入丸、散剂，1.5 ~ 2 g。外用适量，取胆汁点眼或涂敷。

鱼脑石：内服适量，水研磨。

| 附　　注 | 临床上有服青鱼胆中毒致死的案例，故内服青鱼胆时应遵医嘱。

鲤科 Cyprinidae 草鱼属 Ctenopharyngodon

草鱼 *Ctenopharyngodon idellus* (Cuvier et Valenciennes)

| 动物别名 | 油鲩、黑青鱼、混鱼。

| 药 材 名 | 草鱼（药用部位：肉）、鲩鱼胆（药用部位：胆囊）。

| 形态特征 | 体长，略呈圆筒形。腹圆无棱，尾部侧扁。头钝。口端位，无须。上颌稍长于下颌。眼较小，上侧位。鳃耙短小，呈棒形，排列稀疏。下咽齿2行，为梳状栉齿，具斜狭下凹咀嚼面，边缘具斜条状沟纹。鳞片颇大，侧线鳞39～46。背鳍Ⅲ，7，无硬刺，起点与腹鳍相对。臀鳍Ⅲ，8，亦无硬刺，身体各部分比例随个体大小不同而有差异。幼鱼的头长和眼径较成鱼大，尾柄长和眼间距较成鱼小。体呈茶黄色，背部青灰色，腹部银白色，各鳍均呈浅灰色。

| 分布情况 | 栖息于江河、湖泊等水域的中、下层和近岸多水草区域。湖南各地均有分布。

| 资源情况 | 野生资源丰富。养殖资源丰富。药材来源于野生和养殖。

| 采收加工 | **草鱼**：除繁殖期外均可捕捞，捕得后除去鳞片和内脏，取肉，洗净，鲜用。
鲩鱼胆：除繁殖期外均可捕捞，捕得后剖腹，取出胆囊，洗净，鲜用或阴干。

| 功能主治 | **草鱼**：甘，温。归脾、胃经。平肝祛风，暖胃和中。用于虚劳，肝风头痛，久疟，食后饱胀，呕吐泄泻等。
鲩鱼胆：苦，寒；有毒。归肝、肾经。清热，利咽，明目，祛痰，止咳。用于咽喉肿痛，目赤肿痛，咳嗽痰多等。

| 用法用量 | **草鱼**：内服煮食，100～200 g。
鲩鱼胆：内服入丸、散剂，1.5～2 g。外用适量，取胆汁滴耳、滴眼或搽。

鲤科 Cyprinidae 鳡属 *Elopichthys*

鳡

Elopichthys bambusa (Richardson)

| 动物别名 | 鳏鱼、黄颊、哮口鱼。

| 药 材 名 | 鳡鱼（药用部位：肉）。

| 形态特征 | 体长，稍侧扁。腹部圆，无腹棱。头长而尖。眼中等大，向两侧突出。头长和眼径的比例变化范围很大。口大，端位，口裂末端可达眼前缘的下方。吻尖，呈喙状，吻长远超过吻宽。下颌前端有一坚硬的骨质突起。下咽齿 3 行。鳃耙排列稀疏。无须。鳞小，侧线鳞 106 ~ 124。背鳍 9 ~ 11，很小，起点位于腹鳍之后。臀鳍Ⅲ，10 ~ 11。尾鳍分叉很深。体微黄色，背部灰黑色，腹部银白色，背鳍、尾鳍深灰色，其他鳍和颊部淡黄色。

| 分布情况 | 生活于江河的中、上层。湖南各地均有分布。

| 资源情况 | 野生资源丰富。养殖资源丰富。药材来源于野生和养殖。

| 采收加工 | 春、夏季捕捞，杀后剖腹，除去内脏，洗净，取肉，鲜用。

| 功能主治 | 甘，温。归脾、胃经。健脾益胃，温中止呕。用于脾胃虚弱，反胃呕吐等。

| 用法用量 | 内服煮食，100 ~ 200 g。

鲤科 Cyprinidae 赤眼鳟属 Squaliobarbus

赤眼鳟 Squaliobarbus curriculus (Richardson)

| 动物别名 | 赤眼鱼、红目鳟、红眼鱼。 |

| 药 材 名 | 赤眼鳟（药用部位：除去鳞片及内脏的全体）。 |

| 形态特征 | 体长，略呈纺锤形。腹圆，后端稍侧扁。头呈圆锥形。吻钝。口端位，呈弧形。上颌两侧有 2 对极短小的须。眼大而靠近吻端，鼻孔位于眼的前上方。下咽齿 3 行，先端稍呈钩状。鳃耙短而稀疏。鳞较大，圆形。侧线鳞 45 ～ 48。背鳍Ⅲ，7 ～ 8，无硬刺，起点与腹鳍相对或较腹鳍略靠前。胸鳍Ⅰ，14 ～ 15，鳍末端可达胸鳍起点至腹鳍基部距离的 3/5 处。臀鳍Ⅲ，7 ～ 9，鳍较靠后，起点位于腹鳍基至尾鳍基的 4/7 处。尾鳍分叉深。体背深灰色，腹部银白色。体侧及背部鳞片后缘均有黑斑，此黑斑在侧线鳞上特别清晰。背鳍、尾鳍深灰色，其他各鳍均为灰白色。外形酷似草鱼，眼上半部具红色斑点。 |

| 分布情况 | 栖息于流速较缓的江河和湖泊，活动于水的中层。湖南各地均有分布。 |

| 资源情况 | 野生资源丰富。养殖资源丰富。药材来源于野生和养殖。 |

| 采收加工 | 全年均可捕捞，杀后剖腹，除去鳞片与内脏，洗净，鲜用。 |

| 功能主治 | 甘，温。归胃经。温中和胃。用于反胃吐食，脾胃虚弱作泻等。 |

| 用法用量 | 内服煮食，100 ～ 200 g。 |

鲤科 Cyprinidae 鳑鲏属 Rhodeus

高体鳑鲏 *Rhodeus ocellatus* (Kner)

| **动物别名** | 鳑鲏、青衣鱼、鲊鱼。 |

| **药 材 名** | 鳑鲏鱼（药用部位：肉）。 |

| **形态特征** | 体侧扁且高，略呈卵圆形。尾分叉。头小，无须。头后背部显著隆起。下咽齿1行，齿面平滑。鳃耙短小，10～14。背鳍Ⅲ，10～12，起点位于身体的最高处。胸鳍Ⅰ，9～12。臀鳍Ⅲ，9～12，起点在背鳍第4～5分支鳍条的正下方。腹鳍Ⅰ，6～7，末端达臀鳍起点。侧线鳞2～6，纵列鳞27～30，横列鳞9.5～11.5。脊椎骨4+(28～30)。体背侧上部鳞片的后缘有密集的小黑点。沿尾柄中线有1黑色纵纹，纵纹向前伸至背鳍基部中点正下方。鳃盖后方的肩上有1黑斑，体侧4～5鳞片上有1不明显黑斑。鳔2室，前室小，后室大。腹膜黑色。幼鱼体型和中华鳑鲏相似，但肩上没有明显黑斑，头后背部有显著隆起。 |

| **分布情况** | 栖息于水流较缓处。湖南各地均有分布。 |

| **资源情况** | 野生资源丰富。养殖资源丰富。药材来源于野生和养殖。 |

| **采收加工** | 全年均可捕捞，杀后除去鳞片及内脏，洗净，取肉，鲜用或晒干。 |

| **功能主治** | 甘，平。归肺、脾经。益脾胃，解毒，填精补髓。用于久病体虚，痘毒等。 |

| **用法用量** | 内服炖汤，50～150 g。 |

鲤科 Cyprinidae 鳙属 *Aristichtys*

鳙

Aristichtys nobils (Richardson)

| 动物别名 | 花鲢、胖头、胖头鱼。 |

| 药 材 名 | 鳙鱼（药用部位：肉、头）。 |

| 形态特征 | 体侧扁，稍高。腹鳍基底至肛门处有狭窄的腹棱。口端位，口裂稍向上倾斜。吻圆钝。眼小，下侧位，在头侧正中轴下方。鳃耙状如栅片，但不愈合，有鳃上器，耙数量随个体增大而增多。鳞很小，侧线鳞 99 ~ 115。背鳍Ⅲ，7，很短，起点位于腹鳍起点之后。胸鳍大而延长，末端远超过腹鳍基部。臀鳍Ⅲ, 12 ~ 13。尾鳍深叉状，上、下约等长。体背部及体侧上半部为灰黑色，间有浅黄色，腹部银白色，体侧有许多不规则的黑色斑点。各鳍条均呈灰白色，并有多数黑斑。 |

| 分布情况 | 生活于江河干流、平缓的河湾、湖泊和水库的中、上层。湖南有广泛分布。 |

| 资源情况 | 野生资源丰富。养殖资源丰富。药材来源于野生和养殖。 |

| 采收加工 | 全年均可捕捞，捕获后除去鳞片和内脏，取肉和头，鲜用或晒干。 |

| 功能主治 | 肉，甘，温。归脾、胃经。温脾胃，壮筋骨。用于脾胃虚寒，消化不良，肢体肿胀，腰膝酸痛，步履无力等。头，益脑提神。用于风寒头痛，眩晕等。 |

| 用法用量 | 内服炖煮，250 ~ 300 g。 |

鲤科 Cyprinidae 鲢属 *Hypophthalmichthys*

鲢
Hypophthalmichthys molitvix (Cuvier et Valencinnes)

| **动物别名** | 鲢子、鲢、白鲢。

| **药 材 名** | 鲢鱼（药用部位：肉）。

| **形态特征** | 体侧扁而稍高。腹部狭窄，腹棱自胸鳍直达肛门。头大，头长约为体长的1/4。吻短，钝圆。口宽。眼小，位于头侧中轴之下。咽头齿1行，草履状而扁平。鳃耙特化，愈合成一海绵状半月形过滤器。体被小圆鳞。侧线鳞108～120，广弧形下弯。背鳍Ⅲ，7，无硬刺，较短，起点距吻端与距尾鳍基约相等。臀鳍Ⅲ，12～13，中等长，起点在背鳍基部后下方。胸鳍Ⅶ，8，下侧位，可伸达或略超过腹鳍基部。腹鳍Ⅰ，7～8，起点距胸鳍比距臀鳍近，长不达肛门。尾鳍深叉状。腹腔大，腹膜黑色。鳔2室，前室长而膨大，后室末端小而呈锥形。体背侧面暗灰色，下侧银白色，各鳍均为淡灰色。

| **分布情况** | 栖息于江河、湖泊及其附属水体的上层。湖南各地均有分布。

| **资源情况** | 野生资源丰富。养殖资源丰富。药材来源于野生和养殖。

| **采收加工** | 全年均可捕捞，捕获后除去鳞片及内脏，洗净，取肉，鲜用或晒干。

| **功能主治** | 甘，温。归脾、胃经。温中益气，渗湿利水。用于久病体虚，水肿等。

| **用法用量** | 内服煮食，100～250 g。

鲤科 Cyprinidae 红鲌属 Erythroculter

翘嘴红鲌
Erythroculter ilishaeformis (Bleeker)

动物别名	白鱼、白扁鱼、鲌鱼。
药 材 名	白鱼（药用部位：全体。别名：鲌鱼、鳔鱼）。
形态特征	体长而侧扁，体长可超 60 cm，体高与头长略相等。头背平直，后部微隆起。口上位。下颌肥厚，突出于上颌前缘。眼大。侧线较平直。背鳍Ⅲ，7，有强大而光滑的硬刺，起点在腹鳍起点中央稍前方，至吻端与至尾基的距离几乎相等。胸鳍末端接近腹鳍的起点。臀鳍延长，无硬刺。腹鳍末端达肛门。背部及体侧上部灰褐色，腹部银白色，各鳍灰色至灰黑色。
分布情况	栖息于江河、湖泊的中、上层。分布于湖南湘西州等。
资源情况	野生资源丰富。养殖资源丰富。药材来源于野生和养殖。
采收加工	春、夏季捕捉，洗净，鲜用。
功能主治	甘，平。开胃健脾，消食行水。用于食积腹胀，水肿等。
用法用量	内服煮食，100 ~ 250 g。

鲤科 Cyprinidae 鲌属 *Culter*

红鳍鲌
Culter alburnus (Basilewsky)

药 材 名	白鱼（药用部位：全体。别名：鲌鱼、鳌鱼）。
形态特征	体长，侧扁。腹部自胸鳍基部至肛门间有明显的腹棱，腹鳍基部的腹部明显向内凹入。头小，侧扁，背面平直，头后背部急遽隆起。口上位，口裂几乎垂直。下颌突出，向上翘。眼大，侧位。鳞小，侧线鳞 59～62。背鳍Ⅲ，7，具有强大而光滑的硬刺，起点在腹鳍和臀鳍起点的正中央。臀鳍Ⅲ，24～29，无硬刺。腹膜银白色或淡灰色。体背部青灰色，侧面和腹部银白色。背鳍和尾鳍上叶青灰色，腹鳍、臀鳍及尾鳍下叶橙红色。体侧上半部每个鳞片的后缘均有黑色斑点。
分布情况	生活于江河、湖泊及其他流水体的水草丛生处。湖南有分布。
资源情况	野生资源丰富。养殖资源丰富。药材来源于野生和养殖。
采收加工	春、夏季捕捉，洗净，鲜用。
功能主治	甘，平。开胃健脾，消食行水。用于食积腹胀，水肿等。
用法用量	内服煮食，100～250 g。

鲤科 | Cyprinidae 裸重唇鱼属 | Gymnodiptychus

厚唇重唇鱼 *Gymnodiptychus pachychus* (Herzenstein)

| **动物别名** | 麻鱼、麻花鱼、重唇花鱼。

| **药 材 名** | 厚唇重唇鱼（药用部位：胆囊、骨、肉）。

| **形态特征** | 体长圆筒形，稍侧扁。口下位，马蹄形。唇发达，左、右下唇叶在前方互相连接，未连接部分各自向内翻卷。口角有短粗须 1 对。体表裸露无鳞。侧线平直。背鳍具 2 不分支的鳍条。尾鳍分叉。体背部和头先端黄褐色或灰褐色，较均匀地散布黑色斑点。腹部灰白色或黄白色。尾鳍浅红色。

| **分布情况** | 栖息于长江上游各水系的高原宽谷河流中，在河湾洄水处较常见。分布于湖南湘江流域等。

| **资源情况** | 野生资源稀少。药材来源于野生。

| **采收加工** | 全年均可捕捞，杀后取胆囊、肉、骨骼，洗净。

| **功能主治** | **胆囊**：清热解毒，消翳除障。用于疮疡热痛，白内障，烧伤等。
骨：利水消肿。用于水肿，小便不利。
肉：祛瘀排脓，消肿。用于妇科病，胃肠病，疮疖化脓等。

| **用法用量** | 肉，内服煮食，100 ~ 200 g；或研末冲。

鲤科 Cyprinidae 鳈鱼属 Hemibarbus

唇鳈
Hemibarbus labeo (Pallas)

动物别名	重口鱼、重唇鱼、鲮鳈。
药 材 名	重唇鱼（药用部位：除去鳞片及内脏的全体）。
形态特征	体长约 25 cm，稍侧扁。头长。吻钝圆。眼大。口下位，呈马蹄形。唇发达，下唇两侧叶宽厚，一般具折皱。鳞中等大。体背灰褐色，腹部白色。
分布情况	多栖息于水流湍急的河流水温较低处。湖南大部分水域有分布。
资源情况	野生资源稀少。药材来源于野生。
采收加工	全年均可捕捞，除去鳞片及内脏，鲜用。
功能主治	甘。补益脾肾。用于腰膝疼痛，肢体麻木，水肿，小便不利。
用法用量	内服适量，炖食。

鲤科 Cyprinidae 鳘属 Hemiculter

鳘鱼 *Hemiculter leucisculus* (Basilewsky)

动物别名	白鳘、参鱼、肉条鱼。
药 材 名	鳘鱼（药用部位：肉。别名：青鳞子、鲹子）。
形态特征	体细长，长约 15 cm，侧扁。背部几成直线，腹部略凸。眼位于头前部。鳃耙 15 ~ 18。下咽齿 3 行，圆锥形，末端尖而带钩。侧线鳞 45 ~ 57，侧线在胸鳍基部的后上方突然向下弯折。背鳍Ⅲ，7，具光滑硬刺。胸鳍不发达。臀鳍Ⅲ，11 ~ 14。尾鳍分叉深，下叶较上叶长。
分布情况	栖息于河流、湖泊中。湖南各地均有分布。
资源情况	野生资源丰富。养殖资源丰富。药材来源于野生和养殖。
采收加工	全年均可捕捞，洗净，剖腹，取肉，鲜用。
功能主治	甘，温。暖胃，止泻。用于冷泻。
用法用量	内服适量，煮食。

鲤科 Cyprinidae 鳡属 Luciobrana

鳡

Luciobrana macrocephalus (Lacepede)

| 动物别名 | 喇叭鱼、尖嘴鳡、马头鳡。

| 药 材 名 | 鳡鱼（药用部位：除去鳞片及内脏的全体）。

| 形态特征 | 体长大，略侧扁。腹部圆。头前半部细长，略呈管状。吻端平扁似鸭嘴。鳞细小。背鳍无硬刺，起点在腹鳍之后。尾鳍分叉很深，下叶稍长于上叶。背部深灰色，腹部及两侧下半部银白色。胸鳍淡红色。

| 分布情况 | 生活于江河中、下层。湖南部分水域有分布。

| 资源情况 | 野生资源稀少。药材来源于野生。

| 采收加工 | 春季至秋季捕捞，除去鳞片及内脏，取肉，鲜用。

| 功能主治 | 甘，平。补益脾胃，强筋骨。用于脾胃虚弱，食欲不振，腰膝酸软，行走不利，久病体弱等。

| 用法用量 | 内服煮食，100 ~ 200 g。

| 附 注 | 在《湖南省国家重点保护野生动物名录》中本种被列为国家二级重点保护野生动物。

鲤科 Cyprinidae 鲈鲤属 Percocypris

鲈鲤
Percocypris pingi (Tchang)

动物别名	花鱼、青脖。
药 材 名	花鱼肉（药用部位：肉）。
形态特征	体长，侧扁。头前端较小，下颌向前突出。口亚上位，斜裂。须2对。眼前上位。鳞中等大，胸部、腹部的鳞片较小，且隐于表皮下。背面青黑色，侧面及腹部白色。体侧鳞绝大部分有黑色边缘。头背部有分散的小黑点。背鳍、胸鳍、尾鳍色微黑。
分布情况	生活于河流的支流或干流，成鱼常在大水面游弋。湖南大部分水域有分布。
资源情况	野生资源丰富。养殖资源丰富。药材来源于野生。
采收加工	全年均可捕捞，捕后剖腹，除去内脏及鳞片，取肉，鲜用。
功能主治	甘，平。祛痰，止咳，止血，镇静。用于咳嗽，喘促，痰中带血，吐血，衄血，崩漏下血，癫痫，失眠，月经过多等。
用法用量	内服煮食，100～200g。

鲤科 Cyprinidae 华鲮属 Sinilabeo

华鲮 *Sinilabeo rendahli* (Kimura)

动物别名	竹鱼、足鱼、野鲮鱼。
药材名	竹鱼肉（药用部位：肉）。
形态特征	体长，稍侧扁。吻端钝圆。口下位，呈新月形。下唇与下颌分离。须2对。鳞大。体背部青黑色带绿色。背部及两侧鳞片均有绿色光泽，并常杂有红点。腹部白色带黄色。各鳍均为灰黑色。
分布情况	生活于平缓河流及山涧溪流。湖南大部分水域有分布。
资源情况	野生资源丰富。药材来源于野生。
采收加工	全年均可捕捞，捕后剖腹，除去内脏及鳞片，取肉，鲜用。
功能主治	甘，平。益气和中，除湿。用于久病体虚，腰腿疼痛。
用法用量	内服煎汤，100～200 g。

鲤科 Cyprinidae 鲴属 Xenocypris

黄尾鲴
Xenocypris davidi (Bleeker)

| 动物别名 | 黄鲴鱼、黄姑子、黄尾刀。

| 药材名 | 黄鲴鱼肉（药用部位：肉）。

| 形态特征 | 体长约 20 cm，侧扁。腹部圆，肛门前有一短而不明显的腹棱。头尖。吻钝。口下位，横裂。鳞中等大。背鳍最后 1 根不分支，鳍条为光滑的硬刺。生活时背部黑灰色，腹部及体侧下半部银白色。鳃盖的后缘有一浅黄色的斑条。尾鳍分叉，呈黄色。

| 分布情况 | 栖息于江河、湖泊等宽阔水域的中、下层，幼鱼多生活在江河、湖泊沿岸。湖南各地均有分布。

| 资源情况 | 野生资源丰富。药材来源于野生。

| 采收加工 | 全年均可捕捞，捕获后除去鳞片及内脏，洗净，鲜用。

| 功能主治 | 甘，温。温中止泻。用于脾胃寒证，泄泻。

| 用法用量 | 内服适量，炖食。

鲤科 Cyprinidae 鲴属 *Xenocypris*

银鲴
Xenocypris argentea (Gunther)

动物别名	密鲴。
药 材 名	黄鲴鱼肉（药用部位：肉）。
形态特征	体长而侧扁。腹部圆，肛门前具不明显腹棱。头小，呈锤形。吻圆钝。口下位，横裂。眼中等大小。鳞较大，侧线完全。背鳍Ⅲ，7～8。臀鳍Ⅲ，8～10。生活时背部及体侧上半部黑灰色，腹部银白色。鳃盖骨后部有橘黄色的色斑1。胸鳍、腹鳍、臀鳍及颊部呈杏黄色，其他各鳍均为灰黑色。
分布情况	多生活于河流和湖泊中，常栖息在水的中、下层。湖南大部分水域有分布。
资源情况	野生资源稀少。养殖资源丰富。药材来源于野生。
采收加工	同"黄尾鲴"。
功能主治	同"黄尾鲴"。
用法用量	同"黄尾鲴"。

鲤科 Cyprinidae 鱲属 Zacco

宽鳍鱲 *Zacco platypus* (Temminck et Schegel)

| **动物别名** | 桃花鱼、双尾鱼、鱲鱼。 |

| **药 材 名** | 石鲹鱼（药用部位：肉）。 |

| **形态特征** | 体长约 18 cm，侧扁。腹部圆。头短。吻钝，唇厚，无须。眼较小。鳞较大，略呈长方形，腹鳍基部两侧有一延长的腋鳞。背部黑灰色，腹部银白色，体侧有 12 ～ 13 垂直的黑色条纹，条纹间有许多不规则的粉红色斑点。腹鳍淡红色。胸鳍上有许多黑色斑点。 |

| **分布情况** | 多栖息于江河的支流。 |

| **资源情况** | 野生资源稀少。药材来源于野生。 |

| **采收加工** | 全年均可捕捞，捕获后除净内脏和鳞片，取肉，鲜用。 |

| **功能主治** | 甘，平；有小毒。解毒，杀虫。用于诸疮疥癣。 |

| **用法用量** | 内服煮食，100 ～ 200 g。 |

鳅科 Cobitidae 泥鳅属 Misgurnus

泥鳅 *Misgurnus anguillicaudatus* (Cantor)

| **动物别名** | 肉泥鳅、鳅鱼。

| **药 材 名** | 泥鳅（药用部位：全体或肉）、泥鳅滑液（药用部位：皮肤分泌的黏液）。

| **形态特征** | 体细长，前段略呈圆筒形，后部侧扁。腹部圆。头尖。口小，下位，呈马蹄形。吻突出，唇软而发达，具有细皱纹和小突起。眼小，无眼下刺。体鳞极细小，圆形，埋于皮下；侧线鳞116～170。背鳍 II，7。臀鳍 I，5～6。体表黏液丰富。体背部及两侧均为灰黑色，全体有许多小黑斑点，头部和各鳍上亦有许多黑斑点，背鳍和尾鳍膜上的斑点排列成行，尾柄基部有一明显的黑斑。

| **分布情况** | 喜栖息于静水底层，常出没于湖泊、池塘、沟渠和水田底层富有植物碎屑的淤泥表层。湖南各地均有分布。

| **资源情况** | 野生资源丰富。养殖资源丰富。药材来源于野生和养殖。

| **采收加工** | **泥鳅：** 全年均可捕捞，捕后洗净，置于清水中，使其肠内容物排尽，鲜用，或除去内脏，阴干或烘干。
泥鳅滑液： 全年均可捕捞，置于清水中养殖，用时刮下其身上的黏液，鲜用。

| **功能主治** | **泥鳅：** 甘，平。补中益气，清热解毒，消肿止渴，滋阴潜阳。用于温病大热，神昏口渴，水肿，黄疸，小便不利，阳痿，病毒性肝炎，消渴。
泥鳅滑液： 清热解毒。用于白癣，漆疮，热淋，乳腺癌，骨髓炎等。

| **用法用量** | **泥鳅：** 内服煮食，250～300 g；或烧存性，入散剂。外用适量，烧存性，研末调敷；或活泥鳅捣敷。
泥鳅滑液： 外用适量，涂敷。

鳅科 Cobitidae 泥鳅属 Misgurnus

大鳞泥鳅
Misgurnus mizolepis (Gunther)

动物别名	鱼鳅、泥鳅。
药 材 名	同"泥鳅"。
形态特征	体长而侧扁。口小，下位。须5对，最长1对须的末端远超前鳃盖骨的后缘。鳞埋于皮下；侧线鳞102～107。背鳍Ⅱ，6，不具硬刺，起点约在前鳃盖骨至尾鳍基部距离的中点。臀鳍Ⅱ，5～6。尾柄较高，具有明显的皮褶棱。胸鳍距腹鳍很远。尾鳍圆形。肛门较近臀鳍起点，约在臀鳍基部至臀鳍起点全长的3/4处。身体背部及体侧上半部灰黑色，体侧下半部及腹面灰白色。背鳍及尾鳍具黑色小点，其他各鳍均为灰白色。
分布情况	生活于江河湖泊。湖南各地均有分布。
资源情况	野生资源丰富。养殖资源丰富。药材来源于野生和养殖。
采收加工	同"泥鳅"。
功能主治	同"泥鳅"。
用法用量	同"泥鳅"。

鲿科 Bagridae 黄颡鱼属 Pelteobagrus

黄颡鱼
Pelteobagrus fulvidraco (Richardson)

| **动物别名** | 黄腊丁、黄龙、甲甲。 |

| **药材名** | 黄颡鱼（药用部位：全体或肉）、黄颡鱼涎（药用部位：皮肤分泌的黏液）、黄颡鱼颊骨（药用部位：颊骨）。 |

| **形态特征** | 体长，稍粗壮，吻端斜向背鳍，后部侧扁。头略大而纵扁，头背大部裸露。上枕骨棘宽而短，接近项背骨。吻部背视钝圆。口大，下位，弧形。颌齿及颚齿绒毛状，均呈带状排列。眼中等大，侧上位，眼缘游离，眼间隔宽，略隆起。前、后鼻孔相距较远，前鼻孔呈短管状。鼻须位于后鼻孔前缘，伸达或超过眼后缘；颌须1对，向后伸达或超过胸鳍基部；外侧颌须长于内侧颌须。鳃孔大，向前伸至眼中部正下方腹面。背鳍较小，具骨质硬刺。胸鳍侧下位。腹鳍短，末端伸达臀鳍。臀鳍基底长。尾鳍深分叉，末端圆，上、下叶等长。活体背部黑褐色，至腹部渐变为浅黄色。沿侧线上下各有一狭窄的黄色纵带，腹鳍与臀鳍上方各有1黄色横带，黄色横带交错形成断续的暗色纵斑块。尾鳍2叶中部各有1暗色纵条纹。 |

| **分布情况** | 栖息于水流缓慢、水生植物丛生的水底。湖南各地均有分布。 |

| **资源情况** | 野生资源丰富。养殖资源丰富。药材来源于野生和养殖。 |

| **采收加工** | **黄颡鱼：**全年均可捕捉，捕后除去内脏，鲜用。
黄颡鱼涎：全年均可捕捉，捕后收集黏液装瓶。
黄颡鱼颊骨：全年均可捕捉，捕后取其颊骨。 |

| **功能主治** | **黄颡鱼：**甘，平。利尿，祛风，解毒。用于水肿，瘰疬久溃不敛，诸恶疾，醉酒等。
黄颡鱼涎：甘，平。归肺、肾经。用于消渴饮水无度。 |

黄颡鱼颊骨：甘、咸，平。归肺经。解毒开痹。用于喉痹。

| 用法用量 | 　　**黄颡鱼**：内服煮食，1条。外用适量，烧存性，研末调敷。

　　黄颡鱼涎：内服适量，入丸剂。

　　黄颡鱼颊骨：内服烧灰，2 g，以茶清调下。

鲿科 Bagridae 鮠属 *Leiocassis*

鮠鱼
Leiocassis longirostris (Günther)

| 药 材 名 | 鮠鱼（药用部位：肉。别名：阔口鱼、白戟鱼）。 |

| 形态特征 | 体长约 25 cm，为体高的 5 ~ 6 倍。吻锥形，向前显著突出。口下位，呈新月形，唇肥厚。眼小。须 4 对。上、下颌均具锋利的细牙齿数排。位于胸鳍前上方的肩骨显著突出。头顶部多少裸露，侧线平直。全体裸露无鳞，背部稍带灰色，腹部白色。鳍为灰黑色。 |

| 分布情况 | 栖息于江河中，多栖息于水体底层。湖南有分布。 |

| 资源情况 | 野生资源稀少。药材来源于野生。 |

| 采收加工 | 全年均可捕捉，捕后取肉，鲜用或晒干。 |

| 功能主治 | 补中益气，开胃。用于纳食不佳等。 |

鲇科 Siluridae 鲇属 Parasilurus

鲇
Parasilurus asotus (Linnaeus)

动物别名	鲇鱼、猫鱼。
药 材 名	鲼鱼（药用部位：肉、眼、尾、黏液、鳔）。
形态特征	体长。头部平扁，尾部侧扁。口宽阔，口裂向上倾斜。下颌明显突出。上、下颌及犁骨上有许多绒状细齿。须2对。眼小，盖有透明薄膜，其位置靠近头侧，无鳞。皮肤富黏液腺，侧线上有黏液孔1行。背鳍很小，具5鳍条。臀鳍77～83，与尾鳍相连。幼鱼背侧部一般为黄绿色，随着个体成长体逐渐变为黑褐色。颔部灰白色。各鳍均为灰黑色。
分布情况	栖息于江河、湖泊、水库等宽阔的大型水体内。湖南各地均有分布。
资源情况	野生资源丰富。养殖资源丰富。药材来源于野生和养殖。
采收加工	全年均可捕捞，剖腹，除去鳞和内脏。
功能主治	**肉**：甘，温。滋阴开胃，利尿下乳。用于虚损不足，水肿，乳汁不足，小便不利等。 **眼**：消肿解毒。用于刺伤，中毒等。 **尾**：通经活络。用于口眼歪斜等。 **黏液**：用于消渴。 **鳔**：甘、咸，平。清热解毒。用于吐血，阴疮，瘘疮。
用法用量	**肉**：内服煮食，1～2条。 **眼**：外用适量，烧灰涂。 **尾**：外用适量，贴敷。 **黏液**：内服煮食，50 ml。 **鳔**：内服适量，焙黄研末。

胡子鲇科 Clariidae 胡子鲇属 Clarias

胡子鲇 *Clarias fuscus* (Lacepede)

| 动物别名 | 角鱼、塘角鱼、土虱。

| 药 材 名 | 塘虱鱼（药用部位：肉）。

| 形态特征 | 体细长，长约 14 cm，前部平扁，后部侧扁。头扁而宽，吻宽而钝，口阔，眼小。须 2 对，很长。胸鳍平展，有硬刺。尾鳍圆扁。全体光滑无鳞。体棕黑色，各鳍均为灰黑色。

| 分布情况 | 生活于河川、池塘、水草茂盛的沟渠、稻田和沼泽中。湖南各地均有分布。

| 资源情况 | 野生资源丰富。养殖资源丰富。药材来源于野生和养殖。

| 采收加工 | 全年均可捕捞，捕捉后放在水池中，内放清水，每天换水 1 次，用时从腮孔取出内脏。

| 功能主治 | 甘，平。补血，滋肾，调中，助阳。用于腰膝酸痛，久病体虚，小儿疳疾，哮喘，衄血，黄疸伤口不愈等。

| 用法用量 | 内服蒸食，50 ~ 100 g。

鳗鲡科 Anguillidae 鳗鲡属 Anguilla

鳗鲡

Anguilla japonica (Temminck et Schlegel)

| 动物别名 | 白鳝、蛇鱼、鳗鱼。

| 药 材 名 | 鳗鲡鱼（药用部位：全体或肉）。

| 形态特征 | 体细长，长约40 cm。头长而尖。吻部尖而扁平。眼小，眼间隔宽。鼻孔每侧2。口大而阔，口角达眼后缘。上、下颌及犁骨均具细齿。鳃孔小，位于胸鳍基部前方。侧线完全，鳞细小而长，隐于表皮内。体表多黏液。背鳍长而位置低，起点距臀鳍较距鳃孔近。臀鳍长而位置低，起点紧接肛门后方。胸鳍近圆形。无腹鳍。尾鳍短，和背鳍及臀鳍相连。

| 分布情况 | 生活于江河、湖泊。湖南各地均有分布。

| 资源情况 | 野生资源丰富。养殖资源丰富。药材来源于野生和养殖。

| 采收加工 | 全年均可捕捉，除去内脏，或取肉，鲜用。

| 功能主治 | 甘，平。滋补强壮，祛风杀虫。用于妇女赤白带下，肺结核，淋巴结结核，阳痿，恶疮，溃疡，风湿，骨痛等。

| 用法用量 | 内服煮食，50～100 g。

合鳃科 Synbranchidae 黄鳝属 Monopterus

黄鳝
Monopterus allbus (Zuieuw)

| 动物别名 | 鳝鱼、罗鳝、蛇鱼。

| 药 材 名 | 黄鳝（药用部位：血、肉、骨、头）。

| 形态特征 | 体细长，呈蛇形，前部圆，后部侧扁，尾尖细。头长而圆。口大，端位，上颌稍突出，唇发达。上、下颌及口盖骨上均有细齿。眼小，为薄皮所覆盖。左、右鳃孔于腹面合而为一，呈"V"字形，鳃膜连于鳃颊。体表一般有润滑液，方便逃逸，无鳞。无胸鳍和腹鳍。背鳍和臀鳍退化，仅留皮褶，无软刺，二者均与尾鳍相连。生活时体多呈黄褐色、微黄色或橙黄色，有深灰色斑点，少量鳝鱼呈白色。

| 分布情况 | 栖息于河道、湖泊、沟渠及稻田中。湖南各地均有分布。

| 资源情况 | 野生资源丰富。养殖资源丰富。药材来源于野生和养殖。

| 采收加工 | 夏、秋季捕捉，捕捉后，活鱼取血，鲜用。去除内脏，取肉、骨、头，洗净备用。

| 功能主治 | 血：祛风通络，解毒明目。用于口眼歪斜，跌打损伤，疔疮，中耳炎，目翳等。
肉：甘，平。归肝、脾、肾经。滋阴补血，健脾益气，消食导滞，化痰止咳。用于虚劳咳嗽，消渴，疳积，偏头痛，腰膝酸软，产后小便淋沥，肠风痔漏等。
骨：收敛生肌。用于臁疮等。
头：软坚散结，止痢。用于瘿瘤，痢疾，消渴等。

| 用法用量 | 血：外用适量，滴耳或鼻；或涂抹。
肉：内服煮食，100 ~ 250 g；或捣为丸。
骨：内服焙干研末，3 ~ 5 g。外用适量，焙干研末，香油调涂。
头：内服煅灰，温酒或温水冲，3 ~ 5 g。

鮨科 Serranidae 鳜属 Siniperca

鳜 *Siniperca chuatsi* (Basilewsky)

| 动物别名 | 桂花鱼、季花鱼、桂鱼。

| 药 材 名 | 鳜鱼（药用部位：肉）。

| 形态特征 | 背鳍XII，15；臀鳍III，9；胸鳍13～14；腹鳍I，5。侧线鳞123～141，侧线上鳞26～28，侧线下鳞63～66。鳃耙7。体长，侧扁，自眼后至背鳍起点稍隆。尾柄宽而短，宽与长几乎相等。吻尖突，吻长大于眼径。鼻孔每侧2，位于眼前方，相隔近，前鼻孔后缘具1皮瓣。眼较小，上侧位，眼径比眼间隔大。口大，稍斜。上颌具1辅骨，其长约等于眼径，上颌骨后端几伸达眼后缘下方，下颌突出。上、下颌，犁骨及腭骨均具绒毛状牙群，下颌两侧犬牙较发达。前鳃盖骨后缘具细锯齿，下角及下缘各具2小棘，鳃盖骨边缘具2扁棘，上棘不明显；鳃盖膜宽大，不与颊部相连，前延伸达瞳孔后缘下方。体被小圆鳞，峡下部有鳞。侧线完全。背鳍起点与胸鳍基底相对，鳍棘部基底长约为鳍条部基底长的2倍，具12鳍棘、15鳍条，第5～8鳍棘长大于吻长，稍短于最长鳍棘。臀鳍始于最后背鳍鳍棘的下方，鳍条部短于背鳍鳍条部，具3鳍棘、9鳍条。胸鳍圆形，后端约与腹鳍后端相对。腹鳍起点位于胸鳍基底下方，有小膜连于体侧，具1鳍棘、5鳍条。尾鳍圆形。体灰褐色带青黄色，具不规则褐色斑点和斑块。自吻端穿过眼睛至背鳍第1～3鳍棘基部具1斜带，背侧近背鳍基底有5行横带状斑块，第5～8鳍棘基部下方的横带完整。臀鳍灰色，胸鳍和腹鳍色淡，背鳍和尾鳍具小斑点。

| 分布情况 | 生活于江河湖泊以及水库中。养殖于背风向阳、砂壤土底质、淤泥较少、池底平坦、略向排水口倾斜的池塘。湖南大部分水域有分布。

| 资源情况 | 野生资源稀少。养殖资源丰富。药材来源于养殖。

| **采收加工** | 春、夏季捕捉，捕获后除去内脏，取肉，洗净，鲜用。

| **功能主治** | 甘、平。归脾、胃经。补气健脾，养血散瘀。用于虚损劳伤，气短乏力，咳嗽潮热，肠风下血等。

| **用法用量** | 内服煮食。

月鳢科 Channidae 鳢属 Ophiocephalus

乌鳢 *Ophiocephalus argus* (Cantor)

| **动物别名** | 黑鱼、才鱼、乌鱼。 |

| **药 材 名** | 黑鱼肉（药用部位：肉）。 |

| **形态特征** | 背鳍长，几乎与尾鳍相连，无硬棘，始于胸鳍基底上方，距吻端较近。腹鳍短小，起于背鳍第 4～5 鳍条下方，末端不达肛门。胸鳍圆形，鳍端伸过腹鳍中部。臀鳍短于背鳍，起于腹鳍第 15～16 鳍条下方。尾鳍圆形。肛门位于臀鳍前方。鳔单室，细长，前端圆形，末端较尖，延至臀鳍基底上方。胃呈囊状，幽门垂 2，粗长，长度约为肠的 1/3。肠短，双曲，长于体长的 1/2。体呈灰黑色，体背和头顶暗黑色，腹部淡白色，体侧有不规则黑色斑块，头侧有 2 行黑色斑纹。奇鳍具黑白相间的斑点，偶鳍为灰黄色，兼有不规则斑点。 |

| **分布情况** | 生活在沿岸泥底水草丛生的浅水区。湖南各地均有分布。 |

| **资源情况** | 野生资源丰富。养殖资源丰富。药材来源于野生和养殖。 |

| **采收加工** | 全年均可捕捞，除去内脏，取肉，鲜用。 |

| **功能主治** | 甘，寒。利水祛风，利二便。用于湿痹，面目水肿，肠痔下血，小儿麻疹等。 |

| **用法用量** | 内服煎汤，100～150 g。外用适量，煎汤洗。 |

塘鳢科 Eleotridae 沙塘鳢属 Odontobutis

沙塘鳢 Odontobutis obscura (Temminck et Schlegel)

| 动物别名 | 塘鳢鱼。

| 药 材 名 | 土附（药用部位：全体）、土附卵（药用部位：卵）。

| 形态特征 | 体粗壮，前部呈圆筒形，后部侧扁，体长约 10 cm。头部大，稍扁平，且较躯体阔。口上位，口裂宽大。下颌长于上颌，上、下颌有细齿，细齿呈带状排列。鳃耙上有小刺。眼小，上位，眼间隔凹入。体侧及背部被栉鳞。侧线鳞 33 ～ 37。生殖乳突明显，雌者生殖乳突较宽大，雄者生殖乳突三角形，末端尖细。背鳍 2，第 1 背鳍 7 ～ 8 鳍条不分支，第 2 背鳍 18 ～ 19，臀鳍 17，胸鳍大，腹鳍胸位，尾鳍圆形。背部黑褐色，体侧有黑色斑纹，腹部淡黄色，无黑色斑点。各鳍均有淡黄色与黑色相间的条纹。

| 分布情况 | 生活于河沟及湖泊中，喜栖息于泥沙、杂草、碎石相混的岸边浅水中。可在水质清新、溶氧充足、无污染的池塘进行人工饲养。湖南有广泛分布。

| 资源情况 | 野生资源丰富。药材来源于野生和养殖。

| 采收加工 | **土附**：全年均可捕捞，除去鳞，鲜用。
土附卵：全年均可捕捞，取卵，鲜用。

| 功能主治 | **土附**：甘，温。补脾胃，益元气，养气血。用于湿肿水气，噎膈，疥疮等。
土附卵：助相火，暖肾。用于肾虚，阳痿。

| 用法用量 | **土附、土附卵**：内服适量，煮食。

鳢科 Channidae 鳢属 Channa

月鳢
Channa asiaticus (Linnaeus)

动物别名	七星鱼、花鲤鱼、花财鱼。
药材名	张公鱼（药用部位：全体）。
形态特征	体长约 30 mm。头略尖，有较大的鳞片。口大，端位。无腹鳍。尾鳍椭圆形。体棕灰色。尾鳍的基部和胸鳍的上方各有 1 大黑斑，头、背和体侧有许多白色小斑。从鳃盖到眼后方每侧各有黑纹 2。
分布情况	栖息于淡水河中水草茂盛处。湖南有分布。
资源情况	野生资源稀少。养殖资源丰富。药材来源于养殖。
采收加工	全年均可捕捉，鲜用。
功能主治	甘，平。滋阴，壮筋骨。用于肝肾阴虚，腰膝酸软，四肢无力等。
用法用量	内服炖食，100 ~ 200 g。

鲀科 Tetrodontidae 东方鲀属 *Fugu*

弓斑东方鲀 *Fugu ocellatus* (Osbeck)

| **药材名** | 河豚肉（药用部位：肉）。 |

| **形态特征** | 头部及体背、腹面均具小刺。体背灰褐色，腹面白色。体侧胸鳍后上方有横过背部的黑绿色鞍状弓形斑。背鳍基部具 1 圆形黑斑。鞍状斑具橙色边缘。各鳍均为黄色。 |

| **分布情况** | 栖息于近海，亦进入河口淡水区域。湖南有分布。 |

| **资源情况** | 野生资源稀少。药材来源于野生。 |

| **采收加工** | 全年均可捕捉，捕后除去内脏，取肉，鲜用或腌制成干。 |

| **功能主治** | 甘，温。滋补强壮。用于腰腿酸软无力。 |

| **用法用量** | 内服适量，煮食。 |

攀鲈科 Anabantidae 斗鱼属 Macropodus

歧尾斗鱼 Macropodus opercularis (Linnaeus)

| 药材名 | 菩萨鱼（药用部位：全体）。

| 形态特征 | 体长约 8 cm，侧扁，略呈纺锤形。鳞片大，无侧线。臀鳍很长，尾鳍分叉。生殖期各奇鳍有红色边缘，鳞片上有紫蓝色反光。

| 分布情况 | 栖息于水田、溪流、池塘内。湖南有广泛分布。

| 资源情况 | 野生资源稀少。药材来源于野生。

| 采收加工 | 全年均可捕捉，鲜用。

| 功能主治 | 解毒。用于痈疮肿毒。

| 用法用量 | 外用适量，捣敷。

隐鳃鲵科 Cryptobranchidae 大鲵属 Megalobatrachus

大鲵 *Megalobatrachus japonicus davidianus* (Blanchard)

| **动物别名** | 鲵、娃娃鱼、鳕鱼。 |

| **药 材 名** | 大鲵（药用部位：全体）。 |

| **形态特征** | 大者全长可达 180 cm。头宽而扁圆。口大。上、下颌有细齿。眼小，位于头背。躯干扁平而粗壮，体侧腋胯间有纵行皮肤褶。四肢极短而粗壮，指、趾端相距甚远，前肢 4 指，后肢 5 趾，趾间有微蹼。皮肤光滑，多黏液。全身背面棕褐色，有许多不规则的深色大块斑。 |

| **分布情况** | 生活于湍急的河流中。养殖于常年水温为 9 ~ 20 ℃的江河或水库。湘西有分布。 |

| **资源情况** | 野生资源稀少。养殖资源较丰富。药材来源于养殖。 |

| **采收加工** | 春季至秋季捕捉，除去内脏，鲜用。 |

| **功能主治** | 甘，平。补气，截疟。用于病后虚弱，疟疾等。 |

| **用法用量** | 内服炖食，250 ~ 500 g。 |

| **附　　注** | 在《湖南省国家重点保护野生动物名录》中本种被列为国家二级重点保护野生动物。 |

| 蝾螈科 | Salamandridae | 蝾螈属 | Cynops

东方蝾螈 *Cynops orientalis* (David)

| **动物别名** | 水八狗、海八狗、水龙。

| **药 材 名** | 蝾螈（药用部位：全体）。

| **形态特征** | 雄螈体较小，全长约 66 mm；雌螈体较大，全长约 80 mm。耳腺发达。眼部后方无红斑。即使变态为成体，体侧仍残留侧线器官。生活时背面及体侧黑色且有蜡样光泽，大多数个体背面无斑纹，极个别者有隐约可见的深、浅色相间的斑纹。腹面朱红色或橘红色，有分散黑斑，大多数个体在颈褶后方至腹后部处有 1 "T" 形朱红色斑，两侧缀以不规则黑斑，少数标本无黑斑。四肢基部、肛前半部及尾腹鳍褶边缘朱红色，肛后半部黑色。雄螈肛部明显肥肿，肛裂较长，表面光滑，内壁后半部有绒毛状突起；雌螈腹部肥大，肛部呈丘状隆起，肛裂短，表面具颗粒疣，肛内壁光滑。

| **分布情况** | 栖息于山地池塘或水田等静水域，以及溪流中流速较缓的水域。湖南各地均有分布。

| **资源情况** | 野生资源丰富。药材来源于野生。

| **采收加工** | 夏、秋季捕捉，洗净，用酒闷死，微火烘干或鲜用。

| **药材性状** | 本品长 7 cm 左右。躯干浑圆。尾部侧扁，尾梢钝圆。头部扁平，头顶平坦。吻端钝圆。鼻孔极近吻端。眼径约与吻等长或较吻稍短，口裂恰在眼后角下方。四肢较弱而长，指、趾略扁平而细长，末端较尖圆，基部无蹼。尾长，略小于全长的 1/2。皮肤较光滑，头、背、体侧及尾侧满布小瘰粒，腹面有横细沟纹，在浅色区可见黄色小腺体。

| **功能主治** | 甘、苦，寒。归肺、心、脾经。消积化滞，清热解毒。用于疳积，烫火伤，皮肤痒疹等。

| **用法用量** | 内服焙焦研末，3 ~ 5 g。外用适量，焙焦研末，调涂。

蝾螈科 *Salamandridae* **瘰螈属** *Paramesotriton*

中国蝾螈 *Paramesotriton chinensis* (Gray)

动物别名	水和尚、化骨丹、中国瘰螈。
药材名	蝾螈（药用部位：全体）。
形态特征	全长 126 ~ 150 mm。头部扁平，头顶略凹。吻端钝圆，与眼径几等长，吻棱明显。鼻孔近吻端。躯干浑圆。前肢较细长，指端圆钝，基部无蹼，指、趾无缘膜。尾部侧扁，尾梢钝圆。皮肤粗糙，体背与体侧布满瘰粒，背面有 1 浅色脊纹或无。体背与尾侧均为褐色，背脊棱暗红色，体侧与腹面色浅，腹面有橘红色或黄色块斑，雄螈无侧斑。
分布情况	栖息于山溪缓流中，冬季居深水处。傍晚流散或集群于溪流边。湖南各地均有分布。
资源情况	野生资源丰富。药材来源于野生。
采收加工	同"东方蝾螈"。
功能主治	同"东方蝾螈"。
用法用量	同"东方蝾螈"。

蟾蜍科 Bufonidae 蟾蜍属 Bufo

中华蟾蜍 *Bufo bufo gargarizans* (Cantor)

| 动物别名 | 癞蛤蟆、癞肚子、癞刺。

| 药 材 名 | 蟾酥（药用部位：耳后腺的分泌物）、干蟾（药用部位：全体）、蟾皮（药用部位：皮肤）。

| 形态特征 | 体肥大，雄蟾体长约 95 mm，雌蟾体长约 105 mm，大者体长可达 140 mm。头宽大于头长。吻圆而高，吻棱显著，颊部向外倾斜。鼻间距小于眼间距，鼻孔近吻端。瞳孔圆形或横椭圆形。鼓膜显著。上颌无齿，无犁骨齿。舌长椭圆形，后端无缺刻。咽鼓管孔大。前肢长而粗壮；指端较圆，指侧具缘膜，指关节下瘤成对；内掌突小，椭圆形，外掌突大而圆。后肢短粗，前伸贴体时胫跗关节达肩后，左、右跟部不相遇；趾端钝尖，趾侧缘膜显著，第 4 趾具半蹼；关节下瘤多成对；一般无跗褶；内跖突大而长，呈游离刃状，外跖突小而

圆，棕色。皮肤极粗糙，背上满布大小瘰粒，仅头顶平滑，上眼睑及头侧具小疣。耳后腺大，长椭圆形，其长度为体长的 1/5，一般排列成"八"字形；耳后腺间瘰疣一般排列成"八"字形。体侧瘰粒较小，胫部具大瘰粒；除掌、跖、跗部外，整个腹面满布大小一致的疣粒。一般雄蟾体背黑绿色、灰绿色或黑褐色，有的体侧有浅色花斑；雌蟾体背色浅，瘰粒部位深乳黄色，体侧有黑色与浅棕色相间的花斑，有的有 1 黑色线纹，线纹从眼后沿耳后腺下方斜伸至胯部。一般腹面有乳黄色与黑色或棕色相间的显著花斑，腹后至胯基部多有 1 深色大斑。指、趾末端棕色。

| 分布情况 | 白天常匿居于住宅附近及耕地边石下、草丛中或土洞内，清晨及暴雨后常外出活动，黄昏时常爬到路旁或田野中觅食昆虫及其他小动物。湖南各地均有分布。

| 资源情况 | 野生资源丰富。药材来源于野生和养殖。

| 采收加工 | **蟾酥：** 4 ~ 8 月捕捉，置于笼中，洗净泥土，晾干体表水分后即可刮浆，刮浆时忌用铁器，用竹刮将鲜浆铺平使表面光滑，置于阳光下晒干或用烘箱烘干。
干蟾： 春季至秋季捕捉，捕后无痛处死，挂于干燥通风处阴干。
蟾皮： 捕后无痛处死，取皮，挂于干燥通风处阴干。

| 药材性状 | **蟾酥：** 因加工方法不同，本品性状有异，一般有扁圆形团块状者和片状者。团块状者质坚，不易折断，断面棕褐色，角质状，微有光泽；片状者质脆，易碎，断面红棕色，半透明。气微腥，味初甜而后有持久的麻辣感，粉末嗅之作嚏。
干蟾： 本品呈干瘪状，四肢完整，有的屈曲，有的伸直。背面黑褐色，并有瘰疣；腹面土褐色，并有黑斑。气腥。

| 功能主治 | **蟾酥：** 辛，温；有毒。归心经。解毒，止痛，开窍醒神。用于痈疽疔疮，咽喉肿痛，牙龈肿烂，中暑神昏，腹痛吐泻等。
干蟾： 辛，凉；有毒。归心、肝、脾、肺经。解毒散结，消肿利水，杀虫消疳。用于痈疽恶疮，发背，瘰疬，水肿，破伤风，慢性咳嗽，疳积，疔毒，牙痛，咽喉肿痛等。
蟾皮： 苦，凉；有毒。清热解毒，利水消肿。用于痈疽，肿毒，瘰疬，湿疹，肿瘤，疳积腹胀，慢性支气管炎等。

| 用法用量 | **蟾酥：** 内服入丸、散剂，0.015 ~ 0.03 g。外用适量，研末调敷；或掺膏药内贴。
干蟾： 内服，1 ~ 3 g。外用适量，研末调敷；或熬膏摊贴。
蟾皮： 内服，0.12 ~ 0.18 g。

| 蟾蜍科 | Bufonidae | 蟾蜍属 | Bufo

黑眶蟾蜍 *Bufo melanostictus* (Schneider)

| **动物别名** | 癞蛤蟆、蟾蜍、蛤巴。

| **药材名** | 同"中华蟾蜍"。

| **形态特征** | 体较大，雄蟾平均体长 63 mm，雌蟾平均体长 96 mm。吻至上眼睑内缘有黑色骨质脊棱。皮肤较粗糙，除头顶部无疣粒外，其他各部位满布大小不等的疣粒。耳后腺较大，长椭圆形。腹面密布小疣柱。所有疣上有黑棕色角刺。体一般为黄棕色，有不规则的棕红色花斑。腹面胸、腹部乳黄色，并有深灰色花斑。

| **分布情况** | 白天多隐藏于土洞或墙缝中，晚上爬向河滩及水塘边。湖南各地均有分布。

| **资源情况** | 野生资源丰富。药材来源于野生和养殖。

| **采收加工** | 同"中华蟾蜍"。

| **药材性状** | 同"中华蟾蜍"。

| **功能主治** | 同"中华蟾蜍"。

| **用法用量** | 同"中华蟾蜍"。

雨蛙科 Hylidae 雨蛙属 Hyla

中国雨蛙 *Hyla chinensis* (Guenther)

| 药 材 名 | 金蛤蟆（药用部位：全体）。

| 形态特征 | 雄蛙体长 28 mm 左右，雌蛙体长可达 39 mm。雄蛙头长略大于头宽，雌蛙头宽略大于头长或头宽与头长几相等。吻钝圆而高，吻端平直，吻棱明显。鼻孔位于吻端上方。鼓膜圆而小。舌大而圆，后端微有缺刻。上颌有齿；犁骨齿 2，呈团状。指端具吸盘和马蹄形横沟，指长从大到小的顺序为第 3 指、第 2 指、第 4 指、第 1 指，指基具微蹼，指侧有缘膜；关节下瘤明显。后肢全长较体长大 1.5 倍，趾端具吸盘，趾间具蹼，蹼长约为趾长的 1/2，蹼缘膜达趾端；关节下瘤明显，跗部有小疣粒。背面皮肤光滑，腹面密布扁平疣，咽喉部光滑。雄蛙较雌蛙小，具单咽下外声囊，有雄性线；第 1 指基部内侧婚垫浅棕色。

| **分布情况** | 生活于平原或丘陵地带，多栖息于池塘、水田周围或路旁灌丛中，白天多隐居于石隙间或树根下洞穴内。湖南各地均有分布。

| **资源情况** | 野生资源丰富。药材来源于野生和养殖。

| **采收加工** | 夏季三伏天捕捉，或随用随捕。

| **功能主治** | 淡，平。生肌，止血，止痛。用于跌打损伤，骨折，外伤出血。

| **用法用量** | 内服研末，5 ~ 10 g。外用适量，研末配散剂调敷。

雨蛙科 Hylidae 雨蛙属 *Hyla*

无斑雨蛙 *Hyla arborea immaculate* (Boettger)

| 动物别名 | 梆梆狗。 |

| 药 材 名 | 雨蛙（药用部位：全体）。 |

| 形态特征 | 体长 30 ~ 40 mm。头宽大于头长。吻圆而高。眼间距大于鼻间距。鼓膜圆。舌圆而厚。指扁，基部有极不明显的蹼迹，掌部小疣粒颇多。后肢短，胫跗关节长达肩部，足比胫长，趾端与指端同，跖间无蹼。背部皮肤光滑，胸、腹部及股腹面密布扁平疣。背部绿色，体侧及腹面白色，体侧及前、后肢上部有黑色斑点，体侧及股前后无黑色斑点。颞褶明显隆起，左眼、鼓膜和体侧无棕色线纹。雄性第1指上婚垫乳白色。 |

| 分布情况 | 多栖息于近水草丛、灌木林和潮湿地上，经常停于草叶或树叶上。湖南有分布。 |

| 资源情况 | 野生资源稀少。药材来源于野生。 |

| 采收加工 | 夏、秋季捕捉，焙干或鲜用。 |

| 功能主治 | 淡，平。解毒杀虫。用于湿癣。 |

| 用法用量 | 外用适量。 |

蛙科 Ranidae 水蛙属 Hylarana

沼水蛙 *Hylarana* (Sylvirana) *guentheri* (Boulenger)

| 动物别名 | 沼蛙、水狗。

| 药 材 名 | 沼水蛙（药用部位：全体）。

| 形态特征 | 繁殖期雌、雄比例为1：2.02。雄蛙个体一般小于雌蛙个体。雌蛙卵巢内有2种不同大小的卵球。在繁殖季节，成熟的雌、雄蛙的外部特征有明显的区别：雄蛙体色棕黄，雌蛙体色较暗，呈灰褐色；雄蛙第二性征很明显，即前肢的外指有明显的婚垫，有1对咽侧下外声囊，体背侧有雄性线，而雌性则没有。

| 分布情况 | 生活于平原、丘陵地区，多栖息于稻田、菜园、池塘、山沟等，常隐藏于水生植物间或杂草中。湖南各地均有分布。

| 资源情况 | 野生资源丰富。药材来源于野生和养殖。

| 采收加工 | 夏、秋季捕捉,捕后无痛处死,除去内脏,洗净,鲜用。

| 功能主治 | 活血止痛,续筋接骨,排脓生肌。用于跌打损伤,骨折,疮痈溃后脓多久不封口。

| 用法用量 | 内服煎汤,6~9 g。外用适量。

蛙科 Ranidae 蛙属 Rana

泽蛙 *Rana limnocharis* (Boie)

| 动物别名 | 蝦蟆、蚂蜴。

| 药 材 名 | 蛤蟆（药用部位：全体。别名：虾蟆）。

| 形态特征 | 体长 40 ~ 50 mm，雄性略小。头长与头宽相等。口阔，吻端尖圆，口内有锄骨齿。舌后端缺刻深。眼大而突出。鼻孔近吻端。鼓膜圆，直径为眼径的 2/3。前肢较细长，第 1 指发达，关节下瘤及掌突发达；后肢较粗壮，趾间具蹼，关节下瘤小而突出。背部皮肤有许多长短不一的不规则纵肤褶，体侧具圆形疣。雄性有单咽下外声囊。生活时体色变异极大。

| 分布情况 | 生活于田野、池泽附近等。湖南各地均有分布。

| **资源情况** | 野生资源丰富。药材来源于野生和养殖。

| **采收加工** | 夏、秋季捕捉，洗净。

| **功能主治** | 甘，寒。清热解毒，健脾消积。用于痈肿，热疖，口疮，瘰疬，泻痢，疳积。

| **用法用量** | 内服入丸、散剂，1只。外用适量，捣敷；或研末。

蛙科 Ranidae 蛙属 Rana

青蛙 *Rana nigromaculata* (Hallowell)

| 动物别名 | 黑斑蛙。

| 药 材 名 | 青蛙（药用部位：全体。别名：田鸡）、青蛙胆（药用部位：胆汁）、蝌蚪（药用部位：幼体）。

| 形态特征 | 体长 70 ~ 80 mm，雄性略小。头长略大于头宽。吻端钝圆而略尖，吻棱不明显。颊部向外侧倾斜。鼻孔距眼较距吻端近。眼间距小。鼓膜大。前肢短，指端钝尖，指长从大到小的顺序为第 3 指、第 1 指、第 2 指、第 4 指，趾间几为全蹼。

| 分布情况 | 生活于有荷花的池塘内，平时多匍匐在荷叶上。湖南各地均有分布。

| 资源情况 | 野生资源丰富。药材来源于野生和养殖。

| 采收加工 | **青蛙：** 春、夏、秋季捕捉，捕后除去内脏，鲜用或炙干。
青蛙胆： 春、夏、秋季捕捉，捕后剖腹取胆，鲜用。
蝌蚪： 春季于水中捞取，除去杂质，洗净，开水烫死，烘干或晒干。

| 药材性状 | **蝌蚪：** 本品呈扁圆形或不规则圆片状，长15 mm，宽8～10 mm，皱缩，灰黑色，大部分尾巴脱落。腹扁平，背隆起。腹部有明显或不明显螺旋形圈纹。质脆易碎。味腥臭。

| 功能主治 | **青蛙：** 甘，凉。利水消肿，清热解毒，补虚，止嗽。用于水肿，鼓胀，麻疹，毒痢，黄疸，月经过多，咳嗽喘息等。
青蛙胆： 苦，寒。清热解毒，止咳。用于肺热咳嗽，麻疹，肺炎，白喉等。
蝌蚪： 清热解毒。用于热结肿毒，腮腺炎，疳积腹胀等。

| 用法用量 | **青蛙：** 内服煎汤，1～7只；或研末入丸、散剂。外用适量，捣敷；或研末调敷。
青蛙胆： 1～2个，吞服或外涂。
蝌蚪： 外用适量。

蛙科 Ranidae 蛙属 Rana

金线蛙 *Rana plancyi* (Lataste)

| 动物别名 | 田鸡。 |

| 药 材 名 | 同"青蛙"。 |

| 形态特征 | 体长 50 mm 左右，雄性略小。股后方有黄色纵线纹。头略扁，头宽与头长几相等。吻钝圆，吻棱不明显。眼间距小于鼻间距或上眼睑之宽。指、趾端尖圆，关节下瘤小而明显。后肢短粗，趾间几具全蹼。 |

| 分布情况 | 栖息于池塘、水沟、小河或稻田内，常将头部露出水面。湖南有分布。 |

| 资源情况 | 野生资源丰富。药材来源于野生。 |

| 采收加工 | 同"青蛙"。 |

| 药材性状 | 同"青蛙"。 |

| 功能主治 | 同"青蛙"。 |

| 用法用量 | 同"青蛙"。 |

蛙科 Ranidae 蛙属 Rana

虎纹蛙 *Rana tigrina rugulosa* (Wiegmann)

| 动物别名 |

水鸡、粗皮田鸡、粗皮蛤蟆。

| 药 材 名 |

虎纹蛙（药用部位：全体）。

| 形态特征 |

大型蛙类，雄蛙体长 87.2 mm 左右，雌蛙体长 86.4 mm 左右。头长略大于头宽。吻端尖。鼻间距大于眼间距，约和上眼睑等宽。鼓膜大而显著。上颌齿锐利。犁骨齿极强。前肢短粗；指长从大到小的顺序为第 3 指、第 1 指、第 4 指、第 2 指；后肢较短。体背面皮肤粗糙，上有不规则的长短纵肤棱；腹面皮肤光滑。生活时背面灰棕色或黄绿色；头侧、体背、体侧有少数深色斑纹；四肢有横纹，体腹部肉白色，咽部和胸部有灰黑色斑纹。雄性前肢粗壮；第 1 指内侧有肥厚的灰色婚垫，婚垫上密布细小颗粒；有 1 对咽侧下声囊；有雄性线。

| 分布情况 |

栖息于水田、池塘、水库及沟渠内，白天隐蔽在草丛中，晚上蹲在堤岸、田埂上。湖南各地均有分布。

| **资源情况** | 野生资源稀少。

| **采收加工** | 夏、秋季捕捉，洗净，除去内脏，鲜用。

| **功能主治** | 甘，寒。滋补强壮。用于疳积，消瘦。

| **用法用量** | 内服煮食，1～2只。

| **附　注** | 在《湖南省国家重点保护野生动物名录》中本种被列为国家二级重点保护野生动物。

蛙科 Ranidae 蛙属 Rana

棘胸蛙 *Rana spinosa* (David)

| 动物别名 | 石蛤蟆、石虾蟆。 |

| 药材名 | 棘胸蛙（药用部位：全体）。 |

| 形态特征 | 头宽而扁。吻端圆。鼓膜不明显。雄性前肢特别粗壮，指端圆，略膨大，关节下瘤及掌突均发达。后肢肥硕，趾端肿大或呈圆球状，趾具全蹼。皮肤粗糙，雄性背部有断续成行排列的狭长疣，胸部满布分散的大黑疣。咽下有内声囊。雌性背上有分散的圆疣，疣上有小黑刺，腹面光滑。 |

| 分布情况 | 栖息于小溪、水坑、水塘内石上或有石洞的瀑布附近，稍有干扰就藏于石洞内或石缝中。湖南各地均有分布。 |

| 资源情况 | 野生资源丰富。药材来源于野生。 |

| 采收加工 | 夏、秋季捕获，除去皮和内脏，洗净，鲜用。 |

| 功能主治 | 甘，平。滋补强壮。用于疳积，消瘦，病后虚弱等。 |

| 用法用量 | 内服蒸食，50 ~ 100 g。 |

蛙科 Ranidae 棘蛙属 Paa

棘腹蛙 *Paa boulengeri* (Gunther)

| 动物别名 | 石蹦、石坑、石蛙。

| 药 材 名 | 棘腹蛙（药用部位：全体）。

| 形态特征 | 雄蛙体长 9 cm 左右，雌蛙体长 9.8 cm 左右。头宽大于头长。吻端圆，略突出于下唇，吻棱略显。鼻孔位于吻、眼之间。眼间距与鼻间距几相等。鼓膜略显。犁骨齿短，呈 "\ /" 形自内鼻孔内侧向中线倾斜，齿列后端间距小。舌椭圆形，后端缺刻深。前肢短，前臂及手长不到体长的 1/2；雄蛙前臂极粗壮；指略扁，指端圆球状；第 1 指长于第 2 指，与第 4 指几等长；第 2 指两侧及第 3 指内侧具缘膜；原拇指发达，关节下瘤甚明显；内掌突大，卵圆形，外掌突窄长。后肢肥壮，前伸贴体时胫跗关节达眼部；左、右跟部仅相遇；胫长超过体长的 1/2；趾端圆球状，第 1、5 趾游离侧缘膜达跖基部，趾间几具全蹼，第 4 ~ 5 跖间蹼超过跖长的 1/2，关节下瘤明显，内跖突窄而长，无外跖突；跗褶清晰，其长度超过跗长的 1/2。皮肤粗糙。体背部长疣排列成纵行，其间有许多小圆疣或细小痣粒，其上均有小黑刺，头部、体侧及四肢背面有分散的大小黑刺疣，四肢背面有肤棱。枕部有横肤沟。颞褶甚粗厚。雄蛙胸、腹部满布大小肉质疣，各疣中央处均有 1 黑刺，有的个体股、胫腹面也有分散的小刺疣；雌蛙腹面皮肤光滑。体色随环境和年龄不同而变化。背面多为土棕色或棕黑色。上、下唇缘有深棕色或黑色纵纹；两眼间多有 1 黑色横纹。有的个体背部有不规则的黑斑。四肢背面黑色横纹较清晰，腹面紫肉色。咽喉部及股部有深色云斑。前臂极粗壮，内侧 3 指有黑色锥状刺。有单咽下内声囊，声囊孔大，长裂状。背面有 2 紫色雄性线，腹面无。

| **分布情况** | 生活于瀑布下或水塘边石上，偶尔在大山溪旁石下或泉水凼内可见到。湖南有分布。

| **资源情况** | 野生资源丰富。药材来源于野生。

| **采收加工** | 夏、秋季捕捉，洗净，除去内脏和皮肤，烘干或鲜用。

| **功能主治** | 甘，平。滋补强壮。用于疳积，羸瘦，病后或产后虚弱。

| **用法用量** | 内服煮食，100 ~ 120 g。

蛙科 Ranidae 臭蛙属 *Odorrana*

花臭蛙 *Odorrana schmackeri* (Boettger)

| 动物别名 | 青蛙。

| 药 材 名 | 青蛙（药用部位：全体）。

| 形态特征 | 雄蛙体长约 4.4 cm，雌蛙体长约 8 cm。头顶扁平，头长几等于或略长于头宽。吻端钝圆而略尖，略突出于下唇，吻长于眼径；吻棱明显，眼至鼻孔处尤显。颊部微向外侧倾斜，颊面凹入颇深。鼻孔略近吻端。眼间距略小于鼻间距，与上眼睑之宽几相等。鼓膜大而明显，雌蛙的鼓膜较小，直径约为眼径的 1/2，距眼后角稍远，雄蛙的鼓膜较大，约为眼径的 2/3，距眼后角较近。犁骨齿 2 行，斜行，颇强，向后中线集中，2 行一般相距较近，雄蛙的犁骨齿较弱，雌蛙的犁骨齿发达，其末端在内鼻孔后端。舌呈长梨形，后端缺刻深。前臂及手长不到体长之半，前臂较粗；指较长，略扁平，指末端膨大成扁平吸盘，纵径大于横径，具腹侧沟，其沟将吸盘分隔成背、腹面，背面者宽大，有的标本第 1 指的沟不甚清晰，各指端背面有半月形或横置的凹痕，指长从大到小的顺序为第 3 指、第 4 指、第 1 指、第 2 指；关节下瘤大，外侧 3 指指基下瘤较明显或不明显；内掌突椭圆形，位于第 1 指基部内侧，无外掌突。后肢长约为体长的 1.7 倍，后肢前伸贴体时胫跗关节达眼与鼻孔之间或达鼻孔；左、右跟部重叠较多；胫长大于体长的 1/2；第 3、5 趾几等长，达第 4 趾的第 2 ～ 3 关节下瘤之间，趾端与指端同，趾间具全蹼，内、外侧均达趾端，仅第 4 趾远端第 2 趾节两侧的蹼窄，外侧趾间之蹼达趾基部，内跖突卵圆形，无外跖突；无跗褶。皮肤光滑，头体背面满布极细致而弯曲的深浅线纹，线纹盘桓成凹凸状。体侧有大小不一的扁平疣。两眼前角之间有 1 小白点。颞褶较细。口角后端有 2 ～ 3 浅色大腺粒。少数个体腹部略有细横皱纹，股后下方有小痣粒。生活时背部为绿色，兼有棕褐色或褐黑色大斑点，多数斑点近圆形并

镶以浅色边。颌缘及体侧黄绿色，有大小不一的黑棕色斑点。无背侧褶，但沿背侧褶部有排成纵行的斑点，体侧斑点排列则多不规则。颞褶下方色深，而鼓膜色浅。上、下唇缘有棕褐色斑。四肢棕色或浅棕色，上有较宽棕褐色横纹，股、胫部各有5～6横纹。腹面浅黄色或乳白色，咽喉部有浅棕色细点。液浸标本背面浅棕灰色，兼有棕色大斑点，体侧斑点褐黑色，斑点周围色较浅；腹面白色，咽喉部浅棕灰色细斑略显。雄蛙明显小于雌蛙，鼓膜较大，灰白色婚垫发达，有1对咽下外声囊，腹部无雄性线，背部雄性线显或略显；繁殖季节的雄蛙胸、腹部具白色刺群。

| **分布情况** | 常栖息于溪边岩石上或匍匐在石块上。湖南有分布。

| **资源情况** | 野生资源稀少。药材来源于野生。

| **采收加工** | 夏季捕捉，洗净，鲜用或烘干。

| **功能主治** | 同"棘腹蛙"。

| **用法用量** | 同"棘腹蛙"。

树蛙科 Rhacophoridaae　泛树蛙属 Rhacophorus

斑腿树蛙　*Rhacophorus leucomystax* (Gravenhorst)

| 动物别名 | 树蛙、变色树蛙、三角上树蛙。

| 药 材 名 | 射尿拐（药用部位：全体）。

| 形态特征 | 体长 45 ~ 60 mm。头长与头宽相等或大于头宽。吻端尖圆或钝圆；吻棱显著。鼓膜显著。犁骨齿强。前肢长，指端均有吸盘及横沟，指间无蹼；关节下瘤均极发达，一般有趾基下瘤。皮肤平滑，背面有极细微的痣，腹面有扁圆痣，咽、胸部的痣较小，腹部的痣大而稠密。雄蛙小，第 1 ~ 2 指基部内侧背面有乳白色婚垫，有时第 3 指上也有不甚显著之婚垫，雄性线显著。

| 分布情况 | 多栖息于玉米地或稻田内，有时隐蔽在草间或石下。湖南有分布。

资源情况	野生资源稀少。药材来源于野生。
采收加工	夏、秋季捕捉，剥去外皮，除去内脏，洗净，晒干或烘干。
功能主治	咸，微寒。化瘀止血，止痛，续筋接骨。用于外伤出血，跌打损伤，骨折，疳积等。
用法用量	外用适量，研末撒；或捣敷。

姬蛙科 Microhylidae 姬蛙属 Microhyla

花姬蛙 *Microhyla pulchra* (Hallowell)

动物别名	犁头蛙、犁头、三角。
药 材 名	花姬蛙（药用部位：全体）。
形态特征	体长 30 ~ 40 mm，头小，体宽，略呈三角形。吻端尖圆。鼓膜不明显。前肢细弱，后肢粗壮，胫跗关节达眼部，左、右跟部相重叠，足比胫短，趾端圆，趾间具半蹼，关节下瘤发达。雄性有单咽下外声囊。生活时颜色及花纹美丽，背面粉棕色，缀有若干重叠的黑棕色及浅棕色"Λ"字形花纹，花纹延伸至身体后部，腹部白色略带黄色。雄性咽下部有许多深色小点，雌性咽下部小点色较浅。
分布情况	生活于河边、池塘边、草地、菜地、玉米地、甘蔗地、粪堆、草垛、泥缝、土洞中等。湖南各地均有分布。

| **资源情况** | 野生资源稀少。药材来源于野生。

| **采收加工** | 5～7月捕捉,捕捉方法有2种:一种是在早晨露水未干之前,即上午5～8时,在本种生活的地方走动,使它受惊后跳跃,出其不意地用手捉住;另一种是夜间用手电筒照射本种,本种见光即停止不动,之后用手捉住。捕后洗净,鲜用。

| **功能主治** | 祛瘀生新,祛风,活血,壮筋骨。用于风湿骨痛,跌打损伤,骨折等。

| **用法用量** | 内服浸酒,1只。

蛇蜥科 Anguidae 蛇蜥属 Ophisaurus

脆蛇蜥 *Ophisaurus harti* (Boulenger)

| 动物别名 | 脆蛇、金蛇、银蛇。

| 药 材 名 | 脆蛇蜥（药用部位：全体）。

| 形态特征 | 吻鳞呈三角形，与单枚前额鳞之间有 2 鳞片相隔，顶间鳞较顶鳞宽。眼小，眼径约为吻长的 1/2。耳孔小。口与鼻孔等大。上唇鳞 10，下唇鳞 9；背鳞 16 行，中央 10 ~ 12 行明显具棱，前后连续成明显的纵嵴，自颈后至尾部末端；腹鳞 10 行，光滑无棱；尾部鳞均起棱。体细长，体长一般为 288 ~ 534 mm，圆筒状，形似蛇，无四肢，但体内有肢带残迹；体侧自颈后至肛门有纵沟 1。生活时体背浅褐色或棕色，头部色深；体前段背部有 10 余行不规则的蓝黑色或天蓝色横斑；体尾两侧为紫色，外侧比内侧色浅；腹面颜色比体背浅，但无横斑。

| 分布情况 | 分布于海拔 700 ~ 1 300 m 的山区，生活于草丛中大石块下或林下枯枝落叶中。湖南有分布。

| 资源情况 | 野生资源稀少。药材来源于野生。

| 采收加工 | 端午节至中秋节间捕捉，捕获后置瓶中，以酒醉死，盘成数圈，使头位于中央，用竹签固定，置炭火上烘干。贮藏于干燥、阴凉处，要经常翻晒，以免发霉或生虫。

| 药材性状 | 本品圆盘形，头居中，尾在外，直径 6 ~ 10 cm。背面棕黄色或绿褐色，有光泽；腹面黄白色。腹部两侧各有 1 凹沟。体轻，干而脆。味香，微带腥臭气。以身干、完整、有光泽、气香、无虫蛀霉坏者为佳。

| 功能主治 | 祛瘀消肿，接骨生肌，祛风湿。用于跌打损伤，骨折，关节酸痛，痈肿，疳积等。

| 用法用量 | 内服研末，3 ~ 6 g；或入丸、散剂。

龟科 Testudinidae 乌龟属 Chinemys

乌龟 Chinemys reevesii (Gray)

| 动物别名 | 水龟、草龟、泥龟。

| 药 材 名 | 龟甲（药用部位：背甲、腹甲）、龟甲胶（药材来源：龟甲经熬煮、浓缩加工而成）、龟肉（药用部位：肉）、龟血（药用部位：血液）、龟胆（药用部位：胆汁）。

| 形态特征 | 壳略扁平，背腹甲不可活动，背甲长 10 ~ 12 cm，宽约 15 cm，有 3 背甲纵向隆起。头和颈侧面有黄色线状斑纹。四肢略扁平，指间和趾间均具全蹼，具爪。尾较短小。雄龟有异臭。

| 分布情况 | 生活于平原、丘陵或山区的小溪、河边、池塘附近。湖南各地均有分布。

| **资源情况** | 野生资源稀少。药材来源于养殖。

| **采收加工** | 龟甲：全年均可捕捉乌龟，以秋、冬季为多，捕捉后处死，剥取背甲及腹甲，除去残肉，称"血板"。或用沸水烫死，剥取背甲及腹甲，除去残肉，晒干，称"烫板"。

龟甲胶：全年均可捕捉乌龟，以秋、冬季为多，捕捉后处死，取龟甲，经熬煮、浓缩制成的固体胶。

龟肉：全年均可捕捉乌龟，以秋、冬季为多，捕捉后处死，取肉，鲜用或烘干。

龟血：全年均可捕捉乌龟，以秋、冬季为多，捕捉后处死，取血，鲜用。

龟胆：全年均可捕捉乌龟，以秋、冬季为多，捕捉后处死，取胆，获取胆汁。

| **药材性状** | 龟甲：本品背甲及腹甲由甲桥相连，背甲稍长于腹甲，与腹甲常分离。背甲呈拱状长椭圆形；外表面棕褐色或黑褐色；脊棱3，颈盾1，椎盾5，第1椎盾长大于宽或长与宽近相等，第2～4椎盾宽大于长，肋盾两侧对称，均为4，缘盾每侧11，臀盾2。腹甲呈板片状，近长方椭圆形；外表面淡黄棕色至棕黑色；盾片12，各盾片均具紫褐色放射状纹理，腹盾、胸盾和股盾中缝最长，喉盾、肛盾中缝次之，肱盾中缝最短，内表面黄白色至灰白色，有的略带血迹或残肉，除净后可见骨板9，骨板呈锯齿状嵌接；前端钝圆或平截，后端具三角形缺刻，两侧均有呈翼状且向斜上方弯曲的甲桥。盾片从大到小的排列顺序为腹盾、股盾、胸盾、肱盾、喉盾、肛盾，各盾片的接缝均较平直。质坚硬。气微腥，味微咸。

| **功能主治** | 龟甲：甘、咸，微寒。归肾、肝、心经。滋阴潜阳，益肾强骨，养血补心，固经止崩。用于骨蒸盗汗，阴虚潮热，头晕目眩，虚风内动，筋骨痿软，心虚健忘，崩漏经多等。

龟甲胶：甘、咸，凉。归肝、肾、心经。滋阴，养血，止血。用于骨蒸盗汗，阴虚潮热，腰膝酸软，血虚萎黄，崩漏带下等。

龟肉：滋阴补血。用于劳热骨蒸，久咳咯血，久疟，血痢，肠风下血，筋骨疼痛，尿急尿频等。

龟血：养血和络。用于闭经，跌打损伤，脱肛等。

龟胆：明目消肿。用于目赤肿痛等。

| **用法用量** | 龟甲：内服煎汤，9～24g。

龟甲胶：内服烊化，3～9g。

龟肉：内服煮食，0.5～1只；或入丸、散剂。

龟血：内服适量，和酒饮；或煮食。

龟胆：内服适量，温水化服。

| 附　注 | 在《湖南省国家重点保护野生动物名录》中本种被列为国家二级重点保护野生动物。

龟科 Testudinidae 闭壳龟属 Cuora

黄缘闭壳龟 *Cuora flavomarginata* (Gray)

| 动物别名 | 黄缘盒龟、闭壳龟、断板龟。

| 药 材 名 | 夹蛇龟（药用部位：腹甲、全龟炭）。

| 形态特征 | 腹甲中部（韧带连接处）为平面，背甲与腹甲闭合不严密。头、四肢、尾不能完全缩入壳内，从背甲与腹甲闭合的缝隙处可看到头、四肢和尾部。前肢具5指，后肢具4趾，指、趾间具半蹼。甲壳由背甲、腹甲和韧带组成。颈盾前窄后宽；第1、第5椎盾为五边形，第2～4椎盾呈六边形；第1肋盾呈不规则梯形，其余肋盾呈四边形；缘盾均为四边形，第4～7缘盾腹下缘增宽，与腹甲相连；喉盾、肛盾大，为三角形，有1未延伸至末端的中央缝，该缝长为肛盾长的1/4～1/2；肱盾、股盾为不规则梯形；胸盾和腹盾为四边形；无腋盾和胯盾。甲桥退化为4齿突。头顶榄油色或棕色，缘盾黄色，腹甲黑褐色，边缘黄色。当头、尾及四肢缩入壳内时，腹甲与背甲能紧密合上，故名"闭壳龟"。

| 分布情况 | 生活于平原、丘陵或山区的小溪、河边、池塘附近。湘南有分布。

| 资源情况 | 野生资源稀少。药材来源于养殖。

| 采收加工 | **腹甲：** 夏季捕捉，捕后无痛处死，剥取腹甲，除去残肉，晒干。
全龟炭： 无痛处死，用泥封固，放于炉中，四周用炭火均匀煅煨，勿使其开裂或泄气，煅至冒出少许青烟时取出，冷却，敲去泥，将焦黑色的龟炭研末，过筛。

| 功能主治 | **腹甲：** 滋阴潜阳，退虚热。用于阴虚发热，阳亢头痛，久咳咽干，崩漏带下，遗精，腰膝酸软。
全龟炭： 活血，消肿，解毒。用于咽喉肿痛，瘰疬，脓肿，风湿痹痛，

慢性骨髓炎，骨关节结核，肥大性脊椎炎等。

| 用法用量 | 腹甲，内服煎汤，15～40 g；全龟炭，内服煎汤，6～10 g。

| 附　　注 | 在《湖南省国家重点保护野生动物名录》中本种被列为国家二级重点保护野生动物。

龟科 Testudinidae 平胸龟属 Platysternon

平胸龟 *Platysternon megacephalum* (Gray)

| 动物别名 | 大头龟、鹰嘴龟。 |

| 药材名 | 鹰嘴龟（药用部位：全体）。 |

| 形态特征 | 头大，不能缩入甲内。颌强，呈钩曲状。颈角板极小而宽。椎角板5，肋角板每侧4，缘角板每侧11。腹甲与背甲的缘角板以韧带相连，具下缘角板。背面棕褐色或绿褐色，腹面黄白色，有黑斑。甲的长、宽、高分别为155 mm、125 mm、50 mm。 |

| 分布情况 | 栖息于山间清澈的溪流中，亦见于沼泽地中。湖南各地均有分布。 |

| 资源情况 | 野生资源稀少。药材来源于养殖。 |

| 采收加工 | 6～9月捕捉，处死后除去甲和内脏，洗净，放烘箱中烘干。 |

| 功能主治 | 甘、咸，寒。滋阴潜阳，宁心补肾，截疟。用于阴虚阳亢，血虚，肾虚，眩晕心烦，失眠多梦，遗精腰酸，久泻，久痢，痎疟，疟母等。 |

| 用法用量 | 内服煮食，每次250 g。 |

| 附 注 | 在《湖南省国家重点保护野生动物名录》中本种被列为国家二级重点保护野生动物。 |

壁虎科 Gekkonidae 壁虎属 Gekko

多疣壁虎 *Gekko japonicus* (Dumeril et Bibron)

| 动物别名 | 壁虎、多痣壁虎、扒壁虎。

| 药 材 名 | 守宫（药用部位：全体）。

| 形态特征 | 全长约100 mm。身体平扁。头大，略呈三角形。吻长约为眼径的2倍。眼无活动性眼睑，瞳孔椭圆形，眼球外覆有透明薄膜。鼓膜明显。上、下颌有细齿。舌宽而厚，先端凹入，富有黏性，能在捕食昆虫时骤然伸出。四肢短，各肢均具5指（趾），末端膨大，指（趾）间有微蹼，除拇趾外，其他各指（趾）均有钩爪，趾底具单行褶襞皮瓣，皮瓣有排除空气之功能，故本种可攀附于光滑的平面上爬行或奔走。尾尖长，尾长约为体长的2/3，基部圆筒状，后部则呈平扁形而逐渐尖细。头和背上覆有颗粒状细鳞，体侧和枕部有大型结节；颏下鳞2对；胸鳞、腹鳞大，呈覆瓦状排列；尾鳞排列成整齐的横环，腹

面中段有 1 横列长鳞。背部褐灰色，有黑斑或 5 隐晦的条纹；下唇鳞和腹面白色，散有小黑点。尾上有黑色或白色横纹 9。

| 分布情况 | 白天藏身于阴暗的树洞、石下或房屋的壁隙。湖南各地均有分布。

| 资源情况 | 野生资源丰富。药材来源于野生。

| 采收加工 | 夏、秋季晚间捕捉，捕后无痛处死，烘干，或用刀破腹，除去内脏，将血液擦净，用细竹片撑之，使身体及四肢顺直，烘干。

| 药材性状 | 本品扁平、干瘪，呈屈曲状。头呈卵圆形或长椭圆形而扁。吻端钝圆，吻鳞接鼻孔。两眼凹陷。两颌密生细齿。头颈部长约为躯干长的 1/3。尾多残缺不全，有时只有细而短小的再生尾。背部有褐色、灰色相间的斑纹，有脊突。腹部鳞较大，圆形覆瓦状排列，黄褐色或青绿色。四足均具 5 指（趾）。质脆，易折断。气腥，味咸。用竹片撑之者尾部较完整，全长约 10 cm，颜色同前。

| 功能主治 | 祛风活络，散结止痛，镇静解痉。用于风湿性关节炎，神经痛，瘰疬，中风等。

| 用法用量 | 内服研末，1 只；或入丸剂、散剂或酒剂。

壁虎科 Gekkonidae 壁虎属 Gekko

无蹼壁虎
Gekko subpalmtus (Guinther)

| 动物别名 | 壁虎、守宫、天龙。

| 药 材 名 | 守宫（药用部位：全体）。

| 形态特征 | 形似蜥蜴而小，全长 115 ~ 120 mm，全身平扁，体、尾几乎等长。头、吻均呈三角形，前倾而扁。鼻孔接近吻端。无活动性眼睑，眼径较吻长略小。耳孔小，鼓膜不明显。上、下颌有齿。舌长，先端尖圆。前、后足均有 5 指（趾），无蹼，趾底有单行横裂的褶襞皮瓣，皮瓣能排除空气而吸附在光滑的平面上，除第 1 趾外，其余各趾均有钩爪。背面被颗粒状细鳞，吻、眼上和后头部有少数较大的结节；胸鳞、腹鳞排成覆瓦状。肛门横裂，雄体有肛前窝数个。身体和四肢背面灰棕色，有 5 ~ 6 不明显的暗纹。尾上有深棕色的横纹 15 左右。腹面白色。

| 分布情况 | 同"多疣壁虎"。

| 资源情况 | 野生资源丰富。药材来源于野生。

| 采收加工 | 同"多疣壁虎"。

| 药材性状 | 同"多疣壁虎"。

| 功能主治 | 同"多疣壁虎"。

| 用法用量 | 同"多疣壁虎"。

石龙子科 Scincidae 石龙子属 Eumeces

中国石龙子 *Eumeces chinensis* (Gray)

| 动物别名 | 山龙子、四脚蛇、中国石龙蜥。

| 药 材 名 | 石龙子（药用部位：全体）。

| 形态特征 | 全长约 210 mm，周身被覆瓦状排列的细鳞。鳞片质薄而光滑，24～26 行。吻端圆凸。鼻孔 1 对。眼分列于头部两侧。舌短，稍分叉。体背黄铜色，有金属光泽。一般有 3 纵行的淡灰色线，鳞片周围淡灰色，因而略现网状斑纹。四肢发达，具 5 指（趾），有钩爪。尾细长，末端尖锐。

| 分布情况 | 栖息于山野草丛中。湖南各地均有分布。

| 资源情况 | 野生资源丰富。药材来源于野生。

| 采收加工 | 夏、秋季于山坡杂草间捕捉，无痛处死，除去内脏，置通风处干燥。

| 药材性状 | 本品呈不规则条状，头颈部及躯干长 8 ~ 10 cm，腹背部宽 3 ~ 4 cm，尾长 12 ~ 15 cm。头呈三角形。有活动性眼睑。头背部鳞片光滑。口内无异形大齿。背部和腹部均为灰棕色。尾粗且长，尾下正中 1 行鳞片扩大，呈灰棕色。爪发达，钩状，无蹼迹。

| 功能主治 | 咸，寒；有毒。归肾、脾经。解毒，散结，行水。用于恶疮瘰疬，臁疮，乳腺癌，肺痈，小便不利，石淋，风湿病，皮肤瘙痒等。

| 用法用量 | 内服烧存性，研末，2 ~ 5 g；或入丸、散剂。外用适量，熬膏涂；或研末调敷。

石龙子科 Scincidae 石龙子属 *Eumeces*

蓝尾石龙子
Eumeces elegans (Boulenger)

| **动物别名** | 蓝尾四脚蛇、石龙子。 |

| **药 材 名** | 石龙子（药用部位：全体）。 |

| **形态特征** | 体长 68 mm 左右，尾长 110 mm 左右。吻长与眼耳间距相等，吻端凸而圆。耳孔卵圆形，比眼径小，耳孔前缘有 2 ~ 3 锥状鳞。上鼻鳞 1 对，左、右相触，介于吻鳞与额鼻鳞纵径之间；左、右前额鳞不相遇；额鳞的纵径长于额顶鳞与顶间鳞纵径之和；左、右顶鳞为顶间鳞所隔；无后鼻鳞；眼上鳞 4；颊鳞 2；上唇鳞 7；颈鳞 1 对；后颈鳞 1；肛前鳞 2，肛侧各有 1 棱鳞。鳞片均光滑，周身鳞列 26 行。前、后肢贴体相向时达对方之指趾端。生活时背面棕褐色，有 5 浅黄色纵纹，背中央 1 纵纹在颈部分叉向前，沿额鳞两侧达吻部，其余纵纹分别自眼上方和眼下方向后沿体侧达尾部，至尾后端纵纹消失。尾部蓝色。 |

| **分布情况** | 生活于平原及山区草丛或田边。湖南各地均有分布。 |

| **资源情况** | 野生资源丰富。药材来源于野生。 |

| **采收加工** | 同"中国石龙子"。 |

| **功能主治** | 同"中国石龙子"。 |

| **用法用量** | 同"中国石龙子"。 |

石龙子科 Scincidae 蜓蜥属 Sphenomorphus

铜蜓蜥 *Sphenomorphus indicus* (Gray)

| 动物别名 | 山龙子、铜石龙子、石锡。

| 药 材 名 | 铜石龙子（药用部位：全体）。

| 形态特征 | 体长圆形，长约 90 mm。尾长为体长的 1.5 倍左右。全身被圆鳞，圆鳞栉次排列，似瓦状，光滑透亮，缺乏棱嵴。头部钝圆。吻鳞大。鼻孔位于鼻鳞和鼻前鳞之间。耳孔卵圆形，小于眼径。下眼睑有鳞，半透明。上、下唇均有鳞 7。肛前鳞 4，中间 1 对肛前鳞甚大。尾后部侧扁，具自残和再生能力。背部深褐色，中央有 1 黑色脊纹，脊纹两侧有黑点缀连成行。自眼前起沿体侧至尾两旁有宽阔的黑色纵纹，纹上方色浅，下方棕红色且有小黑点。腹面黄白色。

| 分布情况 | 生活于平原和山区，在山坡乱石堆的杂草间数量较多。湖南各地均

有分布。

| **资源情况** | 野生资源丰富。药材来源于野生。

| **采收加工** | 夏、秋季捕捉，无痛处死，除去内脏，置通风处干燥。

| **功能主治** | 解毒，祛风，止痒。用于痈肿，瘰疬，腰膝酸痛，痒疹，疮毒等。

| **用法用量** | 内服入散剂，2～5 g；或熬膏。

游蛇科 Colubridae 锦蛇属 Elaphe

王锦蛇 *Elaphe carinata* (Gtinther)

| 药 材 名 | 蛇蜕（药用部位：蜕下的皮膜）。 |

| 形态特征 | 体粗壮，全长 2 m 左右。上唇鳞 8，3-2-3 式，颊前鳞 1，眶前鳞 1 ~ 3，眶后鳞 2（3），颞鳞 2（3，1）+3（2，4），背鳞 23（21，24，25）-23（21）-19（17，18，20）式，除最外侧 1 ~ 2 行背鳞光滑外，其他背鳞均起强棱，腹鳞 203 ~ 224，肛鳞 2，尾下鳞 60 ~ 120 对。背面黑色，兼有黄色花斑；头背棕黄色，鳞缘和鳞沟黑色，形成"王"字形黑斑；腹面黄色，腹鳞后缘有黑斑。幼体背面灰榄色，鳞缘微黑，枕后有 1 黑纵纹，腹面肉色。成体、幼体的体色、斑纹不同，故成体与幼体易被误认为不同种。 |

| 分布情况 | 栖息于山区、丘陵、平原，常活动于灌丛、田野沟边、溪旁、草丛中。湖南各地均有分布。 |

| 资源情况 | 野生资源丰富。药材来源于野生。 |

| 采收加工 | 全年均可采集，以 4 ~ 10 月采集为多，采得后抖净泥沙，晾干。 |

| 药材性状 | 本品呈圆筒形，多压扁、皱缩、破碎，完整者形似蛇，长可达 1 m 以上。背部银灰色或淡棕色，有光泽，具菱形或椭圆形鳞迹，鳞迹衔接处呈白色，略抽皱或凹下；腹部乳色或略显黄色，鳞迹长方形，呈覆瓦状排列。体轻，质微韧，手捏时有润滑感或弹性，轻轻搓揉时沙沙作响。气微腥，味淡或微咸。 |

| 功能主治 | 甘、咸，平。归肝经。祛风，定惊，退翳，止痒，解毒，消肿。用于惊痫抽搐，角膜翳障，风疹瘙痒，喉痹，口疮，牙龈肿痛，痈疽，恶疮，烫伤。 |

| 用法用量 | 内服煎汤，3 ~ 6 g；或研末，每次 1.5 ~ 3 g。外用适量，煎汤洗；或研末撒；或调敷。 |

游蛇科 Colubridae 锦蛇属 Elaphe

黑眉锦蛇
Elaphe taeniura (Cope)

| 药 材 名 | 蛇蜕（药用部位：蜕下的皮膜）。

| 形态特征 | 大型无毒蛇。头体背面黄绿色或棕灰色；眼后有明显的黑纹，故名"黑眉锦蛇"，黑纹延伸至颈部；上、下唇鳞及下颌淡黄色。体前中段有黑色梯状或蝶状斑纹，至后端斑纹逐渐不明显；从体中段开始，两侧有明显的黑纵带，黑纵带达尾端。背中央数行鳞有微棱。腹面黑黄色或浅灰色，两侧黑色。体长可达 2 m，雄性体最长可达 2.01 m。上唇鳞变化大，6 ~ 10，下唇鳞 9 ~ 13；背鳞变化大，一般为 25-25-19 行；雄性腹鳞 222 ~ 265，雌性腹鳞 230 ~ 267；肛鳞 1；雄性尾下鳞 68 ~ 122 对，雌性尾下鳞 87 ~ 107 对。

| 分布情况 | 常盘踞于老式房屋的屋檐。湖南各地均有分布。

| 资源情况 | 野生资源丰富。药材来源于野生。

| 采收加工 | 同"王锦蛇"。

| 药材性状 | 同"王锦蛇"。

| 功能主治 | 同"王锦蛇"。

| 用法用量 | 同"王锦蛇"。

游蛇科 Colubridae 锦蛇属 Elaphe

玉斑锦蛇 *Elaphe mandarina* (Cantor)

药 材 名	玉斑锦蛇（药用部位：全体、蜕下的皮膜）。
形态特征	体长 1 m 左右，雄性体最长 1.43 m（贵州务川），雌性最长 1.24 m（四川峨眉）。体背灰色或紫灰色，背中央具有黑色菱斑（18 ~ 31）+（6 ~ 11），菱斑中心及边缘黄色，体两侧具有芝麻大的紫红色斑点；腹面灰白色，散布交互排列的灰黑色斑。头背黄色，具有明显的倒"V"字形黑色陶碟斑纹。
分布情况	栖息于林中、溪边、草丛，也常出没于居民区及其附近。湖南各地均有分布。
资源情况	野生资源丰富。药材来源于野生。
采收加工	全体，全年均可捕捉，捕后无痛处死，除去内脏，晾干或烘干。蜕下的皮膜，全年均可采集，抖净泥沙，晾干。
功能主治	全体，苦、辛，平，归心、肝经，搜风除湿，定惊止搐。用于风湿痹痛，筋脉拘挛，半身不遂，口眼歪斜，肢体麻木不仁，麻风，顽癣，皮肤瘙痒，破伤风，小儿急、慢惊风，温病高热动风等。蛇蜕，祛风，解毒，杀虫，明目。用于惊痫，喉痹，诸疮痈肿，疥癣，目翳等。
用法用量	全体，内服煎汤，9 ~ 15 g；或研末。蛇蜕，内服煎汤，3 ~ 6 g；或入丸、散剂。

游蛇科 Colubridae 锦蛇属 Elaphe

紫灰锦蛇 *Elaphe porphyracea* (Cantor)

药 材 名	红竹蛇（药用部位：全体、蜕下的皮膜）。
形态特征	体长近 1 m，尾长为全长的 1/7 ~ 1/6。背面淡藕褐色或紫灰色，有约等距排列的马鞍形黑斑（9 ~ 17）+（2 ~ 6），黑斑横跨体尾背面。幼蛇鞍斑色黑，随着年龄增长，鞍斑中央色变淡，有 2 黑褐色细纵纹贯连前后鞍斑。头背面有 3 黑色纵纹；腹面玉白无斑。
分布情况	生活于山区林缘、路旁、耕地、溪边及居民点。湖南各地均有分布。
资源情况	野生资源丰富。药材来源于野生。
采收加工	同"玉斑锦蛇"。
功能主治	同"玉斑锦蛇"。
用法用量	同"玉斑锦蛇"。
附 注	本种有 4 个亚种，即指名亚种、丽纹亚种、范氏亚种和川上亚种。其中指名亚种 *Elaphe perlacea porphyracea* (Cantor) 的 2 黑色侧线仅见于体后段，尾下鳞少于 70 对；丽纹亚种 *Elaphe perlacea pulchra* (Schmidt) 体前 2/3 无纵向黑线，体色偏红，有黑色环纹；范氏亚种（或维兰提亚种）*Elaphe perlacea vaillanti* (Sauvage) 的黑线贯穿全身，体色为深粉色或橘黄色；川上亚种 *Elaphe perlacea kawakamii* (Oshima) 的色斑与范氏亚种相似，鳞背特征不详。

游蛇科 Colubridae 锦蛇属 Elaphe

双斑锦蛇 *Elaphe bimaculate* (Schmidt)

| 药 材 名 | 蛇蜕（药用部位：蜕下的皮膜）。

| 形态特征 | 体长 0.7 m 左右。上唇鳞 8；颊鳞 1；眼前鳞 2，眼后鳞 2；前颞鳞 2，后颞鳞 3，下唇鳞 10。体鳞光滑，但体后部鳞片有微弱的棱痕。尾下鳞 74；肛鳞二分。背面灰褐色，头背前部有 3 黑横纹，后部有 2 弧形斑纹。顶鳞正中有 1 梅花状的黑纹。眼后有 1 黑纹。体尾背面有 2 显著的黑色斑纹，斑纹状如哑铃，躯干有 46 ~ 48 斑纹，尾部有 7 ~ 8 斑纹。体侧自颈部至体后部具黑色圆斑，躯干有圆斑 57 ~ 59，尾部圆斑消失，但有 20 ~ 24 小黑斑。腹面灰白色，有或大或小的黑色斑点。

| 分布情况 | 生活于平原、丘陵和山区的树林、灌丛或沟边。湖南各地均有分布。

| 资源情况 | 野生资源丰富。药材来源于野生。

| 采收加工 | 全年均可采集，以 4 ~ 10 月采集为多，抖净泥沙，晾干。

| 功能主治 | 甘、咸，平。归肝经。祛风，定惊，退翳，止痒，解毒，消肿。用于惊痫抽搐，角膜翳障，风疹瘙痒，喉痹，口疮，牙龈肿痛，痈疽，恶疮，烫伤等。

| 用法用量 | 内服煎汤，3 ~ 6 g；或研末，每次 1.5 ~ 3 g。外用适量，煎汤洗；研末撒或调敷。

游蛇科 Colubridae 翠青蛇属 Cyclophiops

翠青蛇 *Cyclophiops major* (Guenther)

| 药 材 名 | 蛇肉（药用部位：肉）。

| 形态特征 | 中等偏大的陆栖无毒蛇，全长 1 m 左右，背面草绿色。吻鳞宽大于高，背面可见；鼻间鳞沟短于前额鳞沟；额鳞长大于宽，其长大于其至吻端距离；顶鳞大，较额鳞长。鼻孔较大，卵圆形，位于鼻鳞前部。颊鳞 1，长大于高。眼大，眼径大于眼到口缘距离。瞳孔圆形。下颌、咽部及腹部黄绿色，下颌边缘及颌沟有绿色斑点。颊鳞 1；眶前鳞 2，眶后鳞 2；颞鳞 1+2；上唇鳞 8，3-2-3 式；下唇鳞 6；颏片 2 对，前颏片大于后颏片。背鳞平滑，通身 15 行，雄性脊背中央数行偶有弱棱；腹鳞 156 ~ 189；肛鳞二分；尾下鳞 72 ~ 97 对。

| 分布情况 | 多活动于耕作区的地面或树上，或隐居在石下。湖南各地均有分布。

| 资源情况 | 野生资源丰富。药材来源于野生。

| 采收加工 | 全年均可捕捉，捕后无痛处死，除去内脏、头、尾及皮，晾干或烘干。

| 功能主治 | 苦、辛，平。归心、肝经。搜风除湿，定惊止搐。用于风湿痹痛，筋脉拘挛，半身不遂，口眼歪斜，肢体麻木不仁，麻风，顽癣，皮肤瘙痒，破伤风，小儿急、慢惊风，温病高热动风等。

| 用法用量 | 内服煎汤，9 ~ 15 g；或研末。

游蛇科 Colubridae 乌梢蛇属 Zaocys

乌梢蛇 *Zaocys dhmnades* (Cantor)

| 药 材 名 |

乌梢蛇（药用部位：全体。别名：乌蛇）。

| 形态特征 |

大型无毒蛇，雄蛇全长 3.2 m，雌蛇全长 2.9 m。背面绿褐色或棕褐色；次成体黑色侧纵纹纵贯全身，成年个体体前段的黑纵纹明显。前端背鳞鳞缘黑色，形成网纹斑；前端腹鳞多呈黄色或土黄色，后段由浅灰黑色渐变为浅棕黑色。幼体之背多呈灰绿色，有 4 黑纹纵贯躯尾。头、颈区别显著。瞳孔圆形。鼻孔开口于前后 2 鼻鳞间。吻鳞自头背可见，宽大于高；鼻间鳞长为前额鳞长的 2/3；前额鳞短于额鳞，额鳞长几等于其至吻端距离；顶鳞之后有 2 稍大的鳞片；颊鳞 1；眶前鳞 2，上眶前鳞大于下眶前鳞；眶后鳞 2。

| 分布情况 |

常活动于农耕区水域。湖南各地均有分布。

| 资源情况 |

野生资源丰富。药材来源于野生和养殖。

| 采收加工 |

夏、秋季捕捉，捕后无痛处死，剖开腹部，

除去内脏，干燥。

| **药材性状** | 本品呈圆盘状，盘径 13 ～ 16 cm。表面黑褐色或绿黑色，密被菱形鳞片。背鳞行数为偶数，背中央 2 ～ 4 行鳞片强烈起棱，形成 2 纵贯全体的黑线。头盘在中央，扁圆形。眼大而凹陷，有光泽。背部高耸成屋脊状。腹部边缘向内卷曲。脊肌肉厚，黄白色或淡棕色，可见排列整齐的肋骨。尾部渐细而长，尾下鳞双行。气腥，味淡。

| **功能主治** | 甘，平。归肝经。祛风，通络，止痉。用于风湿顽痹，麻木拘挛，口眼歪斜，半身不遂，抽搐痉挛，破伤风，麻风，疥癣等。

| **用法用量** | 内服煎汤，6 ～ 12 g；或浸酒；或焙干研末，入丸、散剂。外用适量，烧灰调敷。

游蛇科 Colubridae 链蛇属 Dinodon

赤链蛇 *Dinodon rufozoatum* (Cantor)

| 药 材 名 | 赤链蛇（药用部位：全体）。

| 形态特征 | 全长 0.75 ~ 1.35 m，体粗壮。头部短而扁平，与颈部显然有别。吻端圆钝，吻鳞微露于头背。鼻间鳞和前额鳞略呈五角形；额鳞 1，短而阔，前缘平展，后方敛缩；眼前鳞 1，眼后鳞 2；颅顶鳞最长，其长度约为额鳞与前额鳞长之和；前额鳞 2，后额鳞 3；上唇鳞 8，下唇鳞 10 ~ 11；额下鳞 2 对，前额下鳞较后额下鳞长；背鳞平滑，但中间数行偶有弱棱；肛鳞 1；尾下鳞 61 ~ 88。背鳞珊瑚红色，有阔幅棕黑色横斑，腹面粉红色斑纹和灰色斑纹交叉排列。体背有横斑 70，尾背有横斑约 30，每横斑占 2 ~ 3 鳞列，横斑间有单个鳞列的狭窄红斑，红斑、黑斑相间排列似彩链。头顶棕黑色，鳞缘绯红色，头侧红色。眼后有黑纹延伸至第 7 上唇鳞。颅顶鳞有黑纹，黑纹斜

向颈侧而呈倒"V"字形；腹鳞浅黄色，无斑，只在两侧横斑处有斑点。

| 分布情况 | 生活于丘陵、平原，栖息于田野、多林村镇、住宅或水源附近。湖南各地均有分布。

| 资源情况 | 野生资源丰富。药材来源于野生。

| 采收加工 | 春季至秋季捕捉，捕后放入瓮中，加入清水，加盖饲养2天，使其排净粪便，取出，洗净，放入高粱酒或白酒内（蛇与酒质量比为1∶3）浸2~4周；或捕后无痛处死，烘干。

| 功能主治 | 甘，凉。祛风止痛，解毒敛疮。用于风湿关节痛，肢体麻木疼痛，瘰疬，溃疡，疥癣等。

| 用法用量 | 内服浸酒，每次10~20 ml；或研末。

游蛇科 Colubridae 链蛇属 Dinodon

黄链蛇
Dinodon flavozonatum (Pope)

| 药 材 名 | 渔游蛇（药用部位：全体）。 |

| 形态特征 | 体较细长。头宽而扁；头、颈略能区分。眼小，瞳孔直立，椭圆形。全长 0.8 m 左右，雄性全长最长可达 1.07 m，雌性全长最长可达 1.15 m。头及体背黑褐色，具（50～96）+（13～28）黄色窄横斑，横斑宽度约为半枚鳞长，横斑在最外侧第 5 或第 6 行背鳞处分叉并延伸至腹鳞，在尾后部分叉不明显。枕部具 1 倒 "V" 字形黄斑，黄斑前端达顶鳞后缘，后端延伸至两侧口角。腹面乳白色。尾下鳞有黑色斑点；颊鳞 1，窄长而小，不入眶；眶前鳞 1，偶为 2，眶后鳞 2；颞鳞 2+3（2）；上唇鳞 8，2-3-3 式，偶为 7，下唇鳞 10（8，9），前 5（4）片切前颔片；背鳞 17-17-15 行，中央 5～9 行微起棱；腹鳞具侧棱，雄性腹鳞 211～237，雌性腹鳞 203～220；肛鳞完整；雄性尾下鳞 65～102 对，雌性尾下鳞 70～88 对。上颌齿 12～13，7（7）+3（4）+3 式，由 2 齿间隙将其分为 3 组，前端 1 组齿渐次增大，中间 1 组齿较小而等大，最后 1 组齿最大。半阴茎延伸至 12～13 对尾下鳞处，乳突不

明显，基部几乎平滑。 |

| 分布情况 | 生活于山区森林、溪流、水沟、草丛附近，傍晚或夜间活动。湖南各地均有分布。 |

| 资源情况 | 野生资源丰富。药材来源于野生。 |

| 采收加工 | 同 "赤链蛇"。 |

| 功能主治 | 同 "赤链蛇"。 |

| 用法用量 | 同 "赤链蛇"。 |

游蛇科 Colubridae 腹链蛇属 Amphiesma

草腹链蛇 *Amphiesma stolata* (Linnaeus)

药 材 名	蛇蜕（药用部位：全体、蜕下的皮膜）。
形态特征	全长 0.5 ~ 0.65 m。鼻间鳞前端比后端狭；上唇鳞 8，2-3-3 式，偶为 7 或 9；颊鳞 1；眼前鳞 1（2），眼后鳞 3（2，4）；颞鳞 1（2）+ 2（3）；背鳞起棱，19-19-17 行；雄性腹鳞 143 ~ 156，雌性腹鳞 142 ~ 158；雄性尾下鳞 56 ~ 87 对，雌性尾下鳞 51 ~ 86 对。体背面一般为淡灰色，背中线有淡黑色的横斑，横斑两侧有浅色点，自体后端至尾部浅色点缀连成浅色纵带；腹面白色，喉部略呈黄色。幼体色斑同成体，但体色较黑。
分布情况	生活于山谷农耕地区。湖南各地均有分布。
资源情况	野生资源丰富。药材来源于野生。
采收加工	全体，全年均可捕捉，捕后无痛处死，除去内脏，晾干或烘干。蜕下的皮膜，全年均可采集，抖净泥沙，晾干。
功能主治	全体，苦、辛，平，归心、肝经。搜风除湿，定惊止搐。用于风湿痹痛，筋脉拘挛，半身不遂，口眼歪斜，肢体麻木不仁，麻风，顽癣，皮肤瘙痒，破伤风，小儿急、慢惊风，温病高热动风等。蛇蜕，祛风，解毒，杀虫，明目。用于惊痫，喉痹，诸疮痈肿，疥癣，目翳等。
用法用量	全体，内服煎汤，9 ~ 15 g；或研末。蛇蜕，内服煎汤，3 ~ 6 g；或入丸、散剂。

游蛇科 Colubridae 鼠蛇属 Ptyas

灰鼠蛇 *Ptyas korros* (Schlegel)

| 药 材 名 | 黄梢蛇（药用部位：全体）。

| 形态特征 | 体长120～160 cm。眼大，瞳孔圆形。颊鳞3，少数为2或4；上唇鳞8，偶为7或10，第4～5上唇鳞入眼；眼前鳞2，眼后鳞2，少数为3；前颞鳞2，个别为1；后颞鳞2。体鳞光滑或在体后中央有少数几行起棱。颈部鳞列为15行，亦有为14、16、17或19行者；体中部鳞为13行，少数为14～15行；肛前鳞11行；腹鳞160～169；尾下鳞103～126。生活时体背面暗灰色，各鳞片的边缘暗褐色，中间蓝褐色；腹鳞淡黄色，各鳞两侧蓝灰色，至尾部而呈暗褐色。

| 分布情况 | 常生活于树上。湖南各地均有分布。

| **资源情况** | 野生资源丰富。药材来源于野生。

| **采收加工** | 清明至秋季捕捉,以冬季入穴冬眠前捕捉为佳,捕后剥去皮,除去内脏,擦净血迹,鲜用或烘干。

| **功能主治** | 甘,咸。祛风湿、舒筋活络。用于风湿性关节炎,脊髓灰质炎,瘫痪等。

| **用法用量** | 内服浸酒,10 ~ 15 g。

游蛇科 Colubridae 鼠蛇属 Ptyas

滑鼠蛇 *Ptyas mucosus* (Linnaeus)

药 材 名	滑鼠蛇（药用部位：全体）。
形态特征	体长2 m左右。颊鳞3；上唇鳞8；眼前鳞2，眼后鳞2；前颞鳞2，后颞鳞2。背鳞仅中央处者起棱，体鳞19-16-14。体背黄褐色，后部有不规则的黑横斑。腹鳞后缘呈黑色。
分布情况	栖息于山区及平原。湖南各地均有分布。
资源情况	野生资源丰富。药材来源于野生。
采收加工	5～9月捕捉，除去内脏，烘干，贮藏于干燥处，防潮、防虫蛀。
药材性状	本品呈圆盘状，盘径0.2～0.6 m。头居中央，椭圆形，黑褐色。吻钝圆，不上翘。背部灰褐色，有不规则黄褐色斑纹。腹部鳞片黄白色，后缘呈黑色，无念珠斑。尾细长，渐细。
功能主治	甘、咸，温。祛风除湿，舒筋活络。用于风湿性关节炎，脊髓灰质炎，瘫痪等。
用法用量	内服煎汤，10～15 g；或浸酒。

游蛇科 Colubridae 游蛇属 Natrix

渔游蛇 *Natrix piscator* (Schneider)

| 药 材 名 |

渔游蛇（药用部位：全体）。

| 形态特征 |

上唇鳞9，3-2（1）-4（5）式，偶为8或10；颊鳞1；眼前鳞1（2），眼后鳞3（4，5）；颞鳞2（1）+2（3）；背鳞19-19-17行，除最外侧2～3行平滑外，其余行都有微弱的棱；雄性腹鳞122～138，雌性腹鳞133～148；雄性尾下鳞67～88对，雌性尾下鳞41～77对。雄性体长可达0.77 m，雌性体长可达0.83 m。体色变化较大，背面多呈暗绿色。体鳞每间隔1行其鳞片前缘呈黑色，鳞片左右交叉成方格形小花纹；每隔2鳞有1黑斑，两侧黑斑尤为明显。眼的下方及后方各有斜走的黑色条纹1。腹面白色，腹鳞的前缘黑色，有整齐的黑横纹。

| 分布情况 |

常出没于近水处。湖南有分布。

| 资源情况 |

野生资源丰富。药材来源于野生。

| 采收加工 |　同"灰鼠蛇"。

| 功能主治 |　同"灰鼠蛇"。

| 用法用量 |　同"灰鼠蛇"。

游蛇科 Colubridae 水蛇属 Enhydris

中国水蛇 *Enhydris chinensis* (Gray)

| 药 材 名 | 泥蛇肉（药用部位：肉）。

| 形态特征 | 全长 25 ~ 70 cm。尾短。体背面呈榄绿色或青灰色，纵列有多数小黑点。头后至颈部背面中线有 1 黑纵线。最外侧 1 行体鳞黑色，第 2 ~ 3 行体鳞白色或橙黄色。腹面黄色，其前、后缘均有暗灰色的斑点。尾腹侧中央有 1 青黄色纵纹。

| 分布情况 | 生活于水田、池塘、水沟等。湖南各地均有分布。

| 资源情况 | 野生资源丰富。药材来源于野生和养殖。

| 采收加工 | 春季至秋季捕捉，除去内脏，烘干。

| 功能主治 | 甘、咸，寒。除湿止痒。用于皮肤瘙痒。

| 用法用量 | 内服煎汤，10 ~ 16 g；或浸酒。

眼镜蛇科 Elapidae 环蛇属 Bungarus

银环蛇 *Bungarus multicinctus* (Blyth)

| 药 材 名 | 金钱白花蛇（药用部位：全体。别名：小白花蛇、金钱蕲蛇）。

| 形态特征 | 全长 60 ~ 120 cm。头椭圆形，稍大于颈部。眼小，椭圆形。背鳞平滑，通身 15 行；脊鳞扩大成六角形，背脊棱不明显；尾下鳞单行；肛鳞完整。体背面黑褐色，有 30 ~ 60 白带，每白带宽度为 1 ~ 2 鳞片宽；腹面白色。

| 分布情况 | 栖息于平原及丘陵多水之处，常见于稀疏树木下、低矮山边、坟堆附近、路旁等。湖南各地均有分布。

| 资源情况 | 野生资源丰富。药材来源于野生和养殖。

| 采收加工 | 夏、秋季捕捉，除去内脏，擦净血迹，用酒浸泡，以头为中心，盘

成圆盘形，用竹签撑开，烘干。

| **药材性状** | 本品呈圆盘状，体皱缩，盘径为 3 ~ 15 cm，幼蛇盘径约 3.5 cm。头盘在中间。尾细，常纳入口内。背部黑色或灰黑色，有多数白色环纹，并有 1 脊棱。鳞片细密，有光泽。腹面黄白色。

| **功能主治** | 甘、咸，温。祛风，活络，镇痉，解毒。用于风湿性关节炎，半身不遂，四肢麻木，抽搐痉挛，破伤风，麻风，口眼歪斜，恶疮等。

| **用法用量** | 内服煎汤，5 ~ 15 g；或浸酒；或入丸、散剂。

眼镜蛇科 Elapidae 环蛇属 Bungarus

金环蛇 *Bungarus fasciatus* (Schneider)

药 材 名	金环蛇（药用部位：全体）。
形态特征	全长 150 cm 左右。头椭圆形，有前沟牙。无颊鳞；上唇鳞 7，下唇鳞 7；背鳞平滑，通身 15 行；脊鳞扩大成六角形，背脊棱明显；肛鳞完整。通身有黑黄相间的环纹 23 ～ 33，黑、黄环纹等宽。
分布情况	栖息于山区和丘陵，常在潮湿地或水边、田间活动。湖南各地均有分布。
资源情况	野生资源丰富。药材来源于野生。
采收加工	夏、秋季捕捉，除去内脏，盘起，烘干。
药材性状	本品呈盘状，盘径 14 ～ 20 cm。头居中央，椭圆形，黑褐色。鼻尖向前，不上翘。通体具 25 ～ 33 对黄黑相间的环纹，黄、黑环纹等宽，体背有明显脊棱，脊棱鳞片扩大成六边形。尾短，末端钝圆。气腥，味咸。
功能主治	咸，温。通关透节，祛风除湿。用于风湿麻痹，手足瘫痪，关节肿痛等。
用法用量	内服煎汤，3 ～ 9 g；或浸酒。

| 眼镜蛇科 | Elapidae | 眼镜蛇属 | Naja

眼镜蛇
Naja naja (Linnaeus)

| 药 材 名 | 眼镜蛇（药用部位：全体、蛇毒）。

| 形态特征 | 全长 100 ~ 200 cm。头稍扁圆，无颊鳞，背面棕褐色或暗褐色。颈部背面有镶白圈的黑斑，黑斑状如眼镜，当颈部扩展时黑斑相当明显。颈腹面有 1 黑色宽横纹，其前方两侧各有 1 黑斑，躯干、尾背面常有均匀相间的白色细横纹，幼蛇横纹特别明显。

| 分布情况 | 生活于丘陵、山区森林地带的岩石洞内。湖南各地均有分布。

| 资源情况 | 野生资源丰富。药材来源于养殖。

| 采收加工 | 夏、秋季捕捉，捕后无痛处死，除去内脏，鲜用，或盘成圆形，文火烘干。取蛇毒时先捉住蛇的头部，在蛇头部两口角毒囊外用拇指与食指稍加挤压，使其张口咬住小器皿，毒液则从毒牙沟中流出，收集至一定量后，将盛有毒液的器皿放置在真空干燥器中干燥，得眼镜蛇毒粗毒，经特殊加工精制成眼镜蛇毒制剂。

| 药材性状 | 本品全体较粗壮，头呈椭圆形，头颈区分不明显，体长 140 ~ 150 cm。头黑褐色，颈部背面具眼镜状斑纹，体背部黑褐色，有狭的横斑纹，斑纹有时呈双条形。腹面前段呈黄白色，有 1 黑褐色横斑，横斑前有 1 对黑色斑点，第 21 ~ 24 鳞呈淡黄色，其余均为黑色。无颊鳞。背鳞平滑，斜行。气腥，味淡。

| 功能主治 | **全体**：甘、咸，温；有毒。通经络，祛风湿。用于风湿关节痛，半身不遂，脊髓灰质炎等。
蛇毒：有剧毒。止痛。用于各种疼痛，恶性肿瘤。

| 用法用量 | **全体**：内服煎汤，3 ~ 9 g；或浸酒。
蛇毒：经特殊加工后遵医嘱使用。

眼镜蛇科 Elapidae 眼镜王蛇属 Ophiophagus

眼镜王蛇 *Ophiophagus hannah* (Cantor)

| 药 材 名 | 金环蛇（药用部位：全体）。

| 形态特征 | 全长一般为 2 ~ 3 m，最长者长可达 6 m，是我国最大的毒蛇。头椭圆形，头、颈区分不明显。背面灰褐色、茶褐色至黑褐色。躯干前段及中段色浅，其上具波浪状黑色横纹，躯干后段及尾部色淡，具窄而色浅的横纹；腹面前段土黄色，中段黄褐色，具黑色横纹，后段黑色，两侧具土黄色斑。无颊鳞；眶前鳞 1，眶后鳞 3；颞鳞 2+2（3）；顶鳞之后有 1 对较大的枕鳞；上唇鳞 2-2-3 式；背鳞平滑，19（17）-15-15 行；腹鳞 235 ~ 265；肛鳞完整；尾下鳞前段单行，后段双行，77 ~ 95。

| 分布情况 | 生活于平原、丘陵、山区水域附近。湘南有分布。

| 资源情况 | 野生资源较少。药材来源于野生。

| 采收加工 | 清明后至冬季入穴冬眠前捕捉，以立冬前后捕捉为最佳，捕得后剥皮，除去内脏，擦净血迹，鲜用或烘干。

| 药材性状 | 本品呈圆盘形，盘径 14 ~ 20 cm。头居中，椭圆形，黑褐色。鼻尖向前，不上翘，通体具 23 ~ 33 对黄黑相间的环纹，黄、黑环纹等宽，体背有明显脊棱，脊棱鳞片扩大成六边形，尾短，末端钝圆。背鳞鳞片椭圆形，长 6.5 ~ 7 mm，宽 4.5 ~ 5 mm，黄褐色，上半部边缘整齐，具 8 ~ 13 小孔，无中肋和端窝，表面平滑，透明。背棱脊处鳞片扩大呈六边形，有孔 30 ~ 34，不规则分布于鳞片上半部，也无中肋和端窝。质韧，不易折断。气微，味淡。

| 功能主治 | 咸，温。入肝经。祛风，通络，止痛。用于风湿痹痛，半身不遂，脊髓灰质炎。

| 用法用量 | 内服煎汤，3 ~ 8 g；或浸酒。

蝰科 Viperidae　尖吻蝮属 Deinagkistrodon

尖吻蝮　*Deinagkistrodon acutus* (Guenther)

| 药 材 名 | 蕲蛇（药用部位：除去内脏的全体。别名：白花蛇）。

| 形态特征 | 吻端尖而翘向前上方。头呈三角形，与颈区分明显；头背黑色，头侧自吻棱经眼斜至口角以下为黄白色，头、腹及喉为白色。体粗壮，尾较短，全长可达2 m，背面深棕色或棕褐色。背脊有（15～20）+（2～5）方形大斑，方斑边缘浅褐色，中央色略深，有的方斑不完整；腹面白色，有交错排列的黑褐色斑块，略成3纵行，有的若干斑块互相连续而界限不清；尾腹面白色，散以疏密不等的黑褐色点斑。吻鳞甚高，上部窄长；鼻间鳞1对。头背具对称而富疣粒的大鳞；有颊窝；眶前鳞2，眶后鳞1，有一较大的眶下鳞；上唇鳞7。背鳞21（23）-21（23）-17（19）行，除最外侧1～3行外，余均具结节状强棱；腹鳞157～170；肛鳞完整；尾下鳞52～59，大部

分双行，少数为单行，尾后段侧扁，末端 1 鳞片侧扁而尖长。

| **分布情况** | 生活于山区或丘陵草木繁盛的阴湿处。湖南各地均有分布。

| **资源情况** | 野生资源较少。药材来源于野生和养殖。

| **采收加工** | 夏、秋季捕捉，以 6 月为多。捕捉时要用带叉的棍棒压住蛇。加工品有蕲蛇鲞与蕲蛇棍 2 种。"鲞"系将蛇剖腹，取出内脏，以头为中心盘成圆形，用竹片撑开以炭火烘干；"棍"系剖腹，取出内脏，盘成圆形，不用竹片撑开。

| **药材性状** | 本品卷成圆盘状，盘径 17 ~ 34 cm，体长可达 2 m。头在中间稍向上，呈三角形而扁平，吻端向上，习称"翘鼻头"。上颚有管状毒牙，牙中空，尖锐。背部两侧各有 17 ~ 25 黑褐色与浅棕色组成的"V"形斑纹，"V"形斑纹的两上端在背中线上相接，习称"方胜纹"，有的左右不相接，交错排列。腹部撑开或不撑开，灰白色，鳞片较大，有黑色类圆形的斑点，习称"连珠斑"；腹内壁黄白色，脊椎骨的棘突较高，呈刀片状上突，前后椎体下突基本同形，多为弯刀状，向后倾斜，尖端明显超过椎体后隆面。尾部骤细，末端有三角形深灰色的角质鳞片 1。气腥，味微咸。

| **功能主治** | 甘、咸，温；有毒。归肝经。祛风，通络，止痉。用于风湿顽痹，麻木拘挛，中风口眼歪斜，半身不遂，抽搐痉挛，破伤风，麻风，疥癣。

| **用法用量** | 内服煎汤，3 ~ 9 g；或浸酒；或熬膏；或入丸、散剂；或研末吞服，每次 1 ~ 1.5 g，每日 2 ~ 3 次。

蝰科 Viperidae 烙铁头蛇属 *Ovophis*

山烙铁头蛇 *Ovophis monticola* (Güennther)

药材名	山竹叶青（药用部位：全体）。
形态特征	长 50 ～ 70 cm。头三角形，有长管牙。吻端较钝。吻鳞宽远超过高；鼻尖鳞大，互相接触；头顶具有细鳞；上唇鳞 9 或 10，第 2 上唇鳞构成颊窝的前缘；颊窝与鼻鳞间无细鳞；眼与鼻鳞间有 2 鳞片；左、右眼上鳞间有细鳞 7 或 8，有时只有 6；背鳞光滑，但后部中央数行具有极微弱的棱，鳞 25，27（24，28）-23，25（24）-19（21）；雄性腹鳞 137 ～ 142，雌性腹鳞 137 ～ 146；尾下鳞双列，雄性尾下鳞 41 ～ 46 对，雌性尾下鳞 34 ～ 39 对；肛鳞 1。生活时背面淡褐色，背部及两侧有呈不规则的紫褐色云状斑；腹面紫红色，腹鳞两侧有紫褐色的半月形斑。眼后至口角后方有黑褐色条纹。颈部有黄色或带白色的"V"形斑纹。
分布情况	栖息于海拔 600 ～ 2 400 m 的山区草原或碎石堆。湖南宜章有分布。
资源情况	野生资源丰富。
采收加工	夏、秋季捕捉，捕后饲养数天，洗净，挤压出残余粪便，鲜用，或除去内脏，晒干或烘干。
功能主治	祛风止痛。用于风湿痹痛，四肢麻木，麻风，疥癣等。
用法用量	内服浸酒，3 ～ 4.5 g。外用适量，酒浸涂。
附注	在《湖南省国家重点保护野生动物名录》中本种被列为国家一级重点保护野生动物。

蝰科 Viperidae 竹叶青属 Trimeresurus

竹叶青蛇 *Trimeresurus stejnegeri* (Schmidt)

| 药 材 名 | 青竹蛇（药用部位：全体）。

| 形态特征 | 全长 70 ~ 90 cm。头大，三角形，有长管牙。颈细。尾较短，具缠绕性。头顶具细鳞。左、右鼻间鳞小，由细鳞分开，第 1 上唇鳞与鼻鳞完全分开；鼻鳞与颊窝之间有 1 ~ 2 小鳞，2 鼻鳞之间隔 1 ~ 4 小鳞；背鳞起棱，颈部背鳞 23（21 ~ 25）行，中部背鳞 21（19）行，肛前背鳞 15 行。生活时背面纯绿色，腹面色略浅，尾背及尾尖焦红色。

| 分布情况 | 生活于溪边、灌丛和竹林中。湖南各地均有分布。

| 资源情况 | 野生资源丰富。药材来源于野生和养殖。

| 采收加工 | 全年可捕捉，捕后无痛处死，剖腹，除去内脏，鲜用或晒干。

| **功能主治** | 祛风止痛，解毒消肿。用于风湿痹痛，肢体麻木，恶疮疖肿等。

| **用法用量** | 内服煎汤，3 ~ 10 g；或浸酒，每次 0.6 ~ 1 g；或烘干研末。外用适量，茶油浸涂。

蝰科 Viperidae 竹叶青属 Trimeresurus

烙铁头
Trimeresurus mucrosquamatus (Cantor)

| **药 材 名** | 竹叶青（药用部位：全体）。 |

| **形态特征** | 全长 70 ～ 100 cm。头较窄而长，长为宽的 1.5 倍以上，头与颈区分明显，形似烙铁，具较长的管牙。生活时背面棕褐色或灰褐色；背中央约有 50 以上镶有浅黄边的紫棕色斑块，有的斑块前后连成波状纹。体两侧有较小的紫棕色圆斑。眼后至口角后有 1 黑褐色细纵纹，其上缘红褐色。 |

| **分布情况** | 栖息于海拔 200 ～ 1 400 m 的灌木林、竹林、溪边、住宅附近，常盘伏在柴草堆内。湖南各地均有分布。 |

| **资源情况** | 野生资源丰富。药材来源于野生。 |

| **功能主治** | 祛风止痛。用于风湿痹痛，肢体麻木，神经痛等。 |

| **用法用量** | 内服 3 ～ 9 g，多入酒剂。 |

蝰科 Viperidae 蝮蛇属 Agkistrodon

蝮蛇
Agkistrodon halys (Pallas)

| **药 材 名** | 蝮蛇（药用部位：全体）。 |

| **形态特征** | 全长 0.6 ~ 0.7 m。头部三角形。背部灰褐色至深褐色，体侧有黑褐色斑纹，头侧于眶前鳞处有 1 深褐色眉纹，眉纹镶有明显的黄白色细线，体色及斑纹变异很大。 |

| **分布情况** | 常栖息于乱石重叠的高燥山坡。湖南各地均有分布。 |

| **资源情况** | 野生资源丰富。药材来源于野生和养殖。 |

| **采收加工** | 春、夏季捕捉，捕后剖腹，除去内脏，烘干或鲜用。 |

| **药材性状** | 本品干燥者为圆盘形，盘径 6 ~ 8 cm。头部盘于中央。体背面黑灰色，有的个体有圆形黑斑，背鳞起棱，多脱落；腹面可见沟槽，脱落的腹鳞长条形，半透明。尾部较短，尾长一般为 6 ~ 8 cm。质坚韧，不易折断。气腥。 |

| **功能主治** | 甘，温；有毒。祛风，攻毒，镇痛，补益，下乳。用于麻风，风湿痹痛，癫疾，瘰疬，痔疾，淋巴结结核，疮疖，病后虚弱，多汗，神经衰弱，乳汁不足等。 |

| **用法用量** | 内服浸酒，1 ~ 3 g；或烧存性研末。外用适量，油浸、酒浸涂；或烧存性，研末调敷。 |

蝰科 Viperidae 原矛头蝮属 Protobothrops

原矛头蝮 Protobothrops mucrosquamatus (Cantor)

| 药 材 名 | 蝮蛇（药用部位：全体）。

| 形态特征 | 全长 70 ~ 100 cm，头部长为宽的 1.5 倍。头与颈区分明显，形似烙铁，具较长管牙。头顶具细鳞。吻鳞呈三角形；鼻间鳞较小；上唇鳞 9 或 10；左、右眼上鳞之间一横排上有 14 ~ 16 小鳞；背鳞棱强，颈部背鳞 25 行，中部背鳞 25 行，肛前背鳞 19 行。背面棕褐色、淡褐色、红褐色、灰黄色或灰褐色，自颈至尾正中有 1 行暗紫色或暗褐色链状斑，两侧各有 1 行较小的不规则斑；头背有深褐色倒 "V" 形斑，头侧黄白色。腹面灰褐色或浅褐色，有许多斑块，腹鳞大，有光泽。

| 分布情况 | 栖息于海拔 200 ~ 1 400 m 的灌木林、竹林、溪边、住宅附近，常

盘伏在柴草堆、垃圾堆中。湖南有分布。

| **资源情况** | 野生资源丰富。药材来源于野生。

| **功能主治** | 同"山烙铁头蛇"。

| **用法用量** | 同"山烙铁头蛇"。

鸊鷉科 Podicipedidae 鸊鷉属 Podiceps

小鸊鷉 *Podiceps ruficollis* (Pallas)

药 材 名	小鸊鷉（药用部位：肉。别名：油鸭）、鸊鷉膏（药材来源：由脂肪所炼的油）。
形态特征	体较小，全长约 27 cm。翅短小，尾羽松散而短小。虹膜黄色，嘴黑而具白端，跗跖和趾均为石板灰色。成鸟夏羽上体黑褐色，喉、耳羽和颈侧栗红色，飞羽灰褐色，初级飞羽尖端灰黑色，次级飞羽尖端白色，下体淡褐色；冬羽色淡，额淡灰褐色，头顶和后颈黑褐色，并有栗色和白色横斑，腰的两侧淡黄棕色，上体余部灰褐色，颏、喉等均为白色，颊、耳羽及颈侧淡黄褐色，并有白色斑纹。
分布情况	栖息于湖泊、池沼和水库坝塘之中。湖南各地均有分布。
资源情况	野生资源丰富。药材来源于野生。
采收加工	**小鸊鷉：**取肌肉，鲜用或焙干。 **鸊鷉膏：**春、夏季猎杀，除去毛及内脏，取脂肪，炼油，贮存于嗉囊中，放在阴凉通风处。
功能主治	甘，平；无毒。 **小鸊鷉：**补中益气，补精养血，收敛止痛。用于虚损劳极，身倦肢乏，纳少便溏，痔疮，脱肛，遗尿等。 **鸊鷉膏：**用于耳聋。
用法用量	**小鸊鷉：**内服煮食，100 ~ 200 g，或烧焦研末，每次 15 g，每天 2 次。 **鸊鷉膏：**外用适量，滴耳。

霸鹟科 Tyrannidae 伯劳属 Lanius

红尾伯劳 *Lanius cristatus* (Linnaeus)

| 药 材 名 | 伯劳（药用部位：羽毛）。 |

| 形态特征 | 雄鸟背面大部分为灰褐色，腹面棕白色，均无斑杂；头侧具明显黑纹，尾羽棕红色。雌鸟与雄鸟相似，但棕色较淡，贯眼的黑纹变为黑褐色。幼鸟上体褐色，背部羽缘带棕色；腰与尾上覆羽有黑斑，下体与成鸟相似。 |

| 分布情况 | 栖息于低山丘陵地带。湖南有分布。 |

| 资源情况 | 野生资源稀少。药材来源于野生。 |

| 采收加工 | 全年均可猎捕，取羽毛。 |

| 功能主治 | 消积。用于小儿羸瘦，疳积。 |

| 用法用量 | 外用适量。 |

鹈鹕科 Pelecanidae 鹈鹕属 Pelecanus

斑嘴鹈鹕 *Pelecanus philippensis* (Gmelin)

药 材 名	鹈鹕脂（药材来源：脂肪所炼的油）、鹈鹕嘴（药用部位：嘴）、鹈鹕毛（药用部位：皮毛）。
形态特征	大型鸟，体长约 1.5 m。虹膜淡红黄色，眼睑和眼周橙黄色，眼先青铅色。嘴甲及上、下嘴先端橙黄色，上嘴边缘和下嘴中部边缘有蓝黑色斑点，基部具蓝黑色纵纹。脚棕黑色，爪黄色。成鸟的头、颈白色，枕羽红色，延长成冠羽，后领有 1 粉红色长翎领；上背、肩、三级飞羽及覆羽等均为黄褐色，肩和上背色较浅，初级飞羽及覆羽黑褐色，初级飞羽色较深，下背和腰白色而带淡红色；尾羽银灰色，尖端苍白色，羽干末端黑褐色，基部浅黄色。胸和腹白色，胸羽矛状。喉囊暗紫色，上有蓝黑色斑点。
分布情况	栖息于海岸、江河、湖泊和沼泽地带。湖南各地均有分布。
资源情况	野生资源丰富。药材来源于养殖。
采收加工	**鹈鹕脂：** 春、秋季捕捉，捕后无痛处死，取脂肪，炼油，放冷，置于喉囊中保存。
功能主治	**鹈鹕脂：** 消肿毒，祛风湿，通经络。用于痈疮肿毒，风湿腰腿痛、耳聋。 **鹈鹕嘴：** 收敛涩肠。用于赤白久痢。 **鹈鹕毛：** 降逆止吐。用于反胃吐食。
用法用量	**鹈鹕脂：** 内服，1 匙。外用适量，香油调涂；或棉裹塞耳。 **鹈鹕嘴：** 内服烧存性研末，5 ~ 10 g，每天 2 次。 **鹈鹕毛：** 内服制炭研末，1 ~ 2 g。

鸭科 Anatidae 雁属 Anser

家鹅 *Anser cygnoides domestica* (Brisson)

| 药 材 名 | 鹅胆粉（药用部位：胆汁）、白鹅膏（药材来源：脂肪所炼的油。别名：雁脂）。

| 形态特征 | 家鹅大致分为中国鹅和欧洲鹅2种，欧洲鹅是由灰雁 *Anser anser* (Linnaeus) 驯化而来，中国鹅是由鸿雁 *Anser cygnoides* (Linnaeus) 驯养而成。我国家鹅的品种比较单一，仅有灰、白2种，近年又培育出了优良品种如狮头鹅等。中国鹅体长而宽，体长 80～100 cm，公鹅体重 5 kg 左右，母鹅体重 4 kg 左右。头大，嘴扁阔，额骨凸，山嘴基部有1大而硬的黄色或黑褐色肉质瘤，嘴下皮肤折皱形成1袋状结构。站立时昂然挺立。

| 分布情况 | 栖息于各种淡水水域，水性好，善在水中生活。湖南有分布。

| **资源情况** | 野生资源丰富。药材来源于野生和养殖。

| **采收加工** | **鹅胆粉：**全年均可宰杀，冬季宰杀最好，宰杀后拔去羽毛，取胆汁，干燥。
白鹅膏：全年均可宰杀，冬季宰杀最好，宰杀后拔去羽毛，取脂肪炼油。

| **功能主治** | **鹅胆粉：**清热解毒，杀虫。用于痔疮，杨梅疮，疥癞等。
白鹅膏：润皮肤，解毒肿。用于皮肤皲裂，耳聋耳聤，疮疡肿毒，药物中毒，痈肿，疥癣等。

| **用法用量** | **鹅胆粉：**内服适量，温开水冲服。外用适量，涂敷。
白鹅膏：内服适量，煮食。外用适量，涂敷。

鸭科 Anatidae 雁属 Anser

鸿雁
Anser cygoides (Linnaeus)

药 材 名	雁脂（药用部位：脂肪）、雁肉（药用部位：肉）、雁毛（药用部位：羽毛）。
形态特征	体较大，全长约 90 cm。嘴黑色。虹膜赤褐色或褐色。脚橙黄色，爪黑色。雄鸟上嘴基部有 1 疣状突。雌、雄鸟体色相似，但雌鸟略小，两翅较短，嘴基疣状突不显著。头顶至后颈棕褐色，向后色渐深，额部靠近嘴基处有 1 白色狭纹，头侧、颏及喉淡棕褐色，前颈及下腹至尾下覆羽白色，两肋有褐色横斑。上体大部分暗灰褐色，羽缘白色。
分布情况	栖息于湖泊、水塘、沼泽等，也见于农田中。湖南有分布。
资源情况	野生资源稀少。
采收加工	雁脂：以冬季捕捉为佳，捕捉后无痛处死，取脂肪，鲜用或炼油。 雁肉：以冬季捕捉为佳，捕捉后无痛处死，取肉，鲜用。
功能主治	雁脂：益气补虚，活血舒筋。用于气血不足，中风，手足拘挛，腰脚痿弱，耳聋，脱发，结热胸痞，疮痈肿毒。 雁肉：强筋壮骨。用于诸风麻木不仁，筋脉拘挛，半身不遂等。 雁毛：镇静祛风。用于小儿惊痫。
用法用量	雁脂：内服，1 匙。外用适量，涂敷。 雁肉：内服适量，煮食。 雁毛：内服适量，烧存性研末。
附　　注	在《湖南省国家重点保护野生动物名录》中本种被列为国家二级重点保护野生动物。

鸭科 Anatidae 天鹅属 *Cygnus*

大天鹅 *Cygnus cygnus* (Linnaeus)

| 药 材 名 | 鹄油（药用部位：脂肪）、鹄绒毛（药用部位：羽毛）。 |

| 形态特征 | 全长约 1.4 m，通体白色。颈较体长或与体等长，在水面上经常直伸。上嘴嘴基两侧黄斑沿嘴缘向前伸于鼻孔之下，上、下嘴端黑色。虹膜暗褐色。附跖、蹼、爪均为黑色。 |

| 分布情况 | 栖息于湖泊、水库、池塘等开阔的水域中。湖南有分布。 |

| 资源情况 | 野生资源稀少。药材来源于养殖。 |

| 采收加工 | **鹄油**：以冬季捕捉为佳，捕捉后无痛处死，取脂肪，鲜用或炼油。 |

| 功能主治 | **鹄油**：解毒敛疮。用于痈肿疮疡，小儿疳耳。
鹄绒毛：止血。用于痔疮出血。 |

| 用法用量 | **鹄油**：外用适量，涂敷。
鹄绒毛：外用适量，敷贴；或烧灰涂敷。 |

| 附　　注 | 在《湖南省国家重点保护野生动物名录》中本种被列为国家二级重点保护野生动物。 |

鸭科 Anatidae 麻鸭属 *Tadorna*

赤麻鸭 *Tadorna ferruginea* (Pallas)

药 材 名	黄鸭（药用部位：肉）、黄鸭胆（药用部位：胆囊）。
形态特征	形似家鸭，一般体长在 60 cm 以上，体重 1.5 ~ 2 kg。虹膜褐色，嘴、脚黑色；通体呈棕黄色，下背色稍淡，羽端色更浅；头顶淡棕白色，颜、喉、前颈及颈侧均为淡棕栗色；翅上覆羽白色带栗色，小翼羽、初级飞羽、尾上覆羽、尾羽均为黑色，由次级飞羽的外羽片所形成的翼镜铜绿色。两性相似，但雄鸟具有黑色颈环，雌鸟无黑色颈环，且羽色稍浅。
分布情况	栖息于湖泊、水库、河流边缘的浅滩、草地和农田等。湖南各地均有分布。
资源情况	野生资源丰富。药材来源于野生和养殖。
采收加工	**黄鸭：**以冬季捕捉为佳，捕捉后无痛处死，取肉，鲜用。 **黄鸭胆：**以冬季捕捉为佳，捕捉后无痛处死，取胆，鲜用或焙干。
功能主治	**黄鸭：**温肾兴阳，补气健脾。用于肾虚阳痿，遗精，腰膝酸软，肌肉掣痛，体虚羸瘦，脾虚脱肛，子宫下垂，疮疡溃后脓水清稀、久不收口。 **黄鸭胆：**清血热。用于腿肚转筋，烧伤。
用法用量	**黄鸭：**内服适量，煮食；或焙干研末，5 ~ 10 g。 **黄鸭胆：**内服研末，25 ~ 50 g。

鸭科 Anatidae 鸭属 Anas

绿头鸭
Anas platyrhynchos (Linnaeus)

| 药 材 名 | 凫肉（药用部位：肉）。 |

| 形态特征 | 大型野鸭，全长约 58 cm。虹膜棕褐色。雄鸭嘴橄榄绿色，脚红色；雌鸭嘴黑褐色，脚橙黄色，爪黑色。雄鸭头和颈暗绿色且有金属光泽，颈基有 1 狭窄的白色领环，颏近黑色；上背灰白色，有褐色波状细纹，下背以下转为黑褐色；腰和尾上覆羽黑色，中央 2 对尾羽黑色，末端向上卷曲，外侧尾羽灰褐色，羽缘白色，最外侧尾羽灰白色；胸栗色，翼镜金属紫蓝色，具白色宽边，下体余部灰白色。雌鸭头顶至枕后黑色带棕黄色，背羽及尾羽暗褐色，具棕黄色或棕白色羽缘和"V"形斑，腹浅棕色，满布暗褐色点斑，翼镜与雄鸟相似，颏和前颈浅棕红色。 |

| 分布情况 | 栖息于水位浅而水生植物丰富的湖泊、池沼、水库及江河，常在岸边活动。湖南各地均有分布。 |

| 资源情况 | 野生资源丰富。药材来源于野生和养殖。 |

| 采收加工 | 冬季捕捉，捕后无痛处死，除去羽毛及内脏，取肉，鲜用。 |

| 功能主治 | 甘，凉。补中益气，和胃消食，利水解毒。用于病后体弱，食欲不振，虚羸乏力，脾虚水肿，脱肛，久疟，热毒疮疖。 |

| 用法用量 | 内服适量，煮食。 |

鸭科 Anatidae 鸭属 Anas

家鸭 Anas platyrhynchos domestica (Linnaeus)

药 材 名	鸭（药用部位：肉、羽毛、血、脂肪、头）。
形态特征	嘴长而扁平。颈长。腹面如舟底。翼小，基本无飞翔能力，翼上覆羽大。尾短，公鸭尾有卷羽4。羽毛甚密，羽色较多，有纯白色、栗壳色、黑褐色等。公鸭颈部黑色，且有绿色金属光泽，叫声嘶哑。
分布情况	以饲养为主，饲养于鸭笼、谷仓、层架式笼子中或自由放养。湖南各地均有分布。
资源情况	野生资源丰富。药材来源于野生和养殖。
采收加工	全年均可宰杀，秋、冬更适宜。捕后无痛处死，除去羽毛及内脏，取肉、血、头、胆汁鲜用；羽毛晒干；脂肪熬油后放凉用。

| 功能主治 | 肉，补益气阴，利水消肿。用于虚劳骨蒸，咳嗽，水肿。毛，清热解毒。用于烫火伤。血，补血，解毒。用于劳伤吐血，贫血，药物中毒。脂肪，软坚散结，利水消肿。用于瘰疬，水肿。头，利水消肿。用于水肿尿涩，咽喉肿痛。

| 用法用量 | 肉，内服适量，煨熟食。毛，外用适量，煎汤洗；或研末调涂。血，内服趁热生饮，100～200 ml；或隔水蒸熟食。外用适量，涂敷。脂肪，外用适量，涂敷。头，内服适量，入丸、散剂。外用适量，研末调涂。

鸭科 Anatidae 鸭属 Anas

豆雁
Anas fabalis (Latham)

药 材 名	雁肉（药用部位：肉）。
形态特征	头、颈、上背、肩和两翅飞羽大部分为暗褐色，下背和腰为黑褐色，尾上覆羽前部褐色，后部白色，胸部灰白色，并缀以灰褐色，腹灰白色。尾下覆羽纯白色。嘴黑褐色，上、下嘴近端处均有黄色斑，跗跖橙黄色。
分布情况	栖息于河川、湖泊中，于稻田、沟渠及低洼草滩等地觅食。湖南有分布。
资源情况	野生资源稀少。药材来源于野生
采收加工	冬季猎捕，捕后除去羽毛及内脏，取肉，鲜用。
功能主治	甘，平。祛风，壮筋骨。用于顽麻风痹。
用法用量	内服适量，炖服。

鸭科 Anatidae 鸭属 *Anas*

斑嘴鸭 *Anas poecilorhyncha* (Forster)

药 材 名	凫肉（药用部位：肉）。
形态特征	体大小似绿头鸭。雌、雄羽色相似。额至枕暗褐色；从嘴基、眼睛到耳域有 1 暗褐色纹；颊和颈侧白色，并散布深褐色斑点；眉纹、颊、喉、前颈白色。外翈相叠而成金属蓝绿并带紫色的翼镜，翼镜有 1 宽黑带，狭缘白色；三级飞羽暗褐色，外翈有很宽的白边；覆羽暗褐色，大覆羽尖端黑色，位于翼镜前缘。尾羽黑褐色，羽缘色浅褐。胸棕白色而有褐色斑；腹深褐色，羽缘灰褐色，向后渐变为黑褐色；尾下覆羽几为纯黑色，翼下覆羽和腋羽纯白色。雌鸟羽色较苍淡，眉纹不显。嘴蓝黑色，具橙黄色先端。跗跖和趾橙黄色，爪黑色。
分布情况	栖息于开阔的、沿岸滋生大量水草和芦苇的湖泊中，有时在河流、水库、稻田中活动。湖南各地均有分布。
资源情况	野生资源丰富。药材来源于野生和养殖。
采收加工	春季至秋季猎捕，除去羽毛，取肉，晒干。
功能主治	甘，凉。补中益气，消食和胃，利水，解毒。用于病后虚赢，食欲不振，水气浮肿，热毒疮疖。
用法用量	内服适量，煮食。

鸭科 Anatidae 鸳鸯属 Aix

鸳鸯 Aix galericulata (Linnaeus)

| 药 材 名 | 鸳鸯肉（药用部位：肉）。

| 形态特征 | 全长约45 cm。虹膜深褐色，嘴暗红色，脚及爪黄褐色。雌、雄异色。雄鸟羽色鲜艳华丽，眼后有1宽而明显的白色眉纹，眉纹延长至羽冠，额和头顶中央翠绿色并带金属光泽，枕部赤铜色，与后颈的暗绿色及暗紫色长羽组成羽冠，眼先淡黄色，颊棕栗色，颈侧领羽灰栗色，细如长矛；背、腰暗褐色，有铜绿色金属反光，内侧肩羽蓝色，外侧肩羽白色，并镶黑色边；初级飞羽暗褐色并具银白色外缘，次级飞羽褐色，有白色羽端，三级飞羽黑褐色，外羽片与初级飞羽、次级飞羽的部分内羽片均呈金属绿色，内羽片扩大成扇状，直立如帆，绿黄色，俗称"相思羽"；尾羽暗褐色而带金属绿色；胸暗紫色且带金属光泽，下胸、腹及尾下覆羽白色。雌鸟头顶无冠羽，头、

颈背面灰褐色，眼周和眼后有 1 白纹，头颈两侧浅灰褐色，颔、喉白色，上体余部榄褐色，无帆状羽。

| 分布情况 | 栖息于河谷、溪流、池塘、沼泽、芦苇塘和湖泊。湖南各地均有分布。

| 资源情况 | 养殖资源丰富。药材来源于养殖。

| 采收加工 | 春季至秋季猎捕，捕后无痛处死，除去毛和内脏，取肉，鲜用或烘干。

| 功能主治 | 清热解毒，止血，杀虫。用于痔漏下血，疥癣。

| 用法用量 | 内服适量，煮食。外用适量，煮熟，切片敷贴。

| 附　　注 | 在《湖南省国家重点保护野生动物名录》中本种被列为国家二级重点保护野生动物。

鸭科 Anatidae　秋沙鸭属 Mergus

秋沙鸭
Mergus merganser (Linnaeus)

| 药 材 名 | 秋沙鸭（药用部位：肉、骨）。 |

| 形态特征 | 头具鲜艳羽冠，头及上颈黑色而具绿色金属光泽。上背及肩黑色，下背、腰和尾上覆羽及尾羽浅灰色而具黑色细斑。上胸棕红色而具黑纹，胁有黑白相间的细纹。 |

| 分布情况 | 成群栖息于湖边、池塘或河流中。湖南各地均有分布。 |

| 资源情况 | 野生资源丰富。药材来源于野生和养殖。 |

| 采收加工 | 全年均可猎捕，取肉、骨，鲜用或晾干。 |

| 功能主治 | 滋养强壮，利水消肿。用于肺结核，肢体肿满，小便不利。 |

| 用法用量 | 内服适量，煎汤。 |

鸭科 Anatidae 秋沙鸭属 Mergus

普通秋沙鸭 *Mergus merganser merganser* (Linnaeus)

| **药 材 名** | 普通秋沙鸭（药用部位：肉、骨、脑、胆）。 |

| **形态特征** | 为秋沙鸭中最大的一种，全长约 61 cm。嘴细长，暗红色，嘴峰黑色，尖端有钩，边缘有锯齿。虹膜暗褐色或褐色。脚银朱红色或红色。雄鸟头、上颈、上背黑褐色，下背和腰灰色，翅上覆羽和翼镜白色，次级飞羽外羽片有黑色狭边，下体纯白色。雌鸟头、上颈棕褐色，颈、喉白色，上体和体侧灰色，体侧有白斑，下体白色。 |

| **分布情况** | 喜成对或结小群在湖泊、水库、池塘、沼泽及湍急河流中活动或觅食。湖南各地均有分布。 |

| **资源情况** | 野生资源丰富。药材来源于野生。 |

| **采收加工** | 全年均可捕捉，捕后无痛处死，除去羽毛、内脏，将骨、肉分开，取肉鲜用；骨晾干；脑烘干；胆晾干或烘干。 |

| **功能主治** | 肉，滋补强壮，利水消肿，清热镇痉。用于病后体弱，食欲不振，羸瘦乏力，肺痨咯血，四肢肿胀，发热头痛，痉挛抽搐，小便不利等。骨，利水消肿，解毒。用于全身性水肿，小腿肿痛，药物及食物中毒。脑，滋补健脑。用于神经衰弱。胆，清热解毒，利胆。用于烫火伤，肝胆热证。 |

| **用法用量** | 肉，内服煎汤，90 ~ 100 g；或研末，5 ~ 10 g。骨，内服煅炭研末，5 ~ 10 g。脑，内服研末，3 ~ 6 g。胆，内服研末，1 ~ 2 g。外用适量，取汁涂。 |

鸭科 Anatidae 栖鸭属 *Cairina*

麝鸭
Cairina moschata (Linnaeus)

药 材 名	洋鸭（药用部位：肉）。
形态特征	体较家鸭健壮、肥大，雄者较雌者体大。体前尖后窄，呈长椭圆形。头大顶短。嘴黄色，基部和眼周围有红色肉瘤，雄者肉瘤延展较阔。眼球呈浅蓝色。全身羽毛丰满，华丽且有光泽，白色或黑色，兼有彩色或白色黑顶。翼矫健。臀部肥大。尾羽长，向上微微翘起。腿较家鸭高，腿、脚及蹼均呈黄色。
分布情况	生活于水滨。湖南各地均有分布。
资源情况	野生资源丰富。药材来源于野生和养殖。
采收加工	全年均可宰杀，宰杀后除去羽毛及内脏，取肉，鲜用。
功能主治	助阳道，健腰膝，补命门，暖水脏。
用法用量	内服煮汤或清炖，200 ~ 400 g。

鸬鹚科 Phalacrocoracidae 鸬鹚属 Phalacrocorax

鸬鹚
Phalacrocorax carbo (Linnaeus)

药 材 名	鸬鹚肉（药用部位：肉）。
形态特征	体大小和鹤相似，通身漆黑，体长约 0.8 m，体重约 1.87 kg。肩及翼具青铜色金属光泽。繁殖期头、颈具白羽，下胁具白斑。幼鸟浅褐色，下体中央白色，嘴狭长，呈圆锥形，上嘴两侧有钩，尖端有钩，下嘴有喉囊，眼前皮肤无羽，鼻孔隐而不显。脚黑色，位于体后方，趾向前。具蹼及锐爪，极易识别。
分布情况	栖息于江河湖泽中，营巢于芦苇丛、矮树、峭壁上。湖南有分布。
资源情况	野生资源稀少。药材来源于养殖。
采收加工	全年均可捕捉，除去内脏及皮毛，取肉，鲜用。
功能主治	酸、咸，寒；有小毒。利水消肿，截疟。用于水肿，臌胀，疟疾。
用法用量	内服研末，3～9 g。

鹭科 Ardeidae 白鹭属 Egretta

白鹭 Egretta garzetta (Linnaeus)

| 药 材 名 | 鹭肉（药用部位：肉）。

| 形态特征 | 全身乳白色。枕部有2状如羽辫的长羽，肩部着生蓑羽，蓑羽向后覆盖背部，并一直伸至尾部。前颈也着生矛状羽，矛状羽状似羽冠，向下披至前胸。嘴黑色，嘴裂处及嘴基部淡黄色。脚黑色，趾黄绿色。

| 分布情况 | 栖息于稻田、沼泽或池塘，亦见于大型湖泊的浅滩等处。湖南各地均有分布。

| 资源情况 | 野生资源丰富。药材来源于野生。

| 采收加工 | 全年均可捕捉，除去羽毛及内脏，取肉，鲜用。

| **功能主治** | 咸，平。补益脾气，解毒。用于脾虚，消化不良，食欲不振，崩漏，脱肛，疗肿疮毒等。

| **用法用量** | 内服适量，煮食。

鹭科 Ardeidae 白鹭属 Egretta

大白鹭
Egretta alba (Linnaeus)

| **药 材 名** | 鹭肉（药用部位：肉）。 |

| **形态特征** | 全身乳白色。头有短小羽冠。肩背部生 3 列长蓑羽，蓑羽一直向后伸展，多数超过尾羽尖端 10 cm，少数不超过；蓑羽羽干基部强硬，至羽端变小。冬季背无蓑羽，头无羽冠。繁殖期眼圈的皮肤、眼先的裸露部分和嘴呈黑色，嘴基绿黑色，胫裸露部分淡绿灰色，跗跖和趾黑色。冬季嘴黄色；眼先裸露部分黄绿色。 |

| **分布情况** | 栖息于海滨、河川、水田、沼泽、池塘、湖泊及其他潮湿之地。湖南各地均有分布。 |

| **资源情况** | 野生资源丰富。药材来源于野生。 |

| **采收加工** | 同"白鹭"。 |

| **功能主治** | 同"白鹭"。 |

| **用法用量** | 同"白鹭"。 |

鹭科 Ardeidae 牛背鹭属 Bubulcus

牛背鹭 *Bubulcus ibis* (Linnaeus)

动物别名	放牛郎、红头官、红头鹭。
药 材 名	牛背鹭（药用部位：肉）。
形态特征	体羽大多乳白色，头、颈、背、颊、喉橙黄色，背上和前颈基部均着生蓑羽，背上蓑羽向后，伸延至尾羽末端，有时甚至超过尾羽。冬季橙黄色羽毛大部分脱落，仅头顶保留少数。眼及眼先裸露部分黄色，嘴同。胫和跗蹠角黄色，趾和爪黑褐色。
分布情况	栖息于平原和低山的沼泽、荒地等。湖南各地均有分布。
资源情况	野生资源丰富。药材来源于野生。
采收加工	猎捕后剖腹，除去内脏及羽毛，取肉，鲜用。
功能主治	咸，平。归肺、脾经。益气解毒。用于体虚羸瘦，疮肿等。
用法用量	内服煮食，100 ~ 200 g。

鹭科 Ardeidae 池鹭属 Ardeola

池鹭
Ardeola bacchus (Bonaparte)

| 药 材 名 | 池鹭（药用部位：肉）。

| 形态特征 | 全长约 45 cm。虹膜金黄色，眼先裸出部分黄绿色。嘴黄色，端部黑色。脚浅黄色。雄鸟喉白。夏季头顶、羽冠及颈侧均为栗色，背羽近黑色并延伸，呈蓑羽状，胸部紫栗色，腰、腹、翅、尾均为白色。冬季无冠羽和蓑羽，头顶、颈侧及胸部有黑褐色纵条纹，背羽棕褐色。雌、雄鸟近似，但雌鸟头、颈及前胸的栗色稍浅。

| 分布情况 | 栖息于开阔的河谷、湖泊、池塘、河流浅滩、沼泽、树林、灌丛、苇塘、草丛中，也见于水田。湖南各地均有分布。

| 资源情况 | 野生资源丰富。药材来源于野生。

| 采收加工 | 春、夏季捕捉，捕后无痛处死，除去毛和内脏，取肉，鲜用或焙干。

| 功能主治 | 清热解毒。用于鱼虾中毒，痔疮痈肿，恶心呕吐，脘腹胀闷不适。

| 用法用量 | 内服煮食，100 ~ 200 g。

鹰科 Accipitridae 鹰属 Accipiter

苍鹰
Accipiter gentilis (Linnaeus)

药 材 名	苍鹰（药用部位：肉、骨、头、眼睛、嘴爪）。
形态特征	全长约 60 cm，翼展约 130 cm。虹膜金黄色，嘴黑色，蜡膜黄绿色，脚橙黄色，爪黑色；前额至后颈黑褐色，羽基白色，部分展露在外，眉纹白色，有黑色羽干纹；上体余部纯青灰色，飞羽具暗褐色横斑，内羽片基部有白色块斑，尾羽灰褐色，具 4 ~ 5 黑褐色横带；下体白色，颏、喉具黑褐色纵纹，胸、腹、肋及覆腿羽密布棕褐色横纹，且有黑褐色羽干纹，尾下覆羽白色。
分布情况	栖息于针叶林、阔叶林、灌木林、农田等。湖南有分布。
资源情况	野生资源稀少。药材来源于养殖。
采收加工	捕后无痛处死，取药用部位留存备用。
功能主治	肉，滋补气血。用于久病体虚，水肿。骨，祛风湿，续筋骨。用于筋骨疼痛，骨折。头，滋阴息风。用于头风眩晕。眼睛，明目退翳。用于视物不清，翳膜遮睛。嘴爪，清热解毒。用于痔疮。
用法用量	肉，内服煨熟，100 ~ 200 g。骨，内服焙脆研末，5 ~ 10 g；或浸酒。头，内服焙脆研末，1 个。眼睛，外用适量，将鲜品刺破，取汁滴眼。嘴爪，内服适量，研末。
附　　注	在《湖南省国家重点保护野生动物名录》中本种被列为国家二级重点保护野生动物。

鹰科 Accipitridae 鸢属 Milvus

鸢
Milvus korschun (Gray)

药 材 名	鸢脚爪（药用部位：脚爪。别名：鸢爪）。
形态特征	体长约 60 cm，体重 830 g。额、喉白色，头顶和颈棕褐色，各羽均有羽干斑；耳羽黑褐色，上体暗褐色，背羽和覆羽棕白色；尾叉形，呈深灰褐色；上体和翼下覆羽土褐色，具有明显的暗褐色轴纹，有时翼下覆羽亦为黑褐色，初级飞羽基部白色，形成 2 大白斑，展翼时白斑更明显；尾下覆羽浅棕色。幼鸟头部和腹部满布纵纹。
分布情况	营巢于高树或悬崖。湖南有分布。
资源情况	野生资源稀少。药材来源于野生。
采收加工	全年均可猎捕，捕后取其脚爪，晒干。
功能主治	咸，温；有小毒。清热镇惊。用于小儿惊风，头晕，痔疮等。
用法用量	内服煎汤，1 ~ 2 只；或研末。外用适量，研末撒。

鹰科 Accipitridae 雕属 *Aquila*

金雕 *Aquila chrysaetos* (Linnaeus)

药 材 名	雕骨（药用部位：骨骼 ）。
形态特征	大型猛禽，体长 90 cm 左右。头顶黑褐色，后颈暗赤褐色，具黑色纵纹。上体一般为暗赤褐色，背及双翅有紫色光泽；下体通常为黑褐色，胸部中央有淡色纵纹。覆腿羽暗赤褐色，具黑色纵纹。嘴强大，钩曲，黑褐色；趾黄，爪黑。
分布情况	栖息于高山、草原。湖南有分布。
资源情况	野生资源稀少。
采收加工	全年均可猎捕，捕后除去毛，取骨，置通风干燥处阴干。
功能主治	辛、咸，温。祛风湿，续筋骨。用于筋骨疼痛，骨折等。
用法用量	内服煎汤，5 ~ 15 g。
附　　注	在《湖南省国家重点保护野生动物名录》中本种被列为国家一级重点保护野生动物。

鹰科 Accipitridae　海雕属 Haliaeetus

白尾海雕 *Haliaeetus albicilla* (Linnaeus)

| 药 材 名 | 海雕肉（药用部位：肉）。

| 形态特征 | 额、头顶、后头、耳羽、后颈淡黄褐色，各羽的羽轴暗褐色，前额羽缘色较淡，背土褐色，羽缘色亦稍淡，并散有浓褐色羽毛，腰褐色，羽轴黑褐色，最长尾上覆羽的先端和基部棕褐色。中部白色，其他尾上覆羽棕褐色，有细斑，飞羽大部分黑褐色，具褐白色羽轴，基部色淡，大、中、小覆羽均为褐色，羽缘为淡黄褐色。初级飞羽、小翼羽褐色，肩羽暗褐色。尾纯白色，喉淡黄褐色。胸、腹褐色。羽缘色稍淡，尾下覆羽淡棕色而缀以褐斑。虹膜黄色，嘴暗黄色，蜡膜黄色，脚黄色，爪黑色。

| 分布情况 | 常见于海滨及江河附近，营巢于海岸的崖壁上或乔木上。湖南有分布。

| 资源情况 | 野生资源稀少。药材来源于养殖。

| 采收加工 | 全年皆可猎捕，捕获后剖腹，除去内脏和羽毛，取肉，鲜用。

| 功能主治 | 镇静安神。用于惊痫，失眠，精神病等。

| 用法用量 | 内服，100 ~ 200 g。

| 附　　注 | 在《湖南省国家重点保护野生动物名录》中本种被列为国家一级重点保护野生动物。

鹰科 Accipitridae 鹞属 Circus

白尾鹞 *Circus cyaneus* (Linnaeus)

| **药 材 名** | 鹞头（药用部位：头）。 |

| **形态特征** | 体长约48 cm。嘴黑色，基部带蓝色。蜡膜绿黄色，虹膜黄色。上体（包括两翅）的表面大部分蓝灰色，额、头、顶青灰色。羽基的白色部分常露于外，耳羽下后方至额的羽毛蓬松而稍卷曲，略呈脸盘状，外侧6初级飞羽黑色，先端具灰色羽缘。尾上覆羽纯白色，中央1对尾羽与背同色，次2对尾羽灰色且具暗灰色横斑，外侧尾羽大部分白色，亦具暗灰色横斑。脚与趾均为黄色，爪黑色。 |

| **分布情况** | 栖息于开阔地区，常单独生活。湖南有分布。 |

| **资源情况** | 野生资源稀少。 |

| **采收加工** | 捕后取头，干燥。 |

| **功能主治** | 咸，平。祛风，定惊。用于头风，目眩，痫疾。 |

| **用法用量** | 内服入丸、散剂，1～3枚。 |

| **附　　注** | 在《湖南省国家重点保护野生动物名录》中本种被列为国家二级重点保护野生动物。 |

鹰科 Accipitridae 鹗属 Pandion

鹗
Pandion haliaetus (Linnaeus)

| 药 材 名 | 鹗骨（药用部位：骨骼）。 |

| 形态特征 | 全长约 56 cm。虹膜黄色，嘴黑色，蜡膜蓝褐色，脚灰色，爪黑色；前额至后颈白色，并有暗褐色纵纹，眼后纹黑褐色，头后部羽毛延长，呈矛状，耳羽暗褐色，形成 1 宽纹后延至颈侧，颏、喉白色且有褐色纵纹；上体余部和翅表面暗褐色，羽基白色，尾羽棕褐色且具淡棕白色横斑；下体白色，上胸有棕褐色条纹，条纹形成胸带；趾底有尖锐的角质刺突，外趾可转向后方，以利于捕鱼。 |

| 分布情况 | 栖息于江河、湖泊、水库、河塘、海岸及沼泽地带。湖南有分布。 |

| 资源情况 | 野生资源稀少。 |

| 采收加工 | 捕后无痛处死，取骨骼，鲜用或阴干。 |

| 功能主治 | 续筋骨，消肿痛。用于跌打损伤，骨折。 |

| 用法用量 | 内服烧存性，研末，3 ~ 5 g。 |

| 附　　注 | 在《湖南省国家重点保护野生动物名录》中本种被列为国家二级重点保护野生动物。 |

雉科 Phasianidae 家鸡属 Gallus

家鸡 *Gallus gallus domesticus* (Brisson)

药 材 名	鸡内金（药用部位：砂囊内壁）、凤凰衣（药用部位：卵壳内卵膜）。
形态特征	嘴短而尖，略呈圆锥状，上嘴略弯曲。鼻孔裂状，被鳞状瓣。头上有肉冠，喉部两侧有肉垂，公鸡头上肉冠及喉部肉垂大。雌、雄羽色不同，以雄者为美，且雄者有长而鲜丽的尾羽。跗跖部后方有距。
分布情况	生活于田间、村落及小树林中。湖南各地均有分布。
资源情况	野生资源丰富。药材来源于野生和养殖。
采收加工	**鸡内金：** 无痛处死后，取出鸡肫，剖开肫立即剥下内壁，洗净，干燥即可。 **凤凰衣：** 收集蛋壳，取内卵膜。

| 药材性状 | 鸡内金：本品呈不规则卷片，厚约 2 mm。表面黄色、黄绿色或黄褐色，薄而半透明，具明显的条状皱纹。质脆，易碎，断面角质样，有光泽。气微腥，味微苦。

凤凰衣：本品为折皱的薄膜，破碎，边缘不整齐，一面白色，无光泽，另一面淡黄色，微有光泽，并附有棕色线状血。质松，略有韧性，易碎。以身干、色白、完整、无碎壳者为佳。气微，味淡。

| 功能主治 | 鸡内金：甘，平。归脾、胃、小肠、膀胱经。健胃消食，涩精止遗，通淋化石。用于食积不消，呕吐泻痢，疳积，遗精，遗尿，石淋涩痛，胆胀胁痛等。

凤凰衣：养阴清肺，敛疮，消翳，接骨。用于久咳气喘，咽痛失音，瘰疬溃破不敛，目生翳障，头目眩晕，骨折。

| 用法用量 | 鸡内金：内服煎汤，3 ~ 10 g；或研末，1.5 ~ 3 g；或入丸、散剂。外用适量，研末调敷或生贴。

凤凰衣：内服煎汤，3 ~ 9 g；或入丸、散剂。外用适量，敷贴或研末撒。

雉科 Phasianidae 鹌鹑属 Coturnix

鹌鹑 *Coturnix coturnix* (Linnaeus)

| **药 材 名** | 鹌鹑（药用部位：肉、卵）。

| **形态特征** | 体小如雏鸡。翅长而尖。尾短。虹膜红褐色。嘴角上背浅黄栗色，有黄白色羽干纹，下背黑褐色，有浅黄色羽干纹。颏、喉、颈前部、颊及眼先赤褐色，上胸灰白色带栗色，羽干白色，下胸、腹部灰白色。雌鸟前背部浅黄褐色，后背部黑褐色，颈侧浅灰黄色，羽端黑色，上胸黄褐色，有左右并排的黑斑。

| **分布情况** | 生活于高地或小山脚下干燥而近水处。湖南各地均有分布。

| **资源情况** | 野生资源丰富。药材来源于野生和养殖。

| **采收加工** | 无痛处死，除去羽毛及内脏，取肉，鲜用。

| **药材性状** | 本品卵小，卵形，长径 1 ~ 3 cm。表面淡灰棕色或青灰色，有许多分散的棕色斑点。壳皮较薄，易破碎，破碎后内有一层较厚的白色膜。蛋清为无色胶体，蛋黄圆形，遇热凝固。气微，味淡。

| **功能主治** | 肉，补中气，止泻痢，止咳嗽。用于脾虚泻痢，疳积，痹证，咳嗽。卵，补虚健胃。用于胃脘胀痛，肺病，神经衰弱，胸膜炎等。

| **用法用量** | 肉，内服煮食，50 ~ 100 g；或烧存性，研末。卵，内服适量，煮食。

雉科 Phasianidae 竹鸡属 Bambusicola

灰胸竹鸡 *Bambusicola thoracica* (Temminck)

| **药 材 名** | 竹鸡（药用部位：肉）。 |

| **形态特征** | 体长约 30 cm。虹膜深棕色或淡褐色，嘴黑色或近褐色，脚绿色或黄褐色；额、眼先及眉纹灰色，眉纹粗大，头顶、后颈榄褐色，头、颈余部栗红色；上体灰褐色，具黑褐色斑纹、暗栗红色块斑及白色斑点，尾羽红棕色，有黑褐色和浅红褐色虫状斑纹；前胸蓝灰色，后缘有栗红色环带，后胸至尾下覆羽棕黄色，色前深后淡，至尾色又深些；两肋有黑褐色斑。两性相似，但雌鸟略小。 |

| **分布情况** | 栖息于海拔 2 000 m 以下的灌丛、竹林和草丛中，也见于山边耕地。湖南各地均有分布。 |

| **资源情况** | 野生资源丰富。药材来源于野生和养殖。 |

| **采收加工** | 全年均可捕捉，处死后除去羽毛及内脏，取肉，鲜用。 |

| **功能主治** | 补中益气，杀虫解毒。用于脾胃虚弱，消化不良，溏泻，痔疮。 |

| **用法用量** | 内服煮食，1只；或炙食。 |

雉科 Phasianidae 鹇属 *Lophura*

白鹇

Lophura nycthemera (Linnaeus)

药 材 名	白鹇（药用部位：肉）。
形态特征	全长约 110 cm。雄鸟虹膜橙黄色，嘴浅绿色，基部色稍暗，脚赤红色；冠羽纯蓝黑色，额、颊和下腹近黑色，脸部裸露，绯红色；上体白色，密布黑色"V"字形斜纹，后颈及上背斜纹较细，两翅斜纹较粗而显著，下体黑色，胸部、上腹和尾下覆羽具紫蓝色金属光泽。雌鸟枕冠近黑色；上体榄褐色，密布棕色细小斑点，下体浅棕白色，具褐色斑点，胸、腹部有褐色或黑色"V"字形斑；虹膜红褐色，无肉垂，嘴绿色，先端稍淡，脚珊瑚红色。
分布情况	栖息于海拔 1 400 ~ 1 800 m 的常绿阔叶林、针阔混交林及竹木混交林中。湖南有分布。
资源情况	野生资源较少。药材来源于养殖。
采收加工	捕后无痛处死，除去羽毛及内脏，取肉，鲜用。
功能主治	补气健脾，益肺。用于脾胃虚弱，食欲不振，食后饱胀，便溏，虚劳发热，咳嗽。
用法用量	内服煮食，50 ~ 100 g。
附　注	在《湖南省国家重点保护野生动物名录》中本种被列为国家二级重点保护野生动物。

雉科 Phasianidae 雉属 *Phasianus*

环颈雉 *Phasianus colchicus* Linnaeus

| 药 材 名 | 雉肉（药用部位：肉）。 |

| 形态特征 | 体长约 90 cm。雌、雄异色，雄者羽色华丽，头顶黄铜色，两侧有微白眉纹。虹膜栗红色，眼周裸出，颏、喉和后颈均为黑色且有绿色金属光泽，项下有 1 显著的白圈，故名"环颈雉"。背部前方金黄色，具黑色和白色斑纹。腰前部蓝灰色，向后转为栗色，尾羽中央黄褐色，两侧紫栗色，其中央有多数黑色横斑，至两侧横斑亦转为深紫栗色。飞羽黑褐色而缀以白斑。胁金黄色，亦散缀以黑斑，腹乌褐色。尾下覆羽黑褐色，脚具距。雌鸟体较小，尾亦较短，体羽大部分为沙褐色，背面有栗色和黑色斑点。尾上黑斑缀以栗色，无距。眼栗红色，嘴淡灰色，基部黑色，脚红灰褐色，爪黑色。 |

| 分布情况 | 栖息于丘陵中，冬季迁至山脚。湖南各地均有分布。 |

| 资源情况 | 野生资源丰富。药材来源于野生和养殖。 |

| 采收加工 | 秋、冬季捕捉，捕获后除去羽毛及内脏，取肉，鲜用。 |

| 功能主治 | 补中益气，止泻涩尿。用于脾虚泄泻，胸腹胀满，消渴，小便频数。 |

| 用法用量 | 内服煮食，5 ~ 10 g。 |

雉科 Phasianidae 鹧属 Francolinus

鹧鸪
Francolinus pintadeanus (Scopoli)

药 材 名	鹧鸪（药用部位：肉、血液、脂肪、脚爪）。
形态特征	全长约 30 cm。虹膜暗褐色，嘴峰黑色，脚橙黄色；头顶、枕黑褐色，羽缘黄褐色，眉纹、颚纹黑色，眼先、颊部、耳羽、额、喉黄白色，眼圈黑色，后颈、上背及胸侧深黑褐色而具白斑，上背羽具栗红色羽端，下背及腰黑褐色，满布细波纹状白色横斑，翅上覆羽及飞羽黑褐色且具白色点斑或横斑，其余黑褐色且密布椭圆形斑，下体斑点更大。两性相似。
分布情况	栖息于低山丘陵地带，多在坝区山坡的草丛和灌丛生活。湖南各地均有分布。
资源情况	野生资源丰富。药材来源于野生。
采收加工	捕获后无痛处死，除去羽毛及内脏，分别取药用部位备用。
功能主治	肉，滋养补虚，开胃化痰，益心安神。用于体虚乏力，失眠，胃病，下痢，疳积，咳嗽痰多，百日咳。血，凉血止血。用于尿血。脂肪、脚爪，清热解毒。用于皮肤皲裂，冻疮，耳闭，耳胀。
用法用量	肉，内服炖食，1 ~ 2 只。血，内服适量，开水冲饮。脂肪，外用适量，涂敷。脚爪，外用适量，煅研为末，吹耳。

雉科 Phasianidae 锦鸡属 Chrysolophus

白腹锦鸡
Chrysolophus ammmbortiae

| 药 材 名 | 白腹锦鸡（药用部位：肉）。

| 形态特征 | 全长约 140 cm。虹膜褐色至淡黄色，眼周裸出部淡蓝色或蓝白色，嘴、脚蓝灰色。雄鸟头顶、胸金属翠绿色，枕、冠紫红色，扇状翎领白色，具墨绿色羽缘，背、两肩亦为金属翠绿色，紧接羽缘处有黑纹，羽缘鲜绿色，下背和腰部的长方形羽基部污黑色，中部贯以辉绿色横斑，羽缘棕黄色；尾上覆羽白色而具蓝黑色粗横斑，斑间有波纹状墨绿色细纹，羽端细长，橙红色，中央尾长，具墨绿色斜形带斑和云石状花纹；腹部纯白色。雌鸟额深棕红色，头顶、颈灰棕色而具黑色横斑，体羽棕色，具黑褐色横斑，下背及两翅的黑斑较粗并具蓝灰色光泽，胸浅棕红色且具黑斑，腹白色，尾下覆羽浅棕红色且具宽阔的黑褐色横斑。

| 分布情况 | 栖息于常绿阔叶林、针阔混交林中的灌木层，常见于多岩而荒芜的山地。湖南有分布。

| 资源情况 | 野生资源稀少。药材来源于养殖。

| 采收加工 | 无痛处死，除去毛和内脏，取肉，鲜用。

| 功能主治 | 止血解毒。用于血痔，疮疡肿毒。

| 用法用量 | 内服烧研，5 ~ 10 g。

雉科 Phasianidae 长尾雉属 Syrmaticus

白颈长尾雉 *Syrmaticus ellioti* (Swinhoe)

药 材 名	白颈长尾雉（药用部位：肉）。
形态特征	全长约160 cm。虹膜浅褐色，嘴峰绿色，眼周裸出部亮红色，并布满黑色小羽，脚灰褐色至褐色，距长而尖。雄鸟头顶、颏、喉及颈白色，前额、颊、眉纹及后颈中部黑色，形成1黑圈，白颈之后有由黑色羽缘组成的1不完整的黑领；上体大部分金黄色，羽缘黑色，下体深栗色，胸、肋和两翅有白斑，尾上覆羽白色而缀以黑褐色；尾羽特长，有黑色和栗色横斑。雌鸟上背黑色，具大型矢状白斑，上体余部大部分为黄褐色；下体浅栗棕色，向后转为棕黄色，尾较短，有不太明显的黄褐色横斑。
分布情况	栖息于海拔600 m左右的山区，尤喜欢在农田附近较为茂密的林下灌木、较稀疏开阔的落叶阔叶林及阔混交林内生活，非繁殖期常结成小群活动。湖南有分布。
资源情况	野生资源稀少。药材来源于养殖。
采收加工	无痛处死，除去毛和内脏，取肉，鲜用。
功能主治	补中益气，止咳平喘。用于虚嗽虚喘。
用法用量	内服煎汤，50 ~ 100 g。
附 注	在《湖南省国家重点保护野生动物名录》中本种被列为国家一级重点保护野生动物。

鸨科 Otididae 鸨属 Otis

大鸨
Otis tarda (Linnaeus)

| 药 材 名 | 鸨肉（药用部位：肉）。

| 形态特征 | 体较大，体长约 1 m，体重 9 kg 左右。头、颈及前胸皆为深灰色，喉部近白色，且被细长的纤羽，纤羽在喉侧向外突出如须，后颈基部棕栗色，上体余部浅棕色，布满黑色横斑，斑间有虫蠹状黑斑。翼阔大，小、中覆羽灰色而具白端，大覆羽和大部分三级飞羽纯白色，次级和初级飞羽黑褐色而具白色基部；前胸两侧与背同色，下体自前胸以后为纯白色。尾短，中央尾羽棕色，具稀疏黑斑，先端白色，两侧尾羽的白色扩展，最外侧的尾羽几乎全白，仅于近羽端处具 1 黑色横斑。雌鸟喉部无须。虹膜暗褐色。嘴铅灰色，先端近黑色。脚和趾均为暗铅灰色，仅有 3 趾，爪黑色。

| 分布情况 | 多栖息于广阔的草原上。湖南有分布。

| 资源情况 | 野生资源较少。资源来源于养殖。

| 功能主治 | 益气补虚。用于身体虚弱，痹证。

| 用法用量 | 内服适量，煮食。

| 附　　注 | 在《湖南省国家重点保护野生动物名录》中本种被列为国家一级重点保护野生动物。

三趾鹑科 Turnicidae 三趾鹑属 Turnix

黄脚三趾鹑
Turnix tanki (Blyth)

| 药 材 名 | 鹑（药用部位：肉）。 |

| 形态特征 | 体较鹌鹑略小，全长 16 cm。上嘴黄褐色，下嘴和脚爪均为黄色。雌鸟头部黄白色，羽缘有褐色细点斑，头顶至枕部有 2 棕黑色带纹，中央有 1 灰黄白色狭纹，上体及胸侧黑褐色兼栗黄色，上背具 1 栗色领环，翅上覆羽和肩羽淡榄黄色，具黑色斑点或横斑，腰至尾栗褐色，满布纤细黑斑或黑波纹；喉淡黄色，下颈及前胸棕黄色，下胸及两肋黄色，两侧有黑色圆点斑，腹部淡黄色，尾下覆羽栗黄色，翼下覆羽榄褐色。雄鸟体略小，羽色较淡，上背无栗色领环。 |

| 分布情况 | 栖息于草丛、灌丛、沼泽地及耕地，尤喜稻茬地。湖南各地均有分布。 |

| 资源情况 | 野生资源丰富。药材来源于野生。 |

| 采收加工 | 捕后无痛处死，除去内脏和毛，取肉，鲜用。 |

| 功能主治 | 补中健脾，清热解毒。用于脾胃虚损，中气不足，气短乏力，食少便溏，瘰疬，痰核，诸疮肿毒。 |

| 用法用量 | 内服煮食，1 只。 |

鹳科 Ciconiidae 鹳属 Ciconia

白鹳
Ciconia ciconia boyciana

药 材 名	鹳骨（药用部位：骨骼）。
形态特征	全身大部分白色，而两翅大部分黑色。肩羽较长，黑而有紫铜色金属光泽。颈下羽毛长而呈矛状。嘴长，呈黑色，先端色稍淡。脚长，后趾较发达。
分布情况	常结成小群或单独在开阔平原的池塘、沼泽的浅水中觅食，有时也见于林地及山间，栖息于较粗的树干上。湖南各地均有分布。
资源情况	野生资源丰富。药材来源于野生。
采收加工	全年均可捕捉，捕获后除去内脏和羽毛，取骨骼，置阴凉通风处。
功能主治	祛风，解毒，止痛。用于胸腹疼痛，喉痹，蛇咬伤等。
用法用量	内服煎汤，6 ~ 10 g；或烧灰饮服。

鹬科 Scoiopacidae 鹬属 *Tringa*

白腰草鹬 *Tringa ochropus* (Linnaeus)

| 药 材 名 | 鹬肉（药用部位：肉）。 |

| 形态特征 | 体中等，全长约 23 cm，较矮壮。虹膜褐色。嘴暗榄绿色，先端 1/3 部分为黑色。脚暗榄绿色。头、后颈及背部暗褐色，飞羽黑褐色，头顶及后颈有白条纹，背、肩及三级飞羽具棕白色斑点，尾上覆羽和尾羽白色，中央尾羽端部具暗黑褐色横斑。下体白色。喉、胸及两胁具纤细的褐色纵纹。 |

| 分布情况 | 栖息于海岸、河滩、水田、湖泊、水库、坝塘等，喜在近草丛的水边活动。湖南有分布。 |

| 资源情况 | 野生资源稀少。药材来源于野生。 |

| 采收加工 | 全年均可猎捕，捕后无痛处死，剖腹，除去内脏和羽毛，取肉，鲜用或焙干。 |

| 功能主治 | 疏风透疹，滋养补虚，强胃健脾，益精明目。用于麻疹，久病体虚，肝肾不足，视物不清。 |

| 用法用量 | 内服煮食，50 ~ 100 g。 |

秧鸡科 Rallidae 黑水鸡属 Gallinula

黑水鸡 Gallinula chloropus (Linnaeus)

| 药 材 名 | 黑水鸡（药用部位：肉）。

| 形态特征 | 头颈及上背灰黑色，下背、翅膀与尾等均为榄褐色，第 1 初级飞羽
外翔白色，体侧和下体灰黑色，向后色渐浅。下腹有些羽毛尖端白色，
故而形成黑白相间的块状斑，两胁有宽阔的白色条纹，翼下覆羽与
下体同色，尖端白色，尾下覆羽两旁白色，中央黑色，嘴端浅黄绿色，
基部及额板为红橙色的宽环带，环带下及跗跖前缘浅黄绿色，跗跖
后缘及趾灰绿色。幼鸟无扩大的额板，基部为暗褐色。

| 分布情况 | 常见于平原和山地的沼泽或小溪周围的灌丛或芦苇丛中，有时也见
于庄稼地，单个或成对活动，巢筑于沼泽中及沼泽周围的草丛、芦
苇丛或灌丛中。湖南各地均有分布。

| 资源情况 | 野生资源丰富。药材来源于野生和养殖。

| 采收加工 | 猎捕后除去毛及内脏。

| 功能主治 | 滋补强壮，开胃。用于脾虚泄泻，食欲不振，消化不良。

| 用法用量 | 内服，50 ~ 100 g。

鸥科 Laridae 鸥属 *Larus*

红嘴鸥 *Larus ridibundus* (Linnaeus)

| **药材名** | 鸥肉（药用部位：肉）。 |

| **形态特征** | 体长 40 cm。嘴赤红色，先端黑色。虹膜暗褐色。头和颈为朱古力褐色，后缘转为黑褐色。腿周有白色羽圈。下背、肩、腰及两翅的内侧覆羽和次级飞羽均为珠灰色，飞羽肩端近白色；上背、外侧大覆羽和次级飞羽均为白色。第 1 初级飞羽白色，内外翔边缘及先端黑色；第 2～5 飞羽的黑色外缘部分逐渐缩小，内翔渐转为深灰色，内缘及羽端仍为黑色；第 6 飞羽深灰色，仍具黑色内缘，羽端白色；其余初级飞羽均为纯灰色；体上余羽纯白色。脚和趾赤红色，冬时转为橙黄色；爪黑色。 |

| **分布情况** | 栖息于海岸、内陆河、湖泊和沼泽处。湖南有分布。 |

| **资源情况** | 野生资源丰富。药材来源于野生。 |

| **采收加工** | 全年均可捕捉，捕后除去羽毛及内脏，取肉，鲜用。 |

| **功能主治** | 养阴润燥，除烦止渴。用于热病后余热未清，咽干口渴，虚烦不眠，大便干结等。 |

| **用法用量** | 内服适量，煎汤。 |

鸠鸽科 Columbidae 鸽属 Columba

家鸽 Columba livia domestica

| 药 材 名 | 鸽（药用部位：粪、肉、蛋）。

| 形态特征 | 由原鸽驯养而来，同时又有家鸽野生化。在人工饲养过程中其形态变化较大，普遍为青灰色，亦有纯白色、茶褐色、黑白混杂者。体长 30 cm 左右。

| 分布情况 | 各地均有饲养。湖南各地均有分布。

| 资源情况 | 野生资源丰富。药材来源于野生和养殖。

| 采收加工 | 全年均可采收，从鸽笼中收集鸽粪，洗净，晒干。春、夏季取卵，鲜用。

| 功能主治 | 粪，消肿杀虫。用于瘰疬疮毒，脚气，腹中包块。肉，祛风活血，益气解毒，调经止痛，截疟。用于妇女干血痨，经闭，疟疾，肠风下血，虚羸，消渴，恶疮疥癣。蛋，补肾益气，解毒疗疮。用于脾胃虚弱，纳差，肾虚，腰痛，倦怠无力，恶疮疥癣，痘疹难出。

| 用法用量 | 粪，外用适量，涂搽；或加温水泡脚。肉、蛋，内服适量，煮食。

鸠鸽科 Columbidae 鸽属 Columba

岩鸽
Columba rupestris Pallas

药 材 名	鸽子肉（药用部位：肉）。
形态特征	与驯养的鸽子相似，但腰和尾上覆羽为石板灰色。尾羽基部亦为石板灰色，先端黑色，中段贯以宽阔的白色横带。
分布情况	栖息于山区多岩石和峭壁的地方，常结小群在山谷或平原的田野上觅食。湖南有分布。
资源情况	野生资源稀少。药材来源于野生和养殖。
采收加工	全年均可捕捉，除去羽毛及内脏，取肉，鲜用。
功能主治	滋肾益气，祛风解毒，和血调经止痛。用于虚羸，妇女血虚经闭，恶疮疥癣，消渴，麻疹，久疟，肠风下血等。
用法用量	内服煮食，1只。

鸠鸽科 Columbidae 斑鸠属 Streptopelia

山斑鸠 *Streptopelia orientalis* (Latham)

| 药 材 名 | 斑鸠（药用部位：肉、血）。 |

| 形态特征 | 全长约33 cm。雌、雄相似。虹膜橙色，嘴暗铅蓝色，脚或多或少洋红色，爪褐色；头和颈灰褐色而略带葡萄酒色，后颈基处两侧各有1蓝灰色黑斑。上背褐色，各羽缘红褐色，下背及腰均为蓝灰色，尾羽褐色，羽端具宽灰色带，外端灰色带更宽，肩羽和三级飞羽黑褐色，羽缘红褐色；下体为类似葡萄酒的红褐色，腹部中央淡灰色，两胁和尾下覆羽蓝灰色。 |

| 分布情况 | 栖息于阔叶林、针阔混交林、稀疏灌丛等，多在开阔农耕区、村庄、房前屋后、寺院周围或小沟渠附近活动。湖南各地均有分布。 |

| 资源情况 | 野生资源丰富。药材来源于野生和养殖。 |

| **采收加工** | 全年均可捕捉，捕后无痛处死，除去羽毛及内脏，取肉，鲜用或焙干，血鲜用。

| **功能主治** | 肉，补肾，益气，明目。用于久病气虚，身疲乏力，呃逆，两目昏暗。血，清热解毒，活血化瘀。用于热毒斑疹，水痘。

| **用法用量** | 肉，内服适量，煮食。血，内服适量，趁热饮。

鸠鸽科 Columbidae 斑鸠属 Streptopelia

灰斑鸠
Streptopelia decaocto (Frivaldszky)

药 材 名	斑鸠（药用部位：肉、血）。
形态特征	体较山斑鸠略小，全长约 32 cm。虹膜红色，睑缘亦为红色，眼周裸出部分白色或灰色，嘴近黑色，跗跖和趾间粉红色，爪黑色；前头灰色，向后转为浅粉红灰色，后颈基部有 1 半月状黑领环，环前后有不明显的灰色缘；背、腰、肩及翅上小覆羽淡葡萄色，翅上覆羽大部分蓝灰色，飞羽黑褐色，内侧带灰色，中央尾羽葡萄色带灰色，与外侧较长的尾上覆羽同色，外侧尾羽灰色或灰白色，并具黑色羽基；颏、喉白色，下体余部鸽灰色，胸部带粉红色，两肋和尾下覆羽蓝灰色。
分布情况	栖息于平原至山麓的疏林地带，常在农田及村落附近活动。湖南各地均有分布。
资源情况	野生资源丰富。药材来源于野生。
采收加工	全年均可捕捉，捕后无痛处死，除去羽毛及内脏，取肉，鲜用或焙干，血鲜用。
功能主治	肉，补肾，益气，明目。用于久病气虚，身疲乏力，呃逆，两目昏暗。血，清热解毒，活血化瘀。用于热毒斑疹，水痘。
用法用量	肉，内服适量，煮食。血，内服适量，趁热饮。

鸠鸽科 Columbidae 斑鸠属 Streptopelia

珠颈斑鸠 *Streptopelia chinensis* (Scopoli)

| 药 材 名 | 斑鸠（药用部位：肉、血）。

| 形态特征 | 全长32 cm。雌、雄同色，但雌鸟不如雄鸟鲜亮。虹膜褐色，嘴深褐色，脚紫红色，爪褐色。前额及头顶前部淡灰色，头顶余部鸽灰色而带粉红葡萄酒色，颏近白色，后颈基部和两侧有宽阔的黑色领圈及白色斑点，上体余部褐色。头侧、喉、胸及腹等均为粉红葡萄酒色。飞羽较体羽色深；中央尾羽与背同色，但中央尾羽色较深，外侧尾羽黑色，末端有明显的白斑。

| 分布情况 | 栖息于开阔地及稀疏树林中，喜在村落及农田附近活动。湖南各地均有分布。

| 资源情况 | 野生资源稀少。药材来源于野生。

| 采收加工 | 同"灰斑鸠"。

| 功能主治 | 同"灰斑鸠"。

| 用法用量 | 同"灰斑鸠"。

戴胜科 Upupidae 戴胜属 Upupa

戴胜 *Upupa epops* (Linnaeus)

| 药 材 名 | 戴胜（药用部位：全体）。

| 形态特征 | 雄体体长约 293 mm，体重 0.073 kg。头上具 1 显著的黄粱色羽冠，先端黑色。头、颈、胸部与羽冠同色。两翅表面大部分为黑色，满布淡棕色至白色斑纹；初级飞羽具 1 白色横斑腰白，尾羽亦为黑色，其中部横贯 1 宽阔的白斑。嘴细长而稍弯曲，黑色。雌、雄鸟的羽色相似，雌鸟稍小，羽色较淡。

| 分布情况 | 栖息于田野、村庄附近的树木上。湖南各地均有分布。

| 资源情况 | 野生资源丰富。药材来源于野生。

| 采收加工 | 全年均可捕捉，捕后处死，除去羽毛及内脏，洗净，鲜用或焙干。

| 功能主治 | 平肝息风，安神镇静。用于癫痫，精神病，疟疾等。

| 用法用量 | 内服研末，10 ~ 15 g，药汁送服；或蒸熟服。

鸱鸮科 Strigidae 白根葵属 Glaucidium

斑头鸺鹠 Glaucidium cuculoides (Vigors)

药 材 名	鸮（药用部位：肉）。
形态特征	体长约 25 cm。虹膜黄色，嘴峰黄绿色，趾暗黄绿色而具棘状硬羽，爪近黑色。无耳羽簇，眼上方有短狭白色眉纹，头顶、上体、颈侧及翅表面暗褐色，密布狭细棕白色横斑，头顶横斑细小而密。肩羽、大覆羽的外翈有宽阔的白斑，飞羽有棕白色点斑或横斑，尾羽黑褐色，有 6 狭窄白横斑。颏、喉有显著白斑，腹白色，下腹及肛周有宽阔的褐色纵纹。覆腿羽白色而有褐色斑。
分布情况	栖息于耕地及居民区的乔木上，多单独活动。湖南有分布。
资源情况	野生资源稀少。药材来源于养殖。
采收加工	未经批准禁止捕捉野生物种。捕捉人工养殖品，捕后无痛处死，除去羽毛及内脏，取肉，鲜用。
功能主治	解毒，散结，祛风，截疟。用于瘰疬，癫痫，头风，噎膈，疟疾，风湿痹痛。
用法用量	内服适量，煮食；或浸酒；或煅存性，研末。
附　　注	在《湖南省国家重点保护野生动物名录》中本种被列为国家二级重点保护野生动物。

鸱鸮科 Strigidae 雕鸮属 Bubo

雕鸮
Bubo bubo (Linnaeus)

药 材 名	猫头鹰（药用部位：全体）。
形态特征	体较大。全体有黑褐色花纹。具较长的耳羽，眼上方有1大型黑斑，面部多为淡棕白色，腹部颜色较淡，有细斑纹。两脚被羽，嘴及爪铅色。
分布情况	栖息于山地林间，筑巢于树洞或岩隙。湖南有分布。
资源情况	野生资源稀少。药材来源于养殖。
采收加工	全年均可捕捉，捕后除去羽毛及内脏。
功能主治	解毒，定惊，祛风湿。用于淋巴结结核，疮疖，癫痫，头风，噎食，风湿痹痛等。
用法用量	内服 2 ~ 6 g，研末。
附　　注	在《湖南省国家重点保护野生动物名录》中本种被列为国家二级重点保护野生动物。

啄木鸟科 Picidae 绿啄木鸟属 Picus

灰头啄木鸟 *Picus canus* (Gmelin)

| **药材名** | 啄木鸟（药用部位：全体）。 |

| **形态特征** | 通体暗绿色，无羽冠。雄鸟额至头顶的前半部鲜红色，眼先和颧纹黑色，头和颈的余部暗灰色，翁和下背淡绿黄色；腰和尾上覆羽绿黄色，尾羽的羽干坚硬，呈黑褐色，中央尾羽绿灰，具多数暗褐色横斑，外侧尾羽纯黑色，横斑不明显，翼上覆羽与背色几相同，飞羽大部分暗褐色；下体灰色而不具纵纹。雌鸟额至头顶均为灰色，缀以黑色纵斑。虹膜淡朱红色；嘴黑褐色带绿色，嘴基黄绿色；跗跖褐色稍带绿色。 |

| **分布情况** | 栖息于阔叶林、针阔混交林，亦见于农田附近或高大乔木上，至冬季迁入平原附近丛林间。湖南各地均有分布。 |

| **资源情况** | 野生资源稀少。药材来源于野生。 |

| **采收加工** | 全年均可捕捉，捕后无痛处死，除去皮毛、内脏，取肉，鲜用，或烘干。 |

| **功能主治** | 滋补强壮。用于久病虚弱，疳积，痔疮等。 |

| **用法用量** | 内服煮食，1只。 |

啄木鸟科 Picidae 蚁䴕属 Jynx

蚁䴕
Jynx torquilla (Linnaeus)

| **动物别名** | 蛇皮鸟。

| **药 材 名** | 蚁䴕（药用部位：全体）。

| **形态特征** | 上体大部分银灰色，密布暗褐色虫蠹状细斑，极似蛇皮，故名"蛇皮鸟"。头顶具银白色、黑色和棕褐色细斑，头至背中央纵贯黑褐色粗纹，尾灰褐色，具黑褐色细纹和暗褐色横斑，下体近白色，前部和两胁均具横斑。嘴、脚和趾均为淡铁灰色。

| **分布情况** | 栖息于森林中，常活动在开阔地上。湖南有分布。

| **资源情况** | 野生资源稀少。药材来源于野生。

| **采收加工** | 全年均可捕捉，除去羽毛及内脏，鲜用。

| **功能主治** | 滋养补虚，解毒止痛。用于肺结核，淋巴结结核，痈疮肿毒，痔疮等。

| **用法用量** | 内服煮食，1～2只。

啄木鸟科 Picidae 啄木鸟属 Dendrocopos

棕腹啄木鸟
Dendrocopos hyperythrus (Vigors)

| 药 材 名 | 啄木鸟（药用部位：全体）。 |

| 形态特征 | 体长 215 mm 左右，体重 60 g 左右。腹面的褐棕色格外显著。雄性成鸟整个上头部为深红色，好似戴了一顶红帽。雌鸟上头部黑白相间，此与其他啄木鸟有别。 |

| 分布情况 | 栖息于山林间，攀树钩食蛀虫。营巢于树洞里。湖南各地均有分布。 |

| 资源情况 | 野生资源丰富。药材来源于野生。 |

| 功能主治 | 滋养补虚，消肿止痛。用于肺结核，疳积，痔疮肿痛，龋齿牙痛等。 |

| 用法用量 | 内服煎汤，1 只；或煅研，5 ~ 10 g。外用适量，煅末纳龋孔中。 |

啄木鸟科 | Picidae 啄木鸟属 | *Dendrocopos*

大斑啄木鸟 *Dendrocopos major* (Linnaeus)

| 药 材 名 | 啄木鸟（药用部位：全体）。

| 形态特征 | 体长 210 ～ 229 mm，体重 70 g 左右。嘴强直如凿。额、眼先、颊、眉和颈侧均为白色，后头亮红色，头顶、颈、背部至尾部均为黑色。翅黑而具白斑，翼覆羽具 1 明显的大斑，下腹中央至尾下覆羽为亮红色，下体自颊至腹均为淡棕色，两肋淡白色。外侧尾羽端部有白斑，最外侧尾羽大部分为白色，且具黑色横斑。

| 分布情况 | 栖息于山地针阔混交林、阔叶林或平原的森林间。营巢于树洞中。湖南各地均有分布。

| 资源情况 | 野生资源丰富。药材来源于野生。

| 功能主治 | 同"棕腹啄木鸟"。

| 用法用量 | 同"棕腹啄木鸟"。

燕科 Hirundinidae 燕属 Hirundo

家燕
Hirundo rustica (Linnaeus)

药 材 名	胡燕卵（药用部位：卵）、燕窠土（药用部位：巢泥）。
形态特征	全长约 18 cm。虹膜暗褐色，嘴黑褐色，脚黑色。飞羽狭长，最外侧 1 对尾羽延长，向内依次递减，形成深叉形尾羽。上体蓝黑色，有明亮的金属光泽，飞羽和尾羽呈黑褐色且微带绿色光泽，外侧尾羽有白斑。颏、喉及前胸栗红色，上胸蓝黑色，下体余部白色或淡栗色。
分布情况	栖息于开阔农田、河岸的树木上或居民区的电线上，常结群飞翔于空中。湖南各地均有分布。
资源情况	野生资源丰富。药材来源于野生。
采收加工	**胡燕卵：**繁殖季节在燕巢中拾取，鲜用。 **燕窠土：**在燕巢中拾取，晒干。
功能主治	**胡燕卵：**利水消肿。用于水肿。 **巢泥：**清热解毒，祛风止痒。用于风疹，湿疮，丹毒，白秃疮，口疮，小儿惊风。
用法用量	**胡燕卵：**内服煮食，10 ~ 20 枚， **巢泥：**内服开水泡，9 ~ 15 g。外用适量，研末调敷；或煎汤洗浴。

燕科 Hirundinidae 燕属 Hirundo

金腰燕 *Hirundo daurica* (Linnaues)

| 药 材 名 | 胡燕卵（药用部位：卵）、燕窠土（药用部位：巢泥）。

| 形态特征 | 全长约 17 cm。虹膜暗褐色，嘴黑褐色，跗跖及趾皆为黑色。上体蓝黑色，具金属光泽，耳羽暗棕黄色，颊、后颈栗黄色，背羽基部白色且常展露在表面，腰栗黄色，形成宽阔腰带；下体淡棕白色，满布纤细黑纵纹。

| 分布情况 | 栖息于山区、坝区居民点附近的树枝或电线上，繁殖期以泥和草叶等在建筑物内营巢。湖南各地均有分布。

| 资源情况 | 野生资源丰富。药材来源于野生。

| 采收加工 | 同"家燕"。

| 功能主治 | 同"家燕"。

| 用法用量 | 同"家燕"。

燕科 Hirundinidae 沙燕属 Riparia

灰沙燕 *Riparia riparia* (Linnaeus)

| 药 材 名 | 燕窠土（药用部位：巢泥）。

| 形态特征 | 体型最小的一种燕，体长约 13 cm。虹膜深褐色，嘴黑褐色，趾灰褐色，爪褐色。上体暗灰褐色，眼先黑褐色。额羽有灰褐色边缘，腰及尾上覆羽色淡且具灰白羽缘；两翅内侧飞羽和覆羽与背同色，外侧飞羽和覆羽黑褐色；尾羽黑褐色带棕色。颏、喉至颈侧灰白色，有完整的灰褐色横胸带。腹及尾下覆羽灰白色，腋羽灰褐色。

| 分布情况 | 栖息于湖泊、池沼和江河的泥质沙滩或附近的土崖上。湖南有分布。

| 资源情况 | 野生资源稀少。药材来源于野生。

| 采收加工 | 随用随取。

| 功能主治 | 清热解毒。用于湿疹，恶疮，丹毒等。

| 用法用量 | 外用适量。

椋鸟科 Sturnidae 八哥属 Acridotheres

八哥 *Acridotheres cristatellus* (Linnaeus)

药 材 名	鸲鹆（药用部位：全体）。
形态特征	通体几乎纯黑色，体长约 25 cm。头部具有明显的金属光泽，额羽如冠。两翼有明显的白斑，飞翔时呈"八"字形；尾羽黑色，除中央尾羽外，其他各羽均具白色羽端。下体灰黑色，嘴乳黄色，跗跖黄色。
分布情况	常见于田园附近，有时栖息于水牛背或屋脊上。湖南各地均有分布。
资源情况	野生资源丰富。药材来源于野生。
采收加工	全年均可捕捉，捕后处死，除去羽毛及内脏。
功能主治	下气，止血。用于久嗽，气逆，痔疮出血等。
用法用量	内服适量，炙干研末作丸、散；或煮羹。

椋鸟科 Sturnidae 椋鸟属 Sturnus

灰椋鸟
Sturnus cineraceus (Temminck)

药 材 名	灰札子（药用部位：全体）。
形态特征	全体灰褐色。头部大部分灰黑色，两侧白色，尾白色，嘴和脚均为棕红色。雄鸟头部黑色明显，头侧白色且有黑纹，头顶具铜绿色光泽，并有 1 ～ 2 白纹，尾上覆羽有 1 白斑。雌鸟与雄鸟相似。
分布情况	常见于开阔的林缘及山野荒地，喜群居，营巢于树洞中。 湖南有分布。
资源情况	野生资源稀少。药材来源于野生。
采收加工	全年均可捕捉，捕后除去内脏和羽毛，烧黑。
功能主治	收敛固涩，益气养阴。用于赤白带下，早泄，阳痿，遗精，虚劳发热。
用法用量	5 ～ 10 g。

鸦科 Corvidae 鹊属 Pica

喜鹊 *Pica pica* (Linnaeus)

药 材 名	鹊（药用部位：肉）。
形态特征	全长 412 ~ 508 mm。两肩各具 1 白斑，腹部白色，身体余部均为黑色。飞时拖展一长而呈楔形的尾巴。体羽黑白色，第 1 初级飞羽形状特殊；尾很长，楔形；嘴、脚均为黑色。头、颈、背及尾上覆羽均为黑色，后头和后颈微具紫色光，背部略带蓝绿色；腰灰白相间；颏、喉黑色，羽干灰白色；胸、肛周及尾下覆羽均为黑色；两胁和腹部纯白色，腋羽、覆腿羽为黑色；初级飞羽内翈大部分纯白色，外翈及先端黑色而具蓝绿色光泽，次级和三级飞羽黑色，内翈边缘具蓝色和蓝绿色亮泽；翼上覆羽与内侧飞羽同色；尾羽黑色而具深绿色亮泽，末端有红紫色和深蓝绿色宽带。虹膜黑色；嘴、脚及爪均为黑色。
分布情况	常栖息于山脚、林缘、村庄或城市附近的大树上，有时亦在农田及山涧的小树林边活动，觅食后多停留在树枝、石碑、电线杆及田埂上。湘南地区在 2 月初可见其筑巢，巢多筑于高大的乔木上，尤喜筑于村庄的大树上。湖南各地均有分布。
资源情况	野生资源丰富。药材来源于野生。
采收加工	全年均可捕捉，捕后处死，除去羽毛及内脏，鲜用或烘干。
功能主治	甘，寒。清热，补虚，散结，通淋，止渴。用于虚劳发热，胸膈痰结，石淋，消渴，鼻衄。
用法用量	内服煮食，1 只。外用适量，捣敷。

鸦科 Corvidae 鸦属 Corvus

大嘴乌鸦 *Corvus macrorhynchos* (Wagler)

| 药 材 名 | 乌鸦肉（药用部位：肉及全体、头及脑、胆汁、翅羽）。

| 形态特征 | 全长约 50 cm。通体黑色，翅和尾有明显的蓝紫色金属光泽，上体余部具绿蓝色金属光泽；后颈羽柔软，松散如发而羽干不明显；下体几乎无光泽，腹部羽色更暗。

| 分布情况 | 栖息于平原、丘陵及山区。湖南各地均有分布。

| 资源情况 | 野生资源丰富。药材来源于野生。

| 采收加工 | 全年均可捕捉，捕后无痛处死，除去内脏，鲜用或晒干；或取羽毛，或取脑鲜用；剖腹取胆后鲜用。

| 功能主治 | 肉及全体，祛风定痫，滋阴止血。用于头风眩晕，小儿风痫，肺痨咳嗽，吐血。头及脑，清肺，解毒，凉血。用于肺热咳喘，瘘疮。胆汁，解毒，明目。用于风眼赤烂，腹痛。翅羽，活血祛瘀。用于跌打瘀血，破伤风，痘疮倒陷。

| 用法用量 | 肉及全体，内服煎汤，1 只；或焙研，入丸、散剂。外用适量，煅灰研末，调敷。头及脑，内服适量，煎汤。外用适量，烧存性，研末调敷。胆汁，外用适量，点眼。翅羽，内服烧存性研末，入丸、散剂。外用适量，焙研调敷。

鸦科 Corvidae 鸦属 Corvus

秃鼻乌鸦 Corvus frugilegus (Linnaeus)

| **药 材 名** | 乌鸦肉（药用部位：肉）。 |

| **形态特征** | 体长约 440 mm，体重约 400 g。成体嘴基裸露，为灰白色，通体黑亮，具紫色金属光泽。嘴、脚、爪均为黑色。 |

| **分布情况** | 栖息于平原的耕地、草滩、粪场、路旁等，结群营巢。湖南各地均有分布。 |

| **资源情况** | 野生资源丰富。药材来源于野生。 |

| **采收加工** | 全年均可捕捉，捕后除去毛及内脏，取肉，鲜用。 |

| **功能主治** | 祛风定痛，滋养补虚，止血。用于肺结核咳嗽，头风，头晕目眩，小儿风痫等。 |

| **用法用量** | 内服炖汤，200 ~ 400 g。 |

鸦科 Corvidae 鸦属 Corvus

寒鸦
Corvus monedula (Linnaeus)

| **药 材 名** | 慈乌肉（药用部位：除去羽毛及内脏的全体）。 |

| **形态特征** | 体长约 30 cm。除后颈、颈侧、上背及胸腹部为苍白色外，其余各部均为黑色；头顶、后头以及翅上的内侧覆羽和飞羽均具紫色亮辉，余羽均具蓝绿色光泽。耳羽和头侧杂以白色细纹。胸羽呈锥针形。嘴粗壮，虹膜暗褐色，嘴、跗跖、趾和爪均为黑色。另有一种黑色寒鸦，除头侧有白纹外，其余部位均为黑色。 |

| **分布情况** | 栖息于山区及平原的田野间，夏季多见于山上，冬季多见于平原。湖南各地均有分布。 |

| **资源情况** | 野生资源丰富。药材来源于野生。 |

| **采收加工** | 全年均可捕捉，捕后除去羽毛及内脏，鲜用或焙干。 |

| **功能主治** | 滋养补虚。用于虚劳咳嗽，骨蒸烦热，体弱消瘦。 |

| **用法用量** | 内服适量，煮食。 |

河乌科 Cinclidae 河乌属 Cinclus

褐河乌 *Cinclus pallasii* (Temminck)

| 药 材 名 | 河乌（药用部位：除去羽毛及内脏的全体）。

| 形态特征 | 体比麻雀大，雌、雄相似。通体呈咖啡褐色或黑褐色，腹部中央和尾下覆羽稍黑，背羽及尾上覆羽均具棕色边缘，飞羽黑褐色，外翈具咖啡褐色狭边，尾羽黑褐色，眼圈白色，嘴、脚亦呈黑褐色。

| 分布情况 | 生活于山区的小溪、河流附近，潜水性很好，能在水底步行。湖南有分布。

| 资源情况 | 野生资源稀少。药材来源于野生。

| **采收加工** | 全年均可捕捉，捕后除去羽毛及内脏，鲜用。

| **功能主治** | 清热解毒，消肿散结。用于淋巴结炎。

| **用法用量** | 外用适量，捣敷。

鹪鹩科 Troglodytidae 鹪鹩属 Troglodytes

鹪鹩
Troglodytes troglodytes (Linnaeus)

| **药 材 名** | 鹪鹩（药用部位：除去内脏的全体）。 |

| **形态特征** | 全体赤褐色，满布黑色横斑。头部有一条狭窄的黄白色眉纹。由头、背、腰至尾，羽色变化很大。腹和两胁同为乳白色，有较深的黑黄褐色横斑。上嘴暗褐色，下嘴色淡；跗跖及趾暗褐色。 |

| **分布情况** | 夏季生活于高山上的茂密灌丛或丛林中，冬季则移居平原或丘陵的矮树丛中。湖南各地均有分布。 |

| **资源情况** | 野生资源丰富。药材来源于野生。 |

| **采收加工** | 全年均可捕捉，捕后处死，除去内脏，鲜用。 |

| **功能主治** | 补脾，益肺，滋肾。用于脾虚作泻，肺虚喘嗽等。 |

| **用法用量** | 内服烧存性研末，5～10 g；或煮食，3～5只。 |

鹟科 Muscicapidae 鹊鸲属 Copsychus

鹊鸲 *Copsychus saularis* (Linnaeus)

| 动物别名 | 屎坑鸲。

| 药 材 名 | 鹊鸲（药用部位：除去羽毛及内脏的全体）。

| 形态特征 | 雄鸟上体自额至尾上覆羽均为金属蓝黑色，中央2对尾羽黑似漆，外侧尾羽纯白色，而内缘除先端外，其余部位均为黑色。两翅大部分为黑褐色，其中部纵贯以1宽阔白斑。额至胸为蓝黑色，胸以下纯白色，两胁略带灰色，腋羽和翼下覆羽白色并有灰褐色斑。雌鸟上体呈黑灰色，背部稍带蓝彩，但无雄鸟的金属闪亮，翅和尾几与雄鸟同，但色较苍淡。头侧、喉、胸均为暗灰色，眼先和颊的羽端带白色；腹白、两胁和尾下覆羽转为棕色。虹膜褐色，嘴黑色，脚黑褐色（雄鸟）或铅褐色（雌鸟）。

| **分布情况** | 栖息于有些树木的园圃或住宅附近。湖南有分布。

| **资源情况** | 野生资源稀少。药材来源于野生。

| **采收加工** | 全年均可捕捉，捕后除去羽毛及内脏，晒干或烘干。

| **功能主治** | 健脾胃，消食积，生气血，强筋骨。用于疳积，劳伤乏力。

| **用法用量** | 内服入散剂，1～2只。

雀科 Passeridae 麻雀属 Passer

麻雀 *Passer montanus* subsp. *saturatus* (Brisson)

| 药 材 名 | 白丁香（药用部位：粪便。别名：麻雀屎）。

| 形态特征 | 陆生鸟类。头侧和喉上各具 1 黑斑。额、头顶和后颈为暗肝褐色。嘴黑色，脚和趾均为黄褐色。胸、腹为淡灰白色，两胁为淡黄褐色。

| 分布情况 | 栖息于平原和丘陵。湖南各地均有分布。

| 资源情况 | 野生资源丰富。药材来源于野生。

| 采收加工 | 全年均可采收，除去泥土等杂质，晒干。

| 药材性状 | 本品呈圆柱形，两端钝圆，有时稍弯曲，长 5 ~ 8 mm，直径 1 ~ 2 mm。表面灰白色或灰棕色。质稍硬，易折断，断面棕色，颗粒状。

气微腥、臭。

| **功能主治** | 化积，消翳。用于疝瘕，癥癖，目翳，胬肉，龋齿。

| **用法用量** | 内服入丸、散剂，3～6 g。外用适量，研末调敷或和乳汁点眼。

雀科 Passeridae 鹀属 Emberiza

黄胸鹀
Emberiza aureola (Pallas)

药材名	禾花雀（药用部位：除去羽毛及内脏的全体）。
形态特征	体较麻雀略大。雄鸟额基、头侧及颏均为黑色。上体自头顶至腰均为红栗褐色。两翼各有 1 白斑。胸部贯以 1 项圈状栗褐色带，下体余部鲜黄色，向后色渐淡，尾下覆羽几为白色。两胁有棕黑色纵纹。雌鸟头和背均为暗褐色，腹部淡黄色。上嘴黑色，下嘴乳白色。脚暗棕色。
分布情况	栖息于草原或森林草原的草丛间。湖南有分布。
资源情况	野生资源稀少。药材来源于养殖。
采收加工	全年均可捕捉，捕后除去羽毛及内脏，在炭火上烤干，防止焦黑。
功能主治	滋补强壮，祛风湿，通经络，壮筋骨。用于年老体衰，肢体乏力，头晕目眩，风湿关节疼痛。
用法用量	内服煮食，1 只；或焙干研末；或浸酒，1 ~ 2 盅。
附注	在《湖南省国家重点保护野生动物名录》中本种被列为国家一级重点保护野生动物。

猬科 Erinaceidae 猬属 *Erinaceus*

刺猬
Erinaceus europaeus (Linnaeus)

药 材 名	刺猬皮（药用部位：皮。别名：猬皮、仙人衣、刺团）、猬肉（药用部位：肌肉）、猬脂（药材来源：脂肪所炼的油）、猬脑（药用部位：脑髓）、猬心肝（药用部位：心脏、肝脏）。
形态特征	体肥而短，体长16～27 cm，体重400～900 g。头宽而吻尖，嘴尖而长，眼小，耳短，脸部深褐色。四肢短小，爪较发达，尾短。体背和体侧满布棘刺，刺粗而硬，全身的尖刺颜色变异较大，一种为纯白色，为数较少，另一种为基部白色或土黄色，中间棕色或黑褐色，尖端又为白色，整个体背呈土棕色。头、腹面及四肢有细而硬的白毛。4足浅褐色，尾上有白毛。前、后足均具5趾，少数种类前足具4趾。齿36～44，均具尖锐齿尖，适于食虫。受惊时全身棘刺竖立，卷成刺球状，头和4足均不可见。
分布情况	栖息于山地森林、草原、开垦地及荒地、灌丛或草丛。湖南各地均有分布。
资源情况	野生资源丰富。药材来源于野生。
采收加工	**刺猬皮：** 多在春、秋季捕捉，捕后处死，剥取皮，刺毛向内，除去油脂、残肉等，用竹片撑开，悬挂于通风处，阴干。 **猬肉：** 全年均可捕捉，捕后处死，剥去皮，取肉，鲜用。 **猬脂：** 全年均可捕捉，捕后处死，取脂肪，熬炼成油。 **猬脑：** 全年均可捕捉，捕后处死，取脑髓，鲜用。 **猬心肝：** 全年均可捕捉，处死后剖腹，取出心脏和肝脏，鲜用或晒干。
药材性状	**刺猬皮：** 本品呈多角形板刷状或直条状，有的边缘卷曲，呈筒状或盘状，长3～4 cm。外表面密生棘刺，刺长1.5～2 cm，坚硬如针，灰白色、黄色或灰褐色，腹部皮上有灰褐色软毛；皮内表面灰白色

或棕褐色，留有筋肉残痕。具特殊腥臭气。气微，味苦、甘。

猬脂：本品为黏稠液体，冬季呈稠膏状，淡棕色。气微，味淡。

| 功能主治 | **刺猬皮：**苦、涩，平。归胃、大肠、肾经。化瘀止痛，收敛止血，涩精缩尿。用于胃脘疼痛，反胃吐食，便血，肠风下血，痔漏，脱肛，遗精，遗尿。

猬肉：甘，平。归胃经。降逆和胃，生肌敛疮。用于反胃，胃痛，食少，痔漏。

猬脂：甘，平。归大肠经。止血，杀虫。用于肠风便血，白秃疮，疥癣，耳聋。

猬脑：甘，平。归肝经。消肿化脓。用于痔漏。

猬心肝：甘，平。归心、肝经。解毒疗疮。用于瘰疬，恶疮，诸漏。

| 用法用量 | **刺猬皮：**内服煎汤，3 ～ 10 g；或研末，1.5 ～ 3 g；或入丸剂。外用适量，研末调敷。

猬肉：内服炙食或煮食，0.5 ～ 1 只。

猬脂：外用适量，滴耳；或涂敷。

猬脑：内服适量，研末。

猬心肝：内服烧灰酒送下，3 g。

蝙蝠科 Vespertilionidae 蝙蝠属 Vespertilio

东方蝙蝠 *Vespertilio sinensis* (Peters)

| 药 材 名 | 蝙蝠（药用部位：除去毛、爪和内脏的全体。别名：伏翼、天鼠）、夜明砂（药用部位：粪便。别名：天鼠屎、鼠法、石肝）。 |

形态特征 体中等，前臂长 46 ~ 56 mm。鼻部正常，无鼻叶和其他衍生物。耳短而宽，略呈三角形，前缘与口裂几乎垂直，上缘向后先平再向后斜。耳孔前方具一耳屏，耳屏短而尖端圆钝。无眶后突，只有前颌骨的上支。吻部在鼻孔与泪骨间有明显的凹陷，前颌骨前端中央有明显的凹陷，颌部凹入向两边伸展，其宽甚大于深。枕部高，其高度大于颅全长的 1/3。具尖锐的齿尖。齿 32。后足长等于胫长之半。翼膜从趾基稍靠掌端起有很狭的距缘膜。股间膜上的毛由躯体后部分布至两胫骨前 1/3 段的连接线处。后足长等于胫长之半。腭褶 8 ~ 9 行，乳头 1 对。通体毛基均为黑褐色，躯体背面毛尖灰白色。

分布情况 生于山麓河谷、建筑物隐蔽场所等。湖南各地均有分布。

资源情况 野生资源丰富。药材来源于野生。

采收加工 蝙蝠：捕杀后除去毛、爪和内脏，风干或晒干。
夜明砂：全年均可采收，以夏季采收为宜，除去泥土等杂质，晒干。

药材性状 蝙蝠：本品前臂长 46 ~ 54 mm，颅基长约 18 mm。耳短而宽，耳屏亦短，其尖端较圆钝。眼极细小。鼻正常，无鼻叶和其他衍生物。前肢特化，指骨延长。由指骨末端向上至膊骨、向后至躯体两侧后肢及尾间生有一层薄翼膜，膜上无毛，可见血管。胸骨具龙骨突。尾发达，向后延伸至股间膜的后缘。躯体背部毛呈灰棕色，具有花白细点；腹面浅棕色。雌性腹部有乳头 1 对。气微，味咸。
夜明砂：本品长椭圆形，两端微尖，长 5 ~ 7 mm，直径约 2 mm。表面略粗糙，棕褐色或灰棕色。破碎者呈小颗粒状或粉末状。放大镜下观察可见棕色或黄棕色、有光泽的昆虫头、眼及破碎的翅膜。气微，味微苦、微辛。

| 功能主治 | **蝙蝠：**咸，平。归肝经。止咳平喘，利水通淋，平肝明目，解毒。用于咳嗽，喘息，淋证，带下，目昏，目翳，瘰疬。

夜明砂：辛，寒。归肝经。清肝明目，散瘀消积。用于青盲，雀目，目赤肿痛，白睛溢血，内外翳障，疳积，瘰疬，疟疾。

| 用法用量 | **蝙蝠：**内服入丸、散剂，1～3 g。外用适量，研末撒或调敷。

夜明砂：内服煎汤，3～10 g，包煎；或研末，1～3 g。外用适量，研末调涂。

蝙蝠科 Vespertilionidae 山蝠属 Nytalus

山蝠 *Nytalus noctula* (Schreber)

药 材 名	蝙蝠（药用部位：除去毛、爪和内脏的全体。别名：褐山蝠、盐老鼠）、夜明砂（药用部位：粪便。别名：天鼠屎、蝙蝠粪、盐老鼠屎）。
形态特征	体中等，体长 6.8 ~ 7.6 cm，棕褐色。耳短而宽。全体发毛紧密，背毛棕褐色，覆毛沿体侧伸展至前臂以下翼膜。前臂长 4.5 ~ 5.3 cm；第 5 指骨极短，全指长约等于第 3 或第 4 指的掌骨长。门齿明显较内门齿齿缘高。尾长 4.6 ~ 5.2 cm，不突出于股间膜之外。
分布情况	栖息于屋檐、房梁、石壁、岩洞或树洞中。湖南各地均有分布。
资源情况	野生资源丰富。药材来源于野生。
采收加工	同"东方蝙蝠"。
功能主治	同"东方蝙蝠"。
用法用量	同"东方蝙蝠"。

蝙蝠科 Vespertilionidae 伏翼属 Pipistrellus

普通伏翼蝠 *Pipistrellus abramus* (Temminck)

| 药 材 名 | 蝙蝠（药用部位：除去毛、爪和内脏的全体。别名：伏翼、天鼠）、夜明砂（药用部位：粪便。别名：天鼠屎、蝙蝠粪、盐老鼠屎）。 |

| 形态特征 | 体小。头宽而短。吻鼻部中央向两侧鼓凸。鼻窦深，末端尖，深约2 mm，深度不及吻鼻端至眶间最狭处距离的1/2。鼻骨中后端略塌陷。额骨稍隆起。颧弓细弱。直嵴不明显，人字嵴较明显。腭骨短而宽，中央圆凹，后缘几平直，超出最后上臼齿后缘连线，但不达颧弓中部。听泡不发达，左、右间距约2 mm；耳廓较小，略呈三角形；耳屏狭长，长度超过耳廓长度的一半，前端不尖锐。上颌门齿2，约等大，具后附小尖。齿34。前臂长32～35 mm，翼膜较宽长，薄且透明；拇指短，第3、第4、第5指掌骨几乎等长。跗趾长不超过胫骨长的一半。体毛密且柔软，背毛灰褐色，腹毛灰白色，毛基黑灰色，毛尖污白色。股间膜尾基两侧亦具毛，色同背。爪灰白色。 |

| 分布情况 | 栖息于屋檐、房梁、石壁、岩洞或树洞中。湖南各地均有分布。 |

| 资源情况 | 野生资源丰富。药材来源于野生。 |

| 采收加工 | 同"东方蝙蝠"。 |

| 药材性状 | **蝙蝠**：本品体小。头骨小而宽。耳小，略呈三角形，向前折转可达眼与鼻孔之间；耳屏小而圆钝，内缘凹，外缘突出。足细小；翼膜从趾基起，距缘膜发达且呈圆弧形。尾最末端伸出股间膜。头部色较深，背面暗棕色，腹面色较浅，毛基深棕色而毛端灰棕色。
夜明砂：同"东方蝙蝠"。 |

| 功能主治 | 同"东方蝙蝠"。 |

| 用法用量 | 同"东方蝙蝠"。 |

蹄蝠科 Hipposideridae 蹄蝠属 *Hipposideros*

大马蹄蝠 *Hipposideros armiger* (Hodgson)

| 药 材 名 | 蝙蝠（药用部位：除去毛、爪和内脏的全体。别名：伏翼、天鼠）、夜明砂（药用部位：粪便。别名：天鼠屎、蝙蝠粪、盐老鼠屎）。 |

| 形态特征 | 体甚大。前臂长 83 ~ 98 mm，第 3 掌骨与第 4 掌骨几等长。前鼻叶没有中央缺，鼻间隔不高隆；后鼻叶窄于前鼻叶，三叶状，由明显的中央隔支持；额腺囊位于后鼻叶基后部中央，两侧至眼内眦后有加厚的皮叶，其后有黑色长毛；额腺囊口有成束笔状黑色长毛伸出；鼻叶和皮叶均为黑褐色。耳大而尖，后缘内凹。颅全长 31 ~ 33 mm。直脊明显。鼻额区宽大成微凸的平面，两侧眶上嵴虽不隆起但棱角清晰。吻部较宽，但眶间很窄。耳蜗小，其宽小于左、右耳蜗间宽。毛长而细密，体色变化大，有肩斑。腹灰褐色。 |

| 分布情况 | 生活于洞穴等。湖南各地均有分布。 |

| 资源情况 | 野生资源丰富。药材来源于野生。 |

| 采收加工 | 同"东方蝙蝠"。 |

| 药材性状 | **蝙蝠**：本品体较大，体长 9.2 ~ 10.5 cm。前臂长 8.9 ~ 9.7 cm。有复杂的鼻叶，由 4 部分组成：最下方为大而宽的马蹄形叶（前叶），前叶两外侧各有 4 个副小叶；前叶之后为横棍形的鞍状叶；其后顶叶，顶叶显著窄于前叶且分裂成 4 个小块。耳大，三角形，耳尖尖削，无耳屏，但有一不太突出的前外叶。额部有一很大的腺囊。第 2 指仅有 1 节掌骨，第 3、第 4、第 5 指有掌骨及 2 节指骨。第 3、第 4 掌骨等长，第 5 掌骨短。有距。尾甚长，长超过体长之半，股间膜后缘呈钝角向后突出。毛被细而稠密。上体深棕色、棕褐色或褐黑色，毛基褐灰色或灰白色。下体深棕色或褐棕色，翼膜和股间膜黑褐色。气微，味咸。 |

夜明砂：同"东方蝙蝠"。

| 功能主治 | 同"东方蝙蝠"。

| 用法用量 | 同"东方蝙蝠"。

菊头蝠科 Rhinolophidae 菊头蝠属 Rhinolophus

中菊头蝠 *Rhinolophus affinis* (Himalayanus)

| 药 材 名 | 蝙蝠（药用部位：除去毛、爪和内脏的全体。别名：伏翼、天鼠）、夜明砂（药用部位：粪便。别名：天鼠屎、蝙蝠粪、盐老鼠屎）。 |

形态特征 体中等。前臂平均长 51 mm。尾长小于头体长的一半。第 3、第 4 和第 5 掌骨近等长；第 3 指第 2 节特别长，其长度大于第 3 指第 1 节长度的 150%。颅骨眶间最窄。鼻隆成球形，后鼻凹三角明显，腭桥最短。蹄状叶较宽阔，两侧各有 1 附小叶，鞍状叶中央两侧内凹，连接叶低而圆，顶叶近等边三角形。上颌门齿齿尖具双尖，下颌第 1 门齿稍大于第 2 门齿，齿 32。背深暗褐色，腹色淡，偏肉桂色，喉部色更淡。

分布情况 栖息于屋檐、房梁、石壁、岩洞或树洞中。湖南各地均有分布。

资源情况 野生资源较少。药材来源于野生。

采收加工 同"东方蝙蝠"。

药材性状 **蝙蝠：** 本品前臂长 5.5 ～ 6 cm，颅长 2.3 ～ 2.5 cm。吻部有复杂的叶状突起，即鼻叶。鼻叶两侧及下方有一较宽的马蹄形肉叶，其中央有一向前凸起的鞍状叶，鞍状叶正面呈提琴状，侧面中央略凹，后面有一连接叶衬插着，连接叶呈宽圆形，与一顶叶相连。耳大，略宽阔，耳尖稍尖，不具耳屏。全身被细密而柔软的毛，背毛淡棕褐色，毛基色淡，呈浅棕灰色，毛尖呈棕色，腹毛灰棕色。气微，味咸。

夜明砂： 同"东方蝙蝠"。

功能主治 同"东方蝙蝠"。

用法用量 同"东方蝙蝠"。

猫科 Felidae 猫属 *Felis*

家猫 *Felis ocreata domestica* (Brisson)

| 药 材 名 | 猫肉（药用部位：肉。别名：猫狸、家狸、乌圆）、猫皮毛（药用部位：皮毛）、猫油（药材来源：脂肪所炼的油）、猫头骨（药用部位：头或头骨）、猫肝（药用部位：肝脏）。 |

| 形态特征 | 体长约为 50 cm，体重 2 ~ 3 kg。头圆吻短。上唇中央 2 裂，口周列生 20 ~ 30 刚毛。耳竖立，多呈三角形。眼较圆，瞳孔于阳光下缩成线状，在黑暗处扩大成圆形。趾端具锐利而弯曲的爪，爪能伸缩。尾较长，但短于体长。全身被软毛，毛色泽不一，有白色、黑色、黄色、灰色或双色、三色相杂者。全身具横纹。 |

| 分布情况 | 湖南各地均有养殖。 |

| 资源情况 | 养殖资源丰富。药材来源于养殖。 |

| 采收加工 | 猫肉：全年均可捕杀，取肉，鲜用。
猫皮毛：冬季捕捉，处死后剥取皮毛，晾干。
猫油：捕捉后处死，剥皮后剖腹，取出脂肪，置锅内小火炼制，取出油，冷却。
猫头骨：全年均可捕杀，取头或头骨，晒干。
猫肝：全年均可捕杀，剥皮后剖腹，取出肝脏，洗净，切块，鲜用或晒干。

| 药材性状 | 猫肝：本品前3叶紧靠，右起第1叶最长，其长度超过两侧叶。胆囊在右起第1、第2叶间有方形孔外露。左、右两侧叶不对称，左侧叶较长大，下面有一明显的缺裂。后面尾状叶较短，先端较钝，犁状叶凹窝较浅。气微，味甘、苦。

| 功能主治 | 猫肉：甘、酸，温。归肝、脾经。补虚劳，祛风湿，解毒散结。用于虚劳体瘦，风湿痹痛，瘰疬恶疮，溃疡，烫火伤。
猫皮毛：涩，平。归肺、肝经。消肿解毒，生肌敛疮。用于瘰疬，疮疡。
猫油：甘、微咸，平。归肺经。解毒生肌。用于烫火伤。
猫头骨：甘，温。消痰定喘，散结解毒。用于痰喘，心腹疼痛，牙疳，瘰疬，痈疽，痔疮。
猫肝：甘、苦，平。归肺、肝经。杀虫，补虚。用于瘰痨，咳喘。

| 用法用量 | 猫肉：内服煎汤，125～250 g；或浸酒。外用适量，烧灰研末敷。
猫皮毛：外用适量，烧灰研末调敷。
猫油：外用适量，涂擦。
猫头骨：内服烧灰研末，6～9 g。外用适量，烧灰研末调敷。
猫肝：内服适量，煮食；或干品研末酒调，9～12 g。

猫科 Felidae 豹属 Panthera

豹 *Panthera pardus* (Linnaeus)

| 药 材 名 | 豹骨（药用部位：骨骼。别名：金钱豹、文豹）、豹肉（药用部位：肉）。 |

| 形态特征 | 形似虎，比虎小。体长 1 ~ 1.5 m，体重达 50 kg。体格强健，四肢粗壮，前肢较后肢略宽大，前足 5 趾，后足 4 趾，跖行性，趾端具锐利而弯曲的硬爪，能伸缩。头圆耳短。夏毛棕黄色，冬毛黄色，背部毛色较深。头面部具小而密的黑斑，黑斑延伸至颈部及体背，于体背及体侧形成黑环圈，形如钱，故称"金钱豹"。颈下、胸部、腹部、四肢内侧均为白色，黑斑稀少，四肢外侧具黑褐色斑点。尾上亦有大小不等的黑斑，尾尖黑色。 |

| 分布情况 | 栖息于山区森林及丘陵地带。湘西、湘南有分布。 |

| 资源情况 | 野生资源稀少。药材来源于养殖。 |

| 采收加工 | **豹骨**：宰杀后剥皮，剖腹，取骨骼，晒干。
豹肉：宰杀后剥皮，剖腹，取肉，鲜用或置通风处晾干。 |

| 药材性状 | **豹骨**：本品头骨呈长圆形，骨质稍薄，额骨凸起，吻部较长，顶骨无槽。上腭骨有门齿 3 对，下腭骨有门齿 3 对；犬齿垂直。脊椎共有 24 节，尾椎较长，约有 36 节。肋骨每边有 13，圆形。前肢尺骨内侧窝呈条形，膝盖骨呈椭圆形，前端厚，后端薄；帮骨较粗大。足掌较瘦，有灰黄色且杂有黑色圆环的皮毛，趾爪内弯。长骨呈呆滞白色，干枯，断面白色，骨腔约占骨直径的 1/2，骨腔内网状骨髓较少，色泽较浅。气微，味辛、咸。 |

| 功能主治 | **豹骨**：辛、咸，温。归肝、肾、脾经。祛风湿，强筋骨，镇惊安神。用于风寒湿痹，筋骨疼痛，四肢拘挛麻木，腰膝酸软，小儿惊风抽搐。 |

豹肉：甘、酸，温。归肝、肾、胆经。补五脏，益气血，强筋骨。用于气虚体弱，筋骨痿软，胆怯神衰。

| 用法用量 | 豹骨：内服煎汤，9～15 g；或烧灰研末冲，每次 3 g，每日 3 次；或浸酒；或入丸、散剂。外用适量，烧灰淋洗。
豹肉：内服适量，煮食。

| 附　　注 | 在《湖南省地方重点保护野生动物名录》中本种被列为国家一级重点保护野生动物。

猫科 Felidae 豹猫属 Prionailurus

豹猫 *Prionailurus bengalensis* (Kerr)

| 药 材 名 | 狸肉（药用部位：肉）、狸骨（药用部位：骨骼）、狸阴茎（药用部位：阴茎）。

| 形态特征 | 外形似家猫。体长 40 ～ 65 cm，体重 2 ～ 3 kg，尾长超过体长的一半。头圆吻短。眼睛大而圆，瞳孔直立。耳小。尾粗长，长20 ～ 40 cm。体背为浅黄色或灰黄色。从头至肩、背部有明显的 4棕黑色纵纹，中间有 2 纵纹至尾基部。两眼内侧向上至额后有 1 白纹。耳背黑色，有一明显的白斑。全身背面体毛为棕黄色或淡棕黄色，满布不规则黑斑。胸腹部及四肢内侧均为白色，肩及体侧均有棕黑色斑点，腰和臀部的斑点较小，四肢下侧也有小黑斑。尾较粗，有黑斑和半环，尾背有褐斑或半环，尾尖端棕色或黑色。

| 分布情况 | 栖息于丘陵多树丛之处、荒野灌丛中。湘西、湘南有分布。

| 资源情况 | 野生资源稀少。

| 采收加工 | **狸肉**：全年均可猎捕，捕获后处死，取肉，鲜用或晒干。
狸骨：全年均可猎捕，宰杀后剥皮，剖腹，剔出骨骼，阴干。
狸阴茎：全年均可猎捕雄畜，捕获后处死，割取阴茎，晾干或烘干。

| 药材性状 | **狸骨**：本品似豹骨而短小。全架骨重约 0.7 kg，类白色或淡黄色，略显油润。气腥，味甘、辛。

| 功能主治 | **狸肉**：甘，平。益气养血，祛风止血，解毒散结。用于气血虚弱，皮肤游风，肠风下血，脱肛，痔漏，瘰疬。
狸骨：辛、甘，温。归肝、肾、心经。祛风湿，开郁结，解毒杀虫。用于风湿痹痛，心腹刺痛，噎膈，疳疾，瘰疬，肠风下血，痔漏，恶疮。
狸阴茎：活血止痛。用于闭经，男子阴颓。

| 用法用量 | 狸肉：内服煅存性研末，入散剂，6 ~ 12 g。
狸骨：内服研末冲，15 ~ 30 g；或入丸、散剂；或浸酒。外用适量，烧灰敷。
狸阴茎：内服、外用适量。

| 附　　注 | 在《湖南省国家重点保护野生动物名录》中本种被列为国家二级重点保护野生动物。

猫科 Felidae 云豹属 Neofelis

云豹 *Neofelis nebulosa* (Griffith)

药 材 名	豹骨（药用部位：骨骼。别名：乌云豹、龟纹豹、艾豹）、豹肉（药用部位：肉）。
形态特征	体小。体长 75 ~ 110 cm，尾长 70 ~ 92 cm，体重 15 ~ 20 kg。四肢较短，尾长超过体长之半。背毛灰黄色或黄色，具不规则的块状黑斑纹，斑纹宛如云朵，故称"云豹"。颈部有密集的小黑斑点。眼周有不完整的黑环，眼后有一明显的纵行黑纹，颈背有 4 黑纹，中间 2 黑纹止于肩部，外侧 2 黑纹粗，延伸至尾基部。四肢黄色，具长形黑斑。尾色同背部，尾末端有数个不完整的黑环。
分布情况	栖息于山区森林及丘陵地带。湘西、湘南有分布。
资源情况	野生资源稀少。药材来源于养殖。
采收加工	**豹骨：**宰杀后剥皮，剖腹，剔取全身骨骼，晒干。 **豹肉：**宰杀后剥皮，剖腹，取肉，鲜用或置通风处晾干。
功能主治	同"豹"。
用法用量	同"豹"。
附 注	在《湖南省国家重点保护野生动物名录》中本种被列为国家一级重点保护野生动物。

灵猫科 Viverridae 大灵猫属 Viverra

大灵猫 *Viverra zibetha* (Linnaeus)

药 材 名	灵猫香（药用部位：香腺囊中的分泌物。别名：灵猫阴）、灵猫肉（药用部位：肉）。
形态特征	体细长，比家猫大，与家犬相似，体长60～80 cm，最长可达100 cm。体重6～10 kg。头略尖，耳小，额部较宽阔，吻部稍突，四肢较短，黑褐色，前足第3、第4趾有由皮瓣构成的爪。尾长超过体长之半。雌、雄体的肛门与外生殖器间均有发达的外分泌腺（香腺囊），腺口有一突出、可起闭的片状薄瓣。尾具5～6黑白相间的色环，末端黑色。背中央至尾基有一由粗硬鬃毛组成的黑色纵纹。颈侧和喉部有3显著的波状黑领纹，其间有白色宽纹。体毛棕灰色，有黑褐色斑纹。口唇灰白色，额、眼周围有灰白色小麻斑。体毛粗硬，尾毛柔软、致密。
分布情况	生活于丘陵、山地的树林或灌丛中。湖南有饲养。分布于湖南衡阳湖南（常宁）、张家界（桑植）、邵阳（城步）等。
资源情况	野生资源稀少。养殖资源稀少。药材来源于养殖。
采收加工	**灵猫香**：取香有3种方式：一为刮香，即将大灵猫隔离，然后用竹刀将抹在木质上的香膏刮下，每隔2～3天取1次；二为挤香，即将大灵猫引入取香笼中，人工固定，拉起尾巴，紧握后肢，擦洗外阴部，扳开香囊开口，用手捏住香囊后部，轻轻挤压，油质状香膏即可自然泌出；三为割囊取香，即割下已死亡的大灵猫的香囊，阴干或烘干，或将香囊中的香膏挖出，这种香一般称为"死香"。
药材性状	**灵猫香**：本品鲜品为蜂蜜样的稠厚液，白色或黄白色，经久则色泽渐变，由黄色变成褐色，质稠成软膏状。气香似麝香而浊，味苦。

| 功能主治 | **灵猫香**：辛，温。归心、肝经。行气，活血，安神，止痛。用于心腹卒痛，梦寐不安，疝气痛，骨折疼痛。

灵猫肉：甘，温。归胃经。温中，助阳。用于脾胃虚寒，脘腹冷痛，阳痿。

| 用法用量 | **灵猫香**：内服入丸、散剂，0.3 ~ 1 g。外用适量，研末调敷。

灵猫肉：内服煮食，125 ~ 250 g。

| 附　注 | 在《湖南省国家重点保护野生动物名录》中本种被列为国家一级重点保护野生动物。

灵猫科 Viverridae 小灵猫属 Viverricula

小灵猫 *Viverricula indica* (Desmarest)

药 材 名	灵猫香（药用部位：香腺囊中的分泌物。别名：灵猫阴）、灵猫肉（药用部位：肉）。
形态特征	体小于大灵猫，与家猫相近，体长 40~60 cm，体重 2~3 kg。吻部尖而突出，额部狭窄，耳短而圆，眼小而有神。双耳前缘极靠近；前额较窄；尾长一般超过体长的一半。四肢健壮，后肢略长于前肢；足具 5 趾，前足的第 3 趾和第 4 趾没有爪鞘保护，有伸缩性，可从足垫中间裸出。背部无黑色鬣毛带纹。香囊不如大灵猫发达，但可分泌灵猫香。体毛深灰棕色。背中与两侧的 5 棕黑色带纹较明显，体两侧带纹下方具有大小不等的纵列黑斑点。4 足深棕褐色。尾部被毛通常有 6~8 白色与暗褐色相间的环；尾尖灰白色。
分布情况	栖息于多树的山地、灌丛、草丛等。湖南有饲养。分布于湖南衡阳湖南（常宁）、张家界（桑植）、邵阳（城步）等。
资源情况	野生资源稀少。养殖资源稀少。药材来源于养殖。
采收加工	同"大灵猫"。
药材性状	同"大灵猫"。
功能主治	同"大灵猫"。
用法用量	同"大灵猫"。
附 注	在《湖南省国家重点保护野生动物名录》中本种被列为国家一级重点保护野生动物。

犬科 Canidae 犬属 Canis

狗 *Canis familiaris* (Linnaeus)

| 药 材 名 | 狗鞭（药用部位：带睾丸的阴茎。别名：牡狗阴茎、狗精、黄狗肾）、狗毛（药用部位：被毛）、狗肉（药用部位：肉）、狗骨（药用部位：骨骼）、狗血（药用部位：血液）。

| 形态特征 | 体大小和毛色因品种而异。头颅呈圆锥形，鼻脸尖长，鼻吻部较长，鼻道特别长，嗅觉极发达。两眼有瞬膜，眼呈卵圆形，两耳或竖起或垂下。四肢矫健。胸廓呈鸡胸状。腹背径大于左右径。颈椎 7；胸椎 13，肋骨 13 对，前 9 对为真肋，后 4 对为假肋；腰椎 7；尾椎 20～23。脚掌有厚肉垫。两后脚拇趾退化，前肢 5 趾，后肢 4 趾；具爪，但爪不能伸缩。尾呈环形或镰形。

| 分布情况 | 湖南各地均有养殖。

| **资源情况** | 养殖资源丰富。药材来源于养殖。

| **采收加工** | 狗鞭：全年均可捕杀雄狗，以冬季捕杀为佳，捕杀后割下阴茎及睾丸，去净附着的肉和油脂，拉直，晾干或焙干，或拌以石灰晒干。

狗毛：将狗宰杀后取狗毛，洗净，晾干。

狗肉：取健康的狗宰杀后剥皮，取肉，洗净，鲜用。

狗骨：将狗宰杀后剖腹，剔去骨骼上的筋肉，将骨骼挂于通风处晾干，不可暴晒。

狗血：将狗宰杀后取血液，鲜用。

| **药材性状** | 狗鞭：本品阴茎呈直棒状，长约12 cm，直径约2 cm，先端稍尖，表面较光滑，一端具一不规则的纵沟，另一端有输精管连接睾丸。睾丸椭圆形，长3～4 cm，直径2 cm。全体呈淡棕色，外表面光滑，阴茎部分质坚硬，不易折断，有腥臭气。

狗骨：本品头骨近长卵形，多为扁骨，牙齿42；枕骨1块，蝶状。脊柱由50～53椎骨组成。肋骨13对，其中真肋9对，假肋4对，肋骨体窄而厚，弯度很大。胸骨8。肩胛骨长椭圆形，两侧肩胛骨呈"V"字形排列。肱骨为螺旋形扭转的长骨，骨体两侧稍扁。前臂由桡骨和尺骨组成。腕骨7，掌骨5，指骨5列。髂骨1对。股骨呈圆柱形，两髁较粗大，前、后面扁平，上端有球面状股骨头，两髁之间有一滑车面。小腿骨包括胫骨、腓骨和髌骨。后足骨包括跗骨、跖骨和趾骨，跗骨7，排成2列。质坚实，不甚重，白色或微黄白色。断面不平坦，骨腔内网状髓质不明显。骨质显油润。火烧有腥臭味。

| 功能主治 | 狗鞭：咸，温。归肾经。温肾壮阳，补益精髓。用于阳痿，遗精，不育，阴囊湿冷，虚寒带下，腰膝酸软，形体羸弱，产后体虚。

狗毛：辛、咸，平。归心、肝经。截疟，敛疮。用于疟疾，烫火伤。

狗肉：咸、酸，温。归脾、胃、肾经。补脾暖胃，温肾壮阳，填精。用于脘腹胀满，水肿，腰痛膝软，阳痿，寒疟，久败疮。

狗骨：甘、咸，温。归脾、肝、肾经。补肾壮骨，祛风止痛，止血止痢，敛疮生肌。用于风湿关节痛，腰腿无力，四肢麻木，崩漏带下，久痢不止，外伤出血，小儿解颅，痈肿疮瘘，冻疮。

狗血：咸，温。归肺、心、肝经。补虚劳，散瘀止血，定惊痫，解毒。用于虚劳吐血，惊风癫疾，下痢腹痛，疔疮。

| 用法用量 | 狗鞭：内服煎汤，3～9g；或研末，1.5～3g；或入丸、散剂。

狗毛：内服烧存性研末，3g。外用适量，烧存性研末调敷。

狗肉：内服适量，煮食。

狗骨：内服烧存性研末，1.5～3g；或浸酒。外用适量，煅黄研末调敷。

狗血：内服适量，热饮；或酒冲。外用适量，涂敷。

犬科 Canidae 犬属 Canis

狼 *Canis lupus* (Linnaeus)

药材名	狼肉（药用部位：肉。别名：毛狗）、狼膏（药用部位：脂肪。别名：狼脂、狼油）、狼喉靥（药用部位：甲状腺体）。
形态特征	外形与家犬相似，体中等、匀称，体长 1 ~ 1.6 m，体重 30 ~ 40 kg。四肢修长，趾行性，利于快速奔跑。头腭尖，吻略尖，颜面部长，鼻端突出，嗅觉灵敏，耳直竖，尖，听觉发达。犬齿与臼齿发达。躯体强壮，四肢有力。前足 4 ~ 5 趾，后足一般为 4 趾；爪粗而钝，不能或略能伸缩。毛粗而长。个体毛色为棕灰色、淡黄色或灰白色，一般背中央毛色较深。腹部、四肢内侧均呈乳白色或略带棕色。尾多毛，较发达，较短而不弯曲，尾色同体背，尖端黑色，稀有纯白色、纯黑色的个体类型。毛蓬松。
分布情况	栖息于山地、森林、丘陵、平原、荒漠等。湖南各地均有分布。
资源情况	野生资源稀少。
采收加工	狼肉：捕杀后剥皮，取肉。 狼膏：捕杀后剥皮，剖腹，取脂肪。 狼喉靥：捕杀后取甲状腺体部分，晒干或烘干。
功能主治	狼肉：咸，热。归肾、脾经。补五脏，厚肠胃，填精髓，御风寒。用于虚劳，冷积腹痛，风湿痹痛，瘫痪。 狼膏：甘、咸，温。归肺、脾、胃经。祛风补虚，润肤泽皱。用于风痹疼痛，肺痨咳嗽，老年慢性支气管炎，皮肤皲裂，白秃疮。 狼喉靥：咸，平。归三焦经。开郁顺气。用于噎膈。
用法用量	狼肉：内服适量，煮食。 狼膏：内服熬油，10 ~ 15 g。外用适量，熬油涂搽。

狼喉靥： 内服研末，1 ~ 2 g。

| **附　　注** | 在《湖南省国家重点保护野生动物名录》中本种被列为国家二级重点保护野生动物。

犬科 Canidae 豺属 Cuon

豺
Cuon alpinus (Pallas)

| 药 材 名 | 豺肉（药用部位：肉。别名：豺狗、红狼）。

| 形态特征 | 形似狼而短小，头部较宽而吻较短，体重 15 ~ 20 kg，体长 85 ~ 130 cm。四肢较短，尾长略小于体长之半。耳端圆钝。乳头 6 ~ 7 对。尾毛较长，体毛红棕色或近灰棕色而杂以黑色。头部、颈部、肩部及背部色较深，并杂有具黑色毛尖的针毛，腹面呈浅灰色、棕色或棕白色，口角部位及喉部近棕白色，四肢前面深棕褐色，内侧白色或淡灰色，尾端近黑色，形成黑尾尖。夏季毛短而色深，红棕色尤显深重。

| 分布情况 | 栖息于山地、丘陵、森林等。湖南有分布。

| 资源情况 | 野生资源稀少。

| 功能主治 | 补虚消积，散瘀消肿。用于虚劳体弱，食积，跌打瘀肿，痔漏。

| 用法用量 | 内服适量，煮食。

| 附　　注 | 在《湖南省国家重点保护野生动物名录》中本种被列为国家一级重点保护野生动物。

犬科 Canidae 貉属 Nyctereutes

貉 *Nyctereutes procyonoides* (Gray)

| 药 材 名 | 貉肉（药用部位：肉。别名：金毛獾、狸）。

| 形态特征 | 体小，体长 50 ~ 60 cm，体重 4 ~ 6 kg。吻短，耳小而圆，腿不成比例的短，外形似狐狸。体肥胖，四肢短粗。趾行性，以趾着地。前足 5 趾，第 1 趾较短而位置较高，故不着地。头骨扁平。鼻骨接近 1/3 处尖锐，骤然凹陷；顶骨有折皱；成体有明显的人字嵴；下颌有特殊的次角突；中翼骨孔延伸超过齿列。前额和鼻吻部白色，眼周黑色。颊部有蓬松的长毛，形成环状领；背的前部有一交叉图案。胸部、腿和足暗褐色。背部和尾部的毛尖黑色；背毛浅棕灰色，混有黑色毛尖。尾短粗，有蓬松的毛，尾末端黑褐色。

| 分布情况 | 生活于平原、丘陵及部分山地。湖南有分布。

| 资源情况 | 野生资源稀少。

| 采收加工 | 捕杀后取肉，洗净，鲜用。

| 功能主治 | 甘，平。归肺、脾、肾经。滋补强壮，健脾消疳。用于虚劳疳积。

| 用法用量 | 内服适量，煮食。

| 附　　注 | 在《湖南省国家重点保护野生动物名录》中本种被列为国家二级重点保护野生动物。

犬科 Canidae 狐属 Velpes

赤狐 *Velpes vulpes* (Linnaeus)

药材名	狐肉（药用部位：肉。别名：红狐、草狐、狐狸）、狐头（药用部位：头）、狐肺（药用部位：肺脏）、狐心（药用部位：心脏）、狐肠（药用部位：肠）。
形态特征	赤狐是体型最大、最常见的狐狸，体长约 75 cm，体重 7.5 kg，体纤长。颜面狭窄，吻尖而长，鼻骨细长，额骨前部平缓，中间有 1 狭沟，头部棕灰色，吻端棕黑色，下颌污白色，耳背黑色或棕黑色。耳较大，高而尖，直立，耳背上半部黑色，与头部毛色明显不同。乳头 4 对。四肢较短。躯体有长而蓬松的针毛，不同个体毛色有差异，冬毛具丰厚的底绒。背部红棕色，体侧黄褐色，腹部黄白色，四肢棕色或浅褐色，前、后肢外侧有 1 黑纹。足掌长有浓密短毛。尾粗长，其长度超过体长的一半，具尾腺，能释放奇特臭味。尾毛长而蓬松，尾色同背部，尾端白色。
分布情况	栖息于森林边缘、草地、丘陵等。湖南有分布。
资源情况	野生资源稀少。
采收加工	**狐肉**：捕杀后剥皮，取肉，鲜用或晾干。 **狐头**：捕杀后剥皮，取其头部，晾干。 **狐肺**：捕杀后剖开胸腔，取肺脏，阴干。 **狐心**：捕杀后剖开胸腔，取心脏，阴干。 **狐肠**：捕杀后剖腹，取肠，洗净，阴干。
功能主治	**狐肉**：甘，温。归心、脾、胃、肾经。补虚暖中，镇静安神，祛风，解毒。用于虚劳羸瘦，寒积腹痛，癔症，惊痫，痛风，水肿，疥疮，小儿卵肿。 **狐头**：咸，平。归肝经。补虚祛风，散结解毒。用于头晕，瘰疬。

狐肺：甘，平。滋肺解毒，止咳定喘。用于肺结核，肺脓肿，久咳虚喘。

狐心：甘，平。归心、肾经。补虚安神，利尿消肿。用于癫狂，水肿，腹水。

狐肠：苦，寒。归脾、胃经。镇痉，止痛，解毒。用于惊风，心胃气痛，疥疮。

| **用法用量** | 狐肉：内服煎汤，120 ~ 240 g；或煮食。

狐头：内服适量，浸酒。外用适量，烧存性，研末调敷。

狐肺：内服适量，煮食；或研末，3 ~ 9 g。

狐心：内服煮食，1 个；或煨食。

狐肠：内服煅存性研末，3 ~ 9 g。

| **附　注** | 在《湖南省国家重点保护野生动物名录》中本种被列为国家二级重点保护野生动物。

熊科 Ursidae 熊属 Selenarctos

黑熊 *Selenarctos thibetanus* (G. Cuvier)

药 材 名	熊胆（药用部位：胆汁。别名：熊、猪熊胆、狗熊胆）、熊肉（药用部位：肉）、熊骨（药用部位：骨骼）、熊脂（药用部位：脂肪）、熊脑（药用部位：脑髓）。
形态特征	体较大，体长 1.5 ~ 1.7 m，体重约 150 kg。身体粗壮，头部宽圆。吻部短而尖；鼻端裸露；眼小；耳较长且被长毛，伸出于头顶两侧。颈部短粗，两侧毛特别长。胸部有一倒"人"字形白斑。肩部较平，臀部稍大于肩部。尾很短。除鼻面部（棕色）、下颌（白色）及胸部倒"人"字形白斑处外，其他部位均为黑色且带有光泽。颊后及颈部两侧的毛甚长，形成两个半圆形毛丛，胸部的毛最短。四肢粗健，前、后足均具 5 趾，前足腕垫宽大且与掌垫相连，后足跖垫亦宽大且肥厚，前宽后窄，内侧中部无毛间隔。具爪。
分布情况	栖息于混交林或阔叶林中，居于石洞或大树洞中。分布于湖南湘西州（龙山）等。
资源情况	野生资源稀少。
采收加工	**熊胆**：现多采用人工活熊取胆法，即通过手术造成熊胆囊瘘管，然后定期接取胆汁。 **熊肉**：捕杀后剥皮，剖腹，除去内脏，取肉，鲜用或置通风处阴干。 **熊骨**：捕杀后剥皮，剖腹，剔取骨骼，置通风处晾干。 **熊脂**：捕杀后剖腹，取脂肪，洗净血液，文火炼制，冷却。 **熊脑**：捕杀后取脑髓，鲜用或干燥。
药材性状	**熊胆**：本品长扁卵形，上部狭细，下部膨大成囊状，长 10 ~ 20 cm，宽 5 ~ 10 cm。表面黑色、棕黑色或黄棕色，显光泽，微有折皱。囊内有干燥的胆汁，习称"胆仁"，"胆仁"呈块状、

颗粒状或粉状，金黄色、透明如琥珀、有光泽、质松脆者习称"金胆"或"铜胆"，黑色、质坚脆或呈稠膏状者习称"墨胆"或"铁胆"，黄绿色、光泽较差、质脆者习称"菜花胆"。气清香，味极苦，有黏舌感。

熊骨：本品多为四肢骨。肱骨体稍扭曲，长 33 ~ 34 cm，直径（中段）约 3 cm，表面淡黄白色，稍粗糙而显油性，有喙粗隆 3，下端靠近骨环处无小孔，即无"凤眼"。胫骨扁圆形，有纵棱。膝盖骨长圆形，有舌状筋。前、后肢掌部宽大，均具 5 爪，爪黑色，留下的皮毛呈黑色或棕色。骨表面白色或灰白色，断面白色，粗糙，不显油性，暗淡，无光泽。头骨吻长而尖，鼻骨短，额骨前部较宽，后部较窄，左、右额部连接部分向下凹陷，顶骨较宽，矢状嵴短而不显著。齿褐色，上腭骨有门齿 3 对、犬齿 1 对、臼齿 6 对，下腭骨有门齿 3 对、犬齿 1 对、臼齿 7 对，上腭后白齿长度约为宽度的 2 倍。肋骨扁。气腥，味辛、咸。

| 功能主治 | 熊胆：苦，寒。归肝、胆、心、胃经。清热解毒，平肝明目，杀虫止血。用于湿热黄疸，暑湿泻痢，热病惊痫，目赤翳障，喉痹，鼻蚀，疔疮，痔漏，疳疾，蛔虫病，出血证。

熊肉：甘，温。归脾、肾经。补虚损，强筋骨。用于脚气，风痹不仁，手足不遂，筋脉挛急。

熊骨：咸、微辛，温。归肝、肾经。祛风，除湿，定惊。用于风湿骨节肿痛，小儿惊风。

熊脂：甘，温。归脾经。补虚损，润肌肤，消积，杀虫。用于虚损赢瘦，风痹不仁，筋脉挛急，积聚，面疮，癣疾，臁疮。

熊脑：咸，温。归肾经。补虚祛风。用于眩晕，耳鸣耳聋，白秃疮。

| 用法用量 | 熊胆：内服入丸、散剂，0.2 ~ 0.5 g。外用适量，研末调敷或点眼。

熊肉：内服适量，煮食。

熊骨：内服煎汤，15 ~ 30 g；或浸酒。外用适量，煎汤洗。

熊脂：内服和花椒熬炼后开水冲，10 ~ 20 g。外用适量，涂搽。

熊脑：内服煎汤，15 ~ 30 g。外用适量，涂搽。

| 附　注 | 在《湖南省国家重点保护野生动物名录》中本种被列为国家二级重点保护野生动物。

鼬科 Mustelidae 水獭属 Lutra

水獭 *Lutra lutra* (Linnaeus)

| 物种别名 | 獭、水狗、獭猫。

| 药 材 名 | 獭肝（药用部位：肝脏）、獭胆（药用部位：胆汁）、獭皮毛（药用部位：皮毛）、獭肉（药用部位：肉）、獭骨（药用部位：骨骼）。

| 形态特征 | 体细长，呈圆筒状，体长 60 ～ 80 cm，体重 2 ～ 7.5 kg，尾长 300 ～ 400 mm。头部宽而稍扁，吻短，须粗硬，额部较长，脑室宽大，呈扁梨形。眶间部极狭窄，眶后嵴向后延伸，人字嵴明显。眼睛小，稍突而圆。耳朵小，外缘圆形，着生位置较低，鼻孔和耳道生有小圆瓣，潜水时能关闭。四肢短，趾（指）间具蹼。爪短，侧扁而尖锐。下颌中央有数根短硬须。前肢腕垫后面有较短的刚毛数根。尾长超过体长之半。全身毛短而密，背部毛咖啡色，有油亮光泽，腹部毛色较淡，呈灰褐色。绒毛基部灰白色，绒毛表面咖啡色。

| 分布情况 | 栖息于河流、湖泊的水透明度较大、水生植物较少而鱼类较多处。湖南各地均有分布。

| 资源情况 | 野生资源稀少。

| 采收加工 | **獭肝**：全年均可捕捉，捕杀后剖腹，取出肝脏，去净油脂，洗净血液及污物，悬挂于通风处阴干。
獭胆：捕杀后剥皮，剖腹，取出胆囊，洗净血液，悬挂通风处阴干，或取胆汁鲜用。
獭皮毛：宰杀后剥取皮毛，撑开，晾干。
獭肉：宰杀后剥皮，剖腹，除去内脏，取肉，鲜用或置通风处阴干。
獭骨：宰杀后剥皮，剖腹，剔取骨骼，置通风处晾干。

| 药材性状 | **獭肝**：本品为大小不一的团块，分为 6 叶，叶长 4 ～ 6 cm，直径

2 ~ 4 cm，黑褐色，呈扁圆形，边缘较薄。正面观左右 2 叶对称，位于右侧下方的 2 叶较小。各肝叶间有动脉，动脉直径达 1 cm。血管后上部有 1 对橘瓣状瘤状物，瘤状物由 15 ~ 20 小瘤块紧密排列而成。质硬，不易折断，断面呈黑棕色，胶质状。有鱼腥气，味甘、微咸。

| 功能主治 | 獭肝：甘、咸，温。归肺、肝、肾经。益肺，补肝肾，明目，止血。用于虚劳羸瘦，肺虚咳嗽，肺结核，潮热盗汗，目翳，夜盲，咯血，便血。

獭胆：苦，寒。归肝、肺经。明目退翳，清热解毒。用于翳膜遮睛，小儿发热咳嗽，金疮疼痛，瘰疬结核。

獭皮毛：苦，凉。归肾经。利水，解毒，止血。用于水饮，痔疮，烫火伤，外伤出血。

獭肉：甘、咸，寒。归肺、肝经。益阴清热，和血通经，利水通便。用于虚劳咳嗽，骨蒸劳热，时疫温病，水肿胀满，经闭，小便不利，大便秘结。

獭骨：咸，平。归肝、脾、胃经。消骨鲠，止呕吐，利水解毒。用于鱼骨鲠喉，呕哕，水积黄肿，恶疮。

| 用法用量 | 獭肝：内服煎汤，3 ~ 6 g；或入丸、散剂。

獭胆：内服煎汤，3 ~ 6 g；或入丸、散剂。外用适量，鲜汁或研末点眼；或涂敷。

獭皮毛：内服煎汤，6 ~ 15 g；或烧灰研末，3 ~ 6 g。外用适量，烧灰撒。

獭肉：内服适量，煎汤；或炙干入散剂。外用适量，煅存性，研末敷。

獭骨：内服煎汤，10 ~ 20 g；或入丸、散剂。外用适量，研末调敷。

| 附　注 | 在《湖南省国家重点保护野生动物名录》中本种被列为国家二级重点保护野生动物。

鼬科 Mustelidae 獾属 Melles

狗獾
Melles leucurus (Hodgson)

药 材 名	獾肉（药用部位：肉。别名：天狗、山獭、山狗）、獾油（药材来源：脂肪油）。
形态特征	体肥壮，体长 45 ~ 55 cm，体重 10 ~ 12 kg。颈部短粗。头骨颅形，窄长而高。矢状嵴发达，人字嵴显著。吻鼻长，鼻端粗钝，具软骨质鼻垫，鼻垫与上唇之间被毛。耳短眼小。颈部和四肢短粗，前、后足均具粗而长的黑棕色爪，前足的爪比后足的爪长。尾较短。头部毛短，有 3 白色纵纹，白色纵纹间有 2 黑棕色纹。耳背黑棕色，耳缘白色。下颌、喉部黑棕色。肛门附近具可分泌臭液的腺囊。体背有长而粗的针毛。整个背部颜色为黑棕色与白色混杂，体侧白色毛居多；腹面、四肢黑棕色，爪棕黑色，尾端黄白色。
分布情况	栖息于森林、山坡灌丛、田野、湖泊或河流旁。湖南各地均有分布。
资源情况	野生资源较少。药材来源于野生。
采收加工	獾肉：冬季捕杀，剥皮，剖腹，除去内脏，取肉，鲜用。 獾油：冬季捕杀，剥皮，剖腹，取皮下脂肪及肠系膜上的脂肪，炼油。
药材性状	獾油：本品浅黄色膏状，微有香气。
功能主治	獾肉：甘、酸，平。归肺经。补中益气，祛风除湿，杀虫。用于疳积，风湿性关节炎，腰腿痛，蛔虫病，酒渣鼻。 獾油：甘，平。归脾、大肠经。补中益气，润肤生肌，解毒消肿。用于中气不足，子宫脱垂，贫血，胃溃疡，半身不遂，关节疼痛，皮肤皲裂，痔疮，疳疮，疥癣，白秃疮，烫火伤，冻疮。
用法用量	獾肉：内服适量，煮食。 獾油：内服溶化入汤剂，5 ~ 15 g。外用适量，涂擦。

鼬科 Mustelidae **猪獾属** Arctonyx

猪獾 Arctonyx collaris (Cuvier)

药 材 名	貒骨（药用部位：骨骼。别名：土猪骨）、貒肉（药用部位：肉。别名：貒猪肉）、貒膏（药材来源：由脂肪油所炼的。别名：貒脂、貒猪膏、猪獾油）。
形态特征	体粗壮，体长 60 ~ 70 cm，体重约 10 kg。鼻吻较长，吻鼻部裸露且突出，似猪拱嘴，鼻垫与上唇间裸露。头大颈粗，矢状嵴与人字嵴不如狗獾显著，额部与眶间区较狗獾宽而低平，且稍向前倾斜，听泡宽而扁，距翼骨钩状突较远。耳小，眼小。四肢短粗，前、后肢均具 5 指（趾），足底趾间具毛，爪长而弯曲，前足爪锐利。尾短，基部粗壮，向末端渐变细。体黑、白两色混杂，体背两侧及臀部杂有灰白色。吻鼻部两侧面至耳廓、穿过眼有一黑褐色宽带，向后宽带渐宽。耳下部有白色长毛。下颌及颏部白色。下吻浅褐色。颊部至耳后有一黑褐色条纹。针毛粗长挺拔，背部毛毛尖棕黑色。尾毛长，白色。
分布情况	栖息于森林、山坡灌丛、田野、湖泊、河流旁边洞穴。湖南各地均有分布。
资源情况	野生资源较少。药材来源于野生。
采收加工	**貒骨**：冬季捕杀，剖腹，剔取骨骼，晾干。 **貒肉**：冬季捕杀，剖腹，取肉，鲜用。 **貒膏**：冬季捕杀，剖腹，取脂肪，小火炼油。
药材性状	**貒骨**：本品多为四肢骨。前肢骨由 2 节组成，每节长约 11 cm，直径 1.2 cm。后肢股骨长约 12 cm，直径约 1.3 cm，胫骨直径约 1.2 cm，微弯曲，腓骨细小。骨表面黄白色，质坚硬，不甚沉重，断面骨髓腔疏松。

| 功能主治 | **貒骨：**辛，温。归肺、肾经。祛风湿，止咳。用于风湿筋骨疼痛，皮肤瘙痒，咳嗽。
貒肉：甘、酸，平。归脾、肺经。补脾胃，益气血，利水，杀虫。用于虚劳羸瘦，咳嗽，水胀，久痢，疳积。
貒膏：甘，平。归肺经。润肺止咳，除湿解毒。用于肺痿，咳逆上气，白秃疮，顽癣，痔疮，臁疮。

| 用法用量 | **貒骨：**内服煎汤，20～50 g；或浸酒；或炙黄研末。
貒肉：内服适量，煮食。
貒膏：内服适量，酒冲。外用适量，涂搽。

鼬科 Mustelidae 鼬属 *Mustela*

黄鼬
Mustela sibirica (Pallas)

药 材 名	鼬鼠肉（药用部位：肉。别名：黄鼠狼、地猴、黄皮子）、鼬鼠心肝（药用部位：心脏、肝脏）。
形态特征	体细长，雄性体长 25 ～ 40 cm，体重 1 kg 左右，雌性体长为雄性体长的 2/3。头细，略圆，头骨狭长形，顶部较平。唇有须，耳小，耳廓短而宽，稍突出于毛丛。颈较长。四肢较短，前、后足具 5 趾，爪尖锐，趾间有很小的皮膜，足部毛长而硬。尾长 12 ～ 25 cm，约为体长的一半，尾毛蓬松。肛门附近具 1 对分泌腺，遇敌时分泌腺可放出臭气以自卫。雄性阴茎骨基部膨大成结节状，端部呈钩状。背毛色略深，腹毛色稍浅，四肢、尾与体同色。全身棕黄色或橙黄色，腹面颜色较淡。四足颜色较暗。鼻基部、前额及眼周浅褐色。鼻垫基部及上、下唇白色，喉部及颈下常有白斑，吻端、眼周、两眼之间为棕褐色，额部为浅棕色。
分布情况	栖息于河谷、沟边、土坡、小草丘及灌丛中。湖南各地均有分布。
资源情况	野生资源较丰富。药材来源于野生。
采收加工	**鼬鼠肉**：捕捉后处死，除去皮毛及内脏，取肉，鲜用或烘干。 **鼬鼠心肝**：捕捉后处死，剖开胸、腹，取出心脏、肝脏，晾干。
功能主治	**鼬鼠肉**：甘，温。归肺、肾经。解毒，杀虫，通淋，升血小板。用于淋巴结结核，疥癣疮瘘，淋证，血小板减少性紫癜。 **鼬鼠心肝**：甘、微咸，温；有小毒。止痛。用于心腹痛。
用法用量	**鼬鼠肉**：内服烧存性，研末，1.5 ～ 3 g。外用适量，煎油涂；或烧灰，研末撒。 **鼬鼠心肝**：内服焙干研末，1 ～ 2.5 g。

鼬科 Mustelidae　鼬獾属 Melogale

鼬獾 *Melogale moschata* (Gray)

| 药 材 名 | 獾肉（药用部位：肉。别名：鱼鳅猫、白鼻狸、白额狸）、獾油（药材来源：脂肪油）。

| 形态特征 | 体瘦长，头体长 35～40 cm，尾长 14～20 cm，体重 1～1.75 kg。头骨颅形，狭长。鼻部比狗獾狭，鼻骨中缝稍凹陷，鼻吻部发达，鼻垫与上唇间被毛。颈部短粗。耳廓圆形，短而直立。眼小而显著。前、后足均具 5 趾，趾垫较厚，爪侧扁而弯曲，爪尖锐而长。体背及四肢外侧淡灰褐色或黄灰褐色、暗紫灰色至棕褐色。头部和颈部色较体背色深，头顶后面至脊背有连续的白色或乳白色纵纹 1。前额、眼后、耳前、颊和颈侧有不定形的白色或乳白色斑，上唇、鼻端两侧白色或浅黄色，耳内、耳缘被白色或乳白色短毛，耳背与体背同色。下体从下颌、喉、腹部直至尾基为苍白色、黄白色、肉桂色至

杏黄色。尾部具白色长毛，毛尖灰白色或乳黄色，向后毛逐渐变长，色减淡。

| 分布情况 | 栖息于森林、山坡灌丛、田野、湖泊、河流旁洞穴中。湖南各地均有分布。

| 资源情况 | 野生资源较少。药材来源于野生。

| 采收加工 | 同"狗獾"。

| 药材性状 | 同"狗獾"。

| 功能主治 | 同"狗獾"。

| 用法用量 | 同"狗獾"。

马科 Equidae 马属 Equus

驴
Equus asinus (Linnaeus)

药 材 名	阿胶（药材来源：由皮熬制而成的胶。别名：傅致胶、盆覆胶、驴皮胶）、驴毛（药用部位：毛）、驴肉（药用部位：肉）、驴骨（药用部位：骨骼）、驴脂（药用部位：脂肪）。

形态特征 体比马小，体重 200 kg 左右。体健壮，头大脸长，眼圆，胸部稍窄，四肢瘦弱，躯干较短，体高和身长大体相等。有 1 对显眼的长耳。颈部长而宽厚，颈项皮薄，颈部鬃毛短而稀少。躯体匀称，四肢短粗，蹄小坚实。尾端有长毛。体色多为灰褐色。

分布情况 湖南各地均有养殖。

资源情况 养殖资源较丰富。药材来源于养殖。

采收加工 阿胶：全年均可采收驴皮，将驴皮放到容器中，用水浸泡使其软化，除去驴毛，剁成小块，再用水浸泡使之白净，放入沸水中，皮卷缩时捞出，再放入锅内熬炼，熬好后倒入容器内，待胶凝固后取出，切成小块，晾干。

驴毛：取驴毛，洗净，晾干。

驴肉：将驴宰杀后剥皮，取肉，鲜用或冷藏。

驴骨：将驴宰杀后剖腹，剔取骨骼，洗净，晾干。

驴脂：将驴宰杀后剖腹，取出脂肪，鲜用或熬成脂肪油。

药材性状 阿胶：本品为整齐的长方块或正方块，长约 8.5 cm，宽约 3.7 cm，厚约 0.7 cm 或 1.5 cm。表面棕褐色或黑褐色，有光泽。质硬而脆，断面光亮。对光照视时碎片呈棕色半透明状。气微，味微甘。

功能主治 阿胶：甘，平。归肝、肺、肾经。补血，止血，滋阴，润燥。用于血虚证，虚劳咯血，吐血，尿血，便血，血痢，妊娠下血，崩漏，阴虚心烦失眠，肺虚燥咳，虚风内动之痉厥抽搐。

驴毛：辛、涩，平。归肝经。祛风。用于头风，小儿中风。

驴肉：甘、酸，平。归心、肝经。补血益气。用于劳损，风眩，心烦。

驴骨：甘，平。归肝、脾、肾经。补肾滋阴，强筋壮骨。用于小儿解颅，消渴，历节风。

驴脂：甘，平。归肺、肝、脾、肾经。润肺止咳，解毒消肿。用于咳嗽，疟疾，耳聋，疥癣。

| 用法用量 | **阿胶：**内服烊化兑，5 ~ 10 g；或入丸剂、散。

驴毛：内服炒焦研末，3 ~ 6 g；或浸酒。

驴肉：内服适量，煮食。

驴骨：内服适量，煎汤。外用适量，烧灰调涂；或煎汤浸洗。

驴脂：内服酒调，3 ~ 6 g；或入丸剂。外用适量，涂敷。

马科 Equidae 马属 Equus

马
Equus caballus orientalis (Noack)

| 药 材 名 | 马宝（药用部位：胃肠道结石。别名：鲊答、马结石）、马皮（药用部位：皮）、马肉（药用部位：肉）、马骨（药用部位：骨骼）、马齿（药用部位：牙齿）。

| 形态特征 | 体高大，骨骼肌发达，四肢强劲有力。体高1.27～1.6 m，体长1～1.6 m，体重225～773 kg。雌雄差异大。头面平直而偏长。耳短小而尖，直立。鼻宽，眼大。四肢长，骨骼坚实，胸廓宽大。食管狭窄，单胃。无胆囊，胆管发达。牙齿咀嚼力强。肌腱和韧带发育良好。蹄质坚硬，能在坚硬地面上迅速奔跑。听觉和嗅觉灵敏。两眼距离大，对距离判断能力差，聚焦能力弱，头颈灵活，两眼可视范围为330°～360°。眼底视网膜外有一层照膜，感光力强，夜视能力强。从头顶起沿颈背至肩胛具长鬃毛。两耳间垂向额部的长

毛称为门鬃。身体余部皆被短而均匀的毛，尾部有长鬃毛。因品种不同，体大小和毛色差异较大，毛色多为青色、黑色、栗色、褐色等。

| 分布情况 | 湖南各地均有养殖。

| 资源情况 | 养殖资源较丰富。药材来源于养殖。

| 采收加工 | 马宝：宰杀后取胃肠道结石，洗净，或再用开水煮沸数分钟，晾干或晒干。
马皮：宰杀后取皮，去毛，晾干。
马肉：宰杀后剥皮，除去内脏，取肉，鲜用。
马骨：宰杀后剥皮，除去内脏，剔取骨骼，晾干。
马齿：宰杀后敲取牙齿，洗净，晒干。

| 药材性状 | 马宝：本品呈球形、卵圆形或扁圆形，大小不等，直径 6 ~ 20 cm，还有小如豆粒者。表面灰色、青灰色或油棕色，光滑，略有光泽或附有杂乱的细草纹，亦有凹凸不平者。质坚体重，断面可见明显的同心层纹，中心部位常有金属或其他粒状异物。无味或微有腥臭味。

| 功能主治 | 马宝：甘、咸、微苦，凉；有小毒。归心、肝经。镇惊化痰，清热解毒。用于惊风癫痫，痰热神昏，吐血衄血，痰热咳嗽，恶疮肿毒。
马皮：酸、咸，平。杀虫止痒。用于癣疾。

马肉：甘、酸、辛，微寒。归肝、脾经。强筋壮骨，除热。用于寒热痿痹，筋骨无力，疮毒。

马骨：甘，微寒。归脾、肾经。醒神，解毒敛疮。用于嗜睡，头疮，耳疮，臁疮，阴疮，化脓性指头炎。

马齿：甘，平。归心、脾经。镇痉息风，解毒止痛。用于小儿惊痫，疔疮痈疽，龋齿疼痛。

| 用法用量 | 马宝：内服研末，0.3 ~ 3 g。

马皮：外用适量，烧灰调敷。

马肉：内服适量，煮食。外用适量，煎汤洗；或研末调敷。

马骨：内服烧灰，入丸、散剂，每次 1 ~ 2 g，每日 3 次。外用适量，烧灰，研末调敷。

马齿：内服煅存性，研末，1 ~ 3 g；或以水磨汁。外用适量，烧灰，研末调敷。

马科 Equidae 马属 Equus

骡

Equus asinus (Linnaeus) × *Equus caballus orientalis* (Noack)

| 药 材 名 | 骡宝（药用部位：胃结石。别名：骡、马骡）。 |

| 形 态 特 征 | 公驴和母马的杂交种。体大小受母体影响较大。多数体高 150 cm，大型体高 150 ~ 170 cm，大型母马或一般母马用大型驴交配都能产大型骡。体重 300 kg 左右。体型外貌，介于马和驴之间，体型似马，较驴大，叫声似驴。头大，耳大，与马比较，头稍长而窄，耳长，颈短，鬣毛稀而短，前胸窄，鬐甲低，腰部坚实有力。四肢长而强壮，蹄狭小。尻部短斜。尾毛少，尾上半部毛短。体色多样，常见的有黑色、栗色及棕灰色。 |

| 分布情况 | 湖南各地均有养殖。 |

| 资源情况 | 养殖资源较丰富。药材来源于养殖。 |

| 采收加工 | 宰杀后取胃中结石，洗净，晒干。 |

| 药材性状 | 本品呈圆球形或略不规则形，直径 6 ~ 8 cm。表面白色、灰白色或微黄色，具云状粗纹，略具光泽，易层状剥落。质重，不易破碎，断面同心环层纹明显且较宽，断面色泽差异小。 |

| 功能主治 | 甘、微咸，平。归心、肺、脾经。清热解毒，化痰定惊。用于小儿急惊风，癫狂谵语，吐血，衄血，痈疮。 |

| 用法用量 | 内服研末，0.9 ~ 3 g；或浸酒。外用适量，研末调涂。 |

猪科 Suidae 猪属 Sus

猪
Sus scrofa domestica (Brisson)

| 药 材 名 | 猪胆（药用部位：胆囊）、猪毛（药用部位：毛）、猪肤（药用部位：皮）、猪肉（药用部位：肉）、猪骨（药用部位：骨骼）。

| 形态特征 | 猪的品种繁多，形态各异。头大。鼻与口吻皆长，略向上弯曲。眼小。耳廓多数大而下垂，少数较小而前挺。四肢短小，足具 4 趾，前 2 趾有蹄，厚趾有悬蹄。颈粗，项背疏生鬃毛。尾短小，末端有毛丛。毛色有纯黑色、纯白色或黑白混杂等。

| 分布情况 | 湖南各地均有养殖。

| 资源情况 | 养殖资源丰富。药材来源于养殖。

| 采收加工 | **猪胆：**宰杀后剖腹，取胆囊，晾干，或取胆汁，鲜用。
猪毛：宰杀后刮取毛，洗净，晾干。
猪肤：宰杀后刮除毛，剥取皮，洗净，鲜用或冷藏。
猪肉：宰杀后刮除毛，剖腹，除去内脏，取肉，鲜用或冷藏。
猪骨：宰杀后除去毛及内脏，剔取骨骼，洗净，晾干。

| 药材性状 | **猪骨：**本品上颌骨侧面观呈直角三角形，吻部长而尖，眼眶倒卵形。牙齿 44。肱骨无髁上孔；股骨长约 23 cm，骨体微弯，股骨头呈半圆球形；胫骨呈三棱柱状，略弯曲，上端膨大，向下渐细，全体呈船桨状。断面髓腔宽大，骨质薄，显油性，呈污黄色。质坚实。气微腥。

| 功能主治 | **猪胆：**苦，寒。归肝、胆、肺、大肠经。清热，润燥，解毒。用于热病燥渴，大便秘结，咳嗽，哮喘，目赤，目翳，泻痢，黄疸，喉痹，聤耳，痈疽疔疮，鼠瘘，湿疹，头癣。
猪毛：涩，平。归肺、脾、肝经。止血，敛疮。用于崩漏，烫火伤。

猪肤： 甘，凉。归肾经。清热养阴，利咽，止血。用于少阴客热下痢，咽痛，吐血，衄血，月经不调，崩漏。

猪肉： 甘、咸，微寒。归脾、胃、肾经。补肾滋阴，养血润燥，益气，消肿。用于肾虚羸瘦，血燥津枯，燥咳，消渴，便秘，虚肿。

猪骨： 涩，平。归肺、肾、大肠经。止渴，解毒，杀虫止痢。用于消渴，肺结核，下痢，疮癣。

| **用法用量** | **猪胆：** 内服煎汤，6～9 g；或入丸、散剂。外用适量，取胆汁涂敷、点眼或灌肠。

猪毛： 内服煅炭，研末，酒冲，3～9 g。外用适量，煅炭，油调涂。

猪肤： 内服煎汤，50～100 g；或煮食。

猪肉： 内服煮食，30～60 g。外用适量，贴敷。

猪骨： 内服煎汤，60～180 g；或烧灰研末，6～9 g。外用适量，烧灰调敷；或馏油涂。

猪科 Suidae 猪属 Sus

野猪
Sus scrofa (Linnnaeus)

药材名	野猪胆（药用部位：胆囊。别名：野彘、山猪）、野猪皮（药用部位：皮）、野猪肉（药用部位：肉）、野猪骨髓（药用部位：骨髓）、野猪血（药用部位：血）。

形态特征 形似家猪。体长约 1.5 m，体重约 150 kg，雄猪体重最大可达 250 kg，肩高 90 cm 左右。体健壮，四肢短粗，头部较宽且长，吻部十分突出，呈圆锥形，末端具裸露的软骨垫。雄猪犬齿特别发达，上、下犬齿皆向上翘，称为"獠牙"，獠牙露于唇外；雌猪獠牙不发达。耳小并直立，吻部突出，似圆锥体，其先端为裸露的软骨垫（即拱鼻）。每足均有 4 趾，具硬蹄，仅中间 2 趾着地。尾巴细而短。体被刚硬的针毛，毛呈深褐色或黑色。幼猪体呈淡黄褐色，背部有 6 淡黄色纵纹，老年猪背上具粗而稀的白毛，冬天毛长得较密。背脊鬃毛显著，毛的尖端大多分叉，一般为褐黑色，面颊、胸部杂有灰白色或污白色毛。

分布情况 栖息于灌丛、较潮湿的草地或混交林、阔叶林中。湖南各地均有分布。湖南各地均有养殖。

资源情况 野生资源丰富。药材来源于野生。

采收加工 **野猪胆：**全年均可捕杀，捕杀后剥皮，剖腹，取胆囊，鲜用或阴干。
野猪皮：捕杀后去毛，剥取皮，晾干。
野猪肉：捕杀后剥去皮，取肉，鲜用。
野猪骨髓：捕杀后取骨髓，置容器内，鲜用。
野猪血：捕杀后取血，置容器内，鲜用或煮成块，晒干。

药材性状 **野猪皮：**本品呈不规则块状，厚 0.9 ~ 2 cm。外表面灰黑色，密布细小的颗粒状突起及较深的皱褶，并有较多粗壮的黑色硬毛；内表面较光滑，无纤维状露出物。断面黄棕色，较粗糙，半透明，表面颗粒状突起较钝。质坚硬。味咸、微腥。

| 功能主治 |　**野猪胆：** 苦，寒。归肺、肝、胆经。清热镇惊，解毒生肌。用于癫痫，小儿疳疾，产后风，目赤肿痛，疔疮肿毒，烫火伤。

野猪皮： 甘，平。归心、肺、脾、肾经。解毒生肌，托疮。用于鼠瘘，恶疮，疥癣。

野猪肉： 甘，平。归肺、脾、大肠经。补五脏，润肌肤，祛风解毒。用于虚弱羸瘦，癫痫，肠风便血，痔疮出血。

野猪骨髓： 甘、咸，平。养血生发。用于脱发。

野猪血： 甘、咸，平。解毒，和胃。用于中毒性肝损害，胃溃疡，胃痉挛。

| 用法用量 |　**野猪胆：** 内服研末，1 ~ 3 g；或取汁冲服。外用适量，取汁涂敷。

野猪皮： 内服研末冲服，3 ~ 9 g。外用适量，烧灰调敷。

野猪肉： 内服煮食，50 ~ 250 g。

野猪骨髓： 外用适量，捣敷。

野猪血： 内服研末，3 ~ 6 g。

鹿科 Cervidae 獐属 Hydropotes

獐

Hydropotes inermis (Swinhoe)

| 药 材 名 | 獐肉（药用部位：肉。别名：土麝、河麂、牙獐）、獐骨（药用部位：骨骼）、獐髓（药用部位：骨髓、脊髓）、獐胎（药用部位：胚胎及胎盘）。

| 形态特征 | 小型鹿类。体比麝大，体长约 1 m，体重约 15 kg，肩高 0.45 ~ 0.55 m。四肢粗壮，肩高略低于臀高。无额腺，眶下腺小，眼前方有袋形眶下腺。尾巴特别短，几被臀部的毛所遮盖。雌、雄均无角，雄性獐牙显露，侧扁，向下延伸并突出于口外。耳中等大，基部有 2 软骨质脊突，先端较尖。蹄较宽。鼠蹊部有 1 对鼠蹊腺，无跗腺和脚腺。头顶灰褐色至红褐色，颏、喉、嘴周围和腹毛白色；幼獐背部有白斑和白纹；体毛多呈棕黄色或灰黄色，浓密且粗长。冬毛粗长而厚密，呈枯草黄色；夏毛细而短，有光泽，微带红棕色。背部和侧面颜色一致，腹面色略浅，通体无斑纹。幼獐体上有纵向排列的白色斑点。

| 分布情况 | 生活于山地草坡、灌丛中，喜欢在河岸、湖边等潮湿地或沼泽地的芦苇中生活。湖南各地均有分布。

| 资源情况 | 野生资源稀少。

| 采收加工 | 獐肉：捕杀后取肉，鲜用或干燥。
獐骨：捕杀后，剥皮，取骨骼，鲜用或晾干。
獐髓：捕杀后取骨髓或脊髓，鲜用或冷藏。
獐胎：捕杀母獐后取胚胎及胎盘，或取母獐因自然流产而排出的胚胎及胎盘，鲜用。

| 功能主治 | 獐肉：甘，温。归脾经。补虚，祛风。用于久病虚损，消渴，乳少，口僻，腰腿痹痛。
獐骨：甘，微温。归脾、肾经。补虚损，益精髓。用于虚损腰酸，滑精。

獐髓：甘、咸，温。归脾经。补虚益精，祛风泽肤。用于虚劳羸弱，面无光泽，皮肤枯燥。

獐胎：咸，温。益气，补血，行血。用于产后血虚，血瘀腹痛，经闭。

| 用法用量 |　獐肉：内服煮食，100 ~ 200 g。

獐骨：内服煎汤，15 ~ 60 g；或浸酒。

獐髓：内服适量，入膏、丸剂。

獐胎：内服适量，炖食。

| 附　　注 |　在《湖南省国家重点保护野生动物名录》中本种被列为国家二级重点保护野生动物。

鹿科 Cervidae 麝属 Moschus

林麝
Moschus berezovskii (Flerov)

药材名	麝香（药用部位：成熟雄体香囊中的干燥分泌物。别名：遗香、脐香、当门子）、麝香壳（药用部位：香囊的外层皮。别名：臭子壳、麝壳）、麝香银皮（药用部位：香囊的内层薄皮）、麝肉（药用部位：肉）。
形态特征	体长约 75 cm，体重约 10 kg，肩高小于 50 cm。雌、雄麝均不长角。成年雄麝有 1 对外露的上犬齿，称为"獠牙"，腹下有 1 能分泌麝香的腺体囊，腺体囊开口于生殖孔前面；雌麝无腺囊和獠牙。尾短小，掩藏于臀毛中。四肢细长，后肢比前肢长 1/4 ～ 1/3，蹄狭而尖。耳朵长而直立。体毛粗而硬，呈榄褐色，并带橘红色。耳内和眉毛白色，耳尖黑色，基部橙褐色。下颌部、喉部、颈下至前胸为白色或橘黄色，下颌部具奶油色条纹，喉侧面的奶油色色斑连接在一起而形成 2 奶油色色带，颈的中上部则有深褐色宽带。腿和腹部黄色至橙褐色，臀部毛近黑色。幼年个体具斑点。
分布情况	栖息于针阔混交林、针叶林和郁闭度较低的阔叶林中。湖南各地均有分布。
资源情况	野生资源较丰富。
采收加工	**麝香**：8 ～ 9 月采收，目前普遍采用快速取香法，即将麝固定在抓麝者的腿上，略剪去覆盖在香囊口的毛，用酒精消毒香囊口，将挖勺伸入囊内并徐徐转动，再向外抽出，挖出麝香，除去杂质，放于干燥器内干燥，置密闭的棕色小玻璃容器中保存，防止受潮发霉。 **麝香壳**：将香囊对剖，取外层皮，干燥。 **麝肉**：捕杀后取肉，鲜用或干燥。
药材性状	**麝香**：本品为扁圆形或类椭圆形的囊状体，直径 3 ～ 7 cm，厚 2 ～ 4 cm。开口面微突起，皮革质，棕褐色，密生白色或灰棕色短毛，

短毛围绕中心排列，中间有 1 小囊孔，小囊孔直径 1 ～ 3 mm。具棕褐色且略带紫色的皮膜，皮膜微皱缩，偶见肌肉纤维。质松且有弹性，剖开后可见呈棕褐色或灰褐色且半透明的中层皮膜，内层皮膜呈棕色。

麝香壳：本品多顺剖成 2 瓣或 4 瓣，基部相连，厚 3 ～ 5 mm，起层，内表面有一层棕红色的薄膜，称"油皮"，中层称"银皮"。质坚韧。有浓烈的麝香味。

| **功能主治** | **麝香**：辛，温。归心、肝、脾经。开窍醒神，活血通经，止痛消肿。用于热病神昏，中风痰厥，气郁暴厥，中恶昏迷，经闭，癥瘕积聚，心腹急痛，跌打损伤，痹痛麻木，痈疽恶疮，喉痹，口疮，牙疳，脓耳。

麝香壳：辛，温。归脾经。通经活络，解毒消肿。用于痈疽，疔疮，无名肿毒。

麝香银皮：辛，温。解毒消肿。用于疔疮，痈肿。

麝肉：甘，温。归肝经。补虚消积。用于腹中癥块，疳积。

| **用法用量** | **麝香**：内服入丸、散剂，0.03 ～ 0.1 g。外用适量，研末掺、调敷或入膏药中敷贴。

麝香壳：内服入散剂，1.5 ～ 2.5 g。外用适量，研末调敷；或入膏药中敷贴。

麝香银皮：外用研末调敷，0.15 ～ 0.3 g。

麝肉：内服适量，入丸剂。

| **附 注** | 在《湖南省国家重点保护野生动物名录》中本种被列为国家一级重点保护野生动物。

鹿科 Cervidae 麂属 Muntiacus

小麂 *Muntiacus reevesi (Ogilby)*

药 材 名	麂肉（药用部位：肉。别名：黄麂、黄猄、麻猄）。
形态特征	外形似狐狸，体较小。身高 43 ~ 52 cm，体长 50 ~ 60 cm，体重 4 ~ 6 kg。身体肥胖，四肢短粗。吻短，耳小且圆，脸部较短而宽。上犬齿相当发达，形成獠牙；下颌门齿和犬齿均集中在颌骨前端，故与前臼齿形成一齿间隙。额腺短而平行。颈背中央有 1 黑线。雄者具角，角叉短小，角尖向内、向下弯曲。眶下腺大，呈弯月形。四肢下部黑褐色或棕褐色。趾行，以趾着地。前足具 5 趾，第 1 趾较短而位置较高，故不着地，后足具 4 趾，缺第 1 趾，前足均具发达的趾垫及趾间垫，爪短粗。尾短粗。头部鲜棕色。体毛呈棕褐色。颈背部呈暗褐色，腹面从前胸至肛门周围均为白色。幼兽体毛上有斑点。成年雄兽冬毛颜色较夏毛稍黑，夏毛通常为淡栗红色，且混有灰黄色斑点。
分布情况	生于平原、丘陵及部分山地。湖南各地均有分布。
资源情况	野生资源较少。药材来源于野生。
采收加工	捕杀后取肉，洗净，鲜用。
功能主治	甘，平。归脾、胃经。滋补强壮，健脾消疳。用于虚劳疳积。
用法用量	内服煮食，100 ~ 200 g。

鹿科 Cervidae 鹿属 Cervus

梅花鹿 *Cervus nippon* (Temminck)

| 药 材 名 | 鹿茸（药用部位：雄鹿尚未骨化的幼角。别名：斑龙珠）、鹿角（药用部位：已骨化的角或锯茸后翌年春季脱落的角基）、鹿角胶（药材来源：鹿角经熬制而成的胶块。别名：白胶、鹿胶）、鹿角霜（药材来源：熬制鹿角胶后所剩余的骨渣。别名：鹿角白霜）、鹿皮（药用部位：皮）。

| 形态特征 | 体长 1.5 m 左右，肩高 85～100 cm，体重 100 kg 左右。雌鹿较小，无角；雄鹿头上具有 1 对实角，角上共有 4 叉，眉叉与主干呈钝角。头部略圆，颜面部较长，鼻端裸露，眶下腺明显，耳大且直立，颈细长。四肢细长，后肢外侧踝关节下有褐色足跖腺，主蹄狭小，侧蹄小。臀部有明显的白色臀斑，尾短。夏毛棕黄色或栗红色，无绒毛，遍布白色梅花斑点故称"梅花鹿"；冬毛栗棕色，白色斑点不明显。

鼻面及颊部毛短，毛尖沙黄色。从头顶起沿脊椎到尾部有一深棕色背线。腹毛淡棕色，鼠蹊部白色。四肢外侧色同体色，内侧色稍淡。腹面白色，尾背面黑色，四肢颜色较体色浅。

| 分布情况 | 湖南各地均有养殖。

| 资源情况 | 养殖资源较丰富。药材来源于养殖。

| 采收加工 | **鹿茸**：每年可采收2茬，夏、秋季锯取鹿茸，经加工后阴干或烘干。传统加工法为"水煮法"，近年来又研究出"微波及红外法""低温冷冻法"。
鹿角：于冬季或早春将已骨化的角连同脑骨一起砍下，或将已骨化的角自基部锯下，洗净，风干；或翌年春季拾取自然脱落的角基。
鹿角胶：多于11月至翌年3月熬制，熬制前先将鹿角锯成小段，置水中浸泡，每日搅动并换水1~2次，泡至水清，取出，置锅中熬制，至角质酥融、易碎时为止，将胶液过滤，用文火浓缩，取出，冷却，切成小块。
鹿角霜：夏、秋季锯取鹿茸，将骨化角熬去胶质，取出角块，干燥。
鹿皮：全年均可捕杀，剥皮，用温水浸泡，去净毛，风干。

| 药材性状 | **鹿茸**：本品为圆柱状分支，具1分支者习称"二杠"，主支习称"大挺"，长14~21 cm，锯口直径4~5 cm，距锯口约1 cm处分出侧支，习称"门庄"，

长 9 ～ 15 cm，略细，先端钝圆而微弯；外皮红棕色或棕色，多光润，密被红黄色或棕黄色细茸毛，下部毛较疏，分岔间具 1 灰黑色筋脉，皮茸紧贴；锯口面白色，有致密的蜂窝状小孔，外围无骨质；体轻；气微腥，味微咸。具 2 分支者习称"三岔"，大挺长 23 ～ 33 cm，直径较二杠细，略呈弓形，微扁，支端略尖，下部多有纵棱筋及突起的疙瘩，皮红黄色，茸毛较疏而粗。二茬茸与头茬茸相似，但挺长而不圆或下粗而上细，下部有纵棱筋；皮灰黄色，毛较粗糙，锯口外围往往骨化；质较重，无腥气。

鹿角：本品通常有 3 ～ 4 分支，全长 30 ～ 60 cm，直径 2.5 ～ 5 cm。侧支多向两旁伸展，第 1 支与珍珠盘相距较近，第 2 支与第 1 支相距较远，主支末端分成 2 小支；表面黄棕色或灰棕色，支端灰白色；支端以下具明显骨钉，骨钉断续排成纵棱，顶部灰白色或灰黄色，有光泽。鹿角脱盘呈盔状或扁盔状，直径 3 ～ 6 cm，珍珠盘直径 4.5 ～ 6.5 cm，高 1.5 ～ 4 cm；表面灰褐色或灰黄色，有光泽，中部具蜂窝状细孔；底面平，蜂窝状，多呈黄白色或黄棕色，珍珠盘周边常有稀疏的细小孔洞；上面略平或呈不规则球形；质坚硬，断面外留骨质，灰白色，中部类白色；无臭，味微咸。

鹿角胶：本品方块状，长、宽均为 2 ～ 3 cm，厚约 0.5 cm。表面棕红色或棕色，光滑，半透明。有的一端有黄白色多孔性薄层。质坚而脆，易破碎，断面光滑而有光泽，对光透视不混浊。气无，味微甜。

鹿角霜：本品呈长圆柱形或不规则块状，大小不一。表面灰白色，显粉性，常具纵棱，偶见灰色或灰棕色斑点。断面外层较致密，白色或灰白色，内层有蜂窝状小孔，灰褐色或灰黄色，具吸湿性。体轻，质酥。气微，味淡，嚼之有黏牙感。

鹿皮：本品呈不规则块状。表面灰褐色。质韧，不易折断. 气微腥。

| **功能主治** | **鹿茸：**甘、咸，温。归肾、肝经。壮肾阳，益精血，强筋骨，托疮毒。用于肾阳虚衰，阳痿滑精，宫冷不孕，虚劳羸瘦，神疲畏寒，眩晕，耳鸣耳聋，腰背酸痛，筋骨痿软，小儿五迟，女子崩漏带下，阴疽。

鹿角：咸，温。归肝、肾经。补肾阳，益精血，强筋骨，行血消肿。用于肾虚腰脊冷痛，阳痿遗精，崩漏，带下，尿频尿多，阴疽疮疡，乳痈肿痛，跌打瘀肿，筋骨疼痛。

鹿角胶：甘、咸，温。归肝、肾经。补益精血，安胎止血。用于肾虚，精血不足，虚劳羸瘦，头晕耳鸣，腰膝酸软，阳痿滑精，宫寒不孕，胎动不安，崩漏带下，吐血，衄血，咯血，尿血，阴疽疮疡。

鹿角霜：咸、涩，温。归肝、肾经。补肾助阳，收敛止血。用于肾阳不足，脾胃虚寒，食少便溏，阳痿遗精，尿频遗尿，崩漏，带下，创伤出血，疮疡久不愈合。

鹿皮：咸，温。归肝、肾经。补气，涩精，敛疮。用于带下，崩漏，肾虚滑精，漏疮。

| 用法用量 | 鹿茸：内服研末，1～3 g；或入丸剂；或浸酒。

鹿角：内服煎汤，5～10 g；或研末，1～3 g；或入丸、散剂。外用适量，磨汁涂；研末撒或调敷。

鹿角胶：内服开水或黄酒烊化，每次 3 g，每日 3 次；或入丸、散、膏剂。

鹿角霜：内服煎汤，5～10 g；或入丸、散剂。外用适量，研末撒。

鹿皮：内服煎汤，9～12 g。外用适量，烧灰调涂。

| 鹿科 | Cervidae | 鹿属 | *Cervus*

马鹿 *Cervus laphus* (Linnaeus)

| 药 材 名 | 鹿茸（药用部位：雄鹿尚未骨化的幼角。别名：斑龙珠）、鹿角（药用部位：已骨化的角或锯茸后翌年春季脱落的角基）、鹿角胶（药材来源：鹿角经熬制而成的胶块。别名：白胶、鹿胶）、鹿角霜（药用部位：熬制鹿角胶后所剩余的骨渣。别名：鹿角白霜）、鹿皮（药用部位：皮）。

| 形态特征 | 体较大，体长 2 m，体重超过 200 kg，肩高约 1 m。背平直，肩部与臀部高度相等。头与面部较长，有眶下腺。耳大，呈圆锥形。鼻端裸露。颈部较长，颈长约为体长的 1/3。四肢长，两侧蹄较长，可触及地面。雄性有角，角一般分为 6 叉，最多分为 8 叉，第 2 叉紧靠眉叉。眉叉向前伸，与主干呈直角，主干稍向后、向内弯，各分叉的基部较扁，主干表面密布小突起和少数浅槽纹。尾短。夏毛较短，呈赤褐色，无绒毛；冬毛灰褐色，厚密，有绒毛。臀斑较大，呈褐色、黄赭色或白色。嘴、下颌深棕色，颊棕色，额部棕黑色。耳外黄褐色，耳内白色。颈部与身体背面稍带黄褐色，有 1 黑棕色的背线。四肢外侧棕色，四肢内侧色较浅。臀部有黄赭色斑。

| 分布情况 | 栖息于混交林、山地草原等。湖南各地均有养殖。

| 资源情况 | 野生资源稀少。养殖资源较丰富。药材来源于养殖。

| 采收加工 | **鹿茸：**同"梅花鹿"。
鹿角：同"梅花鹿"。
鹿角胶：同"梅花鹿"。
鹿角霜：同"梅花鹿"。
鹿皮：同"梅花鹿"。

| 药材性状 | **鹿茸：**本品较粗大，分叉较多，具 1 侧支者习称"单门"，具 2 侧

支者习称"莲花"，具 3 侧支者习称"三岔"，具 4 侧支者习称"四岔"。东马鹿茸单门大挺长 25～27 cm，直径约 3 cm；外皮灰黑色，茸毛青灰色或灰黄色，锯口面外皮较厚，灰黑色，中部密布细孔；质嫩。莲花大挺长达 33 cm，下部有棱筋，锯口面蜂窝状小孔稍大。三岔皮色深，质较老。四岔毛粗而稀，大挺下部具棱筋及疙瘩，分支先端多无毛，习称"捻头"。西马鹿茸大挺多不圆，先端圆扁不一，长 30～100 cm；表面有棱，多皱缩干瘪，分支较长且弯曲，茸毛粗且长，灰色或黑灰色；锯口色较深，常见骨质。气腥臭，味咸。

鹿角：本品通常有 4～6 分支，全长 50～120 cm。主支弯曲，直径 3～6 cm，基部具盘状突起，习称"珍珠盘"，周边常有稀疏的细小孔洞，侧支多向一面伸展，第 1 支与珍珠盘相距较近，第 2 支靠近第 1 支；表面灰褐色或灰黄色，有光泽，角大而平滑，中部和下部常具疣状突起，习称"骨钉"，具纵棱；质坚硬。断面外圈骨质，灰白色或微带淡黄褐色，中部多呈灰褐色，具蜂窝状孔；无臭，味微咸。鹿角脱盘呈盔状或扁盔状，直径 3～6 cm，珍珠盘直径 4.5～6.5 cm，高 1.5～4 cm；表面灰褐色或灰黄色，有光泽，中部具蜂窝状细孔；底面平，蜂窝状，多呈黄白色或黄棕色，珍珠盘周边常有稀疏的细小孔洞；上面略平或呈不规则球形；质坚硬，断面外留骨质，灰白色，中部类白色；无臭，味微咸。

鹿角胶：同"梅花鹿"。

鹿角霜：同"梅花鹿"。

鹿皮：同"梅花鹿"。

| 功能主治 | **鹿茸**：同"梅花鹿"。
鹿角：同"梅花鹿"。
鹿角胶：同"梅花鹿"。
鹿角霜：同"梅花鹿"。
鹿皮：同"梅花鹿"。

| 用法用量 | **鹿茸**：同"梅花鹿"。
鹿角：同"梅花鹿"。
鹿角胶：同"梅花鹿"。
鹿角霜：同"梅花鹿"。
鹿皮：同"梅花鹿"。

鹿科 Cervidae 鹿属 Cervus

水鹿

Cervus unicolor (Kerr)

药 材 名	春茸（药用部位：雄鹿尚未骨化的幼角。别名：水鹿茸）。
形态特征	体粗壮。雄鹿体重可达 200 kg 以上，体长约 2 m，体高 130 cm 左右；雌鹿较矮小。面部稍长，鼻吻部裸露，耳朵大而直立，眼睛较大，眶下腺特别发达，泪窝较大，鼻镜黑色。颈粗且具长而蓬松的鬣毛。雄鹿具粗长的三叉角，三叉角最长可达 1 m。基部有 1 圈骨质的瘤突，称"角座"，俗称"磨盘"。主蹄大，侧蹄特别小。体毛粗糙，多呈暗栗棕色，颌下、腹部、四肢内侧、尾巴下面体毛为黄白色。体两侧栗棕色，背部色浅，有 1 宽窄不等的深棕色带纹。尾毛长，尾较粗大。鼠蹊与腋下白色或浅黄色。尾端部密生蓬松的黑色长毛。臀周围呈锈棕色，无臀斑。
分布情况	栖息于亚热带山区的各类次生林、阔叶林、针叶林中。湖南有分布。
资源情况	野生资源较少。
采收加工	春季采收，采收时多用锯茸法，即用绳子将鹿拖离地面，迅速将茸锯下，在伤口处敷药，贴上油纸，锯下之茸须立即干燥。
药材性状	本品类圆柱形，较细，多为二叉，稀为三叉，主支长 50 ~ 70 cm，从近磨盘处发出斜向上的单分支，先端细尖，与主体呈锐角，磨盘直径 4 ~ 6 cm。第二分支较短或仅为一突起。毛茸稀而粗长，黑褐色或深灰褐色，茸体表面有纵棱筋及凸起的疙瘩钉，习称"苦瓜棱"或"苦瓜丁"，老茸该特征更明显。横切面有细蜂窝状小孔。茸上段切面淡黄色或灰黄色，中段以下色渐淡，可见骨质。气微腥，味咸。
功能主治	甘、咸，温。归心、肝、肾经。补阳，益精血，壮筋骨。用于阳痿滑精，耳聋目眩，腰膝酸痛，崩漏带下。
用法用量	内服入丸、散剂，0.3 ~ 0.6 g。

鹿科 Cervidae 毛冠鹿属 Elaphodus

毛冠鹿 *Elaphodus cephalophus* (Milne-Edwards)

| 药 材 名 | 春茸（药用部位：雄鹿尚未骨化的幼角）。 |

| 形态特征 | 体中等，体长约 90 cm，肩高 49 cm，体重约 30 kg。头骨细长，前颌骨与鼻骨不相连，为上颌骨所隔，鼻骨后半部突出成翼状，吻旁倾斜。雄鹿有角，角极短，长仅 1 cm 左右，角冠不分叉，尖略向下弯，隐藏在额顶的一簇黑色毛丛中，角基不向头骨前面延伸成棱状脊；雌鹿无角。鼻端裸露，眼较小，无额腺，眶下腺特别显著。耳较圆阔。额部有一簇马蹄形的黑色长毛，故称"毛冠鹿"。雄鹿上犬齿大而侧扁，向下微曲，后缘锐利；雌鹿上犬齿小。尾短，长约 12 cm。体毛较粗而硬，冬毛近黑色，夏毛赤褐色。通体暗棕褐色，头颈部的毛在近毛尖处有白色环，眼上方有灰色纹。耳内侧白色，下部有黑色横纹。脸颊和吻部有苍白色毛，腹部、鼠蹊部和尾下面纯白色。幼鹿毛暗褐色，背中线两侧有不甚显著的白点，白点排列成纵行。 |

| 分布情况 | 栖息于高山或丘陵地带的常绿阔叶林、针阔叶混交林、灌丛、采伐迹地。湖南有分布。 |

| 资源情况 | 野生资源较少。药材来源于养殖。 |

| 采收加工 | 同"水鹿"。 |

| 药材性状 | 同"水鹿"。 |

| 功能主治 | 同"水鹿"。 |

| 用法用量 | 同"水鹿"。 |

| 附　　注 | 在《湖南省国家重点保护野生动物名录》中本种被列为国家二级重点保护野生动物。 |

鹿科 Cervidae 麋鹿属 *Elaphurus*

麋鹿
Elaphurus davidianus (Milne-Edwards)

药 材 名	麋茸（药用部位：雄麋鹿未骨化的角）。
形态特征	体长约 2 m，高约 1 m。雄者体重约 200 kg，雌者体重约 100 kg。尾长约 70 cm。头似马而非马，角似鹿而非鹿，身似驴而非驴，蹄似牛而非牛，故曰"四不象"。雄者具角，雌者无角。角的主支分为前后 2 支，前支再分为 2 叉，后支长而直，不再分叉。四肢粗大，主蹄宽大，可分开，侧蹄显著。毛淡褐色，背部毛色稍深，腹部毛色较浅，鼻孔上方有一白色斜纹。冬毛长而蓬松，棕赤色。刚出生时有白色斑点，出生后 3 个月斑点始消失。
分布情况	生活于沼泽地带和水域附近。湖南洞庭湖有分布。
资源情况	野生资源较少。
采收加工	每年 1 ~ 2 月或 5 ~ 6 月采收，锯取未骨化的角，洗净，晾干。
药材性状	本品分为 2 叉，后支长而直。表面具茸毛。锯口外围无骨质，中间有细孔。
功能主治	补肾阳，益精血，强筋骨，壮腰膝。用于虚劳羸瘦，精血不足，阳痿，不孕，腰膝酸软，筋骨疼痛。
用法用量	内服入丸、散剂，3 ~ 6 g；或浸酒；或熬膏。
附　　注	在《湖南省国家重点保护野生动物名录》中本种被列为国家一级重点保护野生动物。

牛科 Bovidae 水牛属 Bubalus

水牛 Bubalus bubalis (Linnaeus)

| 药 材 名 | 牛肉（药用部位：肉）、牛骨（药用部位：骨骼）、牛髓（药用部位：骨髓）、牛血（药用部位：血液）、牛脂（药用部位：脂肪）。

| 形态特征 | 体比黄牛大，体长2.5 m以上。角较长大而扁，上面有较多切纹。颈短，躯干、脸均较长，胸窄长，背脊伸展到整个胸区，然后逐渐隆起，腰腹隆凸。四肢较短，腿粗，蹄较大。尻骨极显眼。母牛乳房较大。公牛阴茎悬吊在腹下，距离腹壁15～20 cm，连接阴茎和腹壁的是从肚脐向后延伸的皮肤皱褶。阴囊有颈，下垂，长20～25 cm。皮厚，无汗腺。毛粗而短，体前部毛较密，后背及胸腹部毛较疏。体色多为灰黑色，少数为黄褐色或白色。

| 分布情况 | 湖南各地均有养殖。

| 资源情况 | 养殖资源丰富。药材来源于养殖。

| 采收加工 | 牛肉：宰杀后取肉，鲜用或干燥。
牛骨：宰杀后取骨骼，去净肉，烘干或晾干。
牛髓：宰杀后收集有髓腔的骨骼，取骨髓，鲜用。
牛血：宰杀后收集血液，鲜用。
牛脂：宰杀后取脂肪，鲜用，或熬炼成油，去渣，冷藏。

| 药材性状 | 牛骨：本品肱骨骨体扭曲，无髁上孔；尺骨、桡骨愈合，尺骨弯曲；掌骨1，骨体长，另掌骨明显退化。股骨骨体中央圆柱状，远端呈三棱形；胫骨发达；腓骨退化；跖骨1，骨体长，另1跖骨退化。髌骨窄长，上缘宽，下渐尖，内侧有一大隆起，质地坚实而重。前、后肢骨断面骨髓腔大。气微膻。

| 功能主治 | 牛肉：甘，凉。归脾、胃经。补脾胃，益气血，强筋骨。用于脾胃虚弱，气血不足，虚劳羸瘦，腰膝酸软，消渴，吐泻，痞积，水肿。
牛骨：甘，温。归心、肾、大肠经。蠋痹，截疟，敛疮。用于关节炎，泻痢，疟疾，疳疮。
牛髓：甘，温。归肾、心、脾经。补血益精，止渴，止血，止带。用于精血亏损，虚劳羸瘦，消渴，吐衄，便血，崩漏带下。
牛血：咸，平。归脾经。健脾补中，养血活血。用于脾虚羸瘦，经闭，血痢，便血，金疮折伤。
牛脂：甘，温。归肺、胃、肾经。润燥止渴，止血，解毒。用于消渴，黄疸，七窍出血，疮疡疥癣。

| 用法用量 | 牛肉：内服适量，煮食；或入丸剂。外用适量，生裹或作丸涂摩。
牛骨：内服烧存性，研末，入散剂，3～5g。外用适量，烧存性，研末调敷。
牛髓：内服适量，煎汤。外用适量，涂搽。
牛血：内服适量，煮食。
牛脂：内服煎汤，9～30g。外用适量，涂贴。

牛科 Bovidae 牛属 Bos

黄牛 *Bos taurus domesticus* (Gmelin)

| 药 材 名 | 牛肉（药用部位：肉）、霞天膏（药材来源：肉经熬炼而成的膏）、黄明胶（药用部位：由皮制成的胶。别名：水胶、牛皮胶、明胶）、牛骨（药用部位：骨骼）、牛黄（药用部位：胆囊、胆管、肝管中的结石。别名：西黄、丑宝）。

| 形态特征 | 体长1.5～2m，体重280kg左右。体格强壮。头大而短，额宽，鼻阔口大，上唇上部有2大鼻孔，基间皮肤硬而光滑，无毛。眼、耳均较大。头上有角1对，角左右分开，角之长短、大小因品种而异，弯曲，无分支，中空，内有骨质角髓。肩胛宽而圆、平滑，肩后无凹陷。胸宽而深，前胸发达。躯干宽而深，背腰长、宽、平，肋骨开张，腹小，呈圆筒形。四肢短粗而直，匀称，大腿肌肉发达。蹄圆且结实，均有蹄甲，其后方2趾不着地，称"悬蹄"。尻部长、平而宽，尾

根部丰满。皮厚，柔软，有弹性，皮下脂肪发达，被毛密而细，有光泽。尾较长，尾端具丛毛，毛黄色，无杂毛。

| **分布情况** | 湖南各地均有养殖。

| **资源情况** | 养殖资源丰富。药材来源于养殖。

| **采收加工** | **牛肉**：同"水牛"。

霞天膏：取精牛肉去净筋膜，洗净，入锅内加清水淹没，煎熬24小时，取肉汁，将渣再煎熬1遍，将2次煎熬所得的肉汁合并并滤清，入锅加黄酒（每50 kg加黄酒1 kg）收膏，膏成后倒入盘内，候冷，切成小块，放于透风处晾干。

黄明胶：将干燥的牛皮铡成小方块，置清水中浸泡2天，经常搅拌换水，至牛皮柔软时洗净，取出，置铜锅内，加入约5倍量的清水，加热至沸腾，并随时添水，每隔24小时滤取清液1次，如此反复3次，将全部滤液用明矾沉淀，取清汁，再入铜锅内加热浓缩至滴于滤纸上不化为度，加入黄酒或冰糖等辅料收胶，倒入胶盘内，俟冷，切成小块，晾干。

牛骨：同"水牛"。

牛黄：全年均可采收。宰牛时检查胆囊、胆管及肝管，如发现有牛黄，即滤去胆汁，将牛黄取出，除去外部薄膜，用通草丝或棉花等包好，放于阴凉处，至半干时用线扎好以防破裂，阴干。

| 药材性状 | 霞天膏：本品为不规则碎块，半透明，淡黄白色或浅黄红色，有光泽。气微腥。
黄明胶：本品为长方形片块，褐绿色，近半透明。气微，味微甘、咸。
牛骨：本品肱骨骨体扭曲，无髁上孔；尺骨、桡骨愈合，尺骨弯曲；掌骨1，骨体长，另掌骨明显退化。股骨骨体中央圆柱状，远端呈三棱形；胫骨发达；腓骨退化；跖骨1，骨体长，另1跖骨退化。髌骨窄长，上缘宽，下渐尖，内侧有一大隆起，质地坚实而重。前、后肢骨断面骨髓腔大。气微膻。
牛黄：本品卵形、类球形或三角形，大小不一，直径0.6～3（～4.5）cm，少数呈管状或碎片状。表面黄红色至棕黄色，有的表面有一层光亮的黑色薄膜，习称"乌金衣"。体轻，质酥脆。易分层剥落，断面金黄色，可见细密的同心层纹，有的夹有白心。气清香，味苦而后甘，有清凉感。嚼之易碎，不粘牙。 |
|---|---|
| 功能主治 | 牛肉：甘，温。归脾、胃经。补脾胃，益气血，强筋骨。用于脾胃虚弱，气血不足，虚劳羸瘦，腰膝酸软，消渴，吐泻，痞积，水肿。
霞天膏：甘，温。归脾经。健脾胃，补气血，润燥化痰。用于虚劳羸瘦，中风偏废，痰饮痞积，痰核。
黄明胶：甘，平。归肺、大肠经。滋阴润燥，养血止血，活血消肿，解毒。用于虚劳肺痿，咳嗽咯血，吐衄，崩漏，下痢便血，跌扑损伤，痈疽疮毒，烫火伤。
牛骨：同"水牛"。
牛黄：甘，凉。归心、肝经。清心，豁痰，开窍，凉肝，息风，解毒。用于热病神昏，中风痰迷，惊痫抽搐，癫痫发狂，咽喉肿痛，口舌生疮，痈肿疔疮。 |
| 用法用量 | 牛肉：同"水牛"。
霞天膏：内服9～15 g。
黄明胶：内服水、酒化冲，3～9 g；或入丸、散剂。外用适量，烊化涂。
牛骨：同"水牛"。
牛黄：内服入丸、散剂，0.15～0.35 g。外用适量，研末调敷。 |

牛科 Bovidae 绵羊属 Ovis

绵羊 *Ovis aries* (Linnaeus)

药 材 名	羖羊角（药用部位：雄绵羊的角）、羊皮（药用部位：皮）、羊肉（药用部位：肉）、羊骨（药用部位：骨骼）、羊髓（药用部位：骨髓、脊髓）。
形态特征	体重因品种不同而有较大差异，轻者体重不超过 20 kg，重者体重可达 150 ~ 200 kg，形态特征亦多样。头短。有的雄羊有螺旋状的大角，雌羊没有角或仅有细小的角，有的雌、雄羊均有角；有的二者皆无角；有的仅雄羊有角。角形与羊尾因品种不同亦有差异。身体丰满，体毛绵密。颅骨上具泪窝，具有泪腺。鼻骨较隆起。嘴尖，唇薄而灵活。4 蹄均有趾腺。前、后肢 2 趾间具 1 腺体，腺体开口于前部。
分布情况	湖南各地均有养殖。
资源情况	养殖资源较丰富。药材来源于养殖。
采收加工	**羖羊角**：全年均可采收，锯取雄绵羊的角，干燥。 **羊皮**：宰杀时剥取皮肤，鲜用或烘干。 **羊肉**：宰杀时取肉，鲜用。 **羊骨**：宰杀时取骨骼，鲜用，或冷藏。 **羊髓**：宰杀时取骨髓或脊髓，鲜用。
药材性状	**羖羊角**：体较大，呈螺旋状。表面黄白色，有众多横沟纹。
功能主治	**羖羊角**：苦、咸，寒。归肝、心经。清热，镇惊，明目，解毒。用于风热头痛，温病发热神昏，烦闷，吐血，小儿惊痫，惊悸，青盲内障，痈肿疮毒。 **羊皮**：甘，温。归肺、脾、大肠经。补虚，祛瘀，消肿。用于虚劳羸弱，肺脾气虚，跌打肿痛，蛊毒下血。

羊肉：甘，热。归脾、胃、肾经。温中健脾，补肾壮阳，益气养血。用于脾胃虚寒，食少反胃，泻痢，肾阳不足，气血亏虚，虚劳羸瘦，腰膝酸软，阳痿，寒疝，产后虚羸少气，缺乳。

羊骨：甘，温。归肾经。补肾，强筋骨，止血。用于虚劳羸瘦，腰膝无力，筋骨挛痛，耳聋，齿摇，膏淋，白浊，久泻久痢，月经过多，鼻衄，便血。

羊髓：甘，平。归肺、肝、肾经。益阴填髓，润肺泽肤，清热解毒。用于虚劳腰痛，骨蒸劳热，肺痿咳嗽，消渴，皮毛憔悴，目赤翳障，痈疽疮疡。

| 用法用量 | 羖羊角：内服煎汤，9～30 g；或烧存性，研末。外用适量，烧灰，研末调敷。

羊皮：内服适量，做羹食；或烧存性，研末，6～9 g。外用适量，研末调敷。

羊肉：内服煎汤，125～250 g；或煮食；或入丸剂。

羊骨：内服煎汤，1具；或浸酒；或煅存性，研末，入丸、散剂。外用适量，煅存性，研末撒或擦牙。

羊髓：内服熬膏，30～60 g；或煮食。外用适量，涂敷。

牛科 Bovidae 山羊属 Capra

山羊 *Capra hircus* (Linnaeus)

| 药 材 名 | 羖羊角（药用部位：雄山羊的角）、羊皮（药用部位：皮）、羊肉（药用部位：肉）、羊骨（药用部位：骨骼）、羊髓（药用部位：骨髓、脊髓）。

| 形态特征 | 体长 1 ~ 1.2 cm，体重 10 ~ 35 kg。头长，颈短，耳大，吻狭长。雌、雄山羊额部均有角 1 对，雄山羊角大；角基部略呈三角形，尖端略向后弯，角质中空，表面有环纹或前面呈瘤状。雄山羊颔下有总状长须。四肢细。尾短，不甚下垂。全体被粗直短毛，毛色有白色、黑色、灰色和黑白相杂等多种。

| 分布情况 | 生活于山地草坡或灌丛中。湖南各地均有养殖。湖南有分布。

| 资源情况 | 养殖资源丰富。

| 采收加工 | 羧羊角：同"绵羊"。
羊皮：同"绵羊"。
羊肉：同"绵羊"。
羊骨：同"绵羊"。
羊髓：同"绵羊"。

| 药材性状 | 羧羊角：本品呈长圆锥形而侧扁，长约 26 cm，一侧凹入，呈沟状，另一侧凸起，呈脊状，尖端稍弯曲。表面黄白色，粗糙，有纵纹或纵沟纹。中下部有波状横环纹。角基部略呈三角形，内有骨塞，骨塞中部呈空洞状。质坚硬，刨片坚韧且富弹性。气微，味淡。
羊皮：同"绵羊"。
羊肉：同"绵羊"。
羊骨：同"绵羊"。
羊髓：同"绵羊"。

| 功能主治 | 羧羊角：同"绵羊"。
羊皮：同"绵羊"。
羊肉：同"绵羊"。
羊骨：同"绵羊"。
羊髓：同"绵羊"。

| 用法用量 | 羧羊角：同"绵羊"。
羊皮：同"绵羊"。
羊肉：同"绵羊"。
羊骨：同"绵羊"。
羊髓：同"绵羊"。

牛科 Bovidae 鬣羚属 Capricornis

鬣羚
Capricornis sumatraensis (Bechstein)

| 药 材 名 | 鬣羚骨（药用部位：四肢骨。别名：山驴子骨）、鬣羚角（药用部位：角）。 |

| 形态特征 | 外形似羊，体中等，身长 1.4 ~ 1.7 m，肩高 1.1 m，重可达 120 kg。耳宽大，颈背有鬃毛。吻端裸露，雌、雄者均有 1 对短而尖的黑角，角短而光滑，介于 2 耳之间，基部粗而先端尖，除尖端外均具环棱。自角基至颈背有长十余厘米的灰白色鬣毛，鬣毛甚明显。颈背有鬃毛。吻鼻部黑色，吻端裸露，唇的周围有髭毛，有明显的球囊状眶下腺，其开口处有一撮丛毛。鼠蹊部具 2 对乳头。四肢粗壮，蹄短而坚实。全身被毛稀疏而粗硬，多为黑褐色，少数为灰褐色。颈部有白色长毛。四肢上部赤褐色，向下转为黄褐色。上、下唇白色。耳背黑棕色。腹部及鼠蹊部黑褐色。尾尖黑色。个体毛角差异较大。 |

| 分布情况 | 生活于山地草坡或灌丛中。湘南有分布。 |

| 资源情况 | 药材来源于野生。 |

| 采收加工 | **鬣羚骨**：全年均可捕杀，剥皮，取四肢骨，悬挂于通风处晾干。
鬣羚角：全年均可捕杀，取角，镑丝。 |

| 药材性状 | **鬣羚骨**：本品长而粗壮，常带有蹄，前、后肢皆由 3 节组成，各节微弯曲。前肢上节与中节均长约 26 cm，下节较细而短。后肢上节长约 30 cm，中节长约 35 cm，下节亦较短而小。外表面灰白色。骨质不甚沉重。质硬，断面灰白色，不透明，髓腔空虚，油质不重。气微腥，味微咸。
鬣羚角：本品长约 20 cm，短粗而尖。角基部粗，环棱紧密，中部环棱较疏，尖端光滑无棱，微弯曲。 |

| 功能主治 | **鬣羚骨**：辛、咸，温。归肝、肾经。强筋骨，祛风湿，通络止痛。用于腰膝酸痛，风湿痹痛，麻木不仁。

鬣羚角：咸，凉。归肝、心经。清热解毒，平肝息风。用于高热神昏抽搐，小儿惊风，痫证，惊悸。

| 用法用量 | **鬣羚骨**：内服煎汤，9 ~ 15 g；或浸酒。

鬣羚角：内服煎汤，30 ~ 50 g；或烧存性，研末，3 ~ 6 g。

牛科 Bovidae 斑羚属 Naemorhedus

青羊 *Naemorhedus goral* (Hardwicke)

药 材 名	山羊肉（药用部位：肉。别名：斑羚）、山羊血（药用部位：血）、山羊油（药材来源：脂肪所炼的油）、山羊角（药用部位：角）、山羊肝（药用部位：肝脏）。
形态特征	体大，体长 0.9 ~ 1.1 m，肩高 59 cm，尾长 13 ~ 17 cm，重约 30 kg。四肢短，蹄狭窄。眶下腺退化，有足腺，无鼠蹊腺。雌、雄者均有角，角短而直，斜向后上方伸出，2 角基部靠近，尖端略向下弯，余部有环棱。体毛麻灰色或灰褐色，具有厚底绒，其上覆盖黑色粗针毛。雄性具有半直立的鬃。冬季体毛更蓬松，喉通常为白色，喉部后方有一白斑。腹面灰白色。四肢浅褐色或黄褐色，前肢白色。深色背纹微弱或缺如。尾下半段黑色，不具丛毛。
分布情况	栖息于人迹罕至的山林中。湖南有分布。
资源情况	野生资源较少。药材来源于野生。
采收加工	**山羊血：**宰杀后取血，置于平底器皿中，晒干，切成小块，或将血灌入羊肠内，用绳扎成 3 ~ 4 cm 长的小段，晒干后取出。 **山羊角：**捕得后锯取羊角，干燥。
药材性状	**山羊血：**本品多为不规则碎块，其底面平滑，稍有光泽；装入肠中干燥者则呈椭圆形，肠皮光亮，黑紫色，两端有许多皱纹及绳扎的痕迹。血块呈黑褐色或深紫色，略具光泽。体轻，易碎。气腥，味咸。
功能主治	**山羊肉：**甘，热。归肾经。补虚损，助肾阳，壮筋骨。用于虚劳内伤，筋骨痿弱，腰脊酸软，阳痿精寒，赤白带下，血冷不孕。 **山羊血：**甘、咸，温。归心、肝经。活血，散瘀，止痛，接骨。用于跌打损伤，骨折，筋骨疼痛，吐血，衄血，咯血，便血，尿血，

崩漏下血，月经不调，难产，痈肿疮疖。

山羊油：甘，温。归心经。温经散寒，和血止痛。用于疝痛。

山羊角：咸，寒。归心、肝经。清热，镇惊，散瘀止痛。用于小儿发热惊痫，头痛，产后腹痛，痛经。

山羊肝：苦、甘，寒。归肝经。补肝，清热，明目。用于肝虚目暗，视物不明，目赤肿痛，雀目，虚羸。

| **用法用量** | **山羊肉**：内服适量，煮食。

山羊血：内服研末酒调，每次 1 ~ 2 g，每日 3 ~ 6 g；或入丸剂。

山羊油：内服热酒冲，9 ~ 15 g。

山羊角：内服煎汤，30 ~ 50 g；或磨粉；或烧焦研末，3 ~ 6 g。外用研末吹耳，0.6 ~ 0.9 g。

山羊肝：内服适量，煮食；或焙干研末，入丸、散剂。外用适量，敷目。

猴科 Cercopithecidae 猕猴属 Macaca

猕猴 *Macaca mulatta* (Zimmermann)

| 药 材 名 | 猕猴骨（药用部位：骨骼。别名：猴骨、申骨）、猕猴肉（药用部位：肉）、猴枣（药用部位：肠胃结石。别名：猴子枣、猴丹、申枣）、猕猴胆（药用部位：胆囊）。

| 形态特征 | 体瘦小，体长 45～51 cm，雄猴体重约 7.7 kg，雌猴体重约 5.4 kg。面部瘦削，裸露无毛，轮廓分明，眼眶部位的骨呈环状，面部和 2 耳多呈肉色。吻部突出，2 腭粗壮，牙齿 32。鼻孔朝前并向下紧靠。头顶没有向四周辐射的旋毛，呈棕色，额略突，眉骨高，眼窝深、臀胝明显，多为红色，雌者臀胝色更红。两颊有颊囊。四肢短粗，手、足均具 5 指（趾），指端有扁平的指甲。尾较长。毛色因地区、年龄不同而异，多为灰黄色或灰褐色。背部棕灰色或棕黄色，腰部以下为橙黄色或橙红色，腹面淡灰黄色，有光泽，胸腹部灰色。

分布情况	生活于山地草坡、灌丛中。湖南有分布。
资源情况	野生资源较少。
采收加工	猕猴骨：全年均可捕捉，捕杀后剥去皮毛（四肢不去皮毛），除去内脏，剔除骨上筋肉，挂于通风处晾干。 猕猴肉：全年均可捕捉，捕杀后除去皮毛及内脏，剔除骨骼，取肉，鲜用或烘干。 猴枣：全年均可捕捉，捕杀后剖腹，取出肠胃中的结石，于通风处晾干。 猕猴胆：捕杀后剖腹，取出胆囊，洗净，晾干。
药材性状	猕猴骨：前肢肱骨长约 13 cm，直径约 1.3 cm，桡骨、尺骨大小几乎相等，长约 14 cm，直径 0.8～1 cm。股骨长约 17 cm，直径约 1.5 cm，微弯；腓骨、胫骨长约 15 cm，胫骨直径约 1.2 cm，腓骨细瘦。前、后肢掌部及爪均带有皮毛，皮呈黄棕色，干枯。骨质轻，外表不甚洁白。断面骨膘不大厚实，亦呈浸白色，骨髓多已干枯。头骨与人头骨极相似。脊椎骨粗大，共 28 节。肋骨 13 对，细瘦而弯曲。尾骨细小，共 15 节。 猴枣：本品呈椭圆形或扁圆形，大小不一。表面青灰色、黑褐色或暗灰色，有光泽。质松脆，击之易碎，断面可见同心环层纹，中心部位常有柴梗、石子、豆衣等异物。
功能主治	猕猴骨：酸，平。归心、肝经。祛风湿，通经络。用于风寒湿痹，四肢麻木，

关节疼痛。

猕猴肉：酸，平。归肺经。祛风除湿，补肾健脾。用于风湿骨痛，神经衰弱，阳痿遗精，疳积，便血。

猴枣：苦、微咸，寒。归心、肺、肝经。清热镇惊，豁痰定喘，解毒消肿。用于痰热喘咳，咽痛喉痹，惊痫，小儿急惊风，瘰疬痰核。

猕猴胆：苦、微咸，寒。清热解毒，明目退翳。用于咽喉肿痛，夜盲，内外翳障。

| 用法用量 | 猕猴骨：内服煎汤，3 ~ 6 g；或浸酒；或入丸、散剂。

猕猴肉：内服蒸食，100 ~ 200 g；或烘烤成肉干食。

猴枣：内服研末，0.3 ~ 1 g。外用适量，醋磨涂。

猕猴胆：内服研末，1 ~ 3 g。

| 附　注 | 在《湖南省国家重点保护野生动物名录》中本种被列为国家二级重点保护野生动物。

猴科 Cercopithecidae 猕猴属 Macaca

短尾猴 *Macaca specioas* (F. Cuvier)

| 药 材 名 | 猕猴骨（药用部位：骨骼。别名：猴骨、申骨）、猕猴肉（药用部位：肉）、猴枣（药用部位：肠胃结石）、猕猴胆（药用部位：胆囊）。

| 形态特征 | 体较猕猴大，体重达 15 kg，体长 50 ~ 56 cm。颜面部常为暗红色或带紫红色斑块，壮年时颜面红色，老年时颜面变为紫色或青黑色。头骨相对较宽，有明显的眉脊。体浑圆。四肢粗壮，各肢等长。头顶之毛较长，由正中向两侧分开。成体眉毛多呈棕黄色。老年猴面部有白毛，白毛常伸向鼻侧。耳较小。尾短，光秃无毛。雄兽的生殖器也与众不同，其阴茎扁而长，呈矛状。体色深暗，背部多为暗褐黑色或暗榄棕褐色，腹部体色稍浅于背部。前额部分裸露无毛，头顶光秃无毛，颊部的毛也较稀少。胸部、腹部及四肢内侧的毛稀疏且颜色较浅，肩部、颈部和背部的毛较粗糙。胼胝周围裸露无毛。体背面毛棕褐色，腹面毛色略浅。

| 分布情况 | 生活于山地草坡、灌丛中。湖南有分布。

| 资源情况 | 野生资源较少。药材来源于野生。

| 采收加工 | **猕猴骨：**同"猕猴"。
猕猴肉：同"猕猴"。
猴枣：同"猕猴"。
猕猴胆：同"猕猴"。

| 药材性状 | **猕猴骨：**同"猕猴"。
猕猴肉：同"猕猴"。
猴枣：同"猕猴"。
猕猴胆：同"猕猴"。

| 功能主治 | 猕猴骨：同"猕猴"。
猕猴肉：同"猕猴"。
猴枣：同"猕猴"。
猕猴胆：同"猕猴"。

| 用法用量 | 猕猴骨：同"猕猴"。
猕猴肉：同"猕猴"。
猴枣：同"猕猴"。
猕猴胆：同"猕猴"。

鲮鲤科 Manidae 鲮鲤属 Manis

鲮鲤
Manis pentadactyla (Linnaeus)

| **药 材 名** | 穿山甲（药用部位：鳞片。别名：鲮鲤甲、鲮鲤角、山甲）、鲮鲤肉（药用部位：肉）。 |

| **形态特征** | 体狭长，头体长 42 ～ 92 cm，尾长 28 ～ 35 cm，体重 2 ～ 7 kg。鳞片与体轴平行，共 15 ～ 18 列。尾上有纵向鳞片 9 ～ 10。全身有鳞甲。头细，呈圆锥状，眼小，吻尖，舌长，无齿。耳不发达。四肢短粗，前肢比后肢长；足具 5 趾，并有强爪；前足爪长，尤以中间第 3 爪为长，后足爪较短小。尾扁平而长，背面略隆起。鳞片棕褐色，老年兽的鳞片边缘为橙褐色或灰褐色，幼兽尚未角化的鳞片呈黄色，鳞片之间有硬毛。两颊、眼、耳、颈、腹部、四肢外侧、尾基部均生有稀疏的白色和棕黄色长硬毛。绒毛极少。雌兽有乳头 1 对。老兽的鳞片边缘呈橙褐色或灰褐色，每一鳞片自基部始有纵纹，年龄越大者纵纹数量越少。初生兽鳞软色白，1 月龄后鳞渐次角化并变为褐色。 |

| **分布情况** | 栖息于丘陵、山地的树林、灌丛中。湖南有分布。 |

| **资源情况** | 野生资源较少。药材来源于养殖。 |

| **采收加工** | **穿山甲**：全年均可捕捉，捕后处死，剥取甲皮，放入沸水中烫，待鳞片自行脱落后捞出，洗净，晒干。 |

| **药材性状** | **穿山甲**：本品呈扇面形、三角形、菱形或盾形，扁平状或半折状，中间较厚，边缘较薄，大小不一，长、宽均为 0.5 ～ 5 cm。背面黑褐色或黄褐色，有光泽，腹面色较浅，中部有 1 明显突起的横向弓形棱线，其下方有数条与棱线平行的细纹。角质微透明，坚韧而有弹性，不易折断。气微腥，味微咸。 |

| **功能主治** | **穿山甲**：咸，寒。归肝、胃经。活血散结，通经下乳，消痈溃坚。 |

用于血瘀经闭，癥瘕，风湿痹痛，乳汁不下，痈肿，瘰疬。

鲮鲤肉：甘、涩，平。滋阴清热，解毒散结。用于久病体虚，遗尿，瘰疬，麻风病。

| 用法用量 |　**穿山甲：**内服煎汤，3 ～ 9 g；或入散剂。外用适量，研末撒或调敷。

　　　　　　鲮鲤肉：内服炖食，50 ～ 100 g。

| 附　　注 |　在《湖南省国家重点保护野生动物名录》中本种被列为国家一级重点保护野生动物。

松鼠科 Sciuridae 丽松鼠属 Callosciurus

赤腹松鼠 Callosciurus rythraeus (Pallas)

| **动物别名** | 栗鼠、灰鼠。

| **药 材 名** | 松鼠（药用部位：除去内脏的全体）。

| **形态特征** | 体细长，中等大小，体长 19 ~ 25 cm，体重 280 ~ 420 g。体侧无皮膜。吻短。鼻骨短粗，其长小于眶间宽。脑颅圆而凸，仅眶间部略低凹，眶后突发达。颧骨平直，不向外凸，侧面观中央向上有一突起。听泡大小适中，较突出。耳小而圆。颈粗壮。前足常裸露，掌垫 2，指垫 4；后足 5 趾俱全，跖部裸出，跖垫 2，趾垫 5，后足踵部被毛，爪锐利，呈钩状。乳头 2 对，位于腹部。尾长略小于体长或与体长几相等。耳廓发黄，无簇毛。眼及面颊部浅灰色。颈部为淡灰色。胸腹部及四肢内侧锈红色或棕红色。背部及四肢外侧为榄黄色且有黑毛。尾毛背腹面几乎同色，与体背基本相同。后半部毛较长，黄黑相间，形成不明显的半环。

| **分布情况** | 栖息于热带雨林、季雨林、亚热带常绿阔叶林、次生稀树灌丛或果园中。湖南有分布。

| **资源情况** | 野生资源一般。药材来源于野生。

| **采收加工** | 全年均可捕捉，捕杀后除去内脏，阴干。

| **功能主治** | 甘、咸，平。归肺、肝经。活血调经，行气止痛。用于跌打伤痛，骨折，月经不调，闭经，痛经。

| **用法用量** | 内服焙干研末，3 ~ 9 g。

松鼠科 | Sciuridae | 鼯鼠属 | *Petaurista*

红白鼯鼠 *Petaurista alborufus* (Milne-Edwards)

| 动物别名 | 耳鼠、鼯鼠、飞鼠。

| 药 材 名 | 鼺鼠（药用部位：全体）。

| 形态特征 | 形似松鼠，体长 35 ~ 60 cm，体重约 2 kg。头短而圆，白色。眼睛很大，眼圈赤栗色，瞳孔特别大，眼眶赤栗色。颏、喉上部、颈两侧及胸均为白色，上臂皮翼前缘近肩部亦为白色。身躯两侧前、后脚之间有一层薄膜，膜的两面长有细毛。体背面栗色至浅栗色，背后部至尾基部有一大片浅黄色或花白色毛区，背前部栗色且有光泽。皮翼上面栗褐色，下面橙赤色；体腹面淡橙赤褐色。尾基部约 1/4 为橙赤褐色，远端至尾尖变为深栗色。前、后足均为赤色，足趾黑色。身体背面体毛为红色，面部和身体腹面体毛为白色。尾长 40 ~ 50 cm，几乎与身体的长度相等。

| 分布情况 | 生活于山地草坡、灌丛中。湖南有分布。

| 资源情况 | 野生资源较少。药材来源于野生。

| 采收加工 | 春、秋季捕捉，捕后处死，剥去皮毛，除去内脏，取肉骨，鲜用。

| 功能主治 | 催产，止痛。用于难产，产后腰痛，关节痛，头风痛。

| 用法用量 | 内服煎汤，泡酒服。15 ~ 30 g。

竹鼠科 Rhizomyidae 竹鼠属 Rhizolmys

中华竹鼠 Rhizolmys sinensis (Gray)

| 动物别名 | 竹鼠、竹豚、篱鼠。 |

| 药 材 名 | 竹鼠留肉（药用部位：肉）、竹鼠留子油（药材来源：脂肪所炼的油）、竹鼠留子牙（药用部位：牙齿）。 |

| 形态特征 | 体粗壮，呈圆筒形。成兽体长一般小于 38 cm，尾长 6 ~ 7 cm，体重 500 ~ 800 g。头骨粗大，幼体额骨平坦，成体额骨前部亦平坦，有明显的棱角。头部钝圆。吻短而钝，较大。鼻骨前端宽，向后逐渐变窄。眼小，耳隐于毛内。四肢短粗，前肢爪背面观呈指甲状，腹面观则呈铲状，后肢爪尖长，爪强而锐利。尾短小，被稀疏短毛。成兽背部及两侧棕灰色并具光泽，毛基灰色，无白尖的针毛，吻侧毛色较浅，体腹面毛较稀，色浅；幼兽毛色较深，周身均为黑灰色。体毛密而柔软。臀部毛基为灰白色，毛尖为棕色；颏部及颈下毛白色；腹部毛较背部毛稀疏，毛基灰色，毛尖棕白色；会阴及肛周围毛棕色；足背及尾部毛为棕白色。 |

| 分布情况 | 栖息于洞穴中。湖南有分布。 |

| 资源情况 | 野生资源较丰富。药材来源于野生。 |

| 采收加工 | **竹鼠留肉**：秋末冬初捕捉，捕后处死，剥去外皮，除去骨骼、内脏，取肉，鲜用。
竹鼠留子油：秋末冬初捕捉，捕后处死，取脂肪炼油。
竹鼠留子牙：秋末冬初捕捉，捕后处死，取牙齿，鲜用。 |

| 功能主治 | **竹鼠留肉**：甘，平。归肺、胃经。益气养阴，清热止渴。用于肺痨发热，胃热消渴。
竹鼠留子油：甘、淡，平。归肺经。解毒排脓，生肌止痛。用于无 |

名肿毒，烫火伤，冻疮。

竹鼠留子牙：甘、咸，平。归肺经。祛风解毒。用于小儿破伤风。

| 用法用量 | **竹鼠留肉**：内服煮食，1 只；或入散剂。

竹鼠留子油：外用适量，涂敷。

竹鼠留子牙：内服油炸后研末，0.3 ~ 0.6 g。

鼠科 Muridae 家鼠属 Rattus

褐家鼠 *Rattus norvegicus* (Berkenhout)

| 药 材 名 | 鼠（药用部位：全体）、幼鼠（药用部位：未长毛的幼鼠）、鼠皮（药用部位：皮）、鼠血（药用部位：血液）、鼠脂（药用部位：脂肪）。

| 形态特征 | 中型鼠类，体粗壮，体长 15 ~ 22 cm，体重 72 ~ 290 g。头骨较粗大，脑颅较狭窄。颧弓较粗壮，眶上嵴发达，左、右颞嵴向后平行延伸而不向外扩展。门齿孔较短，后缘接近臼齿前缘连接线。听泡较小；耳短而厚，向前折不能遮住眼。尾长明显短于体长。前足 4 趾，后足 5 趾，均具爪，后足长 3.5 ~ 4 cm。雌性乳头 6 对。毛粗糙，背毛棕褐色或灰褐色，愈老的个体，背毛色愈深，毛基深灰色，毛尖棕色；腹毛灰色，略带污白色或乳黄色。足背苍白色。尾毛稀疏，上面黑褐色，下面灰白色，尾背部有褐色细长毛，尾上环状鳞片清晰可见，鳞片基部有白色和褐色细毛。

| 分布情况 | 栖息于住宅、阴沟、草堆、田埂及河溪堤岸等。湖南各地均有分布。

| 资源情况 | 野生资源丰富。药材来源于野生。

| 采收加工 | 鼠：全年均可捕杀，剥皮，剖腹，除去内脏，鲜用或风干。
幼鼠：全年均可捕杀，鲜用，或浸泡在花生油等植物油内，浸泡时间应多于 1 个月。
鼠皮：全年均可捕杀，剥皮，鲜用或烘干。
鼠血：全年均可捕杀，取血液，鲜用。
鼠脂：全年均可捕杀，剥皮，剖腹，取脂肪，鲜用或炼油。

| 功能主治 | 鼠：甘，平。归脾、胃经。补虚消疳，解毒疗疮。用于虚劳羸瘦，疳积，烫火伤，外伤出血，冻疮，跌打损伤。
幼鼠：辛、咸，平。归心、肝经。清热解毒，和血止痛。用于烫火伤，外伤出血。

鼠皮：甘、咸，平。归肺、心经。解毒敛疮。用于痈疽疮疡久不收口，附骨疽。

鼠血：甘、咸，凉。清热凉血。用于牙龈肿痛，齿缝出脓血。

鼠脂：甘，平。归肺、肾经。解毒疗疮，祛风透疹。用于疮毒，风疹，烫火伤。

| 用法用量 | **鼠：**内服煮食或炙食，1～2只；或入散剂。外用熬膏涂，1只；或烧存性，研末敷。

幼鼠：外用焙干，研末调敷，1～2只。

鼠皮：外用烧灰涂敷，1张；或鲜品贴敷。

鼠血：外用适量，涂擦。

鼠脂：内服适量，煎汤；或煨食。外用适量，脂肪油涂敷或滴耳。

鼠科 Rhizomyidae 家鼠属 Rattus

黄胸鼠 *Rattus flavipectus* (Milne-Edwards)

药 材 名	同"褐家鼠"。
形态特征	体较大，但较褐家鼠瘦小，体细长。头骨较褐家鼠小，吻部较短，门齿孔较大，鼻骨较长，眶上嵴发达。体长 13.5 ~ 18 cm，体重 74 ~ 134 g。尾细，尾长超过体长。耳长而薄，向前折可遮住眼。雌性有乳头 5 对，胸部有乳头 2 对，腹部有乳头 3 对。前、后足细长，分别具 4 趾和 5 趾，均具爪。背毛棕褐色或黄褐色，且带黑色，腹毛灰黄色。胸部毛色黄，有时具 1 白斑。尾上、下均为黑褐色。前足背中央毛灰褐色，四周毛灰白色。尾部鳞片发达，呈环状，细毛较长。
分布情况	栖息于屋内，活动于农田中。湖南各地均有分布。
资源情况	野生资源丰富。药材来源于野生。
采收加工	同"褐家鼠"。
功能主治	同"褐家鼠"。
用法用量	同"褐家鼠"。

豪猪科 Hystricidae 豪猪属 Hystrix

豪猪 *Hystrix brachyuran* (Linnaeus)

药 材 名	豪猪肉（药用部位：肉。别名：豪彘、刺猪、响铃猪）、豪猪毛刺（药用部位：棘刺）、豪猪肚（药用部位：胃）。

形态特征 大型啮齿动物。体肥大，最大者体长 70 cm 以上。头骨较细小，颧弓不外扩，而鼻腔却甚膨大。牙齿 20，锐利，齿根很浅。头小，眼小。四肢短粗。背部与尾部生有长而硬的棘刺，四肢、腹部之刺短小而软，呈棕色，臀部棘刺长而多，长者长近半米，棘刺一般呈纺锤形，中空，乳白色。额部至颈背部中央有 1 白色纵纹。尾甚短。全身棕褐色。

分布情况 栖息于山坡、草地或密林中，挖洞穴居。湖南各地均有分布。

资源情况 野生资源稀少。药材来源于野生。

采收加工 豪猪肉：捕杀后剥皮，剖腹，取肉，鲜用。
豪猪毛刺：捕杀后拔取棘刺，鲜用。
豪猪肚：捕杀后剖腹，取胃，洗净，鲜用或烘干。

药材性状 豪猪毛刺：本品长短不一。臀部的刺长 20 ~ 40 cm 或更长，直径 5 ~ 7 mm，纺锤形；表面乳白色，中间 1/3 处有一段呈浅褐色或黑褐色，末端黑色；质硬，断面中空。头、颈和肩部的刺较短，腹面和四肢的刺更短。项背中央及前肩的刺末端白色。气微。

功能主治 豪猪肉：甘，寒。归大肠、肝经。润肠通便。用于大便不畅。
豪猪毛刺：苦，平。归脾、胃经。行气止痛，解毒消肿。用于心胃气痛，乳蛾，疮肿，皮肤过敏。
豪猪肚：甘，寒。归肝、肾经。清热利湿，行气止痛。用于黄疸，水肿，脚气，鼓胀，胃痛。

| **用法用量** | 豪猪肉：内服煎汤，30 ~ 60 g；或煮食。

豪猪毛刺：内服烧存性，研末，6 ~ 10 g。外用适量，烧炭，研末撒或吹喉。

豪猪肚：内服煮食，30 ~ 50 g；或烧存性研末，3 ~ 6 g。

河豚科 Platanistidae 白暨豚属 Lipotes

白暨豚 *Lipotes vexllifer* (Miller)

物种别名	白旗、白鳍豚、白江猪。
药 材 名	白暨豚（药材来源：由脂肪所炼的油）。
形态特征	体呈纺锤形，脐处最粗，体长 1.5 ~ 2.5 m，体重约 230 kg。头骨左右不对称，颅腔大。嘴部又长又细，吻极狭长，长约 30 cm，前端略上翘。喷气孔纵长，位于头顶偏左处。视听器官退化。眼极小，位于口角后上方。耳孔似针眼，位于双眼后下方。大脑特别发达，声呐系统位于头两侧、眼的后下方，极灵敏。背鳍三角形，位于体中部略靠后，上端尖，基底长，鳍肢较宽，末端圆钝；胸鳍宛如两只手掌；尾鳍扁平，中间分叉，后缘凹入，中央有齿刻。背面蓝灰色或灰色，腹部白色。
分布情况	栖息于洞庭湖等。湖南洞庭湖有分布记录，已功能性灭绝。
资源情况	野生资源稀少。
采收加工	捕杀后取脂肪，用小火将油炼出，放凉。
功能主治	苦、咸，寒。归心、肺经。镇咳，清热解毒。用于咳嗽，烫火伤等。
用法用量	内服适量。外用适量，涂擦。
附　　注	2017 年，本种被《世界自然保护联盟濒危物种红色名录》列为极度濒危（CR），已被推定为功能性灭绝，为中国一级重点保护动物。

鼠河豚科 Phocaenidae 江豚属 Neomeris

江豚
Neomeris phocaenoides (G. Cuvier)

物种别名	海豚、海猪、江猪。
药 材 名	江豚脂（药用部位：脂肪）、江豚肝（药用部位：肝脏）。
形态特征	体形似鱼，体长 1.2 ~ 1.6 m，体重 100 ~ 220 kg。头部钝圆。前 5 颈椎愈合，肋骨通常为 14 对。身体中部最粗。额部稍向前凸出，吻部短而阔，上、下颌几乎一样长。眼睛较小，不明显。牙齿短小，左右侧扁，呈铲形。背脊上没有背鳍，鳍肢较大，呈三角形，末端尖，鳍肢长约为体长的 1/6，具有 5 指。尾鳍较大，分为左、右 2 叶，呈水平状，2 尾叶水平宽约为体长的 1/4。背的后半部至尾鳍有较明显的隆起鳍，在应该有背鳍的地方有宽 3 ~ 4 cm 的皮肤隆起，并且有很多角质鳞。全身蓝灰色或瓦灰色，腹部颜色浅亮，唇部和喉部为黄灰色，腹部有形状不规则的灰色斑。
分布情况	栖息于咸、淡水交界的海域，也能在河川的下游地带等淡水中生活。湖南洞庭湖有分布。
资源情况	野生资源稀少。
采收加工	江豚肝：捕杀后取肝，鲜用。
功能主治	**江豚脂**：苦、甘，寒。归心、脾、肝经。解毒消炎，清热止痛。用于癫痫头，疮疖，烫火伤。 **江豚肝**：甘、咸，寒。归肝、肾经。用于阴血亏虚，夜盲，青盲，贫血。
用法用量	**江豚脂**：外用适量。 **江豚肝**：内服适量，煎汤。

兔科 Leporidae 兔属 Lepus

华南兔 *Lepus sinensis* (Gray)

| 物种别名 | 蒙古兔、家兔。

| 药 材 名 | 兔肉（药用部位：肉）、兔皮毛（药用部位：皮毛）、兔骨（药用部位：骨骼）、兔血（药用部位：血液）、望月砂（药用部位：粪便。别名：兔蕈、明月砂、兔粪）。

| 形态特征 | 体较小，体长 34 ~ 44 cm，体重 1 ~ 1.5 kg。头骨长 8 ~ 8.5 cm。鼻骨呈长板状，两鼻骨中部宽大于眶间宽。额骨前部较宽而低平，后部稍隆起。顶骨较平滑，中间稍隆起，两侧较低平。颧弓较粗壮，前段较后段略宽。下颌关节面较大，其关节突不向后延伸。耳较短，向前折时仅可达眼眶前缘，长 6.5 ~ 8.2 cm。尾长 4 ~ 5.7 cm，尾长不及后足长之半。毛短粗且硬。体色较暗，体背面通常为红棕色、棕褐色或沙黄色，体背面中部至臀部毛较粗长，毛色暗黑。体侧呈浅黄色，体腹面和颏部为淡黄色，颈下为棕黄色，腹部和四肢内侧白色或稍带黄色，四肢外侧棕黄色，尾背面棕褐色，中央毛色较黑，尾腹面淡黄色。

| 分布情况 | 栖息于山地、丘陵的稀树灌丛、杂草丛、墓地或农田附近。湘南有分布。

| 资源情况 | 野生资源较丰富。药材来源于野生。

| 采收加工 | **兔肉**：将兔处死，取肉，洗净，鲜用。
兔皮毛：将兔处死，取皮毛，晒干。
兔骨：将兔处死，取骨骼，洗净，晒干或晾干。
兔血：冬季捕捉活兔，取血液，鲜用。
望月砂：9 ~ 10 月采收，除去杂质，晒干。

| **药材性状** | 望月砂：本品呈圆球形而略扁，长 9 ~ 12 mm，直径 6 ~ 9 mm。表面粗糙且有草质纤维，内、外均呈浅棕色或灰黄色。质松，易破碎，手搓之即碎成乱草状。鲜时有恶臭，干燥后无臭。味微苦、辛。

| **功能主治** | 兔肉：甘，寒。归肝、大肠经。健脾补中，凉血解毒。用于胃热消渴，反胃吐食，肠热便秘，肠风便血，湿热痹，丹毒。

兔皮毛：辛，温。归肝经。活血通利，敛疮止带。用于产后胞衣不下，小便不利，带下，灸疮不敛，烫伤。

兔骨：甘、酸，平。归心、肝、胃经。清热止渴，平肝祛风。用于消渴，头昏眩晕，疮疥，霍乱吐利。

兔血：咸，寒。归心、肝经。凉血活血，解毒。用于小儿痘疹，产后胎衣不下，心腹气痛。

望月砂：辛，寒。归肝、肺经。去翳明目，解毒杀虫。用于目暗生翳，疳疾，痔漏。

| **用法用量** | 兔肉：内服煎汤，50 ~ 150 g；或煮食。

兔皮毛：内服烧灰，3 ~ 9 g。外用适量，烧灰涂敷。

兔骨：内服煎汤，6 ~ 15 g；或浸酒。外用适量，醋磨涂敷。

兔血：内服适量，入丸剂。

望月砂：内服煎汤，5 ~ 10 g；或入丸、散剂。外用适量，烧灰调敷。

兔科 Leporidae 兔属 Lepus

草兔
Lepus capensis (Linnaeus)

药 材 名	同"华南兔"。
形态特征	体较大，体长40～68 cm，体重1～3.5 kg，尾长7～15 cm，后足长9～12 cm。眼大，耳长10～12 cm，颅骨眶上突前后凹刻均明显。鼻骨后端稍超过前颌骨后端，前端超出上门齿后缘垂直线。脑壳略比华南兔的宽。颧弧后端与前端约等宽或稍宽于前端。内鼻孔宽于腭桥前后方向最窄处。上门齿沟极浅。髁突不如华南兔的发达。乳头3对。体背面毛色变化大，黄褐色至赤褐色，腹面白色，体侧面近腹部为棕黄色。耳尖暗褐色，外侧黑色。颈部浅土黄色。喉部呈暗土黄色或淡肉桂色。臀部通常较背部色淡。足背面土黄色。尾长为后足长的80%，尾的背面有黑褐色斑，两侧及尾下面白色。
分布情况	栖息于草甸、田野、树林、草丛、灌丛及林缘。湖南各地均有分布。
资源情况	野生资源较丰富。药材来源于野生。
采收加工	同"华南兔"。
药材性状	同"华南兔"。
功能主治	同"华南兔"。
用法用量	同"华南兔"。

矿物

芒硝 Mirabilite

| 药 材 名 | 芒硝（药材来源：矿物芒硝经煮炼而得的精制结晶。别名：盆消、芒消）、玄明粉（药材来源：矿物芒硝经煮炼而得的精制结晶经风化的干燥品。别名：白龙粉、风化消、元明粉）。

| 形态特征 | 单斜晶系。晶体呈短柱状，集合体通常呈致密粒状或被膜状。透明，无色或为浊白色、浅黄色、淡蓝色、淡绿色等，条痕白色，具玻璃光泽。断口贝壳状。硬度1.5～2，相对密度1.5。质脆。

| 矿产分布 | 产于矿泉及盐场附近较潮湿的山洞中。分布于湖南常德（澧县、临澧）、衡阳（衡阳）等。

| 资源情况 | 可采资源丰富。

| 采收加工 | **芒硝**：将原矿物芒硝经煮炼、重结晶即得。

玄明粉：将芒硝放入平底盆内，置通风干燥处，令其风化（风化时温度不得高于 30 ℃，否则芒硝会液化），使其成为白色粉末，拣去杂质。

| 药材性状 | **芒硝**：本品为棱柱状或长方形结晶，两端不整齐。无色透明。质脆。气无，味苦、咸而有清凉感。易溶于水，不溶于乙醇。在空气中易风化，故表面常有 1 层白色粉末。以无色透明、块状结晶者为佳。

玄明粉：本品为白色粉末。气微，味咸。

| 功能主治 | **芒硝**：辛、苦、咸，寒。归胃、大肠经。泻热，润燥，软坚。用于实热积滞，腹胀便秘，痰饮积聚，目赤翳障，丹毒，痈肿。

玄明粉：咸、苦，寒。归胃、大肠经。泻下通便，润燥软坚，清火消肿。用于实热积滞，大便燥结，腹满胀痛；外用于咽喉肿痛，口舌生疮，牙龈肿痛，目赤，痈肿，丹毒。

| 用法用量 | 内服煎汤，4.5 ~ 9 g；或入丸、散剂。外用研细点眼；或水化涂洗。

钾硝石 Nitrokalite

药 材 名	消石（药材来源：硝酸盐类硝石族矿物钾硝石经加工而成的结晶体。别名：芒消、苦消、火消）。
形态特征	斜方晶系，常为针状或毛发状集合体。无色、白色或灰色，条痕白色。具玻璃或丝绢光泽。微透明。断口贝壳状或参差状。硬度2。相对密度2.1 ~ 2.2。质脆。
矿产分布	产于地面、墙脚或岩石的表面。湖南各地均有分布。
资源情况	可采资源一般。
采收加工	取含钾硝石的土块，击碎，置桶内，加水浸泡，多次过滤，取滤液澄清，置蒸发锅内加热，除去水分，冷却析出结晶。
药材性状	本品呈六棱长柱状或板柱状，长2 ~ 6 cm，直径0.2 ~ 0.8 cm。白色或近无色。半透明至透明，具玻璃光泽。硬度与指甲相近。质脆，易折断，断面平滑或参差不齐。气无，味咸，具刺舌感。
功能主治	苦、咸，温；有毒。归心、脾、肺经。破坚散积，利尿泻下，解毒消肿。用于中暑伤冷，痧胀，心腹疼痛，吐泻，黄疸，癥积，淋病，便秘，目赤，喉痹，疔毒，痈肿。
用法用量	内服入丸、散剂，1.5 ~ 3 g。外用研末点眼或吹喉；或水化罨敷。

滑石 Talc

| 药 材 名 | 滑石（药材来源：硅酸盐类矿物滑石。别名：液石、脱石、活石）。|

| 形态特征 | 单斜晶系。完整的晶体呈六方形或板状菱形，但完整的晶体极少见，多数为粒状或鳞片状的致密块体。淡绿色、白色或灰色，条痕白色或淡绿色。具油脂光泽，解理面珍珠状。半透明至不透明。硬度1，相对密度2.7～2.8。质柔，有滑腻感。|

| 矿产分布 | 产于变质岩、石灰岩、白云岩、菱镁矿及页岩中。分布于湖南岳阳（临湘、云溪）、常德（石门）、张家界（桑植）等。|

| 资源情况 | 可采资源丰富。|

| 采收加工 | 采得后去净泥土、杂石。|

| 药材性状 | 本品为致密块状或鳞片状集合体，呈不规则块状或扁块状。白色、黄白色或淡灰色至淡蓝色。半透明或不透明。具蜡状光泽，有的具珍珠光泽。质软、细腻，可于硬纸上书写，手摸之有滑润感。无吸湿性，置水中不崩解。气无，味无，具微凉感。以整洁、色白、滑润、无杂石者为佳。

| 功能主治 | 甘、淡，寒。归胃、膀胱经。利水通淋，清热解暑，收湿敛疮。用于膀胱湿热，暑热烦渴，小便不利，泄泻，尿淋涩痛，湿疹，水肿，衄血，脚气，皮肤湿烂。

| 用法用量 | 内服煎汤，9～24 g，包煎；或入丸、散剂。外用适量，研末撒或调敷。

阳起石 Actinolite

| 药 材 名 | 阴起石（药材来源：硅酸盐类矿物角闪族阳起石岩）。 |

| 形态特征 | 单晶体常呈细柱状或纤维状，集合体通常呈柱状、放射状或针状。绿色、浅灰绿色或暗绿色。透明至半透明。具玻璃光泽。硬度 5～6。相对密度 3.1～3.3。解理完全。 |

| 矿产分布 | 产于石灰岩经接触交代作用形成的砂卡岩中，亦产于低质区域变质岩中。分布于湖南长沙（浏阳）等。 |

| 资源情况 | 可采资源丰富。 |

| 采收加工 | 采得后去净泥土、杂石。 |

| **药材性状** | 本品为纤维状或放射状集合体，呈不规则块状、扁条状或柱状。表面不平滑，浅灰绿色、绿色至暗绿色，具丝绢或玻璃光泽。体重，质较硬且脆，打碎后断面呈纤维状，有的较疏松，易捻成纤维状碎粉。气无，味淡。

| **功能主治** | 咸，微温。温肾壮阳。用于阳痿，遗精，早泄，子宫虚冷不孕，腰膝酸软，带下白淫。

| **用法用量** | 内服入丸、散剂，4.5 ~ 9 g。

蛭石 Vermiculite

药 材 名	金精石（药材来源：硅酸盐类蛭石。别名：水金云母、金晶石）。
形态特征	单斜晶系。晶体常呈云母片状。褐色、黄褐色或金黄色，条痕白色或褐色。具珍珠、金属或玻璃光泽。解理依底面，极完全。硬度 1 ～ 1.5。相对密度 2.4 ～ 2.7。薄片具挠性，弹性较差。
矿产分布	产于蚀变的含黑云母或金云母的岩石中。分布于湖南长沙（浏阳）等。
资源情况	可采资源丰富。
采收加工	采得后除去泥沙、杂石。
药材性状	本品为片状集合体，多呈不规则扁块状，有的呈六角形板状。厚 0.2 ～ 1.2 cm，褐黄色或褐色。表面光滑，有网状纹理。具金属光泽。质软，用指甲可刻划成痕，切开后断面呈层片状，可层层剥离，薄片光滑，不透明。无弹性，具挠性。气微，味淡。
功能主治	咸，寒；有小毒。归心、肝、肾经。止血，镇惊安神，明目去翳。用于目赤翳障，心悸怔忡，失眠多梦，吐血，咯血。
用法用量	内服入丸、散剂，3 ～ 6 g。

萤石 Fluorite

| 药 材 名 | 紫石英（药材来源：卤化物类矿物萤石的矿石）。 |

| 形态特征 | 等轴晶系。晶体为立方体、八面体或十二面体，集合体常为致密粒状块体。多呈浅绿色、紫色或紫黑色，其色可因温度、压力、射线照射等发生变化，加热时可失去色彩，而受 X 射线照射后又可恢复原色，条痕白色。具玻璃光泽。透明至微透明。解理依八面体。断口呈贝壳状。硬度 4。相对密度 3.18。加热后显荧光。 |

| 矿产分布 | 形成于热液矿床中或伟晶气液作用形成的矿脉中，有时也大量出现于铅、锌硫化物矿床中。分布于湖南郴州（资兴、苏仙、汝城、宜章、临武）、岳阳（临湘、岳阳）、衡阳（衡南、耒阳）等。 |

| 资源情况 | 可采资源丰富。 |

| **采收加工** | 采得后拣选紫色者，去净外附的沙砾及黏土。

| **药材性状** | 本品为块状或粒状集合体，呈不规则块状，具棱角。紫色或绿色，色深浅不等，条痕白色。半透明至透明，具玻璃光泽。表面不平滑，常有裂纹。质坚脆，易击碎。无臭，味淡。

| **功能主治** | 甘、辛，温。归心、肝、肺、肾经。镇心，安神，降逆气，暖子宫。用于心悸，怔忡，惊痫，肺寒咳逆上气，女子宫寒不孕。

| **用法用量** | 内服煎汤，6～12 g；或入丸、散剂。

蛇纹石 Serpentine

药材名	花蕊石（药材来源：变质岩类岩石含蛇纹石大理岩的石块。别名：花乳石、白云石）。
形态特征	单斜晶系。单个晶体呈片状或针状，但单个晶体罕见，常为板状、鳞片状或显微粒状集合体。以纤维状纹理或斑点状团块分散于方解石晶粒中。一般呈绿色，色深浅不等，亦有呈白色、浅黄色、灰色、蓝绿色或褐黑色者。纤维状或鳞片状者具丝绢光泽。硬度 2.5 ~ 3.5。相对密度 2.5 ~ 3.6。抚摸之有滑腻感。
矿产分布	湖南各地均有分布。
资源情况	可采资源丰富。
采收加工	采得后敲去杂石，选取有淡黄色或黄绿色彩晕的小块。
药材性状	本品为粒状和致密块状集合体，呈不规则块状，大小不一。表面较粗糙，具棱角而不锋利。白色或淡灰白色，对光照之具闪星样光泽。夹有点状或条状花纹（蛇纹石），呈淡黄绿色，具蜡状光泽，习称"彩晕"。体重，质硬，砸碎后断面粗糙，可用小刀刻划成痕。无臭，无味。
功能主治	酸、涩，平。归肝经。化瘀，止血。用于吐血，衄血，便血，崩漏，产后血晕，死胎，胞衣不下，金疮出血。
用法用量	内服入散剂，3 ~ 9 g。外用研末撒。

石膏 Cypsum

| 药 材 名 | 石膏（药材来源：硫酸盐类石膏族矿物石膏。别名：细石、细理石、软石膏）、玄精石（药材来源：硫酸盐类石膏族矿物石膏的晶体。别名：太阴玄精石、太乙玄精石、阴精石）。

| 形态特征 | 单斜晶系。晶体常呈板状，集合体常呈致密粒状、纤维状或叶片状。集合体通常为白色，晶体通常无色透明，当成分不纯时可呈灰色、肉红色、蜜黄色或黑色等，条痕白色。透明至半透明。解理面具玻璃光泽或珍珠光泽，纤维状者具丝绢光泽。片状者解理显著。断口贝壳状至片状。硬度1.5～2。相对密度2.3。具柔性和挠性。

| 矿产分布 | 常产于海湾盐湖和内陆湖泊形成的沉积岩中。分布于湖南常德（石门）等。

| 资源情况 | 可采资源丰富。

| 采收加工 | **石膏、玄精石**：冬季采挖，采得后去净泥土及杂石。

| 药材性状 | **石膏**：本品为纤维状集合体，呈长块状、板块状或不规则块状。白色、灰白色或淡黄色，条痕白色。透明至半透明。上、下两面均较平坦，无纹理及光泽；纵面通常有纵向纤维状纹理，具丝绢光泽。体重，质软，指甲可刻划成痕。气微，味淡。

玄精石：本品呈椭圆形、菱形或各种不规则的片状，多边缘薄中央厚，大小不一，一般长 0.5 ~ 2 cm，宽 0.4 ~ 1 cm，厚 0.1 ~ 0.4 cm，青白色、灰白色或略带灰棕色，有的中间显黑色，形似龟背，半透明。质硬而脆，易砸碎成纵菱形的条片，具玻璃光泽。微带土腥气，味淡。

| 功能主治 | **石膏**：辛、甘，寒。归肺、胃经。解肌清热，除烦止渴。用于热病壮热不退，心烦神昏，谵语发狂，口渴咽干，肺热喘急，中暑自汗，头痛，牙痛，热毒壅盛，发斑发疹，口舌生疮，痈疽疮疡，烫火伤。

玄精石：咸，寒。归肾、脾、胃经。滋阴，降火，软坚，消痰。用于阳盛阴虚，壮热烦渴，头风脑痛，目赤翳障，重舌，木舌，咽喉肿痛，头疮，烫火伤。

| 用法用量 | **石膏**：内服煎汤，15 ~ 50 g；或入丸、散剂。外用煅研，撒或调敷。

玄精石：内服煎汤，9 ~ 15 g；或入丸、散剂。外用适量，研末撒或调敷。

硬石膏 Anhydrite

药 材 名	长石（药材来源：硫酸盐类矿物硬石膏。别名：方石、直石、硬石膏）。
形态特征	斜方晶系。晶体呈板状或短柱状，但不多见，多为致密粒状或大理石状集合体。白灰色、淡蓝色、淡红色或黑色，条痕白色。具玻璃或油脂光泽。透明或半透明。断口参差状。硬度 3 ~ 3.5。相对密度 2.95。质脆。
矿产分布	产于沉积岩、热液矿脉、火成岩及接触交代矿床中。分布于湖南常德（石门、临澧、澧县）、邵阳（邵阳）、娄底（涟源）、衡阳（衡阳）等。
资源情况	可采资源丰富。
采收加工	挖得后除去附着的泥沙和杂石，洗净，晒干。
药材性状	本品呈扁块状或块状，有棱。浅灰色或深灰色，条痕白色或浅灰色。体较重，质坚硬，指甲不易刻划成痕，但可砸碎。浅色者断面对光照之可见闪星样光泽，深色者色暗淡。无臭，无味。
功能主治	苦、辛，寒。归肺、肝、膀胱、胃经。清肝明目，行气利水。用于身热烦渴，目赤翳障，小便不利。
用法用量	内服煎汤，15 ~ 90 g。

理石 Fibro usgypsum

药 材 名	理石（药材来源：硫酸盐类石膏族矿物石膏与硬石膏的集合体。别名：肌石、长理石、肥石）。
形态特征	单斜晶系。为个体纤维状、集合体细脉状或透镜状的石膏变种。新鲜面白色，风化面灰色、黄色或褐黄色，或因被黏土质围岩所污染而呈青灰色，条痕白色。新鲜断面具丝绢光泽，或具反光亮点；风化面色暗淡，无光泽。肉眼见不到解理面，只见平行于纤维方向的解理纹和（或）斜交于纤维方向的解理纹。断口不平坦至参差状。硬度2。质脆易碎。相对密度2.3。
矿产分布	产于各类型石膏层的裂隙或硬石膏层水化部位。分布于湖南常德（石门、临澧、澧县）、邵阳（邵阳）、娄底（涟源）、衡阳（衡阳）等。
资源情况	可采资源丰富。
采收加工	采得后除去泥土等杂质。
药材性状	本品为不规则块状。深灰色。体较轻，质硬脆，可砸碎，断面大部分粗糙，呈暗灰色，解理面具明显亮点，其中部分可见直立的细纤维，纤维间亦可见亮点。气、味皆淡。
功能主治	辛、甘，寒。归胃经。清热除烦，养胃益阴，益精明目，消积破聚。用于身热心烦，痿痹，消渴。
用法用量	内服煎汤，15 ~ 30 g。

方解石 Calcite

| 药 材 名 | 方解石（药材来源：碳酸盐类方解石族矿物方解石。别名：黄石）、南寒水石（药材来源：碳酸盐类方解石族矿物方解石）、钟乳石（药材来源：碳酸盐类方解石族矿物方解石的钟乳状集合体下端较细的圆柱状管状部分。别名：石钟乳、钟乳、公乳）、孔公孽（药材来源：碳酸盐类方解石族矿物方解石的钟乳状集合体中间的稍细部分或中空部分。别名：通石、孔公石）、殷孽（药材来源：碳酸盐类方解石族矿物方解石的钟乳状集合体附着于石上的粗大根盘。别名：姜石）、石床（药材来源：钟乳液滴下后凝成的笋状物。别名：乳床、石笋、逆石）、乳花（药材来源：钟乳液滴石上散溅如花者。别名：石花）、鹅管石（药材来源：碳酸盐类方解石族矿物方解石的细管状集合体。别名：滴乳石、钟乳鹅管石）。

| **形态特征** | 三方晶系。晶体为菱面体，也有呈柱状或板状者，集合体常呈钟乳状或致密粒状。无色或乳白色，如混入其他物质，则染成灰色、黄色、玫瑰色、红色或褐色。具玻璃光泽。透明至不透明。有完全的解理，解理可沿3个不同的方向劈开。断面贝壳状。硬度3。相对密度2.6～2.8。 |
| **矿产分布** | 产于沉积岩、变质岩或金属矿脉中。湖南各地均有分布。 |

| 资源情况 | 可采资源丰富。

| 采收加工 | **方解石、南寒水石、钟乳石、孔公孽、殷孽、石床、乳花、鹅管石**：采得后除去泥土和杂石。

| 药材性状 | **方解石**：本品为菱面体集合体，呈斜方扁块状或斜方柱状。白色，有的稍带浅黄色或浅红色。表面光滑，有棱。透明至半透明。具玻璃光泽。用小刀可刻划成痕。体较重，质硬而脆，易砸碎，碎片多呈方形或斜长方形。无臭，无味。

钟乳石：本品多呈圆柱形或圆锥形，长短、粗细不一。表面白色、灰白色或棕黄色，粗糙，凹凸不平。体重，质硬，易砸碎，断面较平整，白色至浅灰白色，略带淡棕色，对光观察可见亮光，近中心部位常有圆孔，圆孔周围具多数浅橙黄色同心环层，有的可见放射状纹理。无臭，味微咸。

| 功能主治 | **方解石**：苦、辛，寒。归肺、胃经。清热利湿，通脉解毒。用于胸中留热结气，黄疸。

南寒水石：辛、咸，寒。归心、胃、肾经。清热降火，利窍，消肿。用于时行热病，壮热烦渴，咽喉肿痛，水肿，尿闭，口舌生疮，痈疽，丹毒，烫伤。

钟乳石：甘，温。归肺、肾、脾、肝经。温肺气，壮元阳，下乳汁。用于虚劳喘咳，寒嗽，阳痿，腰脚冷痹，乳汁不通，伤食纳少，疮疽痔漏。

孔公孽：甘、辛，温。通阳散寒，化瘀散结，解毒。用于腰膝冷痛，癥瘕积聚，饮食不化，恶疮，痔漏，乳汁不通。

殷孽：辛、咸。温肾壮骨，散瘀解毒。用于筋骨痿弱，腰膝冷痛，痔漏，痈疮。

石床：甘，温。温肾壮骨。用于筋骨痿弱，腰膝冷痛。

乳花：甘，温。温肾，壮骨，助阳。用于筋骨痿弱，腰脚冷痛，阳痿早泄。

鹅管石：甘、微咸，温。温肺，壮阳，通乳。用于肺寒久嗽，虚劳咳喘，阳痿早泄，梦遗滑精，腰脚冷痹，乳汁不通。

| 用法用量 | **方解石**：内服煎汤，9～15 g；或入丸、散剂。外用研末掺或调敷。
南寒水石：内服煎汤，9～15 g；或入散剂。
钟乳石：内服煎汤，9～15 g；或入丸、散剂。

石灰岩 Limestone

| **药 材 名** | 石灰（药材来源：石灰岩经加热煅烧而成的生石灰或生石灰水化而成的熟石灰，或两者的混合物。别名：垩灰、白灰、矿灰）。 |

| **形态特征** | 致密块状体。因所含杂质成分不同，故颜色变化甚大。如含铁质则呈褐色，含有机质则呈灰色或黑色。具土状光泽，透明度较差。非常致密时断口多呈贝壳状。 |

| **矿产分布** | 湖南各地均有分布。 |

| **资源情况** | 可采资源丰富。 |

| **采收加工** | 将石灰岩煅烧，加水分解而成。 |

| **药材性状** | 生石灰为不规则块状，大小不一；表面有微细裂缝，多孔；白色或灰色，条痕白色；不透明；具土状光泽；体较轻，质硬，易砸碎，断面粉状。以块状、色白、无杂石及其他杂质者为佳。熟石灰为粉末状或疏松块状，白色或淡灰白色；具土状光泽。 |

| **功能主治** | 辛、苦、涩，温；有毒。归肝、脾经。解毒蚀腐，敛疮止血，杀虫止痒。用于痈疽疔疮，丹毒，瘰疬痰核，下肢溃疡，创伤出血，烫火伤，久痢脱肛，赘疣，疥癣，湿疹，痱子。 |

| **用法用量** | 外用适量，研末调敷；或加水溶解，取澄清液涂洗。 |

白云母 Muscovite

药 材 名	云母（药材来源：硅酸盐类矿物白云母。别名：云珠、云英、云母石）。
形态特征	单斜晶系。晶体通常呈板状或块状，六方形或菱形，有时亦呈柱状锥形，柱面有明显的横条纹。也有双晶者，双晶者通常为密集的鳞片状块体。无色或带浅黄色、浅绿色、浅灰色等，条痕白色。具玻璃光泽。解理面呈珍珠光泽。透明至微透明。解理平行底面，极完全。硬度 2 ～ 3。相对密度 2.76 ～ 3.1。薄片具弹性及绝缘性。
矿产分布	产于中酸性岩浆岩、云英岩或变质岩中。分布于湖南郴州（临武）、岳阳（平江）等。
资源情况	可采资源丰富。
采收加工	采得后洗净泥土，除去杂石。
药材性状	本品为叶片状集合体，呈板状或板块状，沿基侧面边缘易层层剥离成很薄的叶片。无色透明或微带浅绿色、灰色。表面光滑，具玻璃光泽或珍珠光泽。用指甲可刻划成痕。体轻，质韧，有弹性，弯曲后能自行挺直，不易折断。气微，味淡。
功能主治	甘，温。归心、肝、肺、脾、膀胱经。安神镇惊，止血敛疮。用于心悸，失眠，眩晕，癫痫，久泻，带下，外伤出血，湿疹。
用法用量	内服煎汤，9 ～ 15 g；或入丸、散剂。外用研末撒或调敷。

多水高岭石 Halloysite

药 材 名	赤石脂（药材来源：硅酸盐类矿物多水高岭石。别名：赤符、红高岭、赤石土）。
形态特征	单斜晶系。很少为结晶状态，多数为胶凝体。白色，通常带浅红色、浅褐色、浅黄色、浅蓝色、浅绿色等。新鲜断面具蜡状光泽，疏松多孔的断面则具土状光泽。断口贝壳状。硬度 1 ~ 2。相对密度 2 ~ 2.2。质脆。可塑性强。有土样气味，致密块状者在干燥时可裂成碎块。
矿产分布	产于岩石的风化壳和黏土层中。分布于湖南株洲（醴陵）、衡阳（衡山）等。
资源情况	可采资源丰富。
采收加工	挖出后选取红色、滑腻如脂的块状体，除去杂石和泥土。
药材性状	本品为块状集合体，呈不规则块状。表面局部平坦，全体凹凸不平。浅红色、红色至紫红色，或红白相间。具土状或蜡状光泽。不透明。体较轻，质软，用指甲可刻划成痕。断面平坦，具蜡状光泽。吸水性强。微有黏土气，味淡，嚼之无沙砾感。
功能主治	甘、涩、酸，温。归脾、胃、心、大肠经。涩肠，收敛止血，收湿敛疮，生肌。用于久泻，久痢，便血，脱肛，遗精，崩漏，带下，溃疡不敛，湿疹，外伤出血。
用法用量	内服煎汤，9 ~ 12 g；或入丸、散剂。外用研末撒或调敷。

高岭石 Kaolinite

药 材 名	白石脂（药材来源：硅酸盐类矿物高岭石。别名：白符、白陶土、高岭土）。
形态特征	晶体结构属三斜晶系或单斜晶系。单晶体呈片状，罕见，且个体极小，在电子显微镜下可见片状晶体呈六方形或三角形。集合体呈疏松鳞片状、土状、致密块状或钟乳状。纯者白色，如混入铁、锰等杂质则呈浅黄色、浅灰色、浅红色、浅绿色或浅褐色，条痕白色或灰白色。致密块状者无光泽或具蜡状光泽，细薄鳞片状者具珍珠光泽。硬度 1 ~ 3。相对密度 2.61 ~ 2.68。具滑腻感，有土臭味，吸水性强，舐之粘舌，可塑性强，但不膨胀。
矿产分布	产于黏土沉积处。分布于湖南株洲（醴陵）、衡阳（衡阳、耒阳）等。
资源情况	可采资源丰富。
采收加工	全年均可采挖，挖出后除去泥土、杂石。
药材性状	本品为不规则块状。粉白色或类白色，有的带有浅红色、浅黄色斑纹或条纹，条痕白色。体较轻，质软，用指甲可刻划成痕。断面具土状光泽。吸水性强，舐之粘舌，嚼之无沙砾感。具土腥气，味微。
功能主治	甘、酸，平。归肺、大肠经。涩肠，止血，固脱，收湿敛疮。用于久泻，久痢，崩漏带下，遗精，疮疡不敛。
用法用量	内服煎汤，9 ~ 12 g；或入丸、散剂。外用研末撒或调敷。

高岭土 Kaolin

| 药 材 名 | 白垩（药用部位：黏土岩高岭土。别名：白土子、白涂、画粉）。

| 形态特征 | 隐晶质土状块体。白色或淡绿色、黄色。具土状光泽。硬度似指甲，含残存长石、石英处硬度大于小刀。相对密度 2.5～2.7。不溶于水，但于水中分散；具吸附污物及阳离子交换能力。遇盐酸不起泡，仅分散或部分组分被溶解。

| 矿产分布 | 产于白垩纪的沉积岩中。分布于湖南株洲（醴陵）、衡阳（衡阳、耒阳）等。

| 资源情况 | 可采资源丰富。

| 采收加工 | 采得后除去泥土和杂石。

| 药材性状 | 本品呈不规则状。白色或浅灰白色。表面细腻，有滑腻感。具吸水性，舐之粘舌。体较轻，质较软，用指甲可刻划成痕。可塑性弱，黏结性小。微带土腥气，味淡。

| 功能主治 | 苦，温。归脾、肺、肾经。温中暖肾，涩肠，止血，敛疮。用于反胃，泻痢，男子遗精，女子月经不调，不孕，吐血，便血，衄血，眼弦赤烂，臁疮，痱子。

| 用法用量 | 内服入丸、散剂，4.5 ~ 9 g。外用研末撒或调敷。

明矾石 Alunite

药 材 名	明矾（药材来源：明矾石经加工提炼而成的结晶。别名：矾石、理石、生矾）。
形态特征	三方晶系。晶体为细小的菱面体，矿物通常为致密块状、细粒状、土状等。无色、白色、淡黄色或淡红色，条痕白色。具玻璃光泽，解理面上有时微带珍珠光泽，块状者暗淡无光或微带蜡状光泽。透明至半透明。解理平行不完全。晶体断口呈贝壳状，块体断口呈片状、参差状或土状。硬度 3.5 ～ 4。相对密度 2.6 ～ 2.8。质脆。
矿产分布	产于火山岩中。分布于湖南岳阳（云溪）等。
资源情况	可采资源一般。
采收加工	采得后打碎，用水溶解，收集溶液，蒸发浓缩，放冷后即析出结晶。
药材性状	本品为不规则块状结晶。无色或白色。透明或半透明。具玻璃光泽。表面略平滑或凹凸不平，具细密纵棱，并附白色细粉。质硬而脆，易砸碎。气微，味微甘而极涩。
功能主治	酸、涩，寒；有毒。归肺、脾、肝、大肠、膀胱经。燥湿祛痰，解毒杀虫，止泻止血。用于中风，癫痫，喉痹，疥癣湿疮，痈疽肿毒，烫火伤，口舌生疮，烂弦风眼，聤耳流脓，鼻中息肉，痔疮疼痛，崩漏，衄血，外伤出血，久泻久痢，带下阴痒，脱肛，子宫脱垂。
用法用量	内服入丸、散剂，0.6 ～ 3 g。外用研末撒或调敷。

石英 Quartz

| 药 材 名 | 白石英（药材来源：氧化物类矿物石英）。

| 形态特征 | 三方晶系。晶体呈六方柱状，柱体晶面上有水平的条纹，集合体常呈晶簇状、粒状等。无色或白色，若含杂质，晶体则呈浅红色、烟色、紫色等，条痕白色。晶体具玻璃光泽，集合体具油脂光泽，光泽强度不一。透明至半透明，也有不透明者。断口贝壳状或参差状。硬度7。相对密度2.65。质脆。具热电性及压电性。

| 矿产分布 | 完整的晶体产于岩石晶洞中，集合体产于热液矿脉中。湖南各地均有分布。

| 资源情况 | 可采资源丰富。

| **采收加工** | 采得后拣选纯白者。

| **药材性状** | 本品为六方柱状或粗粒状集合体，呈不规则块状，具锐利棱角。白色或淡灰白色，条痕白色。表面不平坦。半透明至不透明，具油脂光泽。体重，质坚硬，可刻划玻璃而留下划痕，砸碎后断面不平坦。气微，味淡。

| **功能主治** | 甘、辛，温。归肺、肾、心经。温肺肾，安心神，利小便。用于肺寒咳喘，阳痿，消渴，心神不安，惊悸善忘，小便不利，黄疸，石水，风寒湿痹。

| **用法用量** | 内服煎汤，9～15 g；或入丸、散剂。

软锰矿 Pyrolusite

药 材 名	无名异（药材来源：氧化物类矿物软锰矿。别名：土子、秃子、铁砂）。
形态特征	四方晶系。完整晶体呈细柱状或三方等长的晶形，但完整晶体极少见，常为肾状、结核状、块状或粉末状集合体。黑色，表面常带浅蓝色，条痕蓝黑色至黑色。具半金属光泽或无光泽。不透明。硬度因结晶程度不同而异，显晶者硬度为 5 ~ 6.5，隐晶或块状集合体硬度为 1 ~ 2。质脆。断口不平坦。相对密度 4.7 ~ 5。
矿产分布	产于沿岩相的沉积锰矿床中。分布于湖南郴州（临武、汝城、苏仙）、衡阳（衡阳、耒阳）、邵阳（邵阳）等。
资源情况	可采资源丰富。
采收加工	采得后拣净杂石。
药材性状	本品为结核状或块状集合体，呈类圆球形或不规则块状，直径 7 ~ 30 mm，细小者直径仅 1 ~ 4 mm。棕黑色或黑色，条痕黑色。表面不平坦，常覆有黄棕色细粉，有的表面有褐色薄层风化膜，除去细粉后可见半金属光泽或无光泽。不透明。体较轻，质脆，断面棕黑色或紫棕色，易污手。微有土腥气，味淡。
功能主治	甘、咸，寒。归肾、肝经。祛瘀止血，消肿止痛，生肌敛疮。用于跌打损伤，金疮出血，痈肿疮疡，烫火伤。

赤铁矿 Hematite

| 药 材 名 | 代赭石（药材来源：氧化物类矿物赤铁矿。别名：赤土、赭石、赤赭石）。

| 形态特征 | 三方晶系。晶体常呈薄片状或板状，以致密块状、肾状、葡萄状、豆状、鱼子状或土状集合体为常见。结晶者呈铁黑色或钢灰色，土状者呈鲜红色，条痕均呈樱桃红色。结晶者具金属光泽，土状者具土状光泽。硬度5.5～6，但土状粉末状者硬度很小。相对密度5～5.3。在还原焰中燃烧后有磁性。

| 矿产分布 | 产于赤铁矿中。分布于湖南娄底（涟源）、怀化（沅陵）、衡阳（祁东）、株洲（茶陵）等。

| **资源情况** | 可采资源丰富。

| **采收加工** | 挖出后去净泥土等杂质。

| **药材性状** | 本品为豆状或肾状集合体，多呈不规则厚板状或块状，有棱角。棕红色至暗棕红色或铁青色。条痕呈樱桃红色。具半金属光泽。一面有较密的乳头状钉头，另一面与突起相对应处有与突起同样大小的凹窝。体重，质坚硬，断面层叠状或颗粒状。无臭，无味。

| **功能主治** | 苦、甘，寒。归肝、胃、心经。平肝潜阳，重镇降逆，凉血止血。用于头痛，眩晕，心悸，癫狂，惊痫，呕吐，噫气，呃逆，噎膈，咳嗽，气喘，吐血，鼻衄，崩漏，便血，尿血。

| **用法用量** | 内服煎汤，15 ~ 50 g；或入丸、散剂。

磁石 Magenetite

| 药 材 名 | 磁石（药材来源：氧化物类矿物磁铁矿。别名：玄石、吸铁石、戏铁石）。

| 形态特征 | 等轴晶系。晶体为八面体或菱形十二面体，集合体为粗至细粒的粒块状。铁黑色或被氧化、水化为红黑色、褐黑色。风化严重者附有水赤铁矿或褐铁矿被膜。条痕黑色。不透明。无解理，断口不平坦。硬度5.5～6。质脆。相对密度4.9～5.2。具强磁性，碎块可被手磁铁吸引，或块体本身可吸引铁针等铁器。

| 矿产分布 | 产于各种类型的铁矿区。分布于湖南娄底（涟源）、怀化（沅陵）、衡阳（祁东）、株洲（茶陵）等。

| **资源情况** | 可采资源丰富。

| **采收加工** | 采得后除去杂石，选择吸铁能力强者（称"活磁石"或"灵磁石"）。采集后放置日久磁石会被氧化，其磁性便会减退，乃至失去吸铁能力（称"死磁石"或"呆磁石"），影响药效，故应经常用铁屑或泥土包埋之，以使其保持磁性。如已失去磁性，则可将其与活磁石放在一起，磁性可逐渐恢复。

| **药材性状** | 本品呈不规则块状，多具棱角。大小不一。铁黑色，条痕黑色。不透明。具半金属光泽。表面不光滑，粗糙。体重，质坚硬，难砸碎，断面不平坦。具磁性。有土腥气，味淡。

| **功能主治** | 辛、咸，平。归肾、肝、肺经。平肝潜阳，安神镇惊，聪耳明目，纳气平喘。用于眩晕，目花，耳聋，耳鸣，惊悸，失眠，肾虚喘逆。

| **用法用量** | 内服煎汤，10 ~ 30 g；或入丸剂。外用适量，研末敷。

褐铁矿 Limonite

| 药 材 名 | 禹余粮（药材来源：氧化物类矿物褐铁矿。别名：太一余粮、白余粮、余粮石）。

| 形态特征 | 非晶质。常为葡萄状、肾状、乳房状、块状或土状集合体。褐色至黑色，若为土状则为黄褐色或黄色，条痕为黄褐色。具半金属光泽或具土状、丝绢光泽。不透明。断面为介壳状或土状。硬度 1～5.5。相对密度 3.6～4。

| 矿产分布 | 主要由含铁矿物经氧化分解后，再经水解汇集沉积而成。分布于湖南娄底（涟源）、怀化（沅陵）、衡阳（祁东）、株洲（茶陵）等。

| 资源情况 | 可采资源丰富。

| 采收加工 | 采挖后去净杂石。

| 药材性状 | 本品呈结核状卵球形，有核心或中空，但完整者少见。通常壳层与核心分离，壳层碎成不规则方块状或扁块状，大小、厚薄不等。外表面多凹凸不平，土黄色、黄褐色或褐色；内表面粗糙，附有土黄色细粉。体重，质坚，但可砸碎，断面层状，色泽不一，土黄色、褐色、紫褐色或灰青色，各层厚薄不等，一般褐色层或紫褐色层最厚。中心结核近圆球形，表面粗糙，附有细粉，黄褐色至褐色，断面无层次，而有许多蜂窝状小孔，有的砸破后无核心，具黄粉，手触之污指，略有滑腻感。有土腥气，味淡。

| 功能主治 | 甘、涩、咸，寒。归脾、胃、大肠经。涩肠，止血，止带。用于久泻，久痢，妇人崩漏带下，便血。

| 用法用量 | 内服煎汤，9 ~ 15 g；或入丸、散剂。外用研末撒或调敷。

黄铁矿 Pyrite

| 药 材 名 | 自然铜（药材来源：天然硫化物类黄铁矿。别名：石髓铅、方块铜）、蛇含石（药材来源：氧化物类矿物黄铁矿的结核。别名：蛇黄、蛇黄石）。|

| 形态特征 | 等轴晶系。晶体为立方体、八面体、五角十二面体或其聚形，亦有呈葡萄状、粒状、钟乳状及致密块状者。晶面上有条纹。浅黄铜色，条痕为绿黑色。具强金属光泽。解理为不完全的立方体。断口呈参差状或贝壳状。硬度 6～6.5。相对密度 4.9～5.2。质脆。|

| 矿产分布 | 产于各种岩石和矿石中。分布于湖南邵阳（武冈）、郴州（永兴）、长沙（浏阳）等。|

| 资源情况 | 可采资源丰富。

| 采收加工 | 自然铜、蛇含石：全年均可采收，在矿区捡取，除去杂石。

| 药材性状 | 自然铜：本品为六方体，粒径 0.2 ~ 2.5 cm，有棱，亮淡黄色，条痕绿黑色。表面光滑，有时可见细纹理。不透明。具金属光泽。体重，质坚硬而脆，易砸碎，断面黄白色，有金属光泽。无臭，无味，但烧之具硫黄气。

蛇含石：本品为粒状或结核状集合体，呈类圆球形、椭圆形或不规则形，直径 1.5 ~ 4.5 cm，褐黄色或褐色。表面粗糙，具密集的立方体样突起，常被一层深黄色粉状物，手触之染指。体重，质坚硬，砸碎断面呈放射状或具同心环层纹。中央核层色较淡，呈铜黄色、浅黄色或灰黄色（为黄铁矿部分），具金属光泽。微有硫黄气，味淡。

| 功能主治 | 自然铜：辛、苦，平。归肝、肾经。散瘀止痛，接骨续筋。用于跌打损伤，筋断骨折，瘀滞肿痛。

蛇含石：甘，寒。归心包经、肝经。安神镇惊，止血定痛。用于心悸惊痫，肠风血痢，胃痛，痈疮肿毒，骨节酸痛。

| 用法用量 | 自然铜：内服煎汤，3 ~ 9 g；或入丸、散剂。外用适量，研末调敷。

蛇含石：内服煎汤，6 ~ 9 g；或入丸、散剂。外用适量，研末调敷。

水绿矾 Melanterite

药材名	绿矾（药材来源：硫酸盐类水绿矾族矿物水绿矾。别名：青矾、皂荚矾、皂矾）。

形态特征	单斜晶系。晶体呈短柱状、厚板状、细粒状或纤维状，集合体呈粒块状、纤维放射状块体或皮壳状、被膜状。呈各种色调的绿色：含铜时呈浅绿蓝色（铜绿矾）；失水、羟基化或氧化时呈黄绿色、绿黄色至金丝雀黄色、黄褐色、红褐色、褐红色等；完全脱水的纯净绿矾为白色。条痕颜色浅。通常半透明，风化表面不透明。具玻璃、丝绢或土状光泽。晶体解理完全，断口呈贝壳状；风化者见不到清晰解理。硬度约为2；失水和羟基化者硬度稍大，纤维状、土状者硬度稍小。质脆，易碎。相对密度1.9左右。易溶于水。味先涩而后甜。

矿产分布	产于干旱地区含铁硫化物类矿物（黄铁矿、磁黄铁矿等）的风化带。分布于湖南邵阳（武冈）、郴州（永兴）、长沙（浏阳）等。

资源情况	可采资源丰富。

采收加工	采得后除去杂质，密闭贮藏，防止变色或受潮。

药材性状	本品为柱状或粒状集合体，呈不规则块状。蓝绿色或绿色，条痕白色。透明至微透明。表面不平坦，粗糙。质硬脆，用指甲可刻划成痕，易砸碎，断面具玻璃样光泽。无臭，味先涩而后甜。

功能主治	酸、涩，寒。归肺、肝、脾、大肠经。燥湿杀虫，补血消积，解毒敛疮。用于血虚萎黄，疳积，腹胀痞满，肠风便血，疮疡溃烂，喉痹口疮，烂弦风眼，疥癣瘙痒。

用法用量	内服入丸、散剂，0.2 ~ 0.6 g。外用适量，研末撒或调敷；或用浓度为2%的水溶液涂洗。

胆矾 Chalcanthite

| **药 材 名** | 胆矾（药材来源：硫酸盐类矿物胆矾的晶体。别名：石胆、毕石、君石）。 |

| **形态特征** | 三斜晶系。晶体呈板状或短柱状，集合体呈致密块状、钟乳状、被膜状、肾状或纤维状。天蓝色或蓝色，有时微带浅绿色，条痕无色或带浅蓝色。具玻璃光泽。半透明至透明。断口贝壳状。硬度 2.5。相对密度 2.1 ～ 2.3。质脆。 |

| **矿产分布** | 由含铜硫化物氧化分解形成的次生矿物，可与蓝铜矿（扁青）、孔雀石（绿青）等矿物共生。分布于湖南怀化（辰溪、麻阳）、衡阳（耒阳）、郴州（永兴）等。 |

| **资源情况** | 可采资源丰富。 |

| **采收加工** | 于铜矿中挖取，选择蓝色、透明的结晶。 |

| **药材性状** | 本品呈不规则斜方扁块状或棱柱状。表面不平坦，有的具纵向纤维状纹理。蓝色或淡蓝色，条痕白色或淡蓝色。半透明至透明。具玻璃光泽。体较轻。硬度与指甲相近。质脆，易砸碎。气无，味涩。 |

| **功能主治** | 酸、辛，寒；有毒。归肝、胆经。涌吐，去腐，解毒。用于中风，癫痫，喉痹，喉风，痰涎壅塞，牙疳，口疮，烂弦风眼，痔疮，肿毒。 |

| **用法用量** | 内服入丸、散剂，0.002 ～ 0.004 g。外用适量，研末撒或调敷；或以水溶化洗眼。 |

扁青 Azurite

药 材 名	扁青（药材来源：碳酸盐类孔雀石族矿物蓝铜矿的矿石。别名：碧青、石青、大青）、空青（药材来源：碳酸盐类孔雀石族矿物蓝铜矿呈球形或中空者。别名：杨梅青）、曾青（药材来源：碳酸盐类孔雀石族矿物蓝铜矿具层壳结构的结核状集合体。别名：朴青、层青、青龙血）。
形态特征	单斜晶系。晶体呈短柱状或板状，集合体通常呈粒状、肾状、散射状、土状或覆在其他铜矿表面。深蓝色，条痕为浅蓝色。具玻璃、金刚石或土状光泽。半透明至不透明。断口呈贝壳状。硬度 3.5 ~ 4。相对密度 3.7 ~ 3.9。质脆。
矿产分布	共存有孔雀石、石英、褐铁矿乃至其他黏土矿物。分布于湖南怀化（麻阳、辰溪）、长沙（浏阳）、衡阳（常宁）、邵阳（城步）等。
资源情况	可采资源一般。
采收加工	**扁青：**在原矿物中选取扁平块状或粒状集合体。 **空青：**在原矿物中选取呈球形或中空的集合体。 **曾青：**在原矿物中选取具有层壳结构的结核状集合体。
药材性状	**扁青：**本品呈不规则块状。蓝色，有时有浅蓝色条块，条痕浅蓝色。具玻璃光泽，半透明；浅蓝色者具土状光泽，不透明。体较重，质硬而脆，可砸碎，断面不平坦。气微，味淡。 **空青：**本品类球状，大小不一。蓝色。表面不平坦，多数中空。 **曾青：**本品扁平块状。深蓝色，表面有绿色薄层。不透明，具土状光泽。质较硬，不易砸碎，断面不平坦。气微，味淡。
功能主治	**扁青：**酸、咸，平；有毒。归肝经。涌吐风痰，明目，解毒。用于癫痫，

惊风，痰涎壅盛，目翳，痈肿。

空青：甘、酸，寒；有小毒。凉肝清热，明目去翳，活血利窍。

曾青：酸，寒；有小毒。凉肝明目，祛风定惊。

| **用法用量** | 内服入丸、散剂。外用适量，研末调敷或点眼。

氯铜矿 Atacamite

| **药 材 名** | 绿盐（药材来源：卤化物类矿物氯铜矿。别名：石绿、盐绿）。 |

| **形态特征** | 斜方晶系。晶体呈柱状或板状，晶面具垂直条纹，集合体呈纤维状、粒状、肾状或致密状。绿色、翠绿色或黑绿色，条痕为苹果绿色。具金刚石或玻璃光泽。透明至半透明。解理依轴面而完全。断口贝壳状。硬度 3 ~ 3.5。相对密度 3.75 ~ 3.77。质脆。以火烧之火焰呈天蓝色，置闭口管中加热则生水。 |

| **矿产分布** | 产于铜矿床风化壳。分布于湖南怀化（麻阳、辰溪）、长沙（浏阳）衡阳（常宁）、邵阳（城步）等。 |

| **资源情况** | 可采资源丰富。 |

| **采收加工** | 全年均可采收，采得后除去泥土和杂石。 |

| **药材性状** | 本品为块状或柱状。绿色，条痕绿色至淡绿色。具金刚石或玻璃光泽。透明至半透明。体较重，质硬而脆。断面贝壳状。气无，味微咸。 |

| **功能主治** | 咸、苦、辛，平；有毒。归肝经。明目去翳。用于目翳，目涩昏暗，泪多眵多。 |

| **用法用量** | 外用适量，研细配膏，点眼或外贴；或制成冲洗剂。 |

紫铜矿 Bornite

药材名	紫铜矿（药材来源：硫化物类斑铜矿族矿物斑铜矿）。
形态特征	等轴晶系。晶体为立方体、菱形十二面体或八面体，但极少见，集合体为致密块状或散粒状。表面常因被氧化而呈蓝紫色，新鲜断面呈古铜褐色，条痕为淡灰黑色。具半金属光泽。不透明。断口参差状。硬度 3。相对密度 4.9 ～ 5。质脆。具导电性。
矿产分布	产于铜矿或铜镍矿床。分布于湖南怀化（麻阳、辰溪）、长沙（浏阳）、衡阳（常宁）、邵阳（城步）等。
资源情况	可采资源一般。
采收加工	全年均可采收，采得后除去杂石。
药材性状	本品为粒状集合体，呈不规则块状。表面常因被氧化而呈蓝紫色。不透明。具金属光泽。表面不平坦。体较重，质硬而脆。无臭，无味。
功能主治	咸，寒。归心、肺经。接骨续筋。用于骨折筋伤。
用法用量	外用适量，煅研末，调敷。

菱锌矿 Smithsonite

| **药 材 名** | 炉甘石（药材来源：碳酸盐类矿物菱锌矿的矿石。别名：甘石、芦甘石、炉眼石）。 |

| **形态特征** | 三方晶系。单个晶体为菱面体或复三方偏三角面体，极少见，集合体常呈钟乳状、块状、土状或皮壳状。纯者白色，含杂质者常呈灰白色、淡黄色、浅绿色或浅褐色。透明至半透明。具玻璃或土状光泽，晶面上有时具珍珠光泽。硬度 4.5 ~ 5。质脆。断口参差状。相对密度 4 ~ 4.5。 |

| **矿产分布** | 产于原生铅锌矿床氧化带。分布于湖南湘西州（龙山、花垣）、郴州（桂阳、临武）、衡阳（常宁、祁东）等。 |

| **资源情况** | 可采资源丰富。 |

| **采收加工** | 采得后除去杂石和泥土。 |

| **药材性状** | 本品为块状或钟乳状集合体，呈不规则块状。白色、灰白色或浅土黄色，条痕灰白色至淡棕色。表面凹陷或多孔隙，似蜂窝。具土状光泽。不透明。体轻，质较硬而脆，易碎，断面白色或浅土黄色，有的黄白相间似花纹状。无臭，味微涩。 |

| **功能主治** | 甘、平。归肝、脾、肺经。明目去翳，收湿止痒，敛疮生肌。用于目赤肿痛，烂弦风眼，多泪怕光，翳膜胬肉，溃疡不敛，皮肤湿疮，阴部湿痒。 |

砷华 Arsenolite

药材名	砒石（药材来源：氧化物类矿物砷华。别名：砒黄、信砒、人言）、砒霜（药材来源：氧化物类矿物砷华经升华而成的三氧化二砷精制品。别名：白砒）。

形态特征　晶体为八面体或菱形十二面体。歪晶呈粒状或板柱状；微晶呈星状或毛发状；集合体呈钟乳状、皮壳状或土状。无色至灰白色，多数带蓝色、黄色或红色，条痕白色或带黄色。具玻璃光泽至金刚光泽，无晶面则具油脂或丝绢光泽。解理完全，交呈棱角。质脆。硬度为1.5。相对密度为3.7～3.9。可溶于水。

矿产分布　分布于湖南衡阳（衡山）、永州（零陵）、邵阳（邵阳）、常德（石门）、娄底（冷水江）等。

资源情况　可采资源一般。

采收加工　**砒石**：选取天然的砷华矿石，除去杂质。
　　　　　　砒霜：将砒石捣碎，置于阳城罐内，罐口用铁碗底盖住，碗和罐的接合处用盐泥封固，铁碗内装满水，将罐置于炉上用慢火烧2～3小时，使其升华后附着在铁碗底部，取出罐，放凉后揭开取下铁碗，并除去罐里残留的杂质，将升华物再入罐内反复烧炼2～3次，即得极净的砒霜。

药材性状　**砒石**：本品有红、白之分。红者呈不规则块状；淡红色、淡黄色或红黄相间；略透明或不透明；具玻璃光泽或丝绢光泽，或无光泽；质脆，易破碎，断面凹凸不平或呈层状；气无，烧之有蒜样臭气；极毒，不能口尝；以块状、色红润、具晶莹直纹、无渣滓者为佳。白者无色或白色，有的透明；质较纯，毒性比红者剧；以块状、色白、具晶莹直纹、无渣滓者为佳。

砒霜：本品为块片或呈粉末状。白色。体重。无臭，无味。极毒，不可口尝。

| 功能主治 | 砒石：辛、酸，热；有毒。归肺、大肠、胃、脾经。蚀疮去腐，杀虫，祛痰定喘，截疟。用于寒痰哮喘，疟疾，痔疮，瘰疬，走马牙疳，顽癣，溃疡腐肉不脱。

砒霜：辛、酸，热；有大毒。蚀疮去腐，杀虫，祛痰，截疟。用于痔疮，瘰疬，痈疽恶疮，走马牙疳，癣疮，寒痰哮喘，疟疾，休息痢。

| 用法用量 | 砒石：内服入丸、散剂，0.03 ~ 0.075 g。外用适量，研末撒或调敷；或入膏药中贴之。

砒霜：内服入丸、散剂，1 ~ 3 mg。外用适量。

毒砂 Arsenopyrite

药 材 名	礜石（药材来源：复硫化物类毒砂族矿物毒砂。别名：固羊石、石盐、白礜石）。
形态特征	单斜或三斜晶系。晶体多呈柱状，集合体呈短柱状、板柱状、双锥状或致密粒块状、致密块状等。新鲜面呈锡白色至钢灰色，条痕黑色。具金属光泽。不透明。晶体解理中等或不完全，块状集合体见不到解理。断口不平坦。硬度 5.5 ~ 6。相对密度 5.9 ~ 6.3。质脆。致密块体用铁锤猛击时有火星且散发出蒜臭气。
矿产分布	产于硫化物矿脉。分布于湖南岳阳（平江）、郴州（临武、桂阳）等。
资源情况	可采资源一般。
采收加工	全年均可采收，采后淬煅。
药材性状	晶面有条纹，双晶常呈"十"字形。新鲜面锡白色，断面钢灰色，条痕灰黑色。具金属光泽，不透明。质脆。具蒜臭气。
功能主治	辛、甘，热；有毒。归脾、肝、肾经。消冷积，祛寒湿，蚀恶肉，杀虫。用于痼冷腹痛，积聚坚癖，风冷湿痹，痔漏息肉，恶疮癣疾。
用法用量	内服，0.3 ~ 0.6 g。外用适量，研末调敷。

雄黄 Realgar

| 药 材 名 | 雄黄（药材来源：硫化物类矿物雄黄的矿石。别名：黄食石、熏黄、黄石）。

| 形态特征 | 单斜晶系。晶体细小，呈柱状、短柱状或针状，但较少见。通常多呈粒状、致密块状，有时为土状、粉末状、皮壳状集合体。橘红色，表面或有暗黑色及灰色的锈色。条痕浅橘红色。晶体具金刚光泽，断口具树脂光泽。硬度 1.5～2，相对密度 3.56，阳光久照会发生破坏而转变为淡橘红色粉末。锤之有刺鼻蒜臭。

| 矿产分布 | 存在于低温热液、火山热液矿床中，与雌黄紧密共生，还可见于温泉和硫质喷气孔的沉积物里，偶见于煤层和褐铁矿层中。分布于湖南常德（石门）等。

| 资源情况 | 可采资源丰富。

| 采收加工 | 一般用竹刀剔取熟透部分,除去杂质。

| 药材性状 | 本品为块状或粒状集合体,形状不规则。深红色或橙红色,条痕淡橘红色,晶面有金刚光泽。质脆,易碎,断面具树脂光泽。微有特异的臭气,味淡。

| 功能主治 | 辛,温;有毒。归肝、大肠经。解毒杀虫,燥湿祛痰,截疟。用于痈肿疔疮,蛇虫咬伤,虫积腹痛,惊痫,疟疾。

| 用法用量 | 内服入丸、散剂,0.05 ~ 0.1 g。外用适量,研末撒、调敷或烧烟熏。

雌黄 Orpiment

药 材 名	雌黄（药材来源：硫化物类雌黄族矿物雌黄。别名：黄金石、石黄、砒黄）。
形态特征	单斜晶系。晶体常呈柱状，往往带有弯曲的晶面，集合体呈杆状、块状或鸡冠状。柠檬黄色，有时微带浅褐色。条痕与矿物本色相同，惟色彩更鲜明。光泽因所视方向不同而发生变化，具金刚光泽至脂肪光泽，新鲜断面具珍珠光泽。半透明。解理完全。硬度 1.5～2。相对密度 3.4～3.5。具柔性，薄片能弯曲，但无弹性。
矿产分布	产于低温热液矿床中、温泉及火山附近。分布于湖南常德（石门）等。
资源情况	可采资源丰富。

| **采收加工** | 采挖后除去杂石和泥土。

| **药材性状** | 本品为土状或块状。黄色，有时因混有雄黄而呈橙黄色。表面常覆有一层黄色粉末，条痕柠檬黄色。微有光泽。半透明。用指甲可刻划成痕。体较重，质脆易碎，断面具树脂光泽。手摸之较光滑，染指。具蒜样臭气。

| **功能主治** | 辛，平；有毒。归肝经。燥湿，杀虫，解毒。用于疥癣，恶疮，蛇虫咬伤，癫痫，寒痰咳喘，虫积腹痛。

| **用法用量** | 内服适量，入丸、散剂。外用适量，研末调敷。

辰砂 Cinnabar

| 药 材 名 | 朱砂（药材来源：硫化物类矿物辰砂族辰砂的矿石。别名：丹砂、光明砂、辰砂）。 |

| 形态特征 | 三方晶系。晶体呈厚板状或为菱面体，在自然界中单体少见，多呈粒状、致密状块体出现，也有呈粉末状被膜者。朱红色至黑红色，有时带铅灰色。条痕为红色。具金刚光泽，半透明。有平行的完全解理。断口呈半贝壳状或参差状。硬度 2～2.5。比重 8.09～8.2。性脆。 |

| 矿产分布 | 常呈矿脉产于石灰岩、板岩、砂岩中。分布于湖南怀化（新晃）、湘西（凤凰）等地。 |

| 资源情况 | 可采资源较丰富。 |

| 采收加工 | 劈开辰砂矿石，取出岩石中夹杂的少数朱砂。利用浮选法，将凿碎的矿石放在直径约尺余的淘洗盘内，左右旋转淘洗盘，因比重不同，故朱砂沉于底，杂石浮于上，除去杂石后，再将朱砂劈成片、块，片状者为"镜面砂"，块状者为"豆瓣砂"，碎末者为"朱宝砂"。

| 药材性状 | 本品为粒状或块状集合体，呈颗粒状或块片状，鲜红色或暗红色，条痕红色至褐红色，具光泽。体重，质脆，片状者易破碎，粉末状者有闪烁的光泽。气微，味淡。

| 功能主治 | 甘，微寒；有毒。归心经。清心镇惊，安神，明目，解毒。用于心悸易惊，失眠多梦，癫痫发狂，小儿惊风，视物昏花，口疮，喉痹，疮疡肿毒。

| 用法用量 | 内服多入丸、散剂，0.1～0.5 g，不宜入煎剂。外用适量，加水调敷。

方铅矿 Galena

| 药 材 名 | 密陀僧（药材来源：硫化物类方铅矿族矿物方铅矿提炼银、铅时沉淀的炉底。别名：陀僧、没多僧、炉底）、铅（药材来源：硫化物类方铅矿族方铅矿炼制的灰白色金属铅。别名：黑铅、铅精、黑金）、铅丹（药材来源：金属铅加工制成的粉末，主含四氧化三铅。别名：黄丹、铅黄、丹粉）。

| 形态特征 | 等轴晶系。呈立方体晶形，有时为八面体与立方体聚形。通常呈粒状或致密块状。铅灰色。条痕灰黑色。具金属光泽。硬度 2～3。解理平行完全。密度 7.4～7.6 g/cm³。

| 矿产分布 | 形成于不同温度的热液过程，主要形成于中温热液过程，经常与闪锌矿形成铅锌硫化物矿床。分布于湖南衡阳（常宁）、郴州（桂阳）、

株洲（茶陵）等。

| 资源情况 | 可采资源丰富。

| 采收加工 | **密陀僧**：将铅熔融后，用长铁棍在熔铅中旋转几次，部分熔铅黏附于铁棍上，然后取出长铁棍，浸入冷水中，黏附的熔铅冷却后变成氧化铅固体，研为细粉。

铅丹：将纯铅置于铁锅中加热，炒动，利用空气使之氧化，然后置于臼中研末，漂出细粉，再经氧化 24 h 后研成细粉，过筛。

| 药材性状 | **密陀僧**：本品呈不规则的块状，大小不一。橙红色，镶嵌着具有金属光泽的小块，对光照之闪闪发光。表面粗糙，有时一面呈橙黄色而略平滑。质硬，体重，易砸碎，断面红褐色。气无。粉末黄色。以色黄有光泽，内外一致，体坚重者为佳。

铅：本品呈粒状、片状。表面常被氧化成一层薄膜，呈灰色，光泽暗淡；刮去外层薄膜后具较强的金属光泽。体重，质软，可用指甲刻划成痕，在纸上可书写。条痕铅灰色。具展性，延性较小。易切断，切面金属光泽强。气、味均无。

铅丹：本品为橙红色或橙黄色粉末。光泽黯淡，不透明。质重，用手指揉搓，先有沙性触及，后觉细腻，可将手指染为橙黄色。气微，味淡。

| 功能主治 | **密陀僧**：咸、辛，平；有毒。归肝、脾经。燥湿，杀虫，收敛，防腐，解毒。用于疮疡溃烂久不收敛，口疮，疥癣，狐臭，汗斑，（黑干）黯，酒皶鼻，烫火伤，湿疹。

铅：甘，寒；有毒。归肝、肾经。镇逆，坠痰，杀虫，解毒。用于痰痫，气短喘急，噎膈反胃，癫狂，惊悸，瘿瘤，瘰疬，疔毒，恶疮，慢性湿疹，神经性皮炎。

铅丹：辛、咸，微寒；有毒。归心、脾、肝经。解毒祛腐，收湿敛疮，杀虫止痒，坠痰镇惊，攻毒截疟。用于痈疽，溃疡，金疮出血，口疮，目翳，烫火伤，惊痫癫狂，疟疾，痢疾，吐逆反胃。

| 用法用量 | **密陀僧**：内服研末，0.002 ~ 0.006 g；或入丸、散剂。外用适量，研末撒；或调涂。

铅：内服煎汤，9 ~ 12 g；或煅透研末，入丸、散剂。外用适量，煅末调敷。

铅丹：内服 0.3 ~ 0.6 g；或入丸、散剂。外用适量，研末撒；或研末调敷；或熬膏。

铅丹

自然硫 Sulfur

| 药 材 名 | 硫黄（药材来源：自然元素类硫黄族矿物自然硫。别名：石硫黄、天生黄、昆仑黄）。

| 形态特征 | 斜方晶系。晶体为锥柱状、板柱状、板状或针柱状，集合体呈致密或疏松块状、泉华状、隐晶的土状、皮壳状或被膜状等。黄色、蜜黄色或褐黄色，若含杂质则带灰色、黑色、绿色或红色，条痕白色至淡黄色。晶面具金刚光泽，断口具松脂或油脂光泽。近透明至半透明。解理多组，不完全。致密块体断口呈贝壳状至不平坦状。硬度1～2。相对密度2.05～2.08。质脆易碎，受热易产生裂纹。加热至270℃可燃烧，火焰蓝色，并放出刺鼻臭气。易溶于二硫化碳、松节油、煤油，但不溶于水、盐酸和硫酸，遇强硝酸和王水则被氧化为硫酸。

| 矿产分布 | 形成于火山喷气作用,火山硫含少量砷、硒、锌和铊。分布于湖南常德(石门)等。

| 资源情况 | 可采资源一般。

| 采收加工 | 采挖自然硫后加热熔化,除去杂质。

| 药材性状 | 本品为不规则块状或粗颗粒状。浅黄色、黄色或绿黄色,条痕白色或淡黄色。表面不平坦或粗糙,常具多数小孔隙。具脂肪光泽。体轻,质松脆,易砸碎,断面呈蜂窝状,纵面可见细柱状或针状晶体,晶体近平行排列,具金刚光泽。具特异臭气,味淡。

| 功能主治 | 酸,热;有毒。归肾、脾、肝、大肠经。补火壮阳,温脾通便,杀虫止痒。用于阳痿,遗精,尿频,带下,寒喘,心腹冷痛,久泻久痢,便秘,疥疮,顽癣,秃疮,天疱疮,湿毒疮,阴蚀,阴疽,恶疮。

| 用法用量 | 内服入丸、散剂,1.5 ~ 3 g。外用适量,研末撒或油调敷;或烧烟熏。

自然金 Native Gold

| 药 材 名 | 金箔（药材来源：由自然金锤成的纸状薄片。别名：金薄、金页）。 |

| 形态特征 | 等轴晶系。晶体为八面体，很少见，常见的为颗粒状或树枝状集合体。金黄色，条痕为光亮的金黄色。具金属光泽。不透明。断口锯齿状。硬度 2.5～3。相对密度 15.6～18.3（纯金为 19.3）。具延展性。有极强的传热性及导电性。不溶于酸，可溶于王水。在空气中极稳定。 |

| 矿产分布 | 湖南主要分布的为沙金，由古河床及现代河床涧谷中沙砾堆积夹杂的金沙，为脉金从其母岩中分离后冲淤聚集者。分布于湖南怀化（沅陵、洪江）、岳阳（平江）、衡阳（常宁）、长沙（浏阳）等。 |

| **资源情况** | 可采资源较丰富。

| **采收加工** | 采收自然金，锤成纸状薄片。

| **药材性状** | 本品为正方形薄片，夹于面积相同的薄纸层中。淡金黄色。表面平坦，具微细皱纹。不透明。具强金属光泽。质薄，易漂浮，并易破裂。气、味均无。

| **功能主治** | 辛、苦，平。归心、肝、肺经。镇心，安神，解毒，平肝。用于惊痫，癫狂，心悸，疮毒。

| **用法用量** | 内服入丸、散剂，一般作为丸药挂衣。外用适量，研末撒。

自然银 Native Silver

药材名	银箔（药材来源：由自然银锤成的纸状薄片。别名：银薄、银页、银泊）。
形态特征	等轴晶系。晶体为八面体或六方晶体，不多见，常见的为粒状、块状、鳞片状、网状、丝状或树枝状集合体。银白色，表面常变为棕红黑色或灰黑色，条痕银白色或铅灰色。具金属光泽。不透明。断口锯齿状。硬度 2.5 ~ 3。比重 10.1 ~ 11.1。富延展性。有较强的传热性及导电性。在空气中不被氧化，然遇臭氧则生成氧化银之薄层。易与硫化氢发生反应而变成黑色硫化银。不溶于盐酸，能溶于硝酸及热硫酸而生成硝酸银及硫酸银。
矿产分布	产于低温热液矿床中。分布于湖南郴州（永兴、资兴、桂阳、苏仙、汝城）、永州（道县）、衡阳（常宁）等。
资源情况	可采资源较丰富。
采收加工	采收自然银，锤成纸状薄片。
药材性状	本品通常为正方形薄片，长、宽均为 93.3 mm，多夹于面积相同的薄纸层中。银白色。表面平坦，但具微细皱纹。具金属光泽。不透明。质薄，易漂浮，并易破裂。气、味均无。
功能主治	辛，寒。归心、肝、肺经。镇惊，安神，定痫。用于心悸恍惚，惊痫癫狂，夜不安寐。
用法用量	内服入丸、散剂，一般作为丸药挂衣。

水银 Cinnabar Mercury

| 药 材 名 | 水银（药材来源：自然元素类液态矿物自然汞。别名：汞、流珠、赤汞）、白降丹（药材来源：人工炼制的氯化汞和氯化亚汞的混合结晶物。别名：降丹、降药、水火丹）、轻粉（药材来源：用升华法炼制而成的氯化亚汞结晶。别名：汞粉、水银粉、腻粉）、红粉（药材来源：由水银、硝石、白矾或由水银和硝酸炼制而成的红色氧化汞。别名：灵药、小升丹、升药）。

| 形态特征 | 常温下在空气中稳定为液体，受热易挥发，-38.87 ℃以下为三方晶系晶体。晶体汞为菱面体状。液体呈小珠状分散，或呈薄膜状依附于辰砂等共存矿物表面及裂隙中，亦呈小水滴状集中于岩石裂隙。

白降丹

银白色或锡白色，具金属光泽，不透明。晶体汞相对密度 14.26 ～ 14.4，液体汞相对密度 13.546（20 ℃）。气化点 356.58 ℃，蒸气有剧毒。

| 矿产分布 | 产于辰砂矿的氧化带，常呈小珠球状存在于矿脉及岩石的洞隙内和浮土中。分布于湖南怀化（新晃）、湘西州（凤凰）等。

| 资源情况 | 可采资源一般。

| 采收加工 | **水银：** 从辰砂矿中捡取，分离。

白降丹： 加工方法有降法和升法 2 种。降法为取硝石、皂矾、食盐各 5 g，研细，加入水银 30 g，共研至不见星为度，再与朱砂 6 g、雄黄 6 g、硼砂细粉 15 g 研匀，置瓦罐内，文火熔融，用竹棍轻轻搅拌，待药物均匀地凝结于罐底时停止搅拌，用微火烘干，以罐底朝上而不掉落为度，是谓结胎，再将罐覆盖于稍大的瓷碗上，接口处用韧纸浸湿、围严，再用煅石膏粉调成糊状密封，另取与瓷碗口直径相等之盆，盛满冷水，将罐、碗置水盆上，在罐的周围罩一铁皮圈，罐与铁皮圈之间加入炭火（炭量一次加足），先用武火烧炼 1 小时，再用文火烧炼 2 小时，停火冷却，启罐，刮取白色结晶，即为白降丹。升法为如上法结胎后，在罐上放一光底大碗（碗口向上），在罐、碗接合处如上法封，碗内盛满冷水，然后将罐移置火上烧炼，碗内冷水频换，约烧 2 小时，去火待冷，启罐取丹。

轻粉： 加工方法有 2 种。一种为将硫酸汞 15 份与汞 10 份混合，使成为硫酸亚汞，加食盐 3 份，混合均匀，升华即得。；另一种为将硫酸亚汞 10 份、硝酸 1.5 份与蒸馏水 88.5 份混合，加食盐 3 份，即得氯化亚汞沉淀，倒出上层清液，以蒸馏水洗涤沉淀物，至无氯离子反应为止，过滤，干燥。

红粉： 取水银、硝石、白矾各 50 g，先将硝石、白矾研细拌匀，置铁锅中，用文火加热至完全熔化，放冷，使其凝结，然后将水银洒于表面，将瓷碗盖在锅上，碗与锅交接处用桑皮纸条封固，四周用黄泥密封至近碗底，碗底上放白米数粒，重新用火加热，先用文火，后用武火，至白米变成黄色时，再用文火炼至米变焦色，去火，放冷，除去封泥，将碗取下，碗内周围的红色升华物即为红升（红粉）。

| 药材性状 | **水银：** 本品在常温下为质重的液体。银白色，不透明，具金属光泽。易流动或分裂成小球。遇热易挥发，357 ℃成气体，在 -39 ℃时凝固成锡样固体。无臭。

白降丹： 白色至淡黄白色针柱状集合体，呈板块状，中间厚，边缘薄，一面光滑，一面较粗糙，侧面可见束针状结晶，长短不一，排列不整齐。不透明。具珍珠

光泽。体重,质软易碎。粉碎者呈针柱状。无臭。

轻粉: 本品为白色有光泽的鳞片状或雪花状结晶。遇光颜色变暗。气微。

红粉: 本品为橙红色片状或粉状结晶,片状的一面光滑且略具光泽,另一面较粗糙。粉末橙色。质硬而脆。遇光颜色逐渐变深。气微。

| 功能主治 | **水银:** 辛,寒;有毒。归心、肝、肾经。杀虫,攻毒。用于疥癣,梅毒,恶疮,痔漏。

白降丹: 辛,热;有大毒。归脾经。消痈,溃脓,蚀腐,杀虫。用于痈疽发背,疔疮,瘰疬,脓成不溃,腐肉难消,风癣疥癞。

轻粉: 辛,寒;有毒。归大肠、小肠经。杀虫,攻毒,敛疮,祛痰消积,逐水通便。用于痰涎积滞,水肿,臌胀,二便不利;外用于疥疮,顽癣,臁疮,梅毒,疮疡,湿疹。

红粉: 热,辛;有大毒。拔毒提脓,祛腐生肌,燥湿杀虫。用于痈疽疔疮,梅毒下疳,瘰瘤瘰疬,一切恶疮,窦道瘘管,湿疮,疥癣。

| 用法用量 | **水银:** 外用适量,涂擦。

白降丹: 外用适量,研末撒;或调涂。

轻粉: 内服研末,0.06 ~ 0.15 g;或入丸、散剂。外用适量,研末调敷;或研末撒。

红粉: 外用适量,研末入散剂,或制成药捻插入疮口。

红粉

琥珀 Amber

| 药 材 名 | 琥珀（药材来源：古代松科植物的树脂埋藏于地下经久凝结而成的碳氢化合物。别名：血琥珀、血珀、红琥珀）。 |

| 形态特征 | 非晶质，常呈结核状、瘤状或小滴状。有的具放射状纹理，有的含有动物遗体或植物碎片等。硬度低。质轻，温润，有宝石般的光泽与晶莹度。 |

| 矿产分布 | 产于白垩纪或第三纪的砂砾岩或煤层的沉积物中。分布于湖南益阳（桃江）、长沙（宁乡）、湘潭（湘潭）等。 |

| 资源情况 | 可采资源较少。 |

| 采收加工 | 从地层或煤层中挖出后，除去砂石、泥土等杂质。 |

| 药材性状 | 本品为不规则多角形块状或颗粒状。淡黄色、淡棕色或黑褐色。有光泽。质坚硬，不易捻碎。断面有玻璃光泽。有煤油气，味淡。嚼之无砂石感。 |

| 功能主治 | 甘，平。归心、肝、肺、脾、小肠、膀胱经。镇惊安神，散瘀止血，利水通淋，去翳明目。用于惊悸失眠，惊风癫痫，血淋尿血，血滞经闭，产后瘀滞腹痛，癥瘕积聚，目生翳障，痈肿疮毒。 |

| 用法用量 | 内服入丸、散剂，0.006 ~ 0.012 g。外用适量，研末点眼或撒。 |

石燕 Fossilia Spiriferis

| 药 材 名 | 石燕［药材来源：古生代腕足类石燕科动物中华弓石燕 *Cyrtiospirifer sinensis* (Graban) 及其多种近缘动物的化石。别名：石燕子、大石燕、燕子石］。

| 形态特征 | 似完整的瓦楞子。长 2～4 cm，宽 1.5～3.5 cm，厚 1.5～2 cm。青灰色至土棕色。两面均有从后端向前缘的放射状纹理，其中一面凸度低于另一面，中部有三角形隆起，另一面有三角形凹槽，槽的纹理较细密，槽的前端向下略弯曲且突出。质坚硬，可砸碎，断面较粗糙，土黄色或青白色，对光照之可见闪星样光泽。

| 矿产分布 | 分布于湖南永州（祁阳）、衡阳（祁东）等。

| **资源情况** | 可采资源一般。

| **采收加工** | 全年均可采收，采得后洗净泥土，敲碎或水飞，也可煅后敲碎或水飞。

| **功能主治** | 甘、咸，凉。归肾、肝、膀胱经。除湿热，利小便，退目翳。用于淋病，小便不利，带下，尿血，疝积，肠风痔漏，目生翳障。

| **用法用量** | 内服煎汤，3~9g；或磨汁。外用水磨点眼。

锡石 Cassiterite

药 材 名	锡（药材来源：从氧化物类金红石族矿物锡石中提炼的锡）。
形态特征	正方晶系。晶体常呈双锥形或双锥与四方柱之聚形，或呈板状，且有膝状双晶出现，但通常以散布状细粒或不规则粒出现。褐色、黑色或红色、灰色、白色等，条痕为白色或浅棕色。具金刚光泽或半金属光泽，断口面具树脂光泽。不透明。解理不完。断口呈半贝壳状或参差状。硬度 6 ~ 7。相对密度 6.8 ~ 7.1。
矿产分布	产于伟晶岩、氧化高温热液矿床（锡石石英脉）和锡石硫化物热液矿床中。分布于湖南岳阳（临湘）、益阳（桃江）、株洲（茶陵）、郴州（桂阳、宜章、汝城、临武）等。
资源情况	可采资源丰富。
采收加工	采得后选较纯锡石，除去泥土等杂质，提炼得锡。
药材性状	本品呈块状、粒状或片状。银白色，条痕亮银色。不透明。具强金属光泽。体重，质软。有延性和展性。易切断。气微，味淡。
功能主治	甘，寒；有毒。愈疮生肌。用于疔肿。
用法用量	外用适量，磨涂。

水 Water

| 药 材 名 | 泉水（药材来源：未受污染的天然井泉中的新汲水或矿泉水）、温泉（药材来源：下渗的雨水和地表水循环至地壳深处而形成的温度超过 20 ℃的自然积水。别名：温汤、沸泉）。 |

| 矿产分布 | 分布于湖南长沙（宁乡）、张家界（慈利）、湘潭（韶山、湘乡）、衡阳（衡阳）、郴州（汝城、永兴）、怀化（靖州）等。 |

| 资源情况 | 可采资源丰富。 |

| 功能主治 | **泉水：**甘，凉。益五脏，清肺胃，生津止渴，养阴利尿。用于呕吐反胃，腹痛泄泻，吐血，衄血，便血，尿血，妇女妊娠恶阻，崩漏，带下，痈肿溃疡。
温泉：甘、辛，热；有小毒。祛风通络，解毒杀虫。用于筋骨拘挛，手足不遂，无眉发，癣疥诸疾在皮肤骨节者。 |

| 用法用量 | **泉水：**内服适量，饮用。
温泉：外用适量，沐浴；或外洗。 |

陈壁土

药 材 名	陈壁土（药材来源：陈年土墙的土。别名：东壁土）。
形态特征	不规则块状、颗粒状或粉末状，大小不一。黄色、土黄色或土灰色。
矿产分布	湖南各地均有分布。
资源情况	可采资源丰富。
采收加工	刮取陈年土墙的表层，晒干。
功能主治	甘，温。健脾，解毒。用于心痛，吐泻烦闷，痤疮，药物中毒，脱肛，疝气。
用法用量	内服研末入丸剂，6 g；或艾汤冲服。外用适量，煎汤洗。

伏龙肝 Furnace Soil

| 药 材 名 | 伏龙肝（药材来源：久经柴草熏烧的灶底中心的土块。别名：灶中黄土、釜下土、灶心土）。 |

| 形态特征 | 呈不规则块状，大小不一。红褐色。表面有刀削痕。质较硬，但易砸碎，并有粉末脱落，断面细软，色稍深，常有蜂窝状小孔。具烟熏气。 |

| 矿产分布 | 湖南各地均有分布。 |

| 资源情况 | 可采资源丰富。 |

| 采收加工 | 在拆修柴火灶（或烧柴的窑）时，将烧结的土块取下，用刀削去焦黑部分，除去杂质。 |

| 功能主治 | 辛，温。归脾、胃、肝经。温中止血，止呕，止泻。用于呕吐反胃，腹痛泄泻，吐血，衄血，便血，尿血，妇女妊娠恶阻，崩漏，带下，痈肿溃疡。 |

| 用法用量 | 内服煎汤，15～30 g；或布包煎汤，澄清代水用，60～120 g；或入散剂。外用适量，研末调敷。 |

铁落 Pulvis Ferri

药 材 名	铁落（药材来源：生铁煅至红赤、外层被氧化时打下的铁屑。别名：生铁洛、生铁落、铁屑）。
形态特征	不规则的小片或碎粒，大小不一。表面深黑色。有金属光泽。体重，质坚而脆，易折断。气微，无臭，味淡。
资源情况	可采资源丰富。
采收加工	取煅铁时打下之铁屑，除去杂质，洗净，晒干。
功能主治	辛，凉。归心、肝经。平肝镇惊，解毒敛疮，补血。用于癫狂，热病谵妄，心悸易惊，风湿痹痛，贫血，疮疡肿毒。
用法用量	内服煎汤，15 ~ 50 g。外用适量，研末调敷。

中文笔画索引

《中国中药资源大典·湖南卷》1～14册共用同一索引，为使读者检索方便，该索引在每个物种名后均标注了其所在册数（如"[1]"）及页码。

一画

一叶萩	[7]	82
一年蓬	[12]	222
一把伞南星	[13]	426
一串红	[10]	624
一枝黄花	[12]	424
一点红	[12]	220

二画

二列叶枪	[5]	232
二乔木兰	[4]	186
二色五味子	[4]	216
二齿香科科	[10]	662
二翅六道木	[11]	374
二褶羊耳蒜	[13]	752
丁香蓼	[8]	536
十大功劳	[4]	602
十字马唐	[13]	220
十字薹草	[13]	492
七叶树	[7]	376
七层楼	[10]	114
七姊妹	[6]	212
七星莲	[8]	264
人心果	[9]	418

人字果	[4]	486
八角	[4]	156
八角枫	[8]	552
八角金盘	[9]	38
八角莲	[4]	574
八宝	[5]	492
八哥	[14]	323
九节	[10]	240
九节龙	[9]	296
九龙盘	[12]	556
九头狮子草	[11]	280
九香虫	[14]	84
九管血	[9]	272
了哥王	[8]	198
刀豆	[6]	432

三画

三小叶碎米荠	[5]	424
三叶木通	[4]	616
三叶地锦	[8]	48
三叶豆蔻	[13]	598
三叶委陵菜	[6]	130
三叶莛莲	[11]	490
三叶海棠	[6]	94
三叶野木瓜	[4]	636

三叶崖爬藤	[8] 52	土荆芥	[4] 78
三白草	[5] 66	土茯苓	[12] 722
三尖杉	[3] 28	土圞儿	[6] 398
三色堇	[8] 294	下田菊	[12] 8
三花冬青	[7] 496	下江忍冬	[11] 408
三花莸	[10] 382	大丁草	[12] 242
三花悬钩子	[6] 332	大八角	[4] 150
三角叶风毛菊	[12] 378	大马蹄蝠	[14] 343
三角叶盾蕨	[2] 546	大天鹅	[14] 267
三角叶堇菜	[8] 292	大车前	[11] 364
三角帆蚌	[14] 25	大瓦韦	[2] 518
三角鲂	[14] 144	大乌泡	[6] 288
三角槭	[7] 328	大火草	[4] 400
三枝九叶草	[4] 586	大叶千斤拔	[6] 528
三星龙虱	[14] 103	大叶马蹄香	[5] 126
三脉紫菀	[12] 82	大叶勾儿茶	[7] 612
三桠乌药	[4] 294	大叶火焰草	[5] 504
三翅铁角蕨	[2] 338	大叶仙茅	[13] 10
三棱虾脊兰	[13] 672	大叶冬青	[7] 470
三裂叶野葛	[6] 666	大叶过路黄	[9] 364
三裂叶薯	[10] 290	大叶苎麻	[3] 344
三裂蛇葡萄	[8] 10	大叶冷水花	[3] 424
三褶虾脊兰	[13] 674	大叶金牛	[7] 290
三穗薹草	[13] 512	大叶金腰	[5] 548
干旱毛蕨	[2] 268	大叶贯众	[2] 398
土丁桂	[10] 284	大叶胡枝子	[6] 568
土人参	[4] 6	大叶度量草	[9] 580
土木香	[12] 286	大叶桂樱	[6] 84
土牛膝	[4] 90	大叶柴胡	[9] 80

大叶铁线莲	[4] 438	大花枇杷	[6] 60
大叶臭花椒	[7] 234	大花金鸡菊	[12] 182
大叶拿身草	[6] 500	大花帘子藤	[10] 28
大叶唐松草	[4] 526	大花威灵仙	[4] 422
大叶黄杨	[7] 588	大花美人蕉	[13] 624
大叶蛇葡萄	[8] 24	大花荷包牡丹	[5] 342
大叶紫堇	[5] 336	大花绣球藤	[4] 448
大叶榉树	[3] 236	大花黄杨	[7] 586
大叶碎米荠	[5] 422	大花旋蒴苣苔	[11] 296
大叶腹水草	[11] 242	大豆	[6] 542
大叶新木姜子	[4] 358	大丽花	[12] 198
大叶醉鱼草	[9] 570	大吴风草	[12] 236
大白鹭	[14] 282	大序隔距兰	[13] 682
大头金蝇	[14] 99	大灵猫	[14] 353
大头橐吾	[12] 328	大青	[10] 390
大百合	[12] 564	大苞赤飑	[8] 396
大灰藓	[1] 362	大苞鸭跖草	[13] 130
大竹象	[14] 121	大苞寄生	[3] 486
大血藤	[4] 632	大苞景天	[5] 518
大红泡	[6] 252	大画眉草	[13] 238
大红蔷薇	[6] 224	大果卫矛	[7] 554
大芽南蛇藤	[7] 508	大果马蹄荷	[5] 474
大花万寿竹	[12] 586	大果冬青	[7] 474
大花卫矛	[7] 542	大果花楸	[6] 346
大花马齿苋	[4] 2	大果俞藤	[8] 82
大花五味子	[4] 220	大果菝葜	[12] 732
大花对叶兰	[13] 766	大果落新妇	[5] 536
大花还亮草	[4] 478	大罗伞树	[9] 286
大花忍冬	[11] 404	大金刚藤	[6] 484

大狗尾草	[13] 354	小二仙草	[8] 546
大油芒	[13] 370	小八角莲	[4] 570
大型四照花	[8] 592	小山飘风	[5] 508
大柄冬青	[7] 476	小木通	[4] 414
大鸨	[14] 300	小升麻	[4] 406
大籽獐牙菜	[9] 618	小叶三点金	[6] 502
大狼杷草	[12] 110	小叶女贞	[9] 548
大理百合	[12] 626	小叶马蹄香	[5] 114
大理薹草	[13] 504	小叶云实	[6] 424
大野芋	[13] 448	小叶五月茶	[7] 44
大麻	[3] 252	小叶六道木	[11] 376
大麻叶乌头	[4] 378	小叶石楠	[6] 112
大盖球子草	[12] 672	小叶白辛树	[9] 448
大斑芫菁	[14] 106	小叶白点兰	[13] 808
大斑啄木鸟	[14] 319	小叶地笋	[10] 514
大萼香茶菜	[10] 586	小叶买麻藤	[3] 50
大落新妇	[5] 534	小叶红叶藤	[6] 376
大戟	[7] 74	小叶冷水花	[3] 426
大腹园蛛	[14] 39	小叶青冈	[3] 162
大蜻蜓	[14] 54	小叶栎	[3] 186
大蝎子草	[3] 382	小叶蚊母树	[5] 468
大箭叶蓼	[3] 538	小叶海金沙	[2] 50
大嘴乌鸦	[14] 326	小叶菝葜	[12] 734
大鲵	[14] 181	小叶梣	[9] 510
大藻	[13] 458	小叶假糙苏	[10] 564
大鳞泥鳅	[14] 166	小叶猪殃殃	[10] 170
万年青	[12] 690	小叶猕猴桃	[5] 164
万寿竹	[12] 584	小叶葡萄	[8] 76
万寿菊	[12] 446	小叶韩信草	[10] 638

小白及	[13] 642	小鸢尾	[13] 106
小头蓼	[3] 558	小果十大功劳	[4] 594
小舌唇兰	[13] 796	小果叶下珠	[7] 114
小舌紫菀	[12] 90	小果冬青	[7] 478
小决明	[6] 450	小果珍珠花	[9] 204
小羊耳蒜	[13] 754	小果唐松草	[4] 536
小灯心草	[13] 116	小果海桐	[5] 632
小赤麻	[3] 350	小果润楠	[4] 338
小花人字果	[4] 484	小果博落回	[5] 356
小花八角	[4] 152	小果蔷薇	[6] 198
小花八角枫	[8] 556	小金梅草	[13] 20
小花龙芽草	[6] 2	小鱼仙草	[10] 542
小花花椒	[7] 230	小鱼眼草	[12] 208
小花鸢尾	[13] 110	小沼兰	[13] 768
小花金挖耳	[12] 148	小茴香	[9] 100
小花荞苎	[10] 538	小柱悬钩子	[6] 246
小花柳叶菜	[8] 520	小牵牛	[10] 292
小花香槐	[6] 462	小窃衣	[9] 174
小花扁担杆	[8] 162	小扁豆	[7] 294
小花琉璃草	[10] 310	小根蒜	[12] 526
小花黄堇	[5] 330	小皱蝽	[14] 86
小花椋木	[8] 610	小黄构	[8] 200
小花蜻蜓兰	[13] 810	小椋木	[8] 612
小花蜘蛛抱蛋	[12] 558	小野芝麻	[10] 480
小连翘	[5] 286	小绿刺	[5] 364
小冻绿树	[7] 652	小巢菜	[6] 696
小灵猫	[14] 355	小斑叶兰	[13] 734
小苦荬	[12] 294	小紫金牛	[9] 274
小画眉草	[13] 244	小蓬草	[12] 176

小蓑衣藤	[4] 432	山油麻	[3] 220
小槐花	[6] 496	山茱萸	[8] 586
小麂	[14] 389	山茶	[5] 198
小蓼花	[3] 564	山胡椒	[4] 288
小酸浆	[11] 62	山柳菊	[12] 278
小蜡	[9] 550	山柿	[9] 434
小藜	[4] 84	山姜	[13] 594
小鹀鹀	[14] 261	山莓	[6] 248
山木通	[4] 426	山桐子	[8] 240
山牛蒡	[12] 444	山烙铁头蛇	[14] 254
山乌桕	[7] 126	山黄麻	[3] 222
山文竹	[12] 542	山萝过路黄	[9] 380
山白前	[10] 68	山萆薢	[13] 80
山芝麻	[8] 180	山菅	[12] 570
山血丹	[9] 294	山梅花	[5] 596
山羊	[14] 406	山麻杆	[7] 38
山羊角树	[8] 236	山绿柴	[7] 640
山麦冬	[12] 632	山斑鸠	[14] 308
山芥碎米荠	[5] 412	山酢浆草	[7] 6
山杜英	[8] 94	山黑豆	[6] 512
山豆根	[6] 524	山蒟	[5] 72
山里红	[6] 50	山楂	[6] 54
山牡荆	[10] 426	山槐	[6] 390
山皂荚	[6] 536	山鼠李	[7] 658
山冷水花	[3] 422	山蜡梅	[4] 240
山鸡椒	[4] 312	山樱花	[6] 24
山拐枣	[8] 244	山飘风	[5] 514
山矾	[9] 500	山蝠	[14] 341
山罗花	[11] 154	山櫃	[4] 302

山蟛蜞菊	[12] 460	川鄂山茱萸	[8] 584
千日红	[4] 128	川鄂乌头	[4] 388
千斤拔	[6] 530	川鄂柳	[3] 92
千头艾纳香	[12] 128	川鄂獐耳细辛	[4] 488
千头柏	[3] 10	川鄂橐吾	[12] 336
千年不烂心	[11] 64	川鄂囊瓣芹	[9] 162
千里光	[12] 392	川续断	[11] 520
千里香	[7] 196	川榛	[3] 120
千金子	[13] 272	川黔紫薇	[8] 438
千金藤	[5] 32	及己	[5] 86
千屈菜	[8] 444	广布野豌豆	[6] 690
千根草	[7] 80	广东大青	[10] 396
川牛膝	[4] 124	广东万年青	[13] 404
川东紫堇	[5] 314	广东石豆兰	[13] 654
川东獐牙菜	[9] 612	广东冬青	[7] 468
川北细辛	[5] 108	广东丝瓜	[8] 376
川白苞芹	[9] 124	广东地构叶	[7] 136
川芎	[9] 118	广东西番莲	[8] 306
川西黄鹌菜	[12] 470	广东蛇葡萄	[8] 6
川杜若	[13] 144	广东紫珠	[10] 364
川杨桐	[5] 188	广东新耳草	[10] 220
川钓樟	[4] 300	广叶星蕨	[2] 540
川泡桐	[11] 174	广西过路黄	[9] 338
川素馨	[9] 534	广西悬钩子	[6] 272
川莓	[6] 322	广西紫荆	[6] 456
川桂	[4] 270	广西蒲儿根	[12] 416
川党参	[11] 550	广州蛇根草	[10] 224
川黄檗	[1]178/[7]200	广州犁菜	[5] 446
川鄂小檗	[4] 552	广防风	[10] 478

广金钱草	[6] 508	马桑绣球	[5] 568
广寄生	[3] 474	马铜铃	[8] 366
丫蕊花	[12] 766	马银花	[9] 242
弓斑东方鲀	[14] 179	马兜铃	[5] 92
卫矛	[7] 528	马胶儿	[8] 432
女贞	[9] 542	马鹿	[14] 394
女贞叶忍冬	[11] 400	马棘	[6] 554
女娄菜	[4] 44	马缨丹	[10] 406
女菀	[12] 456	马鞍树	[6] 582
飞龙掌血	[7] 212	马醉木	[9] 210
飞扬草	[7] 60	马蹄芹	[9] 96
飞蛾槭	[7] 350	马蹄金	[10] 282
飞蛾藤	[10] 302	马鞭草	[10] 418
飞廉	[12] 136		
习见蓼	[3] 578	**四画**	
叉叶蓝	[5] 554	丰花草	[10] 134
叉唇角盘兰	[13] 748	丰城崖豆藤	[6] 604
叉蕊薯蓣	[13] 48	王瓜	[8] 412
马	[14] 377	王锦蛇	[14] 228
马比木	[7] 608	井栏边草	[2] 140
马甲子	[7] 634	开口箭	[12] 760
马兰	[12] 306	天门山淫羊藿	[4] 588
马兰藤	[10] 90	天女木兰	[4] 184
马利筋	[10] 54	天仙果	[3] 270
马尾松	[2] 612	天冬	[12] 544
马松子	[8] 182	天师栗	[7] 378
马齿苋	[4] 4	天名精	[12] 138
马唐	[13] 222	天竺桂	[4] 260
马桑	[7] 302	天竺葵	[7] 20

天胡荽	[9] 112	云芝	[1] 318
天南星	[13] 430	云实	[6] 420
天料木	[8] 238	云南石仙桃	[13] 786
天麻	[1]240/[13]728	云南谷精草	[13] 156
天葵	[4] 520	云南重楼	[12] 666
天蓝苜蓿	[6] 584	云南旌节花	[8] 302
天蓬子	[11] 4	云南蓍	[12] 4
元宝草	[5] 308	云贵鹅耳枥	[3] 114
元宝槭	[7] 358	云豹	[14] 352
无毛粉花绣线菊	[6] 360	云斑天牛	[14] 109
无心菜	[4] 12	云锦杜鹃	[9] 226
无芒稗	[13] 230	木本曼陀罗	[11] 18
无花果	[3] 266	木半夏	[8] 228
无柄卫矛	[7] 560	木耳	[1] 294
无柄五层龙	[7] 580	木竹子	[5] 274
无柄沙参	[11] 536	木防己	[5] 4
无柱兰	[13] 634	木芙蓉	[8] 116
无根藤	[4] 246	木鱼坪淫羊藿	[4] 578
无患子	[7] 372	木油桐	[7] 144
无盖鳞毛蕨	[2] 428	木香	[12] 104
无斑雨蛙	[14] 191	木姜子	[4] 326
无腺白叶莓	[6] 266	木姜叶柯	[3] 176
无腺灰白毛莓	[6] 330	木莲	[4] 192
无蹼壁虎	[14] 222	木莓	[6] 326
无瓣蔊菜	[5] 448	木荷	[5] 260
云山八角枫	[8] 560	木通	[4] 612
云山青冈	[3] 164	木犀	[9] 558
云木香	[12] 376	木蜡树	[7] 322
云台南星	[13] 424	木槿	[8] 128

木鳖子	[8] 386	少花海桐	[5] 634
五匹青	[9] 166	少脉椴	[8] 168
五月艾	[12] 56	少棘巨蜈蚣	[1]249/[14]46
五月瓜藤	[4] 626	少管短毛独活	[9] 104
五月茶	[7] 42	少蕊败酱	[11] 502
五节芒	[13] 278	日本女贞	[9] 538
五叶鸡爪茶	[6] 310	日本五针松	[2] 616
五叶铁线莲	[4] 460	日本水龙骨	[2] 554
五叶薯蓣	[13] 70	日本杜英	[8] 92
五岭龙胆	[9] 586	日本医蛭	[14] 5
五岭细辛	[5] 132	日本金腰	[5] 544
五岭管茎过路黄	[9] 360	日本沼虾	[14] 34
五柱绞股蓝	[8] 360	日本珊瑚树	[11] 470
五倍子蚜	[1]246/[14]82	日本柳杉	[2] 640
五裂槭	[7] 352	日本看麦娘	[13] 170
支柱蓼	[3] 592	日本蛇根草	[10] 228
太平莓	[6] 290	日本商陆	[3] 622
太白贝母	[12] 592	日本粗叶木	[10] 198
友水龙骨	[2] 552	日本续断	[11] 522
车前	[11] 358	日本紫珠	[10] 358
车桑子	[7] 364	日本景天	[5] 510
巨首楔蚌	[14] 30	日本薯蓣	[13] 58
瓦韦	[2] 524	中日金星蕨	[2] 294
少叶黄杞	[3] 60	中华三叶委陵菜	[6] 132
少年红	[9] 270	中华大刀螂	[14] 62
少花马蓝	[11] 288	中华小苦荬	[12] 292
少花龙葵	[11] 84	中华天胡荽	[9] 108
少花柏拉木	[8] 476	中华石楠	[6] 102
少花桂	[4] 264	中华竹鼠	[14] 423

中华红丝线	[11]	36	中间骨牌蕨	[2]	504
中华杜英	[8]	86	中国水蛇	[14]	246
中华里白	[2]	36	中国石龙子	[14]	223
中华沙参	[11]	530	中国石蒜	[13]	24
中华青荚叶	[8]	598	中国白丝草	[12]	566
中华抱茎蓼	[3]	522	中国雨蛙	[14]	189
中华金腰	[5]	550	中国圆田螺	[14]	10
中华胡枝子	[6]	564	中国绣球	[5]	570
中华秋海棠	[8]	320	中国旌节花	[8]	298
中华复叶耳蕨	[2]	374	中国蝾螈	[14]	183
中华剑角蝗	[14]	67	中国繁缕	[4]	54
中华绒螯蟹	[14]	35	中南鱼藤	[6]	494
中华圆田螺	[14]	8	中菊头蝠	[14]	345
中华绣线菊	[6]	352	内折香茶菜	[10]	582
中华绣线梅	[6]	96	水	[14]	503
中华萍蓬草	[5]	54	水牛	[14]	399
中华蛇根草	[10]	226	水毛花	[13]	570
中华猕猴桃	[5]	142	水龙	[8]	526
中华隐囊蕨	[2]	166	水田碎米荠	[5]	420
中华绿螳螂	[14]	64	水仙	[13]	30
中华短肠蕨	[2]	220	水丝梨	[5]	490
中华锥花	[10]	488	水团花	[10]	124
中华鲟	[14]	134	水竹	[13]	314
中华槭	[7]	356	水竹叶	[13]	140
中华稻蝗	[14]	66	水红木	[11]	442
中华蹄盖蕨	[2]	240	水苋菜	[8]	436
中华薹草	[13]	490	水芹	[9]	130
中华蟾蜍	[14]	184	水苏	[10]	654
中华鳞毛蕨	[2]	408	水杉	[2]	650

水青冈	[3] 168	牛毛毡	[13] 548
水苦荬	[11] 230	牛奶子	[8] 234
水松	[2] 648	牛奶菜	[10] 96
水虎尾	[10] 464	牛皮消	[10] 62
水金凤	[7] 430	牛耳朵	[11] 304
水虱草	[13] 540	牛耳枫	[7] 146
水茴草	[9] 412	牛至	[10] 556
水香薷	[10] 474	牛尾菜	[12] 742
水鬼蕉	[13] 18	牛茄子	[11] 94
水莎草	[13] 550	牛轭草	[13] 136
水烛香蒲	[13] 474	牛姆瓜	[4] 630
水蛇麻	[3] 262	牛背鹭	[14] 283
水银	[14] 496	牛筋草	[13] 236
水麻	[3] 358	牛蒡	[12] 38
水鹿	[14] 396	牛鼻栓	[5] 476
水绿矾	[14] 473	牛膝	[4] 96
水葱	[13] 572	牛膝菊	[12] 238
水晶兰	[9] 188	毛八角枫	[8] 558
水蓑衣	[11] 276	毛大丁草	[12] 244
水榆花楸	[6] 340	毛山蒟	[5] 74
水蔗草	[13] 172	毛弓果藤	[10] 112
水蓼	[3] 544	毛木耳	[1] 292
水蜡烛	[10] 466	毛乌蔹莓	[8] 34
水蕨	[2] 200	毛凤仙花	[7] 426
水獭	[14] 367	毛叶山桐子	[8] 242
水鳖	[12] 496	毛叶木瓜	[6] 28
见血青	[13] 760	毛叶木姜子	[4] 324
见霜黄	[12] 126	毛叶石楠	[6] 120
牛口刺	[12] 172	毛叶老鸦糊	[10] 354

毛叶地瓜儿苗	[10]	516	毛狐臭柴	[10]	416
毛叶钝果寄生	[3]	480	毛狗骨柴	[10]	152
毛叶高粱泡	[6]	280	毛泡桐	[11]	182
毛叶雀梅藤	[7]	674	毛草龙	[8]	532
毛叶藜芦	[12]	762	毛茛	[4]	508
毛白杨	[3]	80	毛茛叶报春	[9]	410
毛白前	[10]	74	毛药花	[10]	446
毛冬青	[7]	486	毛药藤	[10]	34
毛地钱	[1]	372	毛柄连蕊茶	[5]	196
毛芋头薯蓣	[13]	60	毛柄短肠蕨	[2]	224
毛竹	[13]	316	毛柄蒲儿根	[12]	414
毛花点草	[3]	396	毛轴莎草	[13]	528
毛花猕猴桃	[5]	150	毛轴铁角蕨	[2]	316
毛杜仲藤	[10]	24	毛轴假蹄盖蕨	[2]	234
毛连菜	[12]	356	毛轴碎米蕨	[2]	162
毛鸡矢藤	[10]	236	毛毡草	[12]	124
毛青藤	[5]	20	毛重楼	[12]	668
毛枝三脉紫菀	[12]	84	毛脉柳叶菜	[8]	512
毛枝卷柏	[1]	430	毛脉翅果菊	[12]	366
毛枝蛇葡萄	[8]	26	毛胫豆芫菁	[14]	105
毛果巴豆	[7]	48	毛冠鹿	[14]	397
毛果芍药	[4]	496	毛桂	[4]	248
毛果杜鹃	[9]	248	毛桐	[7]	98
毛果珍珠茅	[13]	584	毛豹皮樟	[4]	308
毛果枳椇	[7]	626	毛胶薯蓣	[13]	76
毛果通泉草	[11]	150	毛黄栌	[7]	308
毛果算盘子	[7]	88	毛黄堇	[5]	338
毛秆野古草	[13]	178	毛梗豨莶	[12]	406
毛金竹	[13]	320	毛梾	[8]	614

毛曼陀罗	[11] 20	长叶赤胞	[8] 404
毛萼山珊瑚	[13] 726	长叶冻绿	[7] 642
毛萼红果树	[6] 370	长叶轮钟草	[11] 546
毛萼莓	[6] 244	长叶实蕨	[2] 466
毛葡萄	[8] 68	长叶珊瑚	[8] 574
毛葶玉凤花	[13] 738	长叶胡颓子	[8] 214
毛棉杜鹃	[9] 240	长叶柄野扇花	[7] 602
毛裂蜂斗菜	[12] 354	长叶冠毛榕	[3] 280
毛黑壳楠	[4] 292	长叶铁角蕨	[2] 330
毛瑞香	[8] 190	长叶鹿蹄草	[9] 194
毛锥	[3] 142	长叶酸藤子	[9] 302
毛蓼	[3] 526	长叶蝴蝶草	[11] 204
毛漆树	[7] 324	长托菝葜	[12] 720
毛蕊铁线莲	[4] 442	长芒稗	[13] 226
毛蕊猕猴桃	[5] 184	长尖莎草	[13] 518
毛穗杜茎山	[9] 316	长江蹄盖蕨	[2] 236
毛臂形草	[13] 196	长花厚壳树	[10] 314
毛麝香	[11] 102	长序缬草	[11] 514
升马唐	[13] 218	长苞谷精草	[13] 162
升麻	[4] 408	长苞香蒲	[13] 472
长毛细辛	[5] 128	长苞铁杉	[2] 636
长毛柃	[5] 244	长茎沿阶草	[12] 640
长毛香科科	[10] 668	长松萝	[1] 342
长毛籽远志	[7] 298	长刺楤木	[9] 30
长毛韩信草	[10] 636	长刺酸模	[3] 614
长节耳草	[10] 192	长波叶山蚂蝗	[6] 506
长叶山兰	[13] 770	长春花	[10] 10
长叶天名精	[12] 146	长柄山蚂蝗	[6] 648
长叶地榆	[6] 338	长柄车前蕨	[2] 114

长柄冷水花	[3] 410		长鬃蓼	[3] 556
长柄唐松草	[4] 540		长瓣马铃苣苔	[11] 332
长柄紫珠	[10] 368		长鳞耳蕨	[2] 454
长柄蕗蕨	[2] 60		化香树	[3] 68
长柱沙参	[11] 532		爪哇唐松草	[4] 534
长柱金丝桃	[5] 296		反枝苋	[4] 112
长柱瑞香	[8] 186		反瓣虾脊兰	[13] 670
长籽柳叶菜	[8] 522		分株紫萁	[2] 22
长冠鼠尾草紫参	[10] 620		月见草	[8] 538
长豇豆	[6] 720		月月红	[9] 284
长唇羊耳蒜	[13] 764		月芽铁线蕨	[2] 182
长圆楼梯草	[3] 372		月季花	[6] 194
长梗风毛菊	[12] 380		月鳢	[14] 178
长梗过路黄	[9] 378		风车子	[8] 502
长梗黄花稔	[8] 142		风毛菊	[12] 382
长梗黄精	[12] 678		风龙	[5] 18
长距玉凤花	[13] 740		风花菜	[5] 450
长萼鸡眼草	[6] 556		风轮菜	[10] 448
长萼栝楼	[8] 420		风箱树	[10] 136
长萼堇菜	[8] 274		丹参	[10] 612
长萼野海棠	[8] 478		乌毛蕨	[2] 350
长萼瞿麦	[4] 26		乌头	[4] 380
长裙竹荪	[1] 288		乌苏里瓦韦	[2] 528
长蒴母草	[11] 124		乌龟	[14] 212
长蕊万寿竹	[12] 578		乌泡子	[6] 292
长蕊杜鹃	[9] 254		乌药	[1]144/[4]274
长箭叶蓼	[3] 542		乌柿	[9] 420
长穗兔儿风	[12] 20		乌桕	[7] 132
长穗腹水草	[11] 240		乌梢蛇	[14] 235

乌蔹莓	[8] 32	巴山榧树	[3] 46
乌蕨	[2] 84	巴天酸模	[3] 612
乌鳢	[14] 176	巴东小檗	[4] 564
凤丫蕨	[2] 208	巴东木莲	[4] 196
凤仙花	[7] 406	巴东过路黄	[9] 388
凤尾丝兰	[12] 768	巴东羊角芹	[9] 62
凤尾竹	[13] 190	巴东荚蒾	[11] 458
凤尾蕨	[2] 120	巴东胡颓子	[8] 216
凤眼蓝	[13] 84	巴东醉鱼草	[9] 566
凤蝶	[14] 91	巴豆	[7] 50
勾儿茶	[7] 622	双叉犀金龟虫	[14] 118
六月雪	[10] 256	双片苣苔	[11] 316
六叶葎	[10] 158	双边栝楼	[8] 426
六棱菊	[12] 314	双参	[11] 524
文竹	[12] 552	双线嗜黏液蛞蝓	[14] 18
文殊兰	[13] 8	双荚决明	[6] 436
方形环棱螺	[14] 11	双盾木	[11] 378
方铅矿	[14] 489	双盖蕨	[2] 252
方解石	[14] 451	双斑锦蛇	[14] 232
火炭母	[3] 530	双蝴蝶	[9] 624
火烧兰	[13] 724	双穗雀稗	[13] 296
火葱	[12] 516	书带蕨	[2] 212
火棘	[6] 164		

心叶风毛菊	[12] 374	**五画**	
心叶荆芥	[10] 550	玉叶金花	[10] 212
心叶堇菜	[8] 260	玉兰	[4] 172
心脏叶瓶尔小草	[2] 2	玉竹	[1]227/[12]682
心萼薯	[10] 270	玉斑锦蛇	[14] 230
巴山松	[2] 608	玉蜀黍	[13] 382

打破碗花花	[4] 396	石虎	[7] 190
打碗花	[10] 272	石岩枫	[7] 106
甘菊	[12] 202	石油菜	[3] 420
甘蓝	[5] 396	石荠苎	[10] 544
甘蔗	[13] 348	石胡荽	[12] 152
甘露子	[10] 660	石南藤	[5] 76
艾	[1]204/[12]48	石柑子	[13] 460
艾麻	[3] 390	石香薷	[10] 540
节节草	[1] 442	石莲	[5] 528
节节菜	[8] 446	石笔木	[5] 272
节瓜	[8] 338	石菖蒲	[1]232/[13]400
节肢蕨	[2] 476	石梅衣	[1] 336
石刁柏	[12] 550	石斑木	[6] 184
石山苣苔	[11] 340	石筋草	[3] 436
石韦	[2] 564	石蒜	[13] 26
石木姜子	[4] 318	石楠	[6] 118
石龙芮	[4] 514	石榴	[8] 472
石龙尾	[11] 120	石榕树	[3] 264
石生铁角蕨	[2] 334	石蝉草	[5] 70
石生黄堇	[5] 332	石膏	[1]261/[14]447
石生蝇子草	[4] 50	石蕨	[2] 572
石仙桃	[13] 784	石蕊	[1] 328
石地钱	[1] 368	石燕	[14] 500
石耳	[1] 330	布朗卷柏	[1] 398
石灰花楸	[6] 344	龙牙花	[6] 522
石灰岩	[14] 455	龙头草	[10] 524
石竹	[4] 24	龙师草	[13] 546
石英	[14] 462	龙吐珠	[10] 402
石松	[1] 390	龙舌兰	[13] 6

龙舌草	[12] 498	东南葡萄	[8] 60
龙芽草	[6] 4	东南景天	[5] 500
龙须藤	[6] 406	北水苦荬	[11] 216
龙珠	[11] 100	北江十大功劳	[4] 600
龙船花	[10] 194	北江荛花	[8] 204
龙葵	[11] 80	北鱼黄草	[10] 296
平车前	[11] 362	北京铁角蕨	[2] 326
平甲虫	[14] 37	北美车前	[11] 368
平肋书带蕨	[2] 216	北美独行菜	[5] 436
平枝栒子	[6] 42	北柴胡	[9] 78
平卧菊三七	[12] 266	北越紫堇	[5] 316
平胸龟	[14] 217	叶下珠	[7] 116
东风草	[12] 130	叶底红	[8] 496
东风菜	[12] 212	叶萼山矾	[9] 492
东方古柯	[7] 32	田菁	[6] 674
东方狗脊	[2] 364	田麻	[8] 154
东方泽泻	[12] 478	田紫草	[10] 320
东方荚果蕨	[2] 346	凹叶瓜馥木	[4] 234
东方蝱蠊	[14] 57	凹叶厚朴	[1]139/[4]182
东方蜜蜂中华亚种	[14] 125	凹叶景天	[5] 506
东方蝾螈	[14] 182	凹头苋	[4] 108
东方蝼蛄	[14] 72	凹萼清风藤	[7] 396
东方蝙蝠	[14] 339	四川大头茶	[5] 256
东北蒲公英	[12] 450	四川山矾	[9] 496
东亚小金发藓	[1] 364	四川长柄山蚂蟥	[6] 652
东亚飞蝗	[14] 68	四川冬青	[7] 494
东亚唐松草	[4] 538	四川杜鹃	[9] 256
东南长蒴苣苔	[11] 310	四川沟酸浆	[11] 156
东南茜草	[10] 246	四川轮环藤	[5] 10

四川虎刺	[10] 148	白凤菜	[12] 262
四川金粟兰	[5] 88	白术	[1]208/[12]102
四川堇菜	[8] 290	白叶莓	[6] 264
四川清风藤	[7] 400	白兰	[4] 198
四川溲疏	[5] 558	白头婆	[12] 232
四川樱桃	[6] 26	白耳菜	[5] 592
四方麻	[11] 236	白舌紫菀	[12] 92
四叶葎	[10] 160	白芷	[9] 66
四芒景天	[5] 524	白花丹	[9] 416
四角刻叶菱	[8] 452	白花龙	[9] 458
四角枟	[5] 252	白花夹竹桃	[10] 22
四籽野豌豆	[6] 704	白花灯笼	[10] 392
四棱草	[10] 628	白花苦灯笼	[10] 264
四照花	[8] 596	白花油麻藤	[6] 620
四蕊朴	[3] 210	白花泡桐	[11] 176
禾叶山麦冬	[12] 628	白花莸花	[8] 210
禾秆蹄盖蕨	[2] 244	白花草木犀	[6] 588
仙人掌	[4] 134	白花鬼针草	[12] 114
仙茅	[13] 12	白花前胡	[9] 146
白及	[13] 648	白花益母草	[10] 510
白子菜	[12] 260	白花堇菜	[8] 278
白马骨	[10] 258	白花菜	[5] 366
白云母	[14] 456	白花悬钩子	[6] 282
白木乌桕	[7] 128	白花曼陀罗	[11] 24
白木通	[4] 620	白花蛇舌草	[10] 186
白车轴草	[6] 686	白花假糙苏	[10] 558
白毛乌蔹莓	[8] 28	白花紫露草	[13] 150
白毛鸡矢藤	[10] 232	白花碎米荠	[5] 418
白毛紫珠	[10] 344	白杜	[7] 552

白饭树	[7] 84	白颈长尾雉	[14] 299
白辛树	[9] 450	白棠子树	[10] 348
白尾海雕	[14] 288	白鹃梅	[6] 66
白尾鹞	[14] 289	白鹇	[14] 295
白英	[11] 74	白瑞香	[8] 194
白苞芹	[9] 122	白楠	[4] 366
白苞猩猩草	[7] 58	白睡莲	[5] 56
白苞蒿	[12] 60	白腰草鹬	[14] 303
白茅	[13] 258	白腹锦鸡	[14] 298
白刺花	[6] 676	白蔹	[8] 22
白屈菜	[5] 312	白蜡树	[9] 512
白亚铁线蕨	[2] 190	白蜡蚧	[14] 80
白药谷精草	[13] 160	白鲟	[14] 137
白栎	[3] 192	白蝴蝶花	[13] 104
白背牛尾菜	[12] 738	白薇	[10] 60
白背叶	[7] 96	白檀	[9] 490
白背枫	[9] 568	白簕	[9] 12
白背爬藤榕	[3] 310	白鱀豚	[14] 430
白背钻地风	[5] 616	白鹭	[14] 280
白背绣球	[5] 572	白蟾	[10] 176
白背黄花稔	[8] 144	白鹳	[14] 302
白莲蒿	[12] 72	瓜子金	[7] 286
白透骨消	[10] 482	瓜叶乌头	[4] 386
白粉青荚叶	[8] 602	瓜馥木	[4] 232
白粉蝶	[14] 90	丛毛羊胡子草	[13] 534
白酒草	[12] 178	丛枝蓼	[3] 580
白接骨	[11] 260	乐昌含笑	[4] 200
白菜	[5] 402	冬瓜	[8] 334
白梨	[6] 168	冬青	[7] 454

冬青卫矛	[7]	548	边缘鳞盖蕨	[2] 106
玄参	[11]	194	圣蕨	[2] 274
闪蚬	[14]	32	对马耳蕨	[2] 462
兰考泡桐	[11]	172	对叶百部	[13] 4
兰香草	[10]	378	对生耳蕨	[2] 448
兰猪耳	[11]	208	对萼猕猴桃	[5] 186
半边月	[11]	496	台东莨	[11] 488
半边莲	[11]	552	台北艾纳香	[12] 122
半边铁角蕨	[2]	340	台湾十大功劳	[4] 604
半边旗	[2]	146	台湾林檎	[6] 86
半岛鳞毛蕨	[2]	424	台湾乳白蚁	[14] 61
半枝莲	[10]	630	台湾泡桐	[11] 180
半枫荷	[5]	488	台湾翅果菊	[12] 360
半夏	[1]	236/	台湾榕	[3] 274
[13]		454	母草	[11] 132
半蒴苣苔	[11]	324	母菊	[12] 338
头花蓼	[3]	528	丝毛飞廉	[12] 134
头状四照花	[8]	590	丝叶球柱草	[13] 480
头序楤木	[9]	20	丝瓜	[8] 380
宁波溲疏	[5]	556	丝裂沙参	[11] 526
尼泊尔十大功劳	[4]	606	丝穗金粟兰	[5] 80
尼泊尔老鹳草	[7]	12		
尼泊尔沟酸浆	[11]	160	六画	
尼泊尔鼠李	[7]	650	动蕊花	[10] 498
尼泊尔蓼	[3]	566	吉祥草	[12] 688
尼泊尔酸模	[3]	608	托柄菝葜	[12] 718
加杨	[3]	78	老虎刺	[6] 658
加拿大一枝黄花	[12]	422	老鸦柿	[9] 442
皮果衣	[1]	332	老鸦糊	[10] 352

老鸦瓣	[12] 540	芋	[13] 444
老鸹铃	[9] 460	芍药	[4] 494
老鼠矢	[9] 498	芒	[13] 282
老鹳草	[7] 18	芒齿小檗	[4] 562
地耳草	[5] 292	芒萁	[2] 32
地枫皮	[4] 140	芒硝	[14] 436
地构叶	[7] 138	亚麻	[7] 28
地果	[3] 316	朴树	[3] 208
地肤	[4] 86	过山枫	[7] 504
地柏枝	[5] 318	过江藤	[10] 408
地胆草	[12] 218	过路黄	[9] 348
地蚕	[10] 652	过路惊	[8] 480
地埂鼠尾草	[10] 622	西瓜	[8] 340
地桃花	[8] 146	西来稗	[13] 232
地钱	[1] 374	西伯利亚远志	[7] 292
地葱	[8] 486	西府海棠	[6] 92
地梢瓜	[10] 84	西南卫矛	[7] 544
地榆	[6] 336	西南毛茛	[4] 506
地锦	[7] 62	西南凤尾蕨	[2] 154
地锦	[8] 50	西南红山茶	[5] 208
地锦苗	[5] 334	西南附地菜	[10] 334
地鳖	[14] 59	西南沿阶草	[12] 648
扬子小连翘	[5] 288	西南唐松草	[4] 528
扬子毛茛	[4] 516	西南菝葜	[12] 708
扬子铁线莲	[4] 430	西南野木瓜	[4] 638
耳叶杜鹃	[9] 214	西南银莲花	[4] 392
耳叶鸡矢藤	[10] 230	西南假毛蕨	[2] 304
耳形瘤足蕨	[2] 30	西洋梨	[6] 176
耳翼蟹甲草	[12] 350	西桦	[3] 104

西域青荚叶	[8] 600	灰毡毛忍冬	[1]199/[11]406
西葫芦	[8] 356	灰枸子	[6] 38
有齿鞘柄木	[8] 618	灰胸竹鸡	[14] 294
有柄石韦	[2] 566	灰绿龙胆	[9] 600
百日青	[3] 26	灰绿藜	[4] 80
百日菊	[12] 472	灰斑鸠	[14] 310
百合	[1]215/[12]608	灰椋鸟	[14] 324
百两金	[9] 280	灰楸	[11] 252
百齿卫矛	[7] 532	灰蜗牛	[14] 21
百金花	[9] 582	灰鼠蛇	[14] 241
百脉根	[6] 580	达氏鲟	[14] 135
百能葳	[12] 118	列当	[11] 348
百球蘸草	[13] 576	夹竹桃	[10] 20
百蕊草	[3] 464	尖山橙	[10] 18
灰毛大青	[10] 386	尖叶牛尾菜	[12] 744
灰毛牡荆	[10] 420	尖叶长柄山蚂蟥	[6] 654
灰毛泡	[6] 270	尖叶乌蔹莓	[8] 36
灰毛桑寄生	[3] 484	尖叶四照花	[8] 588
灰毛蛇葡萄	[8] 2	尖叶桂樱	[6] 82
灰叶安息香	[9] 452	尖叶唐松草	[4] 522
灰叶南蛇藤	[7] 510	尖叶菝葜	[12] 706
灰白毛莓	[6] 328	尖叶黄杨	[7] 594
灰头啄木鸟	[14] 316	尖叶清风藤	[7] 404
灰沙燕	[14] 322	尖叶榕	[3] 282
灰苞蒿	[12] 70	尖头叶藜	[4] 74
灰岩紫地榆	[7] 10	尖连蕊茶	[5] 194
灰柯	[3] 174	尖吻蝮	[1]255/[14]252
灰背铁线蕨	[2] 196	尖尾芋	[13] 406
灰背清风藤	[7] 394	尖尾枫	[10] 370

尖齿耳蕨	[2] 442	光脚金星蕨	[2] 292
尖萼毛柃	[5] 224	光萼小蜡	[9] 554
尖萼厚皮香	[5] 270	光萼猪屎豆	[6] 480
尖萼紫珠	[10] 366	光滑柳叶菜	[8] 514
尖瓣瑞香	[8] 184	光滑高粱泡	[6] 276
光石韦	[2] 558	光滑囊瓣芹	[9] 160
光叶山矾	[9] 486	光蔓茎堇菜	[8] 266
光叶山黄麻	[3] 218	光蜡树	[9] 514
光叶子花	[3] 626	当归藤	[9] 306
光叶毛果枳椇	[7] 628	早开堇菜	[8] 286
光叶石楠	[6] 106	早竹	[13] 326
光叶兔儿风	[12] 14	早熟禾	[13] 330
光叶泡花树	[7] 380	曲江远志	[7] 288
光叶绞股蓝	[8] 358	曲轴海金沙	[2] 44
光叶铁仔	[9] 326	团叶陵齿蕨	[2] 80
光叶海桐	[5] 626	团羽铁线蕨	[2] 174
光叶蛇葡萄	[8] 20	同型巴蜗牛	[14] 19
光叶碗蕨	[2] 94	吊石苣苔	[11] 330
光叶械	[7] 346	吊兰	[12] 568
光叶蝴蝶草	[11] 210	吊竹梅	[13] 154
光头山碎米荠	[5] 406	回回苏	[10] 570
光皮木瓜	[6] 30	刚竹	[13] 324
光里白	[2] 40	网纹马勃	[1] 276
光枝勾儿茶	[7] 620	网肺衣	[1] 338
光果田麻	[8] 152	网脉山龙眼	[3] 456
光柄筒冠花	[10] 648	网脉葡萄	[8] 80
光轴肿足蕨	[2] 262	网脉酸藤子	[9] 308
光洁水绵	[1] 350	网络崖豆藤	[6] 612
光润金线蛭	[14] 7	肉叶鞘蕊花	[10] 458

肉色土圞儿	[6] 396	竹黄	[1] 270
肉花卫矛	[7] 530	竹象鼻虫	[14] 122
肉根毛茛	[4] 512	伏毛蓼	[3] 582
肉穗草	[8] 498	伏石蕨	[2] 496
朱兰	[13] 802	伏龙肝	[14] 505
朱红密孔菌	[1] 314	伏生紫堇	[5] 320
朱顶红	[13] 14	伏地卷柏	[1] 420
朱砂根	[9] 276	延叶珍珠菜	[9] 356
朱砂藤	[10] 76	延羽卵果蕨	[2] 296
朱槿	[8] 122	延胡索	[5] 340
舌叶薹草	[13] 496	华山松	[2] 602
舌唇兰	[13] 790	华山矾	[9] 476
竹节参	[9] 50	华山姜	[13] 592
竹节前胡	[9] 140	华千金榆	[3] 112
竹节菜	[13] 128	华木槿	[8] 126
竹叶子	[13] 148	华中五味子	[4] 226
竹叶兰	[13] 640	华中介蕨	[2] 256
竹叶吉祥草	[13] 146	华中乌蔹莓	[8] 38
竹叶花椒	[7] 216	华中枸骨	[7] 452
竹叶鸡爪茶	[6] 236	华中前胡	[9] 144
竹叶青蛇	[14] 255	华中铁角蕨	[2] 332
竹叶柴胡	[9] 82	华中铁线莲	[4] 458
竹叶眼子菜	[12] 508	华中婆婆纳	[11] 222
竹叶楠	[4] 362	华中樱桃	[6] 14
竹叶榕	[3] 314	华中瘤足蕨	[2] 26
竹芋	[13] 632	华中蹄盖蕨	[2] 242
竹灵消	[10] 72	华凤仙	[7] 412
竹柏	[3] 24	华东小檗	[4] 548
竹根七	[12] 574	华东安蕨	[2] 230

华东阴地蕨	[1] 450	华南实蕨	[2] 468
华东唐松草	[4] 530	华南桂	[4] 252
华东菝葜	[12] 748	华南桦	[3] 106
华东葡萄	[8] 72	华南铁角蕨	[2] 312
华东蓝刺头	[12] 214	华南悬钩子	[6] 254
华东膜蕨	[2] 54	华南紫萁	[2] 18
华东瘤足蕨	[2] 28	华南蒲桃	[8] 466
华北大黑鳃金龟	[14] 120	华南鳞盖蕨	[2] 102
华北石韦	[2] 560	华虻	[14] 97
华北鸦葱	[12] 384	华钩藤	[10] 268
华西龙头草	[10] 518	华重楼	[12] 662
华西花楸	[6] 348	华素馨	[9] 532
华肖菝葜	[12] 600	华夏慈姑	[12] 490
华空木	[6] 368	华萝藦	[10] 100
华细辛	[5] 130	华野豌豆	[6] 688
华南云实	[6] 418	华麻花头	[1]212/[12]396
华南五针松	[2] 610	华紫珠	[10] 346
华南毛蕨	[2] 272	华椴	[8] 164
华南龙胆	[9] 588	华鼠尾草	[10] 606
华南半蒴苣苔	[11] 320	华腺萼木	[10] 214
华南舌蕨	[2] 438	华榛	[3] 118
华南远志	[7] 280	华鲮	[14] 161
华南吴萸	[7] 178	华蟹甲	[12] 410
华南皂荚	[6] 534	仿栗	[8] 96
华南谷精草	[13] 164	自然金	[14] 493
华南忍冬	[11] 384	自然银	[14] 495
华南青皮木	[3] 458	自然硫	[14] 491
华南兔	[14] 432	血水草	[5] 344
华南兔儿风	[12] 26	血见愁	[10] 672

血红密孔菌	[1] 316	多花勾儿茶	[7] 610
血盆草	[10] 604	多花兰	[13] 694
血散薯	[5] 26	多花杜鹃	[9] 220
向日葵	[12] 268	多花泡花树	[7] 386
全叶马兰	[12] 308	多花茜草	[10] 254
全缘凤尾蕨	[2] 138	多花胡枝子	[6] 570
全缘火棘	[6] 160	多花黄精	[1]223/[12]676
全缘叶栾树	[7] 368	多花清风藤	[7] 402
全缘叶紫珠	[10] 356	多花筋骨草	[10] 442
全缘栝楼	[8] 422	多茎鼠麴草	[12] 256
全缘琴叶榕	[3] 300	多枝唐松草	[4] 542
合欢	[6] 388	多枝婆婆纳	[11] 224
合轴荚蒾	[11] 486	多枝雾水葛	[3] 450
合萌	[6] 384	多齿红山茶	[5] 210
伞房花耳草	[10] 184	多须公	[12] 226
伞房荚蒾	[11] 440	多脉凤仙花	[7] 434
朵花椒	[7] 232	多脉猫乳	[7] 638
多水高岭石	[14] 457	多脉榆	[3] 226
多毛小蜡	[9] 552	多脉酸藤子	[9] 304
多毛荛花	[8] 208	多疣壁虎	[14] 220
多毛栉衣鱼	[14] 51	多裂叶芥	[5] 392
多毛隐翅虫	[14] 101	多裂荷青花	[5] 352
多叶勾儿茶	[7] 618	多裂翅果菊	[12] 364
多叶斑叶兰	[13] 732	多腺悬钩子	[6] 302
多伊棺头蟋	[14] 69	多穗金粟兰	[5] 84
多羽节肢蕨	[2] 480	冰川茶藨子	[5] 606
多羽复叶耳蕨	[2] 372	交让木	[7] 148
多花山矾	[9] 494	交连假瘤蕨	[2] 548
多花木蓝	[6] 548	衣鱼	[14] 49

决明	[6]	444	江南卷柏	[1]	416
闭鞘姜	[13]	600	江南油杉	[2]	598
问荆	[1]	436	江南星蕨	[2]	530
羊耳菊	[12]	282	江南桤木	[3]	102
羊耳蒜	[13]	756	江南越桔	[9]	266
羊舌树	[9]	484	江南散血丹	[11]	52
羊角藤	[10]	204	江南短肠蕨	[2]	226
羊齿天门冬	[12]	546	江豚	[14]	431
羊乳	[11]	548	池杉	[3]	14
羊踯躅	[9]	238	池鹭	[14]	284
羊蹄	[3]	606	汝兰	[5]	34
羊蹄甲	[6]	414	兴山榆	[3]	224
关公须	[10]	610	祁阳细辛	[5]	120
米心水青冈	[3]	166	农吉利	[6]	478
米仔兰	[7]	260	寻骨风	[5]	98
米碎花	[5]	230	异叶马兜铃	[5]	96
米槠	[3]	130	异叶地锦	[8]	42
灯心草	[13]	118	异叶赤飑	[8]	402
灯台兔儿风	[12]	24	异叶花椒	[7]	236
灯台树	[8]	580	异叶泽兰	[12]	230
灯台莲	[13]	436	异叶茴芹	[9]	150
灯笼草	[10]	454	异叶黄鹌菜	[12]	466
灯笼树	[9]	196	异叶蛇葡萄	[8]	14
灯蛾	[14]	94	异叶梁王茶	[9]	46
污褐油葫芦	[14]	70	异叶榕	[3]	284
江西巴蜗牛	[14]	20	异色猕猴桃	[5]	138
江西堇菜	[8]	276	异羽复叶耳蕨	[2]	382
江南山梗菜	[11]	554	异形南五味子	[4]	160
江南地不容	[5]	28	异果崖豆藤	[6]	598

异型莎草	[13]	520	红叶木姜子	[4]	328
异药花	[8]	484	红白鼯鼠	[14]	422
异野芝麻	[10]	490	红冬蛇菰	[3]	494
异穗卷柏	[1]	410	红头豆芫菁	[14]	104
阳芋	[11]	96	红丝线	[11]	32
阳起石	[14]	441	红色木莲	[4]	194
阳荷	[13]	618	红色新月蕨	[2]	298
阴地唐松草	[4]	544	红花八角	[4]	142
阴地蒿	[12]	78	红花龙胆	[9]	594
阴地蕨	[1]	454	红花栝楼	[8]	430
阴行草	[11]	198	红花悬钩子	[6]	268
如意草	[8]	272	红花寄生	[3]	472
羽叶长柄山蚂蟥	[6]	646	红花酢浆草	[7]	4
羽叶金合欢	[6]	380	红花檵木	[5]	486
羽叶蛇葡萄	[8]	8	红豆杉	[3]	40
羽叶蓼	[3]	584	红豆树	[6]	630
羽衣甘蓝	[5]	400	红尾伯劳	[14]	262
羽脉野扇花	[7]	600	红茎猕猴桃	[5]	180
羽裂圣蕨	[2]	278	红果山胡椒	[4]	280
羽裂星蕨	[2]	536	红果树	[6]	372
观光木	[4]	230	红果黄肉楠	[4]	244
红千层	[8]	458	红果黄鹌菜	[12]	464
红马蹄草	[9]	110	红毒茴	[4]	148
红车轴草	[6]	684	红荚蒾	[11]	450
红毛七	[4]	568	红茴香	[4]	144
红毛虎耳草	[5]	612	红柄木犀	[9]	556
红毛悬钩子	[6]	306	红柳叶牛膝	[4]	100
红凤菜	[12]	258	红背山麻杆	[7]	40
红火麻	[3]	384	红鬼笔	[1]	290

红脉钓樟	[4] 304	麦李	[6] 18
红孩儿	[8] 328	麦蓝菜	[4] 68
红柴枝	[7] 388	远志	[7] 296
红凉伞	[9] 278	扶芳藤	[7] 540
红麸杨	[7] 316	扯根菜	[5] 594
红蛉	[14] 52	走茎华西龙头草	[10] 522
红盖鳞毛蕨	[2] 412	赤小豆	[6] 714
红淡比	[5] 222	赤车	[3] 404
红葱	[13] 96	赤杨叶	[9] 444
红紫珠	[10] 376	赤豆	[6] 708
红瑞木	[8] 582	赤狐	[14] 363
红椿	[7] 270	赤胫散	[3] 586
红楠	[4] 344	赤铁矿	[14] 465
红锥	[3] 144	赤胸多刺蚁	[14] 123
红腺悬钩子	[6] 324	赤眼鳟	[14] 150
红蓼	[3] 568	赤麻鸭	[14] 268
红嘴鸥	[14] 305	赤链蛇	[14] 237
红鳍鲌	[14] 155	赤楠	[8] 468
红鳞扁莎	[13] 564	赤腹松鼠	[14] 421
纤花耳草	[10] 190	赤壁木	[5] 552
纤枝兔儿风	[12] 16	孝顺竹	[13] 188
纤细半蒴苣苔	[11] 322	块节凤仙花	[7] 432
纤细冷水花	[3] 446	扭瓦韦	[2] 514
纤细通泉草	[11] 140	拟高粱	[13] 366
纤细假糙苏	[10] 560	芙蓉菊	[12] 194
纤细薯蓣	[13] 54	芫花	[8] 188

七画

		芫花叶白前	[10] 70
		芫荽	[9] 88
麦冬	[12] 646	芫菁	[14] 107

芸苔	[5] 380	芦竹	[13] 180
苣荬菜	[12] 428	芦苇	[13] 308
苋	[4] 116	芦荟	[12] 538
花叶地锦	[8] 44	芭蕉	[13] 588
花叶冷水花	[3] 416	苏门白酒草	[12] 180
花叶青木	[8] 576	苏州荠苎	[10] 546
花叶滇苦菜	[12] 430	苏铁	[2] 588
花叶蔓长春花	[10] 50	杜仲	[1] 130/
花朱顶红	[13] 16	[3]	240
花南星	[13] 434	杜仲藤	[10] 26
花点草	[3] 394	杜若	[13] 142
花臭蛙	[14] 204	杜英	[8] 88
花姬蛙	[14] 208	杜茎山	[9] 318
花菱草	[5] 348	杜虹花	[10] 350
花葶乌头	[4] 390	杜根藤	[11] 270
花葶薹草	[13] 506	杜梨	[6] 166
花椰菜	[5] 398	杜鹃	[9] 252
花椒	[7] 222	杜鹃兰	[13] 686
花椒簕	[7] 240	杜衡	[5] 112
花榈木	[6] 628	杠板归	[3] 574
芥	[5] 386	杠香藤	[7] 108
芥菜疙瘩	[5] 394	杏	[6] 140
芥蓝	[5] 378	杏叶沙参	[11] 528
芬芳安息香	[9] 464	杏香兔儿风	[12] 12
苍白秤钩风	[5] 14	杉木	[2] 644
苍耳	[12] 462	巫山繁缕	[4] 66
苍鹰	[14] 285	李	[6] 156
芡实	[5] 46	李叶绣线菊	[6] 364
苎麻	[3] 346	杨桐	[5] 190

杨梅	[3] 54	吴茱萸	[1]175/[7]186
杨梅叶蚊母树	[5] 470	吴茱萸五加	[9] 2
求米草	[13] 288	里白	[2] 38
豆茶决明	[6] 442	呆白菜	[11] 214
豆梨	[6] 172	串叶松香草	[12] 408
豆雁	[14] 272	串果藤	[4] 634
豆腐柴	[10] 412	串珠石斛	[13] 710
豆薯	[6] 632	针毛蕨	[2] 280
豆瓣菜	[5] 438	针齿铁仔	[9] 324
两广铁线莲	[4] 420	针筒菜	[10] 658
两广猕猴桃	[5] 168	牡丹	[4] 500
两色金鸡菊	[12] 186	牡荆	[10] 424
两色鳞毛蕨	[2] 404	牡蒿	[12] 58
两歧飘拂草	[13] 538	乱草	[13] 242
两型豆	[6] 394	秃叶黄檗	[7] 202
两栖蓼	[3] 520	秃蜡瓣花	[5] 466
丽叶女贞	[9] 536	秃鼻乌鸦	[14] 327
辰砂	[1]258/[14]487	秀丽锥	[3] 148
还亮草	[4] 474	秀丽槭	[7] 338
来江藤	[11] 108	何首乌	[3] 560
连药沿阶草	[12] 634	伯乐树	[7] 360
连香树	[4] 376	皂荚	[6] 540
坚硬女娄菜	[4] 46	皂柳	[3] 96
肖菝葜	[12] 602	佛手瓜	[8] 390
旱田草	[11] 138	佛甲草	[5] 512
旱芹	[9] 74	佛光草	[10] 626
旱柳	[3] 94	返顾马先蒿	[11] 188
时珍淫羊藿	[4] 584	佘山羊奶子	[8] 212
吴兴铁线莲	[4] 440	谷蓼	[8] 508

谷精草	[13] 158	庐山芙蓉	[8] 120
含笑花	[4] 204	庐山香科科	[10] 666
含羞草	[6] 618	庐山堇菜	[8] 288
含羞草决明	[6] 440	庐山楼梯草	[3] 376
邻近风轮菜	[10] 450	庐山藨草	[13] 574
角叶鞘柄木	[8] 616	序叶苎麻	[3] 336
角花胡颓子	[8] 220	间型红豆杉	[3] 38
角翅卫矛	[7] 534	间型沿阶草	[12] 644
条叶龙胆	[9] 590	沅陵长蒴苣苔	[11] 314
条叶百合	[12] 612	沙氏鹿茸草	[11] 162
条叶猕猴桃	[5] 154	沙参	[11] 534
条叶楼梯草	[3] 378	沙梨	[6] 178
条叶榕	[3] 298	沙塘鳢	[14] 177
条华蜗牛	[14] 22	沟酸浆	[11] 158
条穗薹草	[13] 500	沈氏十大功劳	[4] 608
卵叶水芹	[9] 134	补骨脂	[6] 656
卵叶报春	[9] 408	君迁子	[9] 432
卵叶茜草	[10] 252	灵芝	[1] 298
卵叶韭	[12] 528	灵香草	[9] 362
卵瓣还亮草	[4] 476	尾叶冬青	[7] 502
刨花润楠	[4] 340	尾叶那藤	[4] 644
迎春花	[9] 526	尾叶远志	[7] 276
饭包草	[13] 124	尾叶铁线莲	[4] 468
冻绿	[7] 656	尾叶雀梅藤	[7] 670
亨氏马先蒿	[11] 186	尾叶稀子蕨	[2] 72
冷水花	[3] 430	尾叶樱桃	[6] 16
庐山小檗	[4] 566	尾尖爬藤榕	[3] 308
庐山瓦韦	[2] 516	尾花细辛	[5] 106
庐山石韦	[2] 570	尾瓣舌唇兰	[13] 794

尾囊草	[4] 546	武当玉兰	[4] 188
陆地棉	[8] 114	青冈	[3] 156
阿拉伯婆婆纳	[11] 228	青牛胆	[5] 42
阿穆尔莎草	[13] 514	青皮木	[3] 460
陈壁土	[14] 504	青灰叶下珠	[7] 112
附地菜	[10] 338	青羊	[14] 411
陀螺果	[9] 446	青江藤	[7] 512
忍冬	[11] 396	青花椒	[7] 242
鸡爪茶	[6] 258	青鱼	[14] 146
鸡爪槭	[7] 354	青荚叶	[8] 604
鸡矢藤	[10] 234	青钱柳	[3] 58
鸡仔木	[10] 260	青菜	[5] 382
鸡头薯	[6] 520	青蛇藤	[10] 104
鸡足葡萄	[8] 70	青绿薹草	[13] 486
鸡肠繁缕	[4] 58	青葙	[4] 120
鸡树条	[11] 472	青蛙	[14] 196
鸡冠花	[4] 122	青蒿	[12] 52
鸡冠眼子菜	[12] 504	青榨槭	[7] 336
鸡桑	[3] 332	青篱柴	[7] 30
鸡眼草	[6] 558	青檀	[3] 214
鸡蛋果	[8] 304	玫瑰	[6] 222
鸡腿堇菜	[8] 250	玫瑰茄	[8] 124
鸡嘴簕	[6] 426	顶芽狗脊	[2] 368
纵肋人字果	[4] 482	顶花板凳果	[7] 598
驴	[14] 375	抱石莲	[2] 500
		抱茎小苦荬	[12] 298
八画		抱茎菝葜	[12] 740
		拉拉藤	[10] 156
环颈雉	[14] 296	拂子茅	[13] 202
环裂松萝	[1] 340		

披针叶胡颓子	[8] 224	直角荚蒾	[11] 454
披针贯众	[2] 392	直刺变豆菜	[9] 172
披针骨牌蕨	[2] 498	直瓣苣苔	[11] 294
披针新月蕨	[2] 300	茄	[11] 76
披散木贼	[1] 438	茅瓜	[8] 394
茉莉花	[9] 528	茅苍术	[12] 100
苦木	[7] 256	茅莓	[6] 294
苦瓜	[8] 384	茅栗	[3] 128
苦皮藤	[7] 506	茅膏菜	[5] 310
苦竹	[13] 328	林生沿阶草	[12] 650
苦苣菜	[12] 432	林生假福王草	[12] 344
苦枥木	[9] 518	林泽兰	[12] 234
苦郎藤	[8] 40	林荫千里光	[12] 390
苦参	[6] 678	林猪殃殃	[10] 168
苦草	[12] 500	林麝	[14] 387
苦荞麦	[3] 518	杯茎蛇菰	[3] 500
苦荬菜	[12] 304	杯盖阴石蕨	[2] 474
苦绳	[10] 92	枇杷	[6] 62
苦槠	[3] 150	枇杷叶紫珠	[10] 362
苦糖果	[11] 388	板蓝	[11] 264
苦蘵	[11] 60	板凳果	[7] 596
苹	[2] 580	松蒿	[11] 190
英德黄芩	[10] 646	枫杨	[3] 72
苘麻	[8] 110	枫香树	[5] 482
茑萝松	[10] 304	枫香槲寄生	[3] 492
苞舌兰	[13] 804	构树	[3] 248
直生刀豆	[6] 430	构棘	[3] 254
直立黄细心	[3] 624	杭子梢	[6] 428
直立婆婆纳	[11] 218	杭白芷	[1]186/[9]68

杭州榆	[3] 228	雨久花	[13] 86
画眉草	[13] 246	雨蕨	[2] 574
刺儿菜	[12] 170	郁李	[6] 144
刺子莞	[13] 566	郁金	[13] 602
刺毛杜鹃	[9] 222	郁金香	[12] 758
刺叶冬青	[7] 450	奇羽鳞毛蕨	[2] 430
刺叶桂樱	[6] 80	奇蒿	[12] 44
刺瓜	[10] 66	欧丁香	[9] 564
刺头复叶耳蕨	[2] 376	欧亚旋覆花	[12] 280
刺异叶花椒	[7] 238	轮叶沙参	[11] 538
刺壳花椒	[7] 228	轮叶黄精	[12] 684
刺苋	[4] 114	轮叶蒲桃	[8] 470
刺芹	[9] 98	轮环藤	[5] 8
刺齿半边旗	[2] 126	软条七蔷薇	[6] 202
刺齿贯众	[2] 390	软刺卫矛	[7] 526
刺果卫矛	[7] 524	软枣猕猴桃	[5] 136
刺果毛茛	[4] 510	软锰矿	[14] 464
刺果毒漆藤	[7] 318	鸢	[14] 286
刺柄南星	[13] 422	鸢尾	[13] 112
刺柏	[3] 6	歧尾斗鱼	[14] 180
刺葡萄	[8] 64	齿牙毛蕨	[2] 270
刺猬	[14] 337	齿叶水蜡烛	[10] 462
刺蒴麻	[8] 174	齿叶赤飑	[8] 398
刺楸	[9] 42	齿叶黄皮	[7] 176
刺槐	[6] 672	齿叶景天	[5] 516
刺榆	[3] 212	齿叶橐吾	[12] 320
刺蓼	[3] 588	齿头鳞毛蕨	[2] 421
刺藤子	[7] 666	齿果草	[7] 300
枣	[7] 676	齿果酸模	[3] 604

齿萼凤仙花	[7] 424	岩菖蒲	[12] 752
齿缘吊钟花	[9] 198	岩鸽	[14] 307
虎皮楠	[7] 150	岩藿香	[10] 632
虎耳草	[5] 614	罗汉松	[3] 18
虎舌红	[9] 290	罗汉果	[8] 392
虎杖	[3] 536	罗伞树	[9] 298
虎尾草	[13] 206	罗河石斛	[13] 714
虎尾草	[9] 340	罗浮柿	[9] 436
虎尾铁角蕨	[2] 322	罗浮锥	[3] 136
虎纹蛙	[14] 199	罗浮槭	[7] 340
虎刺	[10] 144	罗勒	[10] 552
虎刺楤木	[9] 14	罗蒙常山	[5] 564
虎掌	[13] 452	岭南山竹子	[5] 278
肾叶天胡荽	[9] 116	岭南花椒	[7] 218
肾唇虾脊兰	[13] 660	岭南杜鹃	[9] 232
肾盖铁线蕨	[2] 186	岭南来江藤	[11] 110
肾萼金腰	[5] 542	败酱	[11] 508
肾蕨	[2] 470	知风草	[13] 240
具芒碎米莎草	[13] 526	垂丝卫矛	[7] 558
具柄冬青	[7] 482	垂丝海棠	[6] 88
具柄重楼	[12] 658	垂序商陆	[3] 620
果马蜂	[14] 132	垂枝泡花树	[7] 382
昆明山海棠	[7] 564	垂柳	[3] 84
明矾石	[14] 461	垂盆草	[5] 522
鸣蝉	[14] 76	垂珠花	[9] 456
咖啡黄葵	[8] 102	垂穗石松	[1] 394
岩木瓜	[3] 322	和尚菜	[12] 6
岩凤尾蕨	[2] 124	委陵菜	[6] 124
岩败酱	[11] 506	使君子	[8] 504

侧柏	[3] 8	金鱼藻	[5] 60
佩兰	[12] 228	金线兰	[13] 638
爬岩红	[11] 232	金线吊乌龟	[5] 22
爬藤榕	[3] 312	金线茜草	[10] 250
金毛耳草	[10] 182	金线草	[3] 502
金毛狗脊	[2] 68	金线重楼	[12] 654
金爪儿	[9] 370	金线蛙	[14] 198
金叶含笑	[4] 206	金挖耳	[12] 142
金兰	[13] 678	金荞麦	[3] 508
金发草	[13] 338	金柑	[7] 192
金发藓	[1] 366	金星蕨	[2] 290
金丝草	[13] 336	金钟花	[9] 508
金丝桃	[5] 298	金钮扣	[12] 434
金丝梅	[5] 302	金剑草	[10] 244
金耳环	[5] 118	金疮小草	[10] 438
金光菊	[12] 372	金盏银盘	[12] 108
金色狗尾草	[13] 356	金钱松	[2] 630
金灯藤	[10] 280	金钱豹	[11] 544
金花忍冬	[11] 382	金钱蒲	[13] 398
金花猕猴桃	[5] 148	金铃花	[8] 108
金佛山荚蒾	[11] 438	金银忍冬	[11] 402
金佛铁线莲	[4] 434	金缕梅	[5] 478
金鸡脚假瘤蕨	[2] 550	金锦香	[8] 488
金环胡蜂	[14] 133	金腰箭	[12] 438
金环蛇	[14] 249	金腰燕	[14] 321
金果榄	[5] 38	金樱子	[1]155/[6]204
金钗石斛	[13] 718	金橘	[7] 194
金鱼	[14] 141	金雕	[14] 287
金鱼草	[11] 106	乳豆	[6] 532

乳浆大戟	[7] 54	狗獾	[14] 369
乳源杜鹃	[9] 244	变叶树参	[9] 36
念珠冷水花	[3] 428	变叶榕	[3] 324
念珠藻	[1] 348	变异铁角蕨	[2] 342
肿足蕨	[2] 260	变异鳞毛蕨	[2] 436
肿柄菊	[12] 454	变豆菜	[9] 168
肥皂荚	[6] 546	京梨猕猴桃	[5] 140
周毛悬钩子	[6] 234	夜香牛	[12] 458
周裂秋海棠	[8] 312	夜香树	[11] 16
鱼木	[5] 372	兖州卷柏	[1] 412
鱼怪	[14] 33	刻叶紫堇	[5] 322
鱼眼草	[12] 206	卷丹	[1]219/[12]618
鱼鳞蕨	[2] 370	卷叶黄精	[12] 674
兔儿风蟹甲草	[12] 346	卷柏	[1] 426
兔儿伞	[12] 440	单毛刺蒴麻	[8] 172
兔耳兰	[13] 702	单毛椴叶树	[9] 178
狐尾藻	[8] 550	单叶双盖蕨	[2] 254
狐臭柴	[10] 414	单叶地黄连	[7] 268
忽地笑	[13] 22	单叶厚唇兰	[13] 722
狗	[14] 356	单叶铁线莲	[4] 436
狗牙根	[13] 214	单叶蔓荆	[10] 430
狗舌草	[12] 452	单耳枔	[5] 254
狗肝菜	[11] 272	单花红丝线	[11] 34
狗尾草	[13] 362	单花莸	[10] 380
狗枣猕猴桃	[5] 162	单刺仙人掌	[4] 132
狗骨柴	[10] 150	单盖铁线蕨	[2] 194
狗娃花	[12] 276	单穗水蜈蚣	[13] 556
狗脊蕨	[2] 360	单穗椴叶树	[9] 184
狗筋蔓	[4] 20	单瓣白木香	[6] 188

单瓣李叶绣线菊	[6] 366	泽漆	[7] 56
单瓣缫丝花	[6] 218	宝兴马兜铃	[5] 100
浅裂锈毛莓	[6] 318	宝兴耳蕨	[2] 444
法国梧桐	[5] 456	宝兴吊灯花	[10] 56
河蚬	[14] 31	宝兴茶藨子	[5] 608
油白菜	[5] 384	宝兴淫羊藿	[4] 576
油芒	[13] 368	宝铎草	[12] 588
油芥菜	[5] 388	宝盖草	[10] 502
油松	[2] 620	定心藤	[7] 606
油茶	[5] 202	宜昌木姜子	[4] 322
油柿	[9] 438	宜昌木蓝	[6] 552
油点草	[12] 754	宜昌耳蕨	[2] 452
油桐	[7] 140	宜昌过路黄	[9] 374
沿阶草	[12] 638	宜昌荚蒾	[11] 448
泥花草	[11] 128	宜昌胡颓子	[8] 222
泥胡菜	[12] 274	宜昌润楠	[4] 334
泥炭藓	[1] 354	宜昌悬钩子	[6] 262
泥鳅	[14] 165	宜昌楼梯草	[3] 366
沼水蛙	[14] 192	宜昌橙	[7] 160
沼生水马齿	[10] 432	空心泡	[6] 320
沼生蔊菜	[5] 454	帘子藤	[10] 30
沼生繁缕	[4] 62	穹隆薹草	[13] 494
波叶红果树	[6] 374	建兰	[13] 688
波缘冷水花	[3] 418	建始槭	[7] 342
波缘楤木	[9] 32	陌上菜	[11] 136
泽苔草	[12] 480	降龙草	[11] 328
泽泻虾脊兰	[13] 658	参环毛蚓	[14] 2
泽珍珠菜	[9] 344	参薯	[13] 40
泽蛙	[14] 194	线叶水芹	[9] 132

线叶柄果海桐	[5] 638	细齿异野芝麻	[10] 492
线叶猪屎豆	[6] 474	细果野菱	[8] 454
线叶旋覆花	[12] 290	细罗伞	[9] 268
线叶蓟	[12] 166	细柄凤仙花	[7] 428
线羽贯众	[2] 400	细柄草	[13] 204
线纹香茶菜	[10] 584	细柄野荞麦	[3] 516
线萼山梗菜	[11] 556	细柄薯蓣	[13] 78
线裂铁角蕨	[2] 314	细柱五加	[1] 182
线蕨	[2] 482	细轴荛花	[8]206/[9]4
细毛碗蕨	[2] 88	细毡毛忍冬	[11] 416
细长柄山蚂蟥	[6] 644	细圆齿火棘	[6] 162
细风轮菜	[10] 452	细圆藤	[5] 16
细叶小苦荬	[12] 296	细梗胡枝子	[6] 578
细叶小檗	[4] 558	细梗香草	[9] 346
细叶水团花	[10] 126	细梗络石	[10] 44
细叶水芹	[9] 128	细野麻	[3] 342
细叶石仙桃	[13] 782	细锥香茶菜	[10] 580
细叶石斑木	[6] 186	细穗腹水草	[11] 244
细叶连蕊茶	[5] 206	细穗藜	[4] 82
细叶旱芹	[9] 76		
细叶青冈	[3] 158		

九画

细叶卷柏	[1] 414	贯叶金丝桃	[5] 304
细叶鼠麴草	[12] 252	贯众	[2] 394
细花虾脊兰	[13] 668	春兰	[13] 696
细茎双蝴蝶	[9] 630	春蓼	[3] 576
细茎石斛	[13] 716	珍珠花	[9] 202
细枝茶藨子	[5] 610	珍珠莲	[3] 306
细枝柃	[5] 236	珊瑚冬青	[7] 456
细齿叶柃	[5] 240	珊瑚朴	[3] 206

珊瑚苣苔	[11] 308	草兔	[14] 434
珊瑚豆	[11] 90	草珊瑚	[5] 90
珊瑚树	[11] 468	草莓	[6] 68
珊瑚樱	[11] 88	草绣球	[5] 538
毒砂	[14] 482	草腹链蛇	[14] 240
挂金灯	[11] 56	蒿蒿	[12] 154
城口茴芹	[9] 152	茵芋	[7] 210
城口桤叶树	[9] 180	茵陈蒿	[12] 50
挺茎遍地金	[5] 284	茴茴蒜	[4] 504
垫状卷柏	[1] 422	荞麦	[3] 512
挖耳草	[11] 354	荞麦叶大百合	[12] 562
荆三棱	[13] 582	茯苓	[1]125/[1]310
莒	[8] 282	茶	[5] 218
革叶耳蕨	[2] 458	茶荚蒾	[11] 484
革叶茶藨子	[5] 604	茶梅	[5] 214
革叶猕猴桃	[5] 176	荟葱	[12] 536
革叶粗筒苣苔	[11] 300	荠	[5] 404
革叶算盘子	[7] 86	荨麻	[3] 452
茜草	[10] 248	茋草	[13] 174
茜树	[10] 130	胡子鲇	[14] 171
荚蒾	[11] 446	胡枝子	[6] 560
荚囊蕨	[2] 356	胡桃楸	[3] 66
草木犀	[6] 590	胡萝卜	[9] 94
草玉梅	[4] 398	胡颓子	[8] 230
草龙	[8] 530	荔枝草	[10] 618
草地早熟禾	[13] 332	南山茶	[5] 216
草芍药	[4] 498	南山堇菜	[8] 256
草问荆	[1] 440	南川百合	[12] 622
草鱼	[14] 148	南川冠唇花	[10] 536

南川鼠尾草	[10] 616	柑橘	[1]168/[7]168
南天竹	[4] 610	柑橘凤蝶	[14] 92
南五味子	[4] 164	柯	[3] 172
南丹参	[10] 598	柄果海桐	[5] 636
南方六道木	[11] 372	柘树	[3] 258
南方红豆杉	[3] 42	相近石韦	[2] 556
南方泡桐	[11] 168	柚	[7] 156
南方荚蒾	[11] 456	枳	[7] 204
南方菟丝子	[10] 276	枳椇	[7] 624
南方糙苏	[10] 574	柞木	[8] 246
南方露珠草	[8] 510	柞蚕	[14] 95
南艾蒿	[12] 80	柏木	[3] 2
南瓜	[8] 353	栀子	[1]191/[10]174
南赤飑	[8] 406	枸杞	[11] 40
南牡蒿	[12] 54	枸骨	[7] 458
南苜蓿	[6] 586	柳叶牛膝	[4] 98
南岭小檗	[4] 554	柳叶毛蕊茶	[5] 212
南岭山矾	[9] 478	柳叶白前	[10] 82
南岭柞木	[8] 248	柳叶虎刺	[10] 146
南岭黄檀	[6] 482	柳叶剑蕨	[2] 578
南岭野靛棵	[11] 278	柳叶润楠	[4] 342
南茼蒿	[12] 156	柳叶菜	[8] 518
南洋杉	[2] 594	柳叶箬	[13] 266
南烛	[9] 258	柳叶蕨	[2] 386
南蛇棒	[13] 410	柳杉	[2] 638
南蛇藤	[7] 518	枹栎	[3] 194
南紫薇	[8] 442	柱果铁线莲	[4] 464
南酸枣	[7] 304	柿	[9] 424
药百合	[12] 624	柠檬	[7] 164

桎柳	[8] 308	点腺过路黄	[9] 372
树舌	[1] 302	临时救	[9] 354
树参	[9] 34	省沽油	[7] 572
威灵仙	[4] 418	显子草	[13] 304
歪头菜	[6] 706	显苞过路黄	[9] 396
砖子苗	[13] 560	显齿蛇葡萄	[8] 18
厚叶双盖蕨	[2] 250	显柱南蛇藤	[7] 522
厚叶冬青	[7] 462	显脉拉拉藤	[10] 166
厚叶冷水花	[3] 442	显脉荚蒾	[11] 466
厚叶厚皮香	[5] 268	显脉香茶菜	[10] 588
厚叶铁角蕨	[2] 320	显脉獐牙菜	[9] 620
厚叶铁线莲	[4] 424	禺毛茛	[4] 502
厚叶蛛毛苣苔	[11] 336	星天牛	[14] 114
厚叶鼠刺	[5] 582	星毛羊奶子	[8] 232
厚皮香	[5] 264	星毛金锦香	[8] 490
厚皮菜	[4] 72	星毛冠盖藤	[5] 600
厚朴	[4] 178	星毛鸭脚木	[9] 58
厚壳树	[10] 318	星宿菜	[9] 366
厚果崖豆藤	[6] 608	星蕨	[2] 538
厚唇重唇鱼	[14] 156	胄叶线蕨	[2] 486
砚壳花椒	[7] 224	贵州八角莲	[4] 572
牵牛	[10] 298	贵州天名精	[12] 144
鸦椿卫矛	[7] 538	贵州石楠	[6] 104
韭	[12] 532	贵州半蒴苣苔	[11] 318
韭莲	[13] 34	贵州连蕊茶	[5] 192
背角无齿蚌	[14] 27	贵州娃儿藤	[10] 122
背蛇生	[5] 102	贵州络石	[10] 38
点叶落地梅	[9] 394	贵州桤叶树	[9] 182
点地梅	[9] 336	贵州鼠李	[7] 644

贵州鼠尾草	[10] 600		矩叶鼠刺	[5] 586
贵州獐牙菜	[9] 616		矩圆线蕨	[2] 490
贵州蹄盖蕨	[2] 238		毡毛马兰	[12] 310
虹鳞肋毛蕨	[2] 464		毡毛石韦	[2] 562
虾衣花	[11] 266		牯岭凤仙花	[7] 422
虾须草	[12] 398		牯岭勾儿茶	[7] 614
虾脊兰	[13] 664		牯岭野豌豆	[6] 698
蚁鸳	[14] 317		牯岭蛇葡萄	[8] 16
蚂蟥七	[11] 306		牯岭藜芦	[12] 764
响叶杨	[3] 75		秕壳草	[13] 270
响铃豆	[6] 470		香石竹	[4] 22
骨牌蕨	[2] 506		香叶子	[4] 284
钝叶木姜子	[4] 330		香叶天竺葵	[7] 22
钝叶枔	[5] 242		香叶树	[4] 278
钝叶楼梯草	[3] 374		香冬青	[7] 492
钝叶蔷薇	[6] 226		香皮树	[7] 384
钝叶酸模	[3] 610		香丝草	[12] 174
钝齿铁线莲	[4] 410		香花羊耳蒜	[13] 762
钝萼铁线莲	[4] 454		香花崖豆藤	[6] 596
钩毛紫珠	[10] 372		香青	[12] 36
钩吻	[9] 578		香果树	[10] 154
钩刺雀梅藤	[7] 660		香茶菜	[10] 578
钩距虾脊兰	[13] 666		香莓	[6] 312
钩锥	[3] 152		香桂	[4] 268
钩腺大戟	[7] 78		香桦	[3] 108
钩藤	[1]195/[10]266		香根芹	[9] 136
钮子瓜	[8] 434		香粉叶	[4] 298
看麦娘	[13] 168		香菇	[1] 282
矩叶卫矛	[7] 556		香港大沙叶	[10] 238

香港四照花	[8] 594	盾叶唐松草	[4] 532
香港瓜馥木	[4] 236	盾叶薯蓣	[13] 82
香港远志	[7] 282	盾果草	[10] 332
香港黄檀	[6] 490	盾蕨	[2] 542
香蒲	[13] 476	待宵草	[8] 544
香椿	[7] 272	须蕊铁线莲	[4] 456
香楠	[10] 128	俞藤	[8] 84
香槐	[6] 464	剑叶凤尾蕨	[2] 128
香蓼	[3] 598	剑叶耳草	[10] 180
香蕉弄蝶	[14] 93	剑叶金鸡菊	[12] 184
香橙	[7] 162	剑叶虾脊兰	[13] 662
香橼	[7] 166	剑叶铁角蕨	[2] 318
香薷	[10] 470	剑叶紫金牛	[9] 282
香薷状香简草	[10] 494	食用土当归	[9] 18
秋分草	[12] 368	食用秋海棠	[8] 314
秋沙鸭	[14] 276	胆矾	[14] 474
秋英	[12] 188	胎生铁角蕨	[2] 328
秋海棠	[8] 318	匍茎通泉草	[11] 144
秋葡萄	[8] 74	匍匐大戟	[7] 76
秋鼠麴草	[12] 250	匍匐风轮菜	[10] 456
重阳木	[7] 46	匍匐忍冬	[11] 386
重齿当归	[9] 64	匍匐委陵菜	[6] 136
重唇石斛	[13] 712	匍匐枸子	[6] 40
重瓣木芙蓉	[8] 118	狭叶山胡椒	[4] 276
复羽叶栾树	[7] 366	狭叶山黄麻	[3] 216
复序飘拂草	[13] 536	狭叶天仙果	[3] 272
鬼针草	[12] 112	狭叶瓦韦	[2] 510
盾叶冷水花	[3] 432	狭叶凤尾蕨	[2] 136
盾叶莓	[6] 300	狭叶四叶葎	[10] 164

狭叶母草	[11] 126	亮叶崖豆藤	[6] 602
狭叶花椒	[7] 246	亮叶猴耳环	[6] 642
狭叶珍珠花	[9] 206	疣果楼梯草	[3] 380
狭叶栀子	[10] 178	疣草	[13] 134
狭叶香港远志	[7] 284	闽浙马尾杉	[1] 384
狭叶重楼	[12] 664	闽粤千里光	[12] 394
狭叶瓶尔小草	[2] 4	闽楠	[4] 360
狭叶海桐	[5] 628	闽赣长蒴苣苔	[11] 312
狭叶崖爬藤	[8] 56	闽赣葡萄	[8] 62
狭叶落地梅	[9] 386	美人蕉	[13] 626
狭叶链珠藤	[10] 4	美山矾	[9] 482
狭叶獐牙菜	[9] 608	美花红千层	[8] 456
狭苞橐吾	[12] 326	美丽马醉木	[9] 208
狭翅铁角蕨	[2] 344	美丽胡枝子	[6] 572
狭萼白透骨消	[10] 484	美丽复叶耳蕨	[2] 384
狭穗阔蕊兰	[13] 772	美丽通泉草	[11] 148
独牛	[8] 322	美丽崖豆藤	[6] 614
独花兰	[13] 680	美丽猕猴桃	[5] 172
独角莲	[13] 464	美国梧桐	[5] 458
独根草	[5] 588	美脉花楸	[6] 342
独脚金	[11] 202	美洲大蠊	[14] 55
独蒜兰	[13] 798	美洲凌霄	[11] 250
弯曲碎米荠	[5] 408	美穗草	[11] 234
弯梗拔葜	[12] 704	姜	[13] 616
亮毛蕨	[2] 218	姜花	[13] 610
亮叶冬青	[7] 480	姜黄	[13] 604
亮叶素馨	[9] 530	类芦	[13] 286
亮叶桦	[3] 110	籼稻	[13] 292
亮叶雀梅藤	[7] 664	迷人鳞毛蕨	[2] 410

迷迭香	[10] 596	孩儿参	[4] 40
迷路漏斗网蛛	[14] 43	娃儿藤	[10] 120
总状山矾	[9] 474	柔毛山黑豆	[6] 514
总序香茶菜	[10] 590	柔毛艾纳香	[12] 132
总序蓟	[12] 168	柔毛龙眼独活	[9] 26
总梗女贞	[9] 546	柔毛菝葜	[12] 716
活血丹	[10] 486	柔毛堇菜	[8] 284
洋葱	[12] 518	柔毛路边青	[6] 76
洋紫荆	[6] 416	柔软石韦	[2] 568
突隔梅花草	[5] 590	柔垂缬草	[11] 512
穿心莲子藨	[11] 432	柔弯曲碎米荠	[5] 410
穿龙薯蓣	[13] 62	柔弱斑种草	[10] 308
穿叶眼子菜	[12] 512	柔瓣美人蕉	[13] 622
窃衣	[9] 176	绒毛石楠	[6] 116
冠果草	[12] 484	绒毛皂荚	[6] 538
冠盖绣球	[5] 566	绒毛钓樟	[4] 282
冠盖藤	[5] 602	绒毛胡枝子	[6] 576
扁竹兰	[13] 100	绒毛润楠	[4] 346
扁豆	[6] 510	结香	[8] 196
扁青	[14] 475	络石	[10] 46
扁担杆	[8] 160	绞股蓝	[8] 362
扁枝石松	[1] 386		
扁枝越桔	[9] 264		

十画

扁枝槲寄生	[3] 488	艳山姜	[13] 596
扁穗牛鞭草	[13] 254	艳丽齿唇兰	[13] 636
扁穗莎草	[13] 516	珙桐	[8] 564
神农蜣螂	[14] 115	珠子参	[9] 52
屎壳郎	[14] 117	珠光香青	[12] 32
费菜	[5] 498		

珠芽艾麻	[3] 388	桂竹香	[5] 428
珠芽狗脊	[2] 366	桂花耳	[1] 322
珠芽景天	[5] 502	桂林械	[7] 344
珠芽蟹甲草	[12] 348	桂南木莲	[4] 190
珠颈斑鸠	[14] 311	桔梗	[11] 560
蚕豆	[6] 692	栲	[3] 138
蚕茧草	[3] 546	桐叶千金藤	[5] 30
赶山鞭	[5] 282	桤木	[3] 100
盐肤木	[7] 312	栝楼	[8] 417
换锦花	[13] 28	桦叶荚蒾	[11] 434
壶托榕	[3] 288	桦叶葡萄	[8] 58
荅菜	[9] 606	桦褶孔菌	[1] 306
荸荠	[13] 544	栓叶安息香	[9] 466
莲	[1]148/[5]48	栓皮栎	[3] 198
莲子草	[4] 104	桃	[6] 150
莲叶点地梅	[9] 334	桃叶石楠	[6] 114
莲座紫金牛	[9] 292	桃叶珊瑚	[8] 568
莴苣	[12] 312	桃金娘	[8] 464
莪术	[13] 606	格药柃	[5] 238
莓叶委陵菜	[6] 128	核子木	[7] 562
荷包山桂花	[7] 274	桉	[8] 462
荷花玉兰	[4] 174	豇豆	[6] 716
荷青花	[5] 350	栗	[3] 124
荷莲豆草	[4] 30	栗柄凤尾蕨	[2] 144
荻	[13] 280	栗柄金粉蕨	[2] 172
莎草	[13] 530	栗寄生	[3] 466
莼菜	[5] 44	翅茎灯心草	[13] 114
桂竹	[13] 310	翅果菊	[12] 362
		翅荚香槐	[6] 460

翅柄马蓝	[11] 282	圆叶牵牛	[10] 300
翅桴	[5] 226	圆叶野扁豆	[6] 516
唇鳍	[14] 157	圆叶鼠李	[7] 646
夏至草	[10] 500	圆叶舞草	[6] 468
夏赤卒	[14] 53	圆头楔蚌	[14] 26
夏枯草	[10] 576	圆舌粘冠草	[12] 340
砷华	[14] 480	圆顶珠蚌	[14] 28
破铜钱	[9] 114	圆苞杜根藤	[11] 268
原矛头蝮	[14] 259	圆苞金足草	[11] 274
套鞘薹草	[13] 498	圆柏	[3] 12
鸬鹚	[14] 279	圆基长鬃蓼	[3] 554
鸭儿芹	[9] 90	圆锥荛花	[8] 202
鸭公树	[4] 354	圆锥南芥	[5] 376
鸭舌草	[13] 88	圆锥柯	[3] 178
鸭脚茶	[8] 482	圆锥铁线莲	[4] 462
鸭跖草	[13] 126	圆锥绣球	[5] 576
鸭跖草状凤仙花	[7] 418	圆锥菝葜	[12] 710
蚊母草	[11] 226	圆瓣冷水花	[3] 408
蚊母树	[5] 472	贼小豆	[6] 710
峨参	[9] 72	钻叶紫菀	[12] 98
峨眉介蕨	[2] 258	钻地风	[5] 618
峨眉凤丫蕨	[2] 202	钾硝石	[14] 438
峨眉双蝴蝶	[9] 626	铁马鞭	[6] 574
峨眉钓樟	[4] 296	铁仔	[9] 322
峨眉钩毛蕨	[2] 264	铁冬青	[7] 488
峨眉蜘蛛抱蛋	[12] 560	铁包金	[7] 616
峨眉繁缕	[4] 60	铁皮石斛	[13] 720
圆叶乌桕	[7] 130	铁苋菜	[7] 34
圆叶节节菜	[8] 448	铁坚油杉	[2] 600

铁角蕨	[2] 336	臭根子草	[13] 194
铁线莲	[4] 428	臭常山	[7] 198
铁线蕨	[2] 176	臭椿	[7] 252
铁轴草	[10] 670	臭辣吴萸	[7] 182
铁破锣	[4] 404	臭檀吴萸	[7] 180
铁海棠	[7] 72	射干	[13] 90
铁落	[14] 506	徐长卿	[10] 78
铁箍散	[4] 224	豺	[14] 361
缺萼枫香树	[5] 480	豹	[14] 348
秤星树	[7] 448	豹皮樟	[4] 310
秤钩风	[5] 12	豹猫	[14] 350
积雪草	[9] 84	脆蛇蜥	[14] 210
透茎冷水花	[3] 438	脂麻	[11] 292
透骨草	[11] 356	狼	[14] 359
笄石菖	[13] 120	狼尾草	[13] 300
笔罗子	[7] 390	狼杷草	[12] 116
笔管草	[1] 446	留兰香	[10] 534
笋瓜	[8] 351	鸳鸯	[14] 274
倒心叶珊瑚	[8] 578	皱巴坚螺	[14] 14
倒地铃	[7] 362	皱叶忍冬	[11] 414
倒卵叶石楠	[6] 110	皱叶委陵菜	[6] 122
倒卵叶野木瓜	[4] 642	皱叶狗尾草	[13] 360
倒卵叶紫麻	[3] 400	皱叶荚蒾	[11] 480
倒挂金钟	[8] 524	皱叶铁线莲	[4] 466
倒挂铁角蕨	[2] 324	皱叶留兰香	[10] 528
臭节草	[7] 152	皱叶雀梅藤	[7] 668
臭牡丹	[10] 384	皱叶鼠李	[7] 654
臭味新耳草	[10] 218	皱叶酸模	[3] 602
臭荠	[5] 430	皱皮木瓜	[6] 34

皱边石杉	[1] 378		粉团	[11] 474
皱果赤飑	[8] 400		粉团蔷薇	[6] 214
皱果苋	[4] 118		粉防己	[5] 36
皱果崖豆藤	[6] 606		粉红动蕊花	[10] 496
皱梅衣	[1] 334		粉花月见草	[8] 542
饿蚂蟥	[6] 504		粉花绣球菊	[6] 358
凌云重楼	[12] 652		粉条儿菜	[12] 514
凌霄	[11] 248		粉单竹	[13] 184
栾树	[7] 370		粉背南蛇藤	[7] 514
浆果薹草	[13] 482		粉背菝葜	[12] 728
高大翅果菊	[12] 358		粉背蕨	[2] 160
高体鳡鲅	[14] 151		粉背薯蓣	[13] 50
高岭土	[14] 459		粉绿钻地风	[5] 620
高岭石	[14] 458		粉葛	[6] 664
高粱	[13] 364		粉椴	[8] 166
高粱泡	[6] 274		益母草	[10] 506
离舌橐吾	[12] 334		烟斗柯	[3] 170
唐古特忍冬	[11] 420		烟草	[11] 48
唐松草	[4] 524		烟管头草	[12] 140
唐菖蒲	[13] 98		烟管荚蒾	[11] 492
唐棣	[6] 10		烙铁头	[14] 257
瓶尔小草	[2] 6		浙贝母	[12] 594
瓶蕨	[2] 62		浙江乳突果	[10] 52
拳参	[3] 506		浙江新木姜子	[4] 350
粉叶羊蹄甲	[6] 408		浙江獐牙菜	[9] 614
粉叶轮环藤	[5] 6		浙赣车前紫草	[10] 326
粉叶柿	[9] 422		海芋	[13] 408
粉叶黄毛草莓	[6] 72		海州香薷	[10] 476
粉白杜鹃	[9] 228		海州常山	[10] 404

海岛苎麻	[3] 340	宽鳍鱲	[14] 164
海金子	[5] 630	家鸡	[14] 291
海金沙	[1]135/[2]46	家蚕蛾	[14] 88
海南五针松	[2] 606	家鸭	[14] 270
海南冬青	[7] 466	家鸽	[14] 306
海桐	[5] 640	家猫	[14] 346
海桐叶白英	[11] 86	家鹅	[14] 264
海通	[10] 400	家燕	[14] 320
浮叶眼子菜	[12] 510	窄叶败酱	[11] 500
浮萍	[13] 466	窄叶泽泻	[12] 474
流苏子	[10] 140	窄叶南蛇藤	[7] 516
流苏贝母兰	[13] 684	窄叶柃	[5] 248
流苏龙胆	[9] 592	窄叶紫珠	[10] 360
流苏树	[9] 506	窄头橐吾	[12] 332
浪叶花椒	[7] 250	窄基红褐柃	[5] 246
悦目金蛛	[14] 42	窄萼凤仙花	[7] 442
宽叶母草	[11] 134	窄瓣鹿药	[12] 702
宽叶金粟兰	[5] 82	扇叶铁线蕨	[2] 188
宽叶兔儿风	[12] 22	扇脉杓兰	[13] 708
宽叶荨麻	[3] 454	展枝过路黄	[9] 342
宽叶韭	[12] 524	陵齿蕨	[2] 76
宽叶鼠麴草	[12] 246	姬蕨	[2] 98
宽叶腹水草	[11] 238	通天连	[10] 118
宽叶薹草	[13] 510	通奶草	[7] 66
宽伞三脉紫菀	[12] 86	通泉草	[11] 142
宽体金线蛭	[14] 6	通脱木	[9] 60
宽卵叶长柄山蚂蟥	[6] 650	桑	[3] 328
宽苞十大功劳	[4] 598	桑天牛	[14] 113
宽柄铁线莲	[4] 450	桑黄	[1] 296

桑寄生	[3] 482	菱叶冠毛榕	[3] 276
绢毛山梅花	[5] 598	菱叶鹿藿	[6] 668
绣球	[5] 574	菱锌矿	[14] 479
绣球荚蒾	[11] 460	菘蓝	[5] 434
绣球藤	[4] 446	堇叶芥	[5] 440
		堇叶碎米荠	[5] 426
		黄山玉兰	[4] 170

十一画

球花毛麝香	[11] 104	黄山松	[2] 624
球序卷耳	[4] 16	黄山药	[13] 68
球尾花	[9] 402	黄山紫荆	[6] 454
球果牧根草	[11] 542	黄瓦韦	[2] 512
球果堇菜	[8] 258	黄水枝	[5] 622
球果假水晶兰	[9] 186	黄牛	[14] 401
球药隔重楼	[12] 656	黄牛奶树	[9] 488
球柱草	[13] 478	黄毛青冈	[3] 154
球核荚蒾	[11] 478	黄毛草莓	[6] 70
球穗扁莎	[13] 562	黄毛猕猴桃	[5] 156
理石	[14] 450	黄毛楤木	[9] 22
琉璃草	[10] 312	黄丹木姜子	[4] 316
琉璃繁缕	[9] 330	黄龙尾	[6] 8
排钱树	[6] 638	黄瓜	[8] 348
接骨木	[11] 428	黄瓜菜	[12] 300
接骨草	[11] 424	黄边大龙虱	[14] 102
探春花	[9] 520	黄花水龙	[8] 534
菝葜	[12] 712	黄花月见草	[8] 540
菱	[8] 450	黄花白及	[13] 644
菱叶红景天	[5] 496	黄花油点草	[12] 756
菱叶钓樟	[4] 306	黄花草	[5] 370
菱叶茴芹	[9] 154	黄花美人蕉	[13] 628

黄花倒水莲	[7] 278	黄铁矿	[14] 471
黄花狸藻	[11] 352	黄胸鹀	[14] 336
黄花菜	[12] 596	黄胸鼠	[14] 427
黄花蒿	[12] 42	黄海棠	[5] 280
黄花稔	[8] 140	黄堇	[5] 328
黄花鹤顶兰	[13] 776	黄菖蒲	[13] 108
黄杉	[2] 634	黄脚三趾鹑	[14] 301
黄杞	[3] 62	黄麻	[8] 158
黄杨	[7] 590	黄蛅蟖	[14] 16
黄连	[4] 470	黄链蛇	[14] 239
黄连木	[7] 310	黄筒花	[11] 350
黄尾鲴	[14] 162	黄缘闭壳龟	[14] 215
黄茅	[13] 256	黄槐决明	[6] 448
黄刺蛾	[14] 87	黄鹌菜	[12] 468
黄果茄	[11] 98	黄蜀葵	[8] 104
黄果厚壳桂	[4] 272	黄腺大青	[10] 398
黄金凤	[7] 438	黄蝉	[10] 2
黄泡	[6] 298	黄精叶钩吻	[13] 2
黄荆	[10] 422	黄褐毛忍冬	[11] 390
黄药	[10] 410	黄褐珠光香青	[12] 34
黄栌	[7] 306	黄樟	[4] 266
黄背草	[13] 374	黄颡鱼	[14] 167
黄背越桔	[9] 262	黄檀	[6] 488
黄秋英	[12] 190	黄鼬	[14] 372
黄脉莓	[6] 334	黄鳝	[14] 173
黄独	[13] 42	菖蒲	[13] 394
黄姜花	[13] 612	萝卜	[5] 442
黄绒润楠	[4] 332	萝芙木	[10] 32
黄珠子草	[7] 120	萝藦	[10] 102

菵草	[13] 192	梅	[6] 146
菜瓜	[8] 346	梅花鹿	[14] 390
菜豆	[6] 636	梓	[11] 254
菜豆树	[11] 256	梓木草	[10] 324
菜椒	[11] 14	梓叶槭	[7] 330
菜蓟	[12] 196	梳帽卷瓣兰	[13] 652
菜蕨	[2] 246	桫椤	[2] 472
菟丝子	[10] 278	救荒野豌豆	[6] 700
菊三七	[12] 264	硕苞蔷薇	[6] 190
菊芋	[12] 272	瓠子	[8] 374
菊苣	[12] 158	瓠瓜	[8] 372
菊花	[12] 204	雪里蕻	[5] 390
菊状千里光	[12] 388	雪松	[2] 596
菊薯	[12] 420	雪胆	[8] 364
萍蓬草	[5] 52	雪峰山崖豆藤	[6] 600
菹草	[12] 502	雪峰线虫草	[1] 272
菠菜	[4] 88	雀儿舌头	[7] 94
菅	[13] 376	雀舌草	[4] 52
萤石	[14] 444	雀舌黄杨	[7] 582
萤蔺	[13] 568	雀麦	[13] 198
菰	[13] 384	雀梅藤	[7] 672
菰帽悬钩子	[6] 304	雀稗	[13] 298
菰腺忍冬	[11] 394	常山	[5] 560
梵天花	[8] 150	常春卫矛	[7] 546
梗花华西龙头草	[10] 520	常春油麻藤	[6] 626
梗花雀梅藤	[7] 662	常春藤	[9] 40
梗花椒	[7] 248	常绿荚蒾	[11] 482
梧桐	[8] 176	匙叶草	[9] 604
楝木	[8] 606	匙叶栎	[3] 190

匙叶黄杨	[7] 584		野胡萝卜	[9] 92
匙叶鼠麴草	[12] 254		野柿	[9] 428
匙羹藤	[10] 14		野鸦椿	[7] 568
眼子菜	[12] 506		野独活	[4] 238
眼镜王蛇	[14] 251		野扁豆	[6] 518
眼镜蛇	[14] 250		野桐	[7] 102
悬钩子蔷薇	[6] 220		野核桃	[3] 64
悬铃叶苎麻	[3] 352		野豇豆	[6] 722
野丁香	[10] 202		野海茄	[11] 68
野大豆	[6] 544		野扇花	[7] 604
野山楂	[6] 44		野黄桂	[4] 262
野木瓜	[4] 640		野菊	[12] 200
野艾蒿	[12] 66		野菰	[11] 342
野古草	[13] 176		野梧桐	[7] 100
野生紫苏	[10] 568		野猪	[14] 383
野老鹳草	[7] 8		野葛	[1]160/[6]660
野地钟萼草	[11] 122		野葵	[8] 136
野芋	[13] 442		野蛞蝓	[14] 15
野芝麻	[10] 504		野黍	[13] 250
野西瓜苗	[8] 132		野雉尾金粉蕨	[2] 168
野百合	[12] 606		野慈姑	[12] 488
野灯心草	[13] 122		野蔷薇	[6] 208
野花椒	[7] 244		野漆	[7] 320
野含笑	[4] 214		野豌豆	[6] 702
野迎春	[9] 524		野燕麦	[13] 182
野茉莉	[9] 462		曼陀罗	[11] 28
野茄	[11] 66		畦畔莎草	[13] 522
野草香	[10] 472		趾叶栝楼	[8] 424
野茼蒿	[12] 192		蛇瓜	[8] 410

蛇足石杉	[1] 380	银环蛇	[14] 247
蛇含委陵菜	[6] 134	银果牛奶子	[8] 226
蛇床	[9] 86	银粉背蕨	[2] 156
蛇纹石	[14] 446	银鲷	[14] 163
蛇苔	[1] 370	甜叶菊	[12] 436
蛇果黄堇	[5] 326	甜瓜	[8] 342
蛇莲	[8] 368	甜根子草	[13] 350
蛇莓	[6] 56	甜菜	[4] 70
蛇葡萄	[8] 12	甜麻	[8] 156
鄂西卷耳	[4] 18	甜槠	[3] 134
鄂西前胡	[9] 142	甜橙	[7] 172
鄂西粗筒苣苔	[11] 302	梨叶悬钩子	[6] 308
鄂西清风藤	[7] 392	梨形环棱螺	[14] 13
鄂羊蹄甲	[6] 410	犁头叶堇菜	[8] 280
鄂赤飑	[8] 408	犁头尖	[13] 462
鄂报春	[9] 406	袋果草	[11] 558
崖花子	[5] 644	偏花黄芩	[10] 642
崖爬藤	[8] 54	假木通	[10] 108
崇澍蕨	[2] 354	假升麻	[6] 12
铜钱细辛	[5] 110	假地豆	[6] 498
铜钱树	[7] 630	假地枫皮	[4] 146
铜蜓蜥	[14] 226	假地蓝	[6] 472
铜锤玉带草	[11] 562	假耳羽短肠蕨	[2] 228
银木荷	[5] 258	假异鳞毛蕨	[2] 419
银毛土牛膝	[4] 94	假柳叶菜	[8] 528
银叶柳	[3] 90	假俭草	[13] 248
银兰	[13] 676	假活血草	[10] 644
银耳	[1] 326	假桂乌口树	[10] 262
银杏	[2] 590	假楼梯草	[3] 392

假福王草	[12] 342	猕猴	[14] 413
假酸浆	[11] 46	麻叶绣线菊	[6] 350
假豪猪刺	[4] 560	麻竹	[13] 216
假稻	[13] 268	麻栎	[3] 180
假蹄盖蕨	[2] 232	麻雀	[14] 334
假糙苏	[10] 562	麻梨	[6] 182
假鞭叶铁线蕨	[2] 192	麻楝	[7] 262
盘叶忍冬	[11] 422	鹿角杜鹃	[9] 230
舶梨榕	[3] 304	鹿茸草	[11] 166
斜方复叶耳蕨	[2] 378	鹿药	[12] 700
斜叶榕	[3] 320	鹿蹄草	[9] 190
斜萼草	[10] 512	鹿蹄橐吾	[12] 324
盒子草	[8] 332	鹿藿	[6] 670
领春木	[4] 374	商陆	[3] 616
豚草	[12] 28	旋叶香青	[12] 30
脱毛乌蔹莓	[8] 30	旋花	[10] 274
象头花	[13] 428	旋蒴苣苔	[11] 298
象草	[13] 302	旋覆花	[12] 288
象鼻藤	[6] 492	望江南	[6] 446
猪	[14] 381	望春玉兰	[4] 168
猪毛草	[13] 580	粘山药	[13] 56
猪毛蒿	[12] 74	粘蓼	[3] 596
猪屎豆	[6] 476	粗毛牛膝菊	[12] 240
猪獾	[14] 370	粗毛玉叶金花	[10] 210
猪鬃凤尾蕨	[2] 116	粗毛耳草	[10] 188
猫儿刺	[7] 484	粗毛鳞盖蕨	[2] 108
猫儿屎	[4] 624	粗叶木	[10] 196
猫爪草	[4] 518	粗叶地桃花	[8] 148
猫乳	[7] 636	粗叶悬钩子	[6] 232

粗叶榕	[3] 286	深裂竹根七	[12] 576
粗齿冷水花	[3] 444	深裂锈毛莓	[6] 316
粗齿兔儿风	[12] 18	深紫木蓝	[6] 550
粗齿铁线莲	[4] 412	婆婆针	[12] 106
粗齿黔蕨	[2] 440	婆婆纳	[11] 220
粗梗水蕨	[2] 198	宿根亚麻	[7] 26
粗喙秋海棠	[8] 324	密毛奇蒿	[12] 46
粗榧	[3] 34	密毛桃叶珊瑚	[8] 570
粗糠树	[10] 316	密叶绢藓	[1] 360
粗糠柴	[7] 104	密花山矾	[9] 480
剪刀股	[12] 302	密花舌唇兰	[13] 788
剪红纱花	[4] 36	密花树	[9] 328
剪股颖	[13] 166	密花孩儿草	[11] 286
剪春罗	[4] 32	密花崖豆藤	[6] 594
剪秋罗	[4] 34	密齿酸藤子	[9] 312
清风藤	[7] 398	密球苎麻	[3] 338
清风藤猕猴桃	[5] 182	密蒙花	[9] 574
清香木姜子	[4] 320	密鳞鳞毛蕨	[2] 426
清香藤	[9] 522	啟良重楼	[12] 670
鸿雁	[14] 266	弹刀子菜	[11] 152
渐尖毛蕨	[2] 266	弹裂碎米荠	[5] 416
渐尖绣线菊	[6] 362	续随子	[7] 68
渔游蛇	[14] 244	绵毛金腰	[5] 546
淡竹	[13] 312	绵毛猕猴桃	[5] 158
淡竹叶	[13] 276	绵毛酸模叶蓼	[3] 552
深山含笑	[4] 210	绵羊	[14] 404
深红龙胆	[9] 598	绵枣儿	[12] 692
深圆齿堇菜	[8] 262	绵草薢	[13] 74
深绿卷柏	[1] 406	绵穗苏	[10] 460

绶草	[13] 806	斑唇卷瓣兰	[13] 656
绿叶五味子	[4] 228	斑腿树蛙	[14] 206
绿叶甘橿	[4] 286	斑嘴鸭	[14] 273
绿叶地锦	[8] 46	斑嘴鹈鹕	[14] 263
绿叶线蕨	[2] 494	越南安息香	[9] 468
绿叶胡枝子	[6] 562	博落回	[5] 354
绿叶冠毛榕	[3] 278	喜马山旌节花	[8] 300
绿冬青	[7] 500	喜马拉雅珊瑚	[8] 572
绿头鸭	[14] 269	喜阴悬钩子	[6] 286
绿花石莲	[5] 530	喜旱莲子草	[4] 102
绿花杓兰	[13] 706	喜树	[8] 562
绿花崖豆藤	[6] 592	喜鹊	[14] 325
绿豆	[6] 712	插田泡	[6] 250
绿萼凤仙花	[7] 414	葫芦	[8] 370
绿穗苋	[4] 106	葫芦藓	[1] 356
		散尾葵	[13] 386
十二画		散斑竹根七	[12] 572
琴叶过路黄	[9] 382	葛枣猕猴桃	[5] 174
琴叶紫菀	[12] 94	葛麻姆	[6] 662
琴叶榕	[3] 296	葛藟葡萄	[8] 66
琥珀	[14] 499	葎草	[3] 326
琼花	[11] 462	葡萄	[8] 78
斑叶兰	[13] 736	葱	[12] 522
斑头鸺鹠	[14] 314	葱莲	[13] 32
斑地锦	[7] 70	蒌蒿	[12] 76
斑竹	[13] 322	落地梅	[9] 384
斑花败酱	[11] 504	落羽杉	[2] 652
斑茅	[13] 346	落花生	[6] 400
斑种草	[10] 306	落萼叶下珠	[7] 110

落葵	[4] 10	椭圆叶花锚	[9] 602
落葵薯	[4] 8	粟米草	[3] 632
落新妇	[5] 532	棘茎楤木	[9] 24
落霜红	[7] 490	棘胸蛙	[14] 201
萱草	[12] 598	棘腹蛙	[14] 202
萹蓄	[3] 524	酢浆草	[7] 2
韩信草	[10] 634	硬毛马甲子	[7] 632
戟叶圣蕨	[2] 276	硬毛火炭母	[3] 532
戟叶耳蕨	[2] 460	硬毛猕猴桃	[5] 146
戟叶堇菜	[8] 252	硬石膏	[14] 449
戟叶悬钩子	[6] 256	硬皮地星	[1] 284
戟叶蓼	[3] 594	硬果薹草	[13] 508
朝天委陵菜	[6] 138	硬质早熟禾	[13] 334
朝天椒	[11] 12	硬骨凌霄	[11] 258
棒叶沿阶草	[12] 642	裂叶星果草	[4] 402
棒头草	[13] 340	裂叶秋海棠	[8] 326
楮	[3] 246	裂叶铁线莲	[4] 452
楮头红	[8] 500	裂苞铁苋菜	[7] 36
棱果花	[8] 474	裂果卫矛	[7] 536
棱果海桐	[5] 642	裂果薯	[13] 36
棉毛尼泊尔天名精	[12] 150	裂褶菌	[1] 280
棉豆	[6] 634	裂瓣玉凤花	[13] 744
椆树桑寄生	[3] 468	雄黄	[1]263/[14]483
棓蛋蚜	[14] 83	雄黄兰	[13] 92
棕叶狗尾草	[13] 358	雅致针毛蕨	[2] 284
棕榈	[13] 390	翘嘴红鲌	[14] 154
棕腹啄木鸟	[14] 318	翘嘴鲌	[14] 145
椰榆	[3] 230	紫丁香	[9] 562
棣棠花	[6] 78	紫马唐	[13] 224

紫云英	[6] 404	紫药红荚蒾	[11] 452
紫玉兰	[4] 176	紫柳	[3] 98
紫叶美人蕉	[13] 630	紫背天葵	[8] 316
紫芝	[1] 300	紫背金盘	[10] 444
紫灰锦蛇	[14] 231	紫背贵州鼠尾草	[10] 602
紫竹	[13] 318	紫珠	[10] 340
紫红獐牙菜	[9] 622	紫萁	[2] 14
紫花八宝	[5] 494	紫萍	[13] 468
紫花地丁	[8] 296	紫铜矿	[14] 478
紫花合掌消	[10] 58	紫麻	[3] 398
紫花含笑	[4] 202	紫弹树	[3] 202
紫花香薷	[10] 468	紫斑蝴蝶草	[11] 206
紫花重瓣木槿	[8] 130	紫萼	[12] 604
紫花前胡	[9] 70	紫萼蝴蝶草	[11] 212
紫花络石	[10] 36	紫楠	[4] 368
紫花堇菜	[8] 270	紫薇	[8] 440
紫花黄金凤	[7] 440	紫穗槐	[6] 392
紫苏	[10] 566	紫藤	[6] 724
紫苏草	[11] 118	紫露草	[13] 152
紫茉莉	[3] 628	棠叶悬钩子	[6] 284
紫茎	[5] 262	掌叶梁王茶	[9] 48
紫茎京黄芩	[10] 640	掌叶蓼	[3] 572
紫果冬青	[7] 498	掌叶覆盆子	[6] 240
紫果猕猴桃	[5] 134	掌状花耳	[1] 320
紫果槭	[7] 334	掌裂叶秋海棠	[8] 330
紫金牛	[9] 288	量天尺	[4] 130
紫单花红丝线	[11] 38	鼎湖细辛	[5] 124
紫荆	[6] 452	喇叭杜鹃	[9] 224
紫草	[10] 322	蛭石	[14] 443

蛛毛苣苔	[11] 338	黑鳗藤	[10] 110
喀西茄	[11] 70	黑鳞耳蕨	[2] 456
喙果崖豆藤	[6] 616	黑鳞珍珠茅	[13] 586
黑三棱	[13] 470	链珠藤	[10] 6
黑水鸡	[14] 304	锈毛钝果寄生	[3] 478
黑心金光菊	[12] 370	锈毛络石	[10] 42
黑龙骨	[10] 106	锈毛莓	[6] 314
黑叶菝葜	[12] 736	锈毛铁线莲	[4] 444
黑老虎	[4] 158	锈叶新木姜子	[4] 352
黑麦草	[13] 274	锐叶茴芹	[9] 148
黑壳楠	[4] 290	锐尖山香圆	[7] 578
黑足鳞毛蕨	[2] 416	锐齿楼梯草	[3] 364
黑松	[2] 626	锐齿槲栎	[3] 184
黑果荚蒾	[11] 464	短毛金线草	[3] 504
黑果菝葜	[12] 726	短毛独活	[9] 102
黑荆	[6] 378	短毛熊巴掌	[8] 492
黑草	[11] 112	短叶水蜈蚣	[13] 552
黑柄炭角菌	[1] 274	短叶决明	[6] 438
黑种草	[4] 492	短叶赤车	[3] 402
黑眉锦蛇	[14] 229	短叶罗汉松	[3] 22
黑莎草	[13] 542	短舌紫菀	[12] 96
黑翅红娘子	[14] 78	短角湿生冷水花	[3] 414
黑眶蟾蜍	[14] 188	短序十大功劳	[4] 596
黑弹树	[3] 204	短序荚蒾	[11] 436
黑腺珍珠菜	[9] 376	短序鹅掌柴	[9] 54
黑蝉	[14] 74	短尾铁线莲	[4] 416
黑熊	[14] 365	短尾越桔	[9] 260
黑蕊猕猴桃	[5] 170	短尾猴	[14] 417
黑藻	[12] 494	短茎半蒴苣苔	[11] 326

短刺虎刺	[10] 142	鹅毛玉凤花	[13] 742
短齿楼梯草	[3] 360	鹅观草	[13] 342
短药沿阶草	[12] 636	鹅肠菜	[4] 38
短柄小连翘	[5] 306	鹅掌草	[4] 394
短柄忍冬	[11] 410	鹅掌楸	[4] 166
短柄枹栎	[3] 196	稀子蕨	[2] 74
短柄紫珠	[10] 342	稀羽鳞毛蕨	[2] 434
短柱八角	[4] 138	稀花八角枫	[8] 554
短柱柃	[5] 228	稀花蓼	[3] 540
短柱络石	[10] 40	等苞蓟	[12] 160
短脉杜鹃	[9] 218	筒轴茅	[13] 344
短冠东风菜	[12] 210	筒鞘蛇菰	[3] 496
短豇豆	[6] 718	筋骨草	[10] 436
短梗八角	[4] 154	傅氏凤尾蕨	[2] 134
短梗大参	[9] 44	粤瓦韦	[2] 520
短梗天门冬	[12] 548	番木瓜	[8] 310
短梗南蛇藤	[7] 520	番红花	[13] 94
短梗重楼	[12] 660	番茄	[11] 44
短梗菝葜	[12] 746	番薯	[10] 288
短梗稠李	[6] 98	猩猩草	[7] 52
短萼海桐	[5] 624	猴头杜鹃	[9] 250
短萼黄连	[4] 472	猴欢喜	[8] 100
短葶飞蓬	[12] 224	猴樟	[4] 254
短辐水芹	[9] 126	阔叶十大功劳	[4] 590
短蕊万寿竹	[12] 580	阔叶山麦冬	[12] 630
短蕊车前紫草	[10] 328	阔叶丰花草	[10] 132
短蕊景天	[5] 526	阔叶瓦韦	[2] 526
短褶矛蚌	[14] 29	阔叶四叶葎	[10] 162
氯铜矿	[14] 477	阔叶假排草	[9] 390

阔叶猕猴桃	[5] 166	湖北蓟	[12] 162
阔叶箬竹	[13] 260	湖北楤木	[9] 28
阔萼堇菜	[8] 268	湖北算盘子	[7] 92
阔蕊兰	[13] 774	湖瓜草	[13] 558
阔瓣含笑	[4] 212	湖南山核桃	[3] 56
阔鳞鳞毛蕨	[2] 406	湖南千里光	[12] 386
普通小麦	[13] 380	湖南淫羊藿	[4] 580
普通凤丫蕨	[2] 206	湘西过路黄	[9] 404
普通伏翼蝠	[14] 342	湘南星	[13] 432
普通秋沙鸭	[14] 277	湘桂马铃苣苔	[11] 334
普通铁线蕨	[2] 184	湘桂栝楼	[8] 414
普通假毛蕨	[2] 308	湘楠	[4] 364
普通鹿蹄草	[9] 192	湿生冷水花	[3] 412
湖北大戟	[7] 64	湿地松	[2] 604
湖北小檗	[4] 550	滑石	[14] 439
湖北山楂	[6] 48	滑鼠蛇	[14] 243
湖北贝母	[12] 590	渥丹	[12] 614
湖北双蝴蝶	[9] 628	愉悦蓼	[3] 548
湖北老鹳草	[7] 14	寒兰	[13] 698
湖北地黄	[11] 192	寒鸦	[14] 328
湖北百合	[12] 616	寒莓	[6] 238
湖北杜茎山	[9] 314	疏毛吴茱萸	[7] 188
湖北附地菜	[10] 336	疏毛绣线菊	[6] 356
湖北枫杨	[3] 70	疏毛磨芋	[13] 414
湖北海棠	[6] 90	疏叶卷柏	[1] 424
湖北黄精	[12] 686	疏叶崖豆	[6] 610
湖北桦	[9] 516	疏头过路黄	[9] 392
湖北裂瓜	[8] 388	疏羽凸轴蕨	[2] 286
湖北紫荆	[6] 458	疏花卫矛	[7] 550

疏花车前	[11]	360
疏花雀麦	[13]	200
疏花蛇菰	[3]	498
疏花械	[7]	348
疏柔毛罗勒	[10]	554
隔山香	[9]	138
隔山消	[10]	88

十三画

瑞木	[5]	462
瑞香	[8]	192
赪桐	[10]	394
蒜	[12]	530
蒜芥茄	[11]	92
薯	[12]	2
鹊鸲	[14]	332
蓝叶藤	[10]	98
蓝花丹	[9]	414
蓝花凤仙花	[7]	420
蓝花参	[11]	564
蓝花琉璃繁缕	[9]	332
蓝尾石龙子	[14]	225
蓝果树	[8]	566
蓝果蛇葡萄	[8]	4
墓头回	[11]	498
蓖麻	[7]	122
蓟	[12]	164
蓬子菜	[10]	172
蓬莱葛	[9]	576

蓬蘽	[6]	260
蒺藜	[7]	24
蒲儿根	[12]	418
蒲公英	[12]	448
蒲葵	[13]	388
蒙自猕猴桃	[5]	160
蒙桑	[3]	334
椿叶花椒	[7]	214
楠木	[4]	370
楠藤	[10]	206
楝	[7]	264
楝叶吴萸	[7]	184
榄绿粗叶木	[10]	200
楸叶泡桐	[11]	170
椴叶独活	[9]	106
椴树	[8]	170
槐	[6]	680
槐叶苹	[2]	582
榆树	[3]	232
楤木	[9]	16
楼梯草	[3]	368
榉树	[3]	238
榲树	[6]	386
碎米荠	[5]	414
碎米莎草	[13]	524
碎米桠	[10]	592
碗蕨	[2]	90
鹌鹑	[14]	293
雷公连	[13]	420

雷公青冈	[3] 160	矮桃	[9] 352
雷公鹅耳枥	[3] 116	矮蒿	[12] 64
雷公藤	[7] 566	矮慈姑	[12] 486
雾水葛	[3] 448	稗	[13] 228
虞美人	[5] 358	鼠耳芥	[5] 374
睫毛萼凤仙花	[7] 410	鼠尾草	[10] 608
睡莲	[5] 58	鼠尾粟	[13] 372
暖地大叶藓	[1] 358	鼠刺	[5] 580
暗色菝葜	[12] 730	鼠掌老鹳草	[7] 16
暗黑鳃金龟	[14] 119	鼠麹草	[12] 248
照山白	[9] 236	魁蒿	[12] 68
路边青	[6] 74	微毛山矾	[9] 504
蜈蚣草	[2] 150	微毛血见愁	[10] 674
蜂斗菜	[12] 352	微毛柃	[5] 234
蜂蝇	[14] 98	微柱麻	[3] 356
蜀葵	[8] 112	微糙三脉紫菀	[12] 88
幌菊	[11] 114	貉	[14] 362
锡石	[14] 502	腰骨藤	[10] 16
锥	[3] 132	腹水草	[11] 246
锥栗	[3] 122	腺毛阴行草	[11] 200
锦鸡儿	[6] 434	腺毛莓	[6] 230
锦香草	[8] 494	腺毛高粱泡	[6] 278
锦绣杜鹃	[9] 212	腺茉莉	[10] 388
锦葵	[8] 134	腺茎柳叶菜	[8] 516
锯叶合耳菊	[12] 442	腺药珍珠菜	[9] 400
锯角豆芫菁	[14] 108	腺柳	[3] 88
矮小天仙果	[3] 268	腺梗豨莶	[12] 404
矮冬青	[7] 472	腺萼马银花	[9] 216
矮冷水花	[3] 434	腺鼠刺	[5] 584

鲇	[14]	170
鲈鲤	[14]	160
新木姜子	[4]	348
意大利蜜蜂	[14]	130
粳稻	[13]	294
慈竹	[13]	186
满山红	[9]	234
满江红	[2]	584
满树星	[7]	446
滇龙胆	[9]	596
滇白珠	[9]	200
滇黄精	[12]	680
滇黔金腰	[5]	540
滇黔蒲儿根	[12]	412
滇磨芋	[13]	418
溪边凤尾蕨	[2]	130
溪洞碗蕨	[2]	96
溪畔杜鹃	[9]	246
溪黄草	[10]	594
滨盐麸木	[7]	314
裸芸香	[7]	208
裸花水竹叶	[13]	138
裸茎囊瓣芹	[9]	158
裸柱菊	[12]	426
裸蒴	[5]	62
福氏马尾杉	[1]	382
福州薯蓣	[13]	52
福建过路黄	[9]	368
福建观音座莲	[2]	10
福建柏	[3]	4
福建蔓龙胆	[9]	584
缟蚯蚓	[14]	3

十四画

碧冬茄	[11]	50
瑶山南星	[13]	440
截叶铁扫帚	[6]	566
聚叶沙参	[11]	540
聚合草	[10]	330
聚花草	[13]	132
蔓九节	[10]	242
蔓长春花	[10]	48
蔓生白薇	[10]	86
蔓出卷柏	[1]	400
蔓赤车	[3]	406
蔓茎葫芦茶	[6]	682
蔓荆	[10]	428
蔓胡颓子	[8]	218
蔓剪草	[10]	64
蓴菜	[5]	452
蓼子草	[3]	534
榧树	[3]	48
榕叶冬青	[7]	464
榕树	[3]	292
酸叶胶藤	[10]	12
酸浆	[11]	54
酸模	[3]	600
酸模叶蓼	[3]	550

酸橙	[1]164/[7]154	膀胱蕨	[2] 348
酸藤子	[9] 300	鲍鱼	[14] 169
磁石	[14] 467	鲚鱼	[14] 139
豨莶	[12] 400	獐	[14] 385
雌黄	[14] 485	獐牙菜	[9] 610
蜡子树	[9] 540	豪猪	[14] 428
蜡莲绣球	[5] 578	豪猪刺	[4] 556
蜡梅	[4] 242	辣椒	[11] 6
蜡瓣花	[5] 464	粽叶芦	[13] 378
螺蠃	[14] 124	漆姑草	[4] 42
蜘蛛抱蛋	[12] 554	漆树	[7] 326
蜘蛛香	[11] 516	滴水珠	[13] 450
蝉花虫草	[1] 268	漏斗大孔菌	[1] 308
鹗	[14] 290	漏斗瓶蕨	[2] 64
罂粟	[5] 360	赛山梅	[9] 454
舞花姜	[13] 608	赛葵	[8] 138
舞草	[6] 466	蜜环菌	[1] 278
箐姑草	[4] 64	蜜柑草	[7] 118
箬叶竹	[13] 262	蜜蜂	[14] 128
箬竹	[13] 264	蜜蜂花	[10] 526
算盘子	[7] 90	褐毛杜英	[8] 90
管花马兜铃	[5] 104	褐苞薯蓣	[13] 72
管花鹿药	[12] 696	褐果薹草	[13] 488
管茎凤仙花	[7] 444	褐河乌	[14] 329
管茎过路黄	[9] 358	褐带环口螺	[14] 4
管萼山豆根	[6] 526	褐铁矿	[14] 469
膜叶星蕨	[2] 534	褐家鼠	[14] 425
膜蕨囊瓣芹	[9] 164	翠云草	[1] 434
膀胱果	[7] 574	翠青蛇	[14] 233

翠蓝绣线菊	[6] 354	醉蝶花	[5] 368
骡	[14] 380	蝴蝶戏珠花	[11] 476
缫丝花	[6] 216	蝴蝶花	[13] 102
		蝮蛇	[14] 258
十五画		蝼蛄	[14] 73
播娘蒿	[5] 432	墨兰	[13] 704
蕙兰	[13] 690	稻	[13] 290
蕈树	[5] 460	稻槎菜	[12] 316
蕨	[2] 112	箭叶秋葵	[8] 106
蕨叶人字果	[4] 480	箭叶蓼	[3] 590
蕨萁	[1] 458	箭竹	[13] 252
蕺菜	[5] 64	箭根薯	[13] 38
蕉芋	[13] 620	鲢	[14] 153
蕊被忍冬	[11] 392	鲥鱼	[14] 138
蕊帽忍冬	[11] 412	鲤	[14] 142
横纹金蛛	[14] 41	鲦鱼	[14] 158
樱桃	[6] 20	鲫	[14] 140
樱桃椒	[11] 10	鲫鱼胆	[9] 320
槲栎	[3] 182	瘤皮孔酸藤子	[9] 310
槲树	[3] 188	瘤茎楼梯草	[3] 370
槲寄生	[3] 490	瘤枝五味子	[4] 218
槲蕨	[2] 576	鹤顶兰	[13] 780
樟	[4] 256	鹤草	[4] 48
樟叶木防己	[5] 2	缬草	[11] 518
樟叶槭	[7] 332		
豌豆	[6] 640	**十六画**	
醉鱼草	[9] 572	鞘花	[3] 470
醉香含笑	[4] 208	鞘柄菝葵	[12] 750
醉魂藤	[10] 94	燕山蛩	[14] 44

蕗蕨	[2]	58	黔岭淫羊藿	[4]	582
薯莨	[13]	46	镜子薹草	[13]	502
薯蓣	[13]	64	穇子	[13]	234
薏米	[13]	208	篦子三尖杉	[3]	32
薏苡	[13]	210	篱栏网	[10]	294
蕹菜	[10]	286	衡山金丝桃	[5]	290
薄片变豆菜	[9]	170	雕鸮	[14]	315
薄叶山矾	[9]	472	鲮鲤	[14]	419
薄叶羊蹄甲	[6]	412	鲸	[14]	159
薄叶阴地蕨	[1]	448	鹧鸪	[14]	297
薄叶卷柏	[1]	402	磨芋	[13]	412
薄叶润楠	[4]	336	瘿椒树	[7]	576
薄叶鼠李	[7]	648	糙毛五加	[9]	6
薄叶新耳草	[10]	216	糙叶五加	[9]	8
薄果猴欢喜	[8]	98	糙叶树	[3]	200
薄柱草	[10]	222	糙苏	[10]	572
薄荷	[10]	530	糖衣鱼	[14]	48
薄雪火绒草	[12]	318	窿缘桉	[8]	460
颠茄	[11]	2	褶皮黧豆	[6]	622
薜荔	[3]	302	褶纹冠蚌	[14]	23
橉木	[6]	100			
橙黄玉凤花	[13]	746	**十七画**		
橙黄银耳	[1]	324			
橙黄硬皮马勃	[1]	286	戴胜	[14]	313
橘草	[13]	212	藓状景天	[5]	520
橘褐天牛	[14]	111	藁本	[9]	120
橐吾	[12]	330	檀梨	[3]	462
蹄叶橐吾	[12]	322	蟋蟀	[14]	71
黔阳过路黄	[9]	398	穗花杉	[3]	36

穗花香科科	[10] 664
穗状狐尾藻	[8] 548
穗序鹅掌柴	[9] 56
簕欓花椒	[7] 220
簇叶新木姜子	[4] 356
簇生卷耳	[4] 14
繁缕	[4] 56
繁穗苋	[4] 110
鹪鹩	[14] 331
爵床	[11] 284
麋鹿	[14] 398
翼梗五味子	[4] 222
翼萼凤仙花	[7] 436
骤尖楼梯草	[3] 362

十八画及以上

草薢	[13] 306
鞭打绣球	[11] 116
鞭叶耳蕨	[2] 446
鞭叶铁线蕨	[2] 180
藜	[4] 76
薤头	[12] 520
藤五加	[9] 10
藤石松	[1] 388
藤构	[3] 244
藤金合欢	[6] 382
藤黄檀	[6] 486
藤紫珠	[10] 374

蘸草	[13] 578
蘸寄生	[11] 346
檫木	[4] 372
檵木	[5] 484
瞿麦	[4] 28
蟠桃	[6] 154
镰片假毛蕨	[2] 306
镰叶冷水花	[3] 440
镰羽贯众	[2] 388
镰翅羊耳蒜	[13] 750
馥芳艾纳香	[12] 120
鼬獾	[14] 373
翻白草	[6] 126
鹰爪枫	[4] 628
藿香	[10] 434
藿香蓟	[12] 10
攀倒甑	[11] 510
鳗鲡	[14] 172
鳙	[14] 152
蟹爪兰	[4] 136
鳖	[1] 252
蘘荷	[13] 614
蠡豆	[6] 624
蠡蒿锥	[3] 140
鳜	[14] 174
鳝藤	[10] 8
鳞瓦韦	[2] 522
鳞茎堇菜	[8] 254
鳞果星蕨	[2] 508

糯米团	[3]	386	囊瓣芹	[9]	156
糯米条	[11]	370	蘱花	[10]	208
露珠珍珠菜	[9]	350	鬣羚	[14]	409
露珠草	[8]	506			
鳡	[14]	149			
鳢肠	[12]	216			
麝香百合	[12]	620			
麝鸭	[14]	278			
赣皖乌头	[4]	384			
囊颖草	[13]	352			

拉丁学名索引

《中国中药资源大典·湖南卷》1 ~ 14 册共用同一索引，为方便读者检索，该索引在每个物种名后均标注了其所在册数（如"[1]"）及页码。

A

Abelia chinensis R. Br.	[11]	370
Abelia dielsii (Graebn.) Rehd.	[11]	372
Abelia macrotera (Graebn. et Buchw.) Rehd.	[11]	374
Abelia parvifolia Hemsl.	[11]	376
Abelmoschus esculentus (L.) Moench Meth.	[8]	102
Abelmoschus sagittifolius (Kurz) Merr.	[8]	106
Abelmoschus manihot (L.) Medicus Malv.	[8]	104
Abutilon striatum Dickson.	[8]	108
Abutilon theophrasti Medicus Malv.	[8]	110
Acacia mearnsii De Wild.	[6]	378
Acacia pennata (L.) Willd.	[6]	380
Acacia sinuata (Lour.) Merr.	[6]	382
Acalypha australis L.	[7]	34
Acalypha brachystachya Horn.	[7]	36
Acanthopanax evodiifolius Franch.	[9]	2
Acanthopanax gracilistylus W. W. Smith	[1]182/[9]4	
Acanthopanax henryi Oliv.	[9]	8
Acanthopanax leucorrhizus (Oliv.) Harms	[9]	10
Acanthopanax trifoliatus (L.) Merr.	[9]	12
Acanthopanax gracilistylus W. W. Smith var. *nodiflorus* (Dunn) Li	[9]	6
Accipiter gentilis (Linnaeus)	[14]	285
Acer buergerianum Miq.	[7]	328

Acer catalpifolium Rehd.	[7]	330
Acer cinnamomifolium Hayata	[7]	332
Acer cordatum Pax	[7]	334
Acer davidii Franch.	[7]	336
Acer elegantulum Fang et P. L. Chin	[7]	338
Acer fabri Hance	[7]	340
Acer henryi Pax	[7]	342
Acer kweilinense Fang et Fang f.	[7]	344
Acer laevigatum Wall.	[7]	346
Acer laxiflorum Pax	[7]	348
Acer oblongum Wall. ex DC.	[7]	350
Acer oliverianum Pax	[7]	352
Acer Palmatum Thunb.	[7]	354
Acer sinense Pax	[7]	356
Acer truncatum Bunge	[7]	358
Achillea alpina L.	[12]	2
Achillea wilsoniana Heimerl ex Hand.-Mazz.	[12]	4
Achyranthes aspera L.	[4]	90
Achyranthes aspera L. var. *argentea* (Thwaites) Hook. f.	[4]	94
Achyranthes bidentata Blume.	[4]	96
Achyranthes longifolia (Makino) f. *rubra* Ho	[4]	100
Achyranthes longifolia (Makino) Makino	[4]	98
Acipenser dabryanus (Dumeril)	[14]	135
Acipenser sinensis (Gray)	[14]	134
Aconitum cannabifolium Franch. ex Finet et Gagnep.	[4]	378
Aconitum carmichaelii Debx.	[4]	380
Aconitum finetianum Hand.-Mazz.	[4]	384
Aconitum hemsleyanum Pritz.	[4]	386

Aconitum henryi Pritz.	[4]	388
Aconitum scaposum Franch.	[4]	390
Acorus calamus L.	[13]	394
Acorus gramineus Soland.	[13]	398
Acorus tatarinowii Schott	[1]232/[13]400	
Acrida cinerea (Thunberg)	[14]	67
Acridotheres cristatellus (Linnaeus)	[14]	323
Acrophorus stipellatus (Wall.) Moore	[2]	370
Actinidia arguta (Sieb. et Zucc.) Planch. ex Miq.	[5]	136
Actinidia arguta (Sieb. et Zucc.) Planch. ex Miq. var. *purpurea* (Rehd.) C. F. Liang	[5]	134
Actinidia callosa Lindl. var. *discolor* C. F. Liang	[5]	138
Actinidia callosa Lindl. var. *henryi* Maxim.	[5]	140
Actinidia chinensis Planch.	[5]	142
Actinidia chinensis Planch. var. *hispida* C. F. Liang	[5]	146
Actinidia chrysantha C. F. Liang	[5]	148
Actinidia eriantha Benth.	[5]	150
Actinidia fortunatii Fin. et Gagn.	[5]	154
Actinidia fulvicoma Hance	[5]	156
Actinidia fulvicoma Hance var. *lanata* (Hemsl.) C. F. Liang	[5]	158
Actinidia henryi Dunn	[5]	160
Actinidia kolomikta (Maxim. et Rupr.) Maxim.	[5]	162
Actinidia lanceolata Dunn	[5]	164
Actinidia latifnlia (Gardner et Champ.) Merr.	[5]	166
Actinidia liangguangensis C. F. Liang	[5]	168
Actinidia melanandra Franch.	[5]	170
Actinidia melliana Hand.-Mazz.	[5]	172
Actinidia polygama (Sieb. et Zucc.) Maxim.	[5]	174

Actinidia rubricaulis Dunn	[5]	180
Actinidia rubricaulis Dunn var. *coriacea* (Fin. et Gagn.)		
C. F. Liang	[5]	176
Actinidia sabiifolia Dunn	[5]	182
Actinidia trichogyna Franch.	[5]	184
Actinidia valvata Dunn	[5]	186
Actinodaphne cupularis (Hemsl.) Gamble	[4]	244
Actinostemma tenerum Griff.	[8]	332
Acystopteris japonica (Luerss.) Nakai	[2]	218
Adelostemma microcentrum Tsiang	[10]	52
Adenocaulon himalaicum Edgew.	[12]	6
Adenophora capillaris Hemsl.	[11]	526
Adenophora hunanensis Nannf.	[11]	528
Adenophora sinensis A. DC.	[11]	530
Adenophora stenanthina (Ledeb.) Kitag.	[11]	532
Adenophora stricta Miq.	[11]	534
Adenophora stricta Miq. subsp. *sessilifolia* D. Y. Hong	[11]	536
Adenophora tetraphylla (Thunb.) Fisch.	[11]	538
Adenophora wilsonii Nannf.	[11]	540
Adenosma glutinosum (L.) Druce.	[11]	102
Adenosma indianum (Lour.) Merr.	[11]	104
Adenostemma lavenia (L.) O. Kuntze	[12]	8
Adiantum capillus-junonis Rupr.	[2]	174
Adiantum capillus-veneris L.	[2]	176
Adiantum caudatum L.	[2]	180
Adiantum edentulum Christ	[2]	182
Adiantum edgeworthii Hook.	[2]	184
Adiantum erythrochlamys Diels	[2]	186

Adiantum flabellulatum L.	[2]	188
Adiantum gravesii Hance	[2]	190
Adiantum malesianum Ghatak	[2]	192
Adiantum monochlamys Eaton	[2]	194
Adiantum myriosorum Baker	[2]	196
Adina pilulifera (Lam.) Franch. ex Drake	[10]	124
Adina rubella Hance	[10]	126
Adinandra bockiana Pritz. ex Diels	[5]	188
Adinandra millettii (Hook. et Arn.) Benth. et Hook. f. ex Hance	[5]	190
Aeginetia indica L.	[11]	342
Aegopodium henryi Diels	[9]	62
Aeschynomene indica L.	[6]	384
Aesculus chinensis Bunge	[7]	376
Aesculus chinensis var. *wilsonii* (Rehder) Turland et N. H. Xia	[7]	378
Agastache rugosa (Fisch. et Mey.) O. Ktze.	[10]	434
Agave americana L.	[13]	6
Agelena labyrinthica (Clerck)	[14]	43
Ageratum conyzoides L.	[12]	10
Agkistrodon halys (Pallas)	[14]	258
Aglaia odorata Lour.	[7]	260
Aglaonema modestum Schott ex Engl.	[13]	404
Agrimonia nipponica Koidz. var. *occidentalis* Skalicky	[6]	2
Agrimonia pilosa (D. Don) Nakai var. *nepalensis*	[6]	8
Agrimonia pilosa Ldb.	[6]	4
Agriolimax agrcstis (Linnaeus)	[14]	15
Agrostis matsumurae Hack. ex Honda	[13]	166
Aidia canthioides (Champ. ex Benth.) Masam.	[10]	128
Aidia cochinchinensis Lour.	[10]	130

Ailanthus altissima (Mill.) Swingle	[7]	252
Ainsliaea fragrans Champ.	[12]	12
Ainsliaea glabra Hemsl.	[12]	14
Ainsliaea gracilis Franch.	[12]	16
Ainsliaea grossedentata Franch.	[12]	18
Ainsliaea henryi Diels	[12]	20
Ainsliaea latifolia (D. Don) Sch.-Bip.	[12]	22
Ainsliaea macroclinidioides Hayata	[12]	24
Ainsliaea walkeri Hook. f.	[12]	26
Aix galericulata (Linnaeus)	[14]	274
Ajuga ciliata Bunge	[10]	436
Ajuga decumbens Thunb.	[10]	438
Ajuga nipponensis Makino	[10]	444
Ajuga multiflora Bunge	[10]	442
Akebia quinata (Houtt.) Decne.	[4]	612
Akebia trifoliata (Thunb.) Koidz.	[4]	616
Akebia trifoliata subsp. *australis* (Diels) T. Shimizu	[4]	620
Alangium chinense (Lour.) Harms subsp. *pauciflorum* Fang	[8]	554
Alangium chinense (Lour.) Harms	[8]	552
Alangium faberi Oliv.	[8]	556
Alangium kurzu Craib	[8]	558
Alangium kurzii Craib var. *handelii* (Schnarf) Fang	[8]	560
Albizia chinensis (Osbeck) Merr.	[6]	386
Albizia julibrissin Durazz.	[6]	388
Albizia kalkora (Roxb.) Prain	[6]	390
Alchornea davidii Franch.	[7]	38
Alchornea trewioides (Benth.) Muell. Arg.	[7]	40
Aletris spicata (Thunb.) Franch.	[12]	514

Aleuritopteris argentea (Gmél.) Fée	[2]	156
Aleuritopteris pseudofarinosa Ching et S. K. Wu	[2]	160
Alisma canaliculatum A. Braun et Bouche.	[12]	474
Alisma orientale (Samuel.) Juz.	[12]	478
Allantodia chinensis (Baker) Ching	[2]	220
Allantodia dilatata (Bl.) Ching	[2]	224
Allantodia metteniana (Miq.) Ching	[2]	226
Allantodia okudairai (Makino) Ching	[2]	228
Allemanda neriifolia Hook.	[10]	2
Allium ascalonicum L.	[12]	516
Allium cepa L.	[12]	518
Allium chinense G. Don	[12]	520
Allium fistulosum L.	[12]	522
Allium hookeri Thwaites	[12]	524
Allium macrostemon Bunge.	[12]	526
Allium ovalifolium Hand.-Mzt.	[12]	528
Allium sativum L.	[12]	530
Allium tuberosum Rottler. ex Spreng.	[12]	532
Allium victorialis L.	[12]	536
Allolobophora caliginosa trapezoids (Duges)	[14]	3
Allomyrina dichotoma (Linnaeus)	[14]	118
Alniphyllum fortunei (Hemsl.) Makino	[9]	444
Alnus cremastogyne Burk.	[3]	100
Alnus trabeculosa Hand.-Mazz.	[3]	102
Alocasia cucullata (Lour.) Schott	[13]	406
Alocasia macrorrhiza (L.) Schott	[13]	408
Aloe vera L. var. *chinensis* (Haw.) Berg.	[12]	538
Alopecurus aequalis Sobol.	[13]	168

Alopecurus japonicus Steud.	[13]	170
Alpinia chinensis (Retz.) Rosc.	[13]	592
Alpinia japonica (Thunb.) Miq.	[13]	594
Alpinia zerumbet (Pers.) Burtt. et Smith	[13]	596
Alsophila spinulosa (Wall. ex Hook.) R. M. Tryon	[2]	472
Alternanthera philoxeroides (Mart.) griseb.	[4]	102
Alternanthera sessilis (L.) DC.	[4]	104
Althaea rosea (L.) Cavan. Diss.	[8]	112
Altingia chinensis (Champ.) Oliver ex Hance	[5]	460
Alyxia schlechteri Lévl.	[10]	4
Alyxia sinensis Champ. ex Benth.	[10]	6
Amaranthus hybridus L.	[4]	106
Amaranthus lividus L.	[4]	108
Amaranthus paniculatus L.	[4]	110
Amaranthus retroflexus L.	[4]	112
Amaranthus spinosus L.	[4]	114
Amaranthus tricolor L.	[4]	116
Amaranthus viridis L.	[4]	118
Ambrosia artemisiifolia L.	[12]	28
Amelanchier sinica (Schneid.) Chun	[6]	10
Amentotaxus argotaenia (Hance) Pilger	[3]	36
Amitostigma gracile (Bl.) Schltr.	[13]	634
Ammannia baccifera L.	[8]	436
Amomum austrosinense D. Fang	[13]	598
Amorpha fruticosa L.	[6]	392
Amorphophallus dunnii Tutcher	[13]	410
Amorphophallus rivieri Durieu	[13]	412
Amorphophallus sinensis Belval	[13]	414

Amorphophallus yunnanensis Engl.	[13]	418
Ampelopsis bodinieri (Lévl. et Vant.) Rehd.	[8]	4
Ampelopsis bodinieri (Lévl. et Vant.) Rehd. var. *cinerea* (Gagnep.) Rehd.	[8]	2
Ampelopsis cantoniensis (Hook. et Arn.) Planch.	[8]	6
Ampelopsis chaffanjoni (Lévl. et Vant.) Rehd.	[8]	8
Ampelopsis delavayana Planch.	[8]	10
Ampelopsis heterophylla (Thunb.) Sieb. et Zucc.	[8]	14
Ampelopsis heterophylla (Thunb.) Sieb. et Zucc. var. *hancei* Planch.	[8]	20
Ampelopsis heterophylla (Thunb.) Sieb. et Zucc. var. *kulingensis* (Rehd.) C. L. Li	[8]	16
Ampelopsis japonica (Thunb.) Makino	[8]	22
Ampelopsis rubifolia (Wall.) Planch.	[8]	26
Ampelopsis glandulosa (Wallich) Momiyama	[8]	12
Ampelopsis grossedentata (Hand.-Mazz.) W. T. Wang	[8]	18
Ampelopsis megalophylla Diels et Gilg	[8]	24
Amphicarpaea edgeworthii Benth.	[6]	394
Amphiesma stolata (Linnaeus)	[14]	240
Amydrium sinense (Engl.) H. Li	[13]	420
Amygdalus persica L.	[6]	150
Amygdalus persica L. var. *compressa* (Loud.) T T. Yu	[6]	154
Anagallis arvensis L.	[9]	330
Anagallis arvensis L. f. *coerulea* (Schreb.) Arechav.	[9]	332
Anaphalis contorta (D. Don) Hook. f.	[12]	30
Anaphalis margaritacea (L.) Benth. et Hook. f.	[12]	32
Anaphalis margaritacea (L.) Benth. et Hook. f. var. *cinnamomea* (DC.) Herder. ex Masim	[12]	34

Anaphalis sinica Hance	[12]	36
Anas fabalis (Latham)	[14]	272
Anas platyrhynchos (Linnaeus)	[14]	269
Anas platyrhynchos domestica (Linnaeus)	[14]	270
Anas poecilorhyncha (Forster)	[14]	273
Anax parthenope (Selys)	[14]	54
Ancylostemon saxatilis (Hemsl.) Craib	[11]	294
Androsace henryi Oliv	[9]	334
Androsace umbellata (Lour.) Merr.	[9]	336
Anemone davidii Franch.	[4]	392
Anemone flaccida Fr. Schmidt	[4]	394
Anemone hupehensis Lem.	[4]	396
Anemone rivularis Buch.-Ham. ex DC.	[4]	398
Anemone tomentosa (Maxim.) Péi	[4]	400
Angelica biserrata (Shan et Yuan) Yuan et Shan	[9]	64
Angelica dahurica (Fisch. ex Hoffm.) Benth. et Hook. f. ex Franch. et Sav.	[9]	66
Angelica dahurica 'Hangbaizhi'	[1]	186
Angelica dahurica 'Hangbaizhi' C. Q. Yuan et Shan	[9]	68
Angelica decursiva (Miq.) Franch. et Sav.	[9]	70
Angiopteris fokiensis Hieron.	[2]	10
Anguilla japonica (Temminck et Schlegel)	[14]	172
Aniseia biflora (L.) Choisy	[10]	270
Anisocampium sheareri (Baker) Ching	[2]	230
Anodendron affine (Hook. et Arn.) Druce	[10]	8
Anodonta woodiana woodiana (Lea)	[14]	27
Anoectochilus moulmeinensis (Par. et Rchb. f.) Seidenf.	[13]	636
Anoectochilus roxburghii (Wall.) Lindl.	[13]	638

Anoplophora chinensis (Forster)	[14]	114
Anredera cordifolia (Tenore) Steenis	[4]	8
Anser cygnoides domestica (Brisson)	[14]	264
Anser cygoides (Linnaeus)	[14]	266
Antenoron filiforme (Thunb.) Roberty et Vautier	[3]	502
Antenoron neofiliforme (Nakai) H. Hara	[3]	504
Antheraea pernyi (Guerin-Meneville)	[14]	95
Anthriscus sylvestris (L.) Hoffm.	[9]	72
Antidesma bunius (L.) Spreng.	[7]	42
Antidesma venosum E. Mey. ex Tul.	[7]	44
Antirrhinum majus L.	[11]	106
Antrophyum obovatum Bak.	[2]	114
Aphananthe aspera (Thunb.) Planch.	[3]	200
Apios carnea (Wall.) Benth. ex Baker	[6]	396
Apios fortunei Maxim.	[6]	398
Apis cerana (Fabricius)	[14]	128
Apis cerana cerana (Fabriciu)	[14]	125
Apis mellifera ligustica (Spin.)	[14]	130
Apium leptophyllum (Pers.) F. Muell.	[9]	76
Apium graveolens L.	[9]	74
Apluda mutica L.	[13]	172
Apriona germari (Hopen)	[14]	113
Aquila chrysaetos (Linnaeus)	[14]	287
Arabidopsis thaliana (L.) Heynh.	[5]	374
Arabis paniculata Franch.	[5]	376
Arachis hypogaea L.	[6]	400
Arachniodes amoena (Ching) Ching	[2]	372
Arachniodes chinensis (Rosenst.) Ching	[2]	374

Arachniodes exilis (Hance) Ching	[2]	376
Arachniodes rhomboidea (Wall. ex Mett.) Ching	[2]	378
Arachniodes simplicior (Makino) Ohwi	[2]	382
Arachniodes speciosa (D. Don) Ching	[2]	384
Aralia armata (Wall.) Seem.	[9]	14
Aralia cordata Thunb.	[9]	18
Aralia dasyphylla Miq.	[9]	20
Aralia decaisneana Hance	[9]	22
Aralia echinocaulis Hand.-Mazz.	[9]	24
Aralia elata (Miq.) Seem.	[9]	16
Aralia henryi Harms	[9]	26
Aralia hupehensis Hoo	[9]	28
Aralia spinifolia Merr.	[9]	30
Aralia undulata Hand.-Mazz.	[9]	32
Aranea ventricosa (L. Koch)	[14]	39
Araucaria cunninghamii Sweet	[2]	594
Arctia caja (Linnaeus)	[14]	94
Arctium lappa L.	[12]	38
Arctonyx collaris (Cuvier)	[14]	370
Ardeola bacchus (Bonaparte)	[14]	284
Ardisia affinis Hemsl.	[9]	268
Ardisia alyxiifolia Tsiang ex C. Chen	[9]	270
Ardisia brevicaulis Diels	[9]	272
Ardisia chinensis Benth.	[9]	274
Ardisia crenata Sims	[9]	276
Ardisia crenata Sims var. *bicolor* (E. Walker) C. Y. Wu et C. Chen	[9]	278
Ardisia crispa (Thunb.) A. DC.	[9]	280

Ardisia ensifolia Walker	[9]	282
Ardisia faberi Hemsl.	[9]	284
Ardisia hanceana Mez	[9]	286
Ardisia japonica (Thunb.) Blume.	[9]	288
Ardisia primulaefolia Gardner et Champ.	[9]	292
Ardisia punctata Lindl.	[9]	294
Ardisia pusilla A. DC.	[9]	296
Ardisia quinquegona Bl.	[9]	298
Ardisia mamillata Hance	[9]	290
Arenaria serpyllifolia L.	[4]	12
Argiope amoena (L. Koch)	[14]	42
Argiope bruennichii (Scopoli)	[14]	41
Arisaema asperatum N. E. Brown	[13]	422
Arisaema du-bois-reymondiae Engl.	[13]	424
Arisaema erubescens (Wall.) Schott	[13]	426
Arisaema franchetianum Engl.	[13]	428
Arisaema heterophyllum Blume	[13]	430
Arisaema hunanense Hand.-Mazz.	[13]	432
Arisaema lobatum Engl.	[13]	434
Arisaema sikokianum Franch. var. *serratum* (Makino)		
Hand.-Mazt.	[13]	436
Arisaema sinii Krause	[13]	440
Aristichtys nobils (Richardson)	[14]	152
Aristolochia debilis Sieb. et Zucc.	[5]	92
Aristolochia kaemoferi Willd. f. *heterophylla* (Hemsl.)		
S. M. Hwang	[5]	96
Aristolochia mollissima Hance	[5]	98
Aristolochia moupinensis Franch.	[5]	100

Aristolochia tuberosa C. F. Liang et S. M. Hwang	[5]	102
Aristolochia tubiflora Dunn	[5]	104
Armadillidium vulgare (Latreille)	[14]	37
Armeniaca mume Sieb.	[6]	146
Armeniaca vulgaris Lam.	[6]	140
Armillaria mellea (Vahl) P. Kumm.	[1]	278
Artemisia annua L.	[12]	42
Artemisia anomala S. Moore	[12]	44
Artemisia anomala S. Moore var. *tomentella* Hand. Mazz.	[12]	46
Artemisia argyi Lévl. et Van.	[1]204/[12]48	
Artemisia capillaris Thunb.	[12]	50
Artemisia caruifolia Buch.-Ham. ex Roxb.	[12]	52
Artemisia eriopoda Bunge.	[12]	54
Artemisia indica Willd.	[12]	56
Artemisia japonica Thunb.	[12]	58
Artemisia lactiflora Wall. ex DC.	[12]	60
Artemisia lancea Vant.	[12]	64
Artemisia lavandulifolia DC.	[12]	66
Artemisia princeps Pamp.	[12]	68
Artemisia roxburghiana Bess.	[12]	70
Artemisia sacrorum Ledeb.	[12]	72
Artemisia scoparia Waldst. & Kit.	[12]	74
Artemisia selengensis Turcz. ex Bess.	[12]	76
Artemisia sylvatica Maxim.	[12]	78
Artemisia verlotorum Lamotte.	[12]	80
Arthraxon hispidus (Thunb.) Makino	[13]	174
Arthromeris lehmannii (Mett.) Ching	[2]	476
Arthromeris mairei (Brause) Ching	[2]	480

Aruncus sylvester Kostel.	[6]	12
Arundina graminifolia (D. Don) Hochr.	[13]	640
Arundinella anornala Steud	[13]	176
Arundinella hirta (Thunb.) Tanaka	[13]	178
Arundo donax L.	[13]	180
Asarum caudigerum Hance	[5]	106
Asarum chinense Franch.	[5]	108
Asarum debile Franch.	[5]	110
Asarum forbesii Maxim.	[5]	112
Asarum ichangense C. Y. Cheng et C. S. Yang	[5]	114
Asarum insigne Diels	[5]	118
Asarum magnificum Tsiang ex C. Y. Cheng et C. S. Yang	[5]	120
Asarum magnificum Tsiang ex C. Y. Cheng et C. S. Yang var. dinghuense C. Y. Cheng et C. S. Yang	[5]	124
Asarum maximum Hemsl.	[5]	126
Asarum pulchellum Hemsl.	[5]	128
Asarum sieboldii Miq.	[5]	130
Asarum wulingense C. F. Liang	[5]	132
Asclepias curassavica L.	[10]	54
Asparagus acicularis Wang et S. C. Chen	[12]	542
Asparagus cochinchinensis (Lour.) Merr.	[12]	544
Asparagus filicinus Ham. ex D. Don	[12]	546
Asparagus lycopodineus Wall. ex Baker	[12]	548
Asparagus officinalis L.	[12]	550
Asparagus setaceus (Kunth) Jessop	[12]	552
Aspidistra elatior Bl.	[12]	554
Aspidistra lurida Ker-Gawl.	[12]	556
Aspidistra minutiflora Stapf	[12]	558

Aspidistra omeiensis Z. Y. Zhu	[12]	560
Asplenium austro-chinense Ching	[2]	312
Asplenium coenobiale Hance	[2]	314
Asplenium crinicaule Hance	[2]	316
Asplenium ensiforme Wall. ex Hook. et Grev.	[2]	318
Asplenium griffithianum Hook.	[2]	320
Asplenium incisum Thunb.	[2]	322
Asplenium indicum Sledge	[2]	328
Asplenium normale Don	[2]	324
Asplenium pekinense Hance	[2]	326
Asplenium prolongatum Hook.	[2]	330
Asplenium sarelii Hook.	[2]	332
Asplenium saxicola Rosent.	[2]	334
Asplenium trichomanes L.	[2]	336
Asplenium tripteropus Nakai	[2]	338
Asplenium unilaterale Lam.	[2]	340
Asplenium varians Wall. ex Hook. et Grev.	[2]	342
Asplenium wrightii Eaton ex Hook.	[2]	344
Aspongopus chinensis (Dallas)	[14]	84
Aster ageratoides Turcz.	[12]	82
Aster ageratoides Turcz. var. *lasiocladus* (Hayata) Hand.-Mazz.	[12]	84
Aster ageratoides Turcz. var. *laticorymbus* (Vant.) Hand.-Mazz.	[12]	86
Aster ageratoides Turcz. var. *scaberulus* (Miq.) Y. Ling.	[12]	88
Aster albescens (DC.) Hand.-Mazz.	[12]	90
Aster baccharoides (Benth.) Steetz.	[12]	92
Aster panduratus Nees ex Walp.	[12]	94
Aster sampsonii (Hance) Hemsl.	[12]	96
Asteropyrum cavaleriei (Lévl. et Vant.) Drumm. et Hutch.	[4]	402

Astilbe chinensis (Maxim.) Franch. et Sav.	[5]	532
Astilbe grandis Stapf ex E. H. Wilson	[5]	534
Astilbe macrocarpa Knoll	[5]	536
Astraeus hygrometricus (Pers.) Morgan	[1]	284
Astragalus sinicus L.	[6]	404
Asyneuma chinense D. Y. Hong	[11]	542
Asystasiella neesiana (Wall.) Lindau	[11]	260
Athyriopsis japonica (Thunb.) Ching	[2]	232
Athyriopsis petersenii (Kunze) Ching	[2]	234
Athyrium iseanum Rosenst.	[2]	236
Athyrium pubicostatum Ching et Z. Y. Liu	[2]	238
Athyrium sinense Rupr.	[2]	240
Athyrium wardii (Hook.) Makino	[2]	242
Athyrium yokoscense (Franch. et Sav.) Christ	[2]	244
Atractylodes lancea (Thunb.) DC.	[12]	100
Atractylodes macrocephala Koidz.	[1]208/[12]102	
Atropa belladonna L.	[11]	2
Atropanthe sinensis (Hemsl.) Pascher	[11]	4
Aucklandia lappa Decne.	[12]	104
Aucuba chinensis Benth.	[8]	568
Aucuba himalaica Hook. f. et Thoms.	[8]	572
Aucuba himalaica Hook. f. et Thoms. var. *dolichophylla* Fang et Soong	[8]	574
Aucuba himalaica Hook. f. et Thoms. var. *pilossima* Fang et Soong	[8]	570
Aucuba japonica Thunb. var. *variegata* Dombr.	[8]	576
Aucuba obcordata (Rehd.) Fu	[8]	578
Auricularia auricula (L.) Underw.	[1]	294

Auricularia cornea Ehrenb. [1] 292

Avena fatua L. [13] 182

Azolla imbricata (Roxb.) Nakai [2] 584

B

Balanophora harlandii Hook. f. [3] 494

Balanophora involucrata Hook. f. [3] 496

Balanophora laxiflora Hemsl. [3] 498

Balanophora subcupularis Tam [3] 500

Bambusa chungii Mc Clure [13] 184

Bambusa multiplex (Lour.) Raeusch. cv. *fernleaf* R. A. Young [13] 190

Bambusa multiplex (Lour.) Raeuschel ex J. A. ex J. H. Schult. [13] 188

Bambusicola thoracica (Temminck) [14] 294

Barthea barthei (Hance) Krass. [8] 474

Basella alba L. [4] 10

Batocera horsfieldi (Hope) [14] 109

Bauhinia championii (Benth.) Benth. [6] 406

Bauhinia glauca (Wall. ex Benth.) Benth. [6] 408

Bauhinia glauca (Wall. ex Benth.) Benth. subsp. *hupehana*

(Craib) T. C. Chen [6] 410

Bauhinia glauca (Wall. ex Benth.) Benth. subsp. *tenuiflora*

(Watt. ex C. B. Clarke) K. et S. S. Larsen [6] 412

Bauhinia purpurea L. [6] 414

Bauhinia variegata L. [6] 416

Beckmannia syzigachne (Steud.) Fern. [13] 192

Beesia calthifolia (Maxim.) Ulbr. [4] 404

Begonia circumlobata Hance [8] 312

Begonia crassirostris Irmsch. [8] 324

Begonia edulis Lévl.	[8]	314
Begonia fimbristipula Hance.	[8]	316
Begonia henryi Hemsl.	[8]	322
Begonia palmata D. Don	[8]	326
Begonia palmata D. Don var. *bowringiana* (Champ. ex Benth.)		
J. Golding et C. Kareg.	[8]	328
Begonia pedatifida Lévl.	[8]	330
Begonia grandis Dry.	[8]	318
Begonia grandis Dry. subsp. *sinensis* (A. DC.) Irmscher.	[8]	320
Belamcanda chinensis (L.) DC.	[13]	90
Bellamya guadrata (Benson)	[14]	11
Bellamya purificata (Heude)	[14]	13
Benincasa hispida (Thunb.) Cogn.	[8]	334
Benincasa hispida (Thunb.) Cogn. var. *chieh-qua* F. C. How	[8]	338
Berberis chingii Cheng	[4]	548
Berberis gagnepainii Schneid.	[4]	550
Berberis henryana Schneid.	[4]	552
Berberis impedita Schneid.	[4]	554
Berberis julianae Schneid.	[4]	556
Berberis poiretii Schneid.	[4]	558
Berberis soulieana Schneid.	[4]	560
Berberis triacanthophora Fedde	[4]	562
Berberis veitchii Schneid.	[4]	564
Berberis virgetorum Schneid.	[4]	566
Berchemia floribunda (Wall.) Brongn.	[7]	610
Berchemia huana Rehd.	[7]	612
Berchemia kulingensis Schneid.	[7]	614
Berchemia lineata (L.) DC.	[7]	616

Berchemia polyphylla Wall. ex Laws. [7] 618

Berchemia polyphylla Wall. ex Laws. var. *leioclada*

    Hand.-Mazz. [7] 620

Berchemia sinica Schneid. [7] 622

Beta vulgaris L. [4] 70

Beta vulgaris L. var. *cicla* L. [4] 72

Betula alnoides Buch.-Ham. ex D. Don [3] 104

Betula austrosinensis Chun ex P. C. Li [3] 106

Betula insignis Franch. [3] 108

Betula luminifera H. Winkl. [3] 110

Bidens bipinnata L. [12] 106

Bidens biternata (Lour.) Merr. et Sherff. [12] 108

Bidens frondosa L. [12] 110

Bidens pilosa L. [12] 112

Bidens pilosa L. var. *radiata* Sch.-Bip. [12] 114

Bidens tripartita L. [12] 116

Bischofia polycarpa (Lévl.) Airy Shaw [7] 46

Blainvillea acmella (L.) Philipson [12] 118

Blastus pauciflorus (Benth.) guillaum. [8] 476

Blatta orientalis (Linnaeus) [14] 57

Blechnum orientale L. [2] 350

Bletilla formosana (Hayata) Schltr. [13] 642

Bletilla ochracea Schltr. [13] 644

Bletilla striata (Thunb. ex A. Murry) Rchb. f. [13] 648

Blumea aromatica DC. [12] 120

Blumea formosana Kitam. [12] 122

Blumea hieracifolia (D. Don) DC. [12] 124

Blumea lacera (Burm. f.) DC. [12] 126

Blumea lanceolaria (Roxb.) Druce	[12]	128
Blumea megacephala (Randeria) C. C. Chang et Y. Q. Tseng	[12]	130
Blumea mollis (D. Don) Merr.	[12]	132
Boea clarkeana Hemsl.	[11]	296
Boea hygrometrica (Bunge) R. Br.	[11]	298
Boehmeria clidemicides Miq. var. *diffusa* (Wedd.) Hand.-Mazz.	[3]	336
Boehmeria densiglomerata W. T. Wang	[3]	338
Boehmeria formosana Hayata	[3]	340
Boehmeria gracilis C. H. Wright	[3]	342
Boehmeria longispica Steud.	[3]	344
Boehmeria nivea (L.) Gaudich.	[3]	346
Boehmeria spicata (Thunb.) Thunb.	[3]	350
Boehmeria tricuspis (Hance) Makino	[3]	352
Boenninghausenia albiflora (Hook.) Reichb. ex Meisn.	[7]	152
Boerhavia erecta L.	[3]	624
Bolbitis heteroclita (Presl) Ching	[2]	466
Bolbitis subcordata (Cop.) Ching	[2]	468
Bombyx mori (Linnaeus)	[14]	88
Borreria latifolia (Aubl.) K. Schum.	[10]	132
Borreria stricta (L. f.) G. mey.	[10]	134
Bos taurus domesticus (Gmelin)	[14]	401
Bostrychanthera deflexa Benth.	[10]	446
Bothriochloa bladhii (Retz.) S. T. Blake	[13]	194
Bothriospermum chinense Bge.	[10]	306
Bothriospermum tenellum (Hornem.) Fisch. et Mey.	[10]	308
Bothrocaryum controversum (Hemsl.) Pojark.	[8]	580
Botrychium daucifolium Wall.	[1]	448
Botrychium japonicum (Prantl) Underw.	[1]	450

Botrychium ternatum (Thunb.) Sw.	[1]	454
Botrychium virginianum (L.) Sw.	[1]	458
Bougainvillea glabra Choisy	[3]	626
Brachiaria villosa (Lam.) A. Camus	[13]	196
Bradybaena kingsiensis (Martens)	[14]	20
Bradybaena similaris (Ferussac)	[14]	19
Brandisia hancei Hook. f.	[11]	108
Brandisia swinglei Merr.	[11]	110
Brasenia schreberi J. F. Gmel.	[5]	44
Brassica alboglabra L. H. Bailey	[5]	378
Brassica campestris L.	[5]	380
Brassica chinensis L.	[5]	382
Brassica chinensis var. *oleifera* Makino et Nemoto	[5]	384
Brassica juncea (L.) Czern. et Coss.	[5]	386
Brassica juncea (L.) Czern. et Coss. var. *gracilis* Tsen et Lee	[5]	388
Brassica juncea (L.) Czern. et Coss. var. *multiceps* Tsen et Lee	[5]	390
Brassica juncea (L.) Czern. et Coss. var. *multisecta* L. H. Bailey	[5]	392
Brassica napiformis L. H. Bariley	[5]	394
Brassica oleracea L. var. *botrytis* L.	[5]	398
Brassica oleracea var. *acephala* L. f. *tricolor* Hort.	[5]	400
Brassica oleracea var. *capitata* L.	[5]	396
Brassica pekinensis (Lour.) Rupr.	[5]	402
Bredia longiloba (Hand.-Mazz.) Diels	[8]	478
Bredia quadrangularis Cogn.	[8]	480
Bredia sinensis (Diels) H. L. Li	[8]	482
Bretschneidera sinensis Hemsl.	[7]	360
Briggsia mihieri (Franch.) Craib	[11]	300
Briggsia speciosa (Hemsl.) Craib	[11]	302

Bromus japonica Thumb. ex Murr. [13] 198

Bromus remotiflorus (Steud.) Ohwi [13] 200

Broussonetia kaempferi Sieb. var. *australis* Suzuki [3] 244

Broussonetia kazinoki Sieb. [3] 246

Broussonetia papyifera (L.) L'Hert. ex Vent. [3] 248

Bubalus bubalis (Linnaeus) [14] 399

Bublophyllum kwangtungense Schltr. [13] 654

Bubo bubo (Linnaeus) [14] 315

Bubulcus ibis (Linnaeus) [14] 283

Buchnera cruciata Hamilt. [11] 112

Buddleja albiflora Hemsl. [9] 566

Buddleja asiatica Lour. [9] 568

Buddleja davidii Franch. [9] 570

Buddleja lindleyana Fortune [9] 572

Buddleja officinalis Maxim. [9] 574

Bufo bufo gargarizans (Cantor) [14] 184

Bufo melanostictus (Schneider) [14] 188

Bulbophyllum andersonii (Hook. f.) J. J. Smith [13] 652

Bulbophyllum pectenveneris (Gagnep.) Seidenf. [13] 656

Bulbostylis barbata (Rottb.) Kunth [13] 478

Bulbostylis densa (Wall.) Hand.-Mzt. [13] 480

Bungarus fasciatus (Schneider) [14] 249

Bungarus multicinctus (Blyth) [14] 247

Bupleurum chinense DC. [9] 78

Bupleurum longiradiatum Turcz. [9] 80

Bupleurum marginatum Wall. ex DC. [9] 82

Buxus bodinieri Lévl. [7] 582

Buxus harlandii Hance [7] 584

Buxus henryi Mayr.	[7]	586
Buxus megistophylla Lévl.	[7]	588
Buxus sinica (Rehd. et Wils.) Cheng	[7]	590
Buxus sinica (Rehd. et Wils.) Cheng ssp. *aemulans* (Rehd. et Wils.) M. Cheng	[7]	594

C

Caesalpinia crista L.	[6]	418
Caesalpinia decapetala (Roth) Alston	[6]	420
Caesalpinia millettii Hook. et Arn.	[6]	424
Caesalpinia sinensis (Hemsl.) J. E. Vidal	[6]	426
Cairina moschata (Linnaeus)	[14]	278
Calamagrostis epigeios (L.) Roth	[13]	202
Calanthe alismatifolia Lindl.	[13]	658
Calanthe brevicornu Lindl.	[13]	660
Calanthe davidii Franch.	[13]	662
Calanthe discolor Lindl.	[13]	664
Calanthe graciliflora Hayata	[13]	666
Calanthe mannii Hook. f.	[13]	668
Calanthe reflexa (Kuntze) Maxim.	[13]	670
Calanthe tricarinata Lindl.	[13]	672
Calanthe triplicata (Willem.) Ames	[13]	674
Caldesia parnassifolia (Bassi ex L.) Parl.	[12]	480
Calliaspidia guttata (Brandegee) Bremek.	[11]	266
Callicarpa bodinieri Lévl.	[10]	340
Callicarpa brevipes (Benth.) Hance	[10]	342
Callicarpa candicans (Burm. f.) Hochr.	[10]	344
Callicarpa cathayana H. T. Chang	[10]	346

Callicarpa dichotoma (Lour.) K. Koch	[10]	348
Callicarpa formosana Rolfe	[10]	350
Callicarpa integerrima Champ.	[10]	356
Callicarpa japonica Thunb.	[10]	358
Callicarpa kochiana Makino	[10]	362
Callicarpa kwangtungensis Chun	[10]	364
Callicarpa loboapiculata Metc.	[10]	366
Callicarpa longipes Dunn	[10]	368
Callicarpa longissima (Hemsl.) Merr.	[10]	370
Callicarpa peichieniana Chun et S. L. Chen	[10]	372
Callicarpa peii H. T. Chang	[10]	374
Callicarpa rubella Lindl.	[10]	376
Callicarpa giraldii Hesse ex Rehd.	[10]	352
Callicarpa giraldii Hesse ex Rehd. var. *lyi* (Lévl.) C. Y. Wu	[10]	354
Callicarpa membranacea H. T. Chang	[10]	360
Callipteris esculenta (Retz.) J. Sm. ex Moore et Houlston	[2]	246
Callistemon citrinus (Curtis) Skeels	[8]	456
Callistemon rigidus R. Br.	[8]	458
Callitriche pulustris L.	[10]	432
Callosciurus rythraeus (Pallas)	[14]	421
Calohypnum plumiforme (Wilson) Jan Kučera et Ignatov	[1]	362
Calophanoides chinensis (Champ.) C. Y. Wu et H. S. Lo ex Y. C. Tang	[11]	268
Calophanoides quadrifaria (Nees) Ridl.	[11]	270
Calystegia hederacea Wall.	[10]	272
Calystegia sepium (L.) R. Br.	[10]	274
Camaena cicatricose (Müller)	[14]	14
Camellia costei Lévl.	[5]	192

Camellia cuspidata (Kochs) Wright ex Gard.	[5]	194
Camellia fraterna Hance	[5]	196
Camellia japonica L.	[5]	198
Camellia oleifera Abel Journ.	[5]	202
Camellia parvilimba Merr. et Metc.	[5]	206
Camellia pitardii Coh. St.	[5]	208
Camellia polyodonta How ex Hu	[5]	210
Camellia salicifolia Champ. ex Benth.	[5]	212
Camellia sasanqua Thunb.	[5]	214
Camellia semiserrata Chi	[5]	216
Camellia sinensis (L.) O. Ktze.	[5]	218
Campanumoea javanica Bl. subsp. *japonica* (Makino) Hong	[11]	544
Campanumoea lancifolia (Roxb.) Merr.	[11]	546
Campsis grandiflora (Thunb.) Schumann	[11]	248
Campsis radicans (L.) Seem.	[11]	250
Camptotheca acuminata Decne.	[8]	562
Campylotropis macrocarpa (Bunge) Rehder	[6]	428
Canavalia ensiformis (L.) DC.	[6]	430
Canavalia gladiata (Jacq.) DC.	[6]	432
Canis familiaris (Linnaeus)	[14]	356
Canis lupus (Linnaeus)	[14]	359
Canna edulis Ker	[13]	620
Canna flaccida Salisb.	[13]	622
Canna generalis Bailey	[13]	624
Canna indica L.	[13]	626
Canna indica L. var. *flava* Roxb.	[13]	628
Canna warszewiczii A. Dietr.	[13]	630
Cannabis sativa L.	[3]	252

Capillipedium parviflorum (R. Br.) Stapf.	[13]	204
Capparis urophylla F. Chun	[5]	364
Capra hircus (Linnaeus)	[14]	406
Capricornis sumatraensis (Bechstein)	[14]	409
Capsella bursa-pastoris (L.) Medic.	[5]	404
Capsicum annuum L.	[11]	6
Capsicum annuum L. var. *cerasiforum* Irish	[11]	10
Capsicum annuum L. var. *conoides* (Mill.) Irish	[11]	12
Capsicum annuum L. var. *grossum* (Willd.) Sendtn.	[11]	14
Caragana sinica (Buchoz) Rehd.	[6]	434
Carassius auratus (Linnaeus)	[14]	140
Carassius uratus (L.) var. *goldfish*	[14]	141
Cardamine engleriana O. E. Schulz	[5]	406
Cardamine flexuosa With.	[5]	408
Cardamine flexuosa With. var. *debilis* (D. Don) T. Y. Cheo et R. C. Fang	[5]	410
Cardamine griffithii Hook. f. et Thoms.	[5]	412
Cardamine hirsuta L.	[5]	414
Cardamine impatiens L.	[5]	416
Cardamine leucantha (Tausch) O. E. Schulz	[5]	418
Cardamine lyrata Bunge	[5]	420
Cardamine macrophylla Willd.	[5]	422
Cardamine trifoliolata Hook. f. et Thoms.	[5]	424
Cardamine violifolia O. E. Schuiz	[5]	426
Cardiandra moellendorffii (Hance) Migo	[5]	538
Cardiocrinum cathayanum (Wilson) Stearn	[12]	562
Cardiocrinum giganteum (Wall.) Makino	[12]	564
Cardiospermum halicacabum L.	[7]	362

Carduus crispus L.	[12]	134
Carduus nutans L.	[12]	136
Carex baccans Nees	[13]	482
Carex breviculmis R. Br.	[13]	486
Carex brunnea Thunb.	[13]	488
Carex chinensis Retz.	[13]	490
Carex cruciata Wahlenb.	[13]	492
Carex gibba Wahlenb.	[13]	494
Carex ligulata Nees	[13]	496
Carex maubertiana Boott	[13]	498
Carex nemostachys Steud.	[13]	500
Carex phacota Spreng.	[13]	502
Carex rubrobrunnea C. B. Clarke var. *taliensis*		
(Franch.) Kukenth.	[13]	504
Carex scaposa C. B. Clarke	[13]	506
Carex sclerocarpa Franch.	[13]	508
Carex siderosticta Hance	[13]	510
Carex tristachya Thunb.	[13]	512
Carica papaya L.	[8]	310
Carpesium abrotanoides L.	[12]	138
Carpesium cernuum L.	[12]	140
Carpesium divaricatum Sieb. et Zucc.	[12]	142
Carpesium faberi Winkl.	[12]	144
Carpesium longifolium F. H. Chen et C. M. Hu	[12]	146
Carpesium minum Hemsl.	[12]	148
Carpesium nepalense Less. var. *lanatum* (Hook. f. et T.		
Thoms. ex C. B. Clarke) Kitamura	[12]	150
Carpinus cordata Bl. var. *chinensis* Franch.	[3]	112

Carpinus pubescens Burk.	[3]	114
Carpinus viminea Wall.	[3]	116
Carrierea calycina Franch.	[8]	236
Carya hunanensis Cheng et R. H. Chang ex Chang et Lu	[3]	56
Caryopteris incana (Thunb.) Miq.	[10]	378
Caryopteris nepetaeifolia (Benth.) Maxim.	[10]	380
Caryopteris terniflora Maxim.	[10]	382
Cassia bicapsularis L.	[6]	436
Cassia leschenaultiana DC.	[6]	438
Cassia mimosoides L.	[6]	440
Cassia nomame (Sieb.) Kitag.	[6]	442
Cassia obtusifolia L.	[6]	444
Cassia occidentalis L.	[6]	446
Cassia surattensis Burm. f.	[6]	448
Cassia tora L.	[6]	450
Cassytha filiformis L.	[4]	246
Castanea henryi (Skan) Rehd. et Wils.	[3]	122
Castanea mollissima Bl.	[3]	124
Castanea seguinii Dode	[3]	128
Castanopsis carlesii (Hemsl.) Hayata	[3]	130
Castanopsis chinensis Hance	[3]	132
Castanopsis eyrei (Champ.) Tutch.	[3]	134
Castanopsis fabri Hance	[3]	136
Castanopsis fargesii Franch.	[3]	138
Castanopsis fissa (Champ. ex Benth.) Rehd. et Wils.	[3]	140
Castanopsis fordii Hance	[3]	142
Castanopsis hystrix Miq.	[3]	144
Castanopsis jucunda Hance	[3]	148

Castanopsis sclerophylla (Lindl.) Schott.	[3]	150
Castanopsis tibetana Hance	[3]	152
Catalpa fargesii Bur.	[11]	252
Catalpa ovata G. Don	[11]	254
Cathaica fasciola (Draparnaud)	[14]	22
Catharanthus roseus (L.) G. Don	[10]	10
Catharsius molossus (L.)	[14]	117
Catharsius molossus (Linnaeus)	[14]	115
Caulophyllum robustum Maxim.	[4]	568
Cayratia albifolia C. L. Li	[8]	28
Cayratia albifolia C. L. Li var. *glabra* (Gagnep.) C. L. Li	[8]	30
Cayratia japonica (Thunb.) Gagnep.	[8]	32
Cayratia japonica (Thunb.) Gagnep. var. *mollis* (Wall.) Momiyama	[8]	34
Cayratia japonica (Thunb.) Gagnep. var. *pseudotrifolia* (W. T. Wang) C. L. Li	[8]	36
Cayratia oligocarpa (Lévl. et Vant.) Gagnep.	[8]	38
Cedrus deodara (Roxb.) G. Don	[2]	596
Celastrus aculeatus Merr.	[7]	504
Celastrus angulatus Maxim.	[7]	506
Celastrus gemmatus Loes.	[7]	508
Celastrus glaucophyllus Rehder et E. H. Wilson	[7]	510
Celastrus hindsii Benth.	[7]	512
Celastrus hypoleucus (Oliv.) Ward.	[7]	514
Celastrus oblanceifolius F. T. Wang et P. C. Tsoong	[7]	516
Celastrus orbiculatus Thunb.	[7]	518
Celastrus rosthornianus Loes.	[7]	520
Celastrus stylosus Wall.	[7]	522

Celosia argentea L.	[4]	120
Celosia cristata L.	[4]	122
Celtis biondii Pamp.	[3]	202
Celtis bungeana Bl.	[3]	204
Celtis julianae Schneid.	[3]	206
Celtis sinensis Pers.	[3]	208
Celtis tetrandra Roxb.	[3]	210
Centaurium pulchellum (Swartz) Druce var. *altaicum*		
(Griseb.) Kitag. et Hara	[9]	582
Centella asiatica (L.) Urban	[9]	84
Centipeda minima (L.) A. Br. et Aschers.	[12]	152
Cephalanthera erecta (Thunb. ex A. Murray) Bl.	[13]	676
Cephalanthera falcata (Thunb. ex A. Murray) Bl.	[13]	678
Cephalanthus tetrandrus (Roxb.) Ridsd. et Bakh. f.	[10]	136
Cephalotaxus fortunei Hook.	[3]	28
Cephalotaxus oliveri Mast.	[3]	32
Cephalotaxus sinensis (Rehd. et Wils.) Li	[3]	34
Cerastium fontanum Baumg. subsp. *triviale* (Link) Jalas	[4]	14
Cerastium glomeratum Thuill.	[4]	16
Cerastium wilsonii Takeda	[4]	18
Cerasus conradinae (Koehne) Yu et Li	[6]	14
Cerasus dielsiana (Schneid.) Yu et Li	[6]	16
Cerasus glandulosa (Thunb.) Lois.	[6]	18
Cerasus pseudocerasus (Lindl.) G. Don.	[6]	20
Cerasus serrulata (Lindl.) G. Don ex London.	[6]	24
Cerasus szechuanica (Batal.) Yü et Li	[6]	26
Ceratophyllum demersum L.	[5]	60
Ceratopteris pteridoides (Hook.) Hieron.	[2]	198

Ceratopteris thalictroides (L.) Brongn.	[2]	200
Cercidiphyllum japonicum Sieb. et Zucc.	[4]	376
Cercis chinensis Bunge	[6]	452
Cercis chingii Chun	[6]	454
Cercis chuniana Metc.	[6]	456
Cercis glabra Pamp.	[6]	458
Ceropegia paohsingensis Tsiang et P. T. Li	[10]	56
Cervus laphus (Linnaeus)	[14]	394
Cervus nippon (Temminck)	[14]	390
Cervus unicolor (Kerr)	[14]	396
Cestrum nocturnum L.	[11]	16
Chaenomeles cathayensis (Hemsl.) Schneid.	[6]	28
Chaenomeles sinensis (Thouin) Koehne.	[6]	30
Chaenomeles speciosa (Sweet) Nakai.	[6]	34
Chamabainia cuspidata Wight	[3]	356
Changnienia amoena S. S. Chien	[13]	680
Channa asiaticus (Linnaeus)	[14]	178
Cheilanthes chusana Hook.	[2]	162
Cheiranthus cheiri L.	[5]	428
Chelidonium majus L.	[5]	312
Chenopodium acuminatum Willd.	[4]	74
Chenopodium album L.	[4]	76
Chenopodium ambrosioides L.	[4]	78
Chenopodium glaucum L.	[4]	80
Chenopodium gracilispicum Kung	[4]	82
Chenopodium serotinum L.	[4]	84
Chieniopteris harlandii (Hook.) Ching	[2]	354
Chimonanthus nitens Oliv.	[4]	240

Chimonanthus praecox (L.) Link	[4]	242
Chinemys reevesii (Gray)	[14]	212
Chionanthus retusus Lindl. et Paxt.	[9]	506
Chionographis chinensis Krause	[12]	566
Chirita eburnea Hance C. fauriei Franch.	[11]	304
Chirita fimbrisepala Hand.-Mazz.	[11]	306
Chloranthus fortunei (A. Gray) Solms Laub.	[5]	80
Chloranthus henryi Hemsl.	[5]	82
Chloranthus multistachys S. J. Pei	[5]	84
Chloranthus serratus (Thunb.) Roem. et Schult.	[5]	86
Chloranthus sessilifolius K. F. Wu	[5]	88
Chloris virgata Sw.	[13]	206
Chlorophytum comosum (Thunb.) Baker	[12]	568
Choerospondias axillaris (Roxb.) B. L. Burtt et A. W. Hill	[7]	304
Chrysalidocarpus lutescens H. Wendl.	[13]	386
Chrysanthemum coronarium L.	[12]	154
Chrysanthemum segetum L.	[12]	156
Chrysolophus ammmbortiae	[14]	298
Chrysomyia megacephala (Fabricius)	[14]	99
Chrysosplenium cavaleriei H. Lévl. et Vaniot	[5]	540
Chrysosplenium delavayi Franch.	[5]	542
Chrysosplenium japonicum (Maxim.) Makino	[5]	544
Chrysosplenium lanuginosum Hook. f. et Thomson	[5]	546
Chrysosplenium macrophyllum Oliv.	[5]	548
Chrysosplenium sinicum Maxim.	[5]	550
Chukrasia tabularis A. Juss.	[7]	262
Cibotium barometz (L.) J. Sm.	[2]	68
Cichorium intybus L.	[12]	158

Ciconia ciconia boyciana	[14]	302
Cimicifuga acerina (Sieb. et Zucc.) Tanaka	[4]	406
Cimicifuga foetida L.	[4]	408
Cinclus pallasii (Temminck)	[14]	329
Cinnamomum appelianum Schewe	[4]	248
Cinnamomum austrosinense H. T. Chang	[4]	252
Cinnamomum bodinieri Lévl.	[4]	254
Cinnamomum camphora (L.) Presl	[4]	256
Cinnamomum japonicum Sieb.	[4]	260
Cinnamomum jensenianum Hand.-Mazz.	[4]	262
Cinnamomum pauciflorum Nees	[4]	264
Cinnamomum porrectum (Roxb.) Kosterm.	[4]	266
Cinnamomum subavenium Miq.	[4]	268
Cinnamomum wilsonii Gamble	[4]	270
Cipangopaludina cathayensis (Heude)	[14]	8
Cipangopaludina chinensis (Gray)	[14]	10
Circaea cordata Royle	[8]	506
Circaea erubescens Franch. et Sav.	[8]	508
Circaea mollis Sieb. et Zucc.	[8]	510
Circus cyaneus (Linnaeus)	[14]	289
Cirsium fargesii (Franch.) Diels	[12]	160
Cirsium hupehense Pamp.	[12]	162
Cirsium japonicum Fisch. ex DC.	[12]	164
Cirsium lineare (Thunb.) Sch.-Bip.	[12]	166
Cirsium racemiforme Y. Ling et Shih	[12]	168
Cirsium setosum (Willd.) MB.	[12]	170
Cirsium shansiense Petrak	[12]	172
Cissus assamica (Laws.) Craib	[8]	40

Citrullus lanatus (Thunb.) Matsum. et Nakai	[8]	340
Citrus aurantium L.	[1]164/[7]154	
Citrus cavaleriei H. Lévl. ex Cavalier	[7]	160
Citrus maxima (Burm.) Merr.	[7]	156
Citrus medica L.	[7]	166
Citrus reticulata Blanco	[1]168/[7]168	
Citrus sinensis (L.) Osbeck	[7]	172
Citrus ×junos Siebold ex Tanaka	[7]	162
Citrus ×limon (Linnaeus) Osbeck	[7]	164
Cladonia rangiferina (L.) Web.	[1]	328
Cladrastis platycarpa (Maxim.) Makino.	[6]	460
Cladrastis sinensis Hemsl.	[6]	462
Cladrastis wilsonii Takeda	[6]	464
Clarias fuscus (Lacepede)	[14]	171
Clausena dunniana H. Lévl.	[7]	176
Cleisostoma paniculatum (Ker-Gawl.) Garay	[13]	682
Clematis apiifolia DC. var. *obtusidentata* Rehd. et Wils.	[4]	410
Clematis argentilucida (Lévl. et Vant.) W. T. Wang	[4]	412
Clematis armandii Franch.	[4]	414
Clematis brevicaudata DC.	[4]	416
Clematis chinensis Osbeck	[4]	418
Clematis chingii W. T. Wang	[4]	420
Clematis courtoisii Hand.-Mazz.	[4]	422
Clematis crassifolia Benth.	[4]	424
Clematis finetiana Lévl. et Vant.	[4]	426
Clematis florida Thunb.	[4]	428
Clematis ganpiniana (Lévl. et Vant.) Tamura	[4]	430
Clematis gouriana Roxb. ex DC.	[4]	432

Clematis gratopsis W. T. Wang	[4]	434
Clematis henryi Oliv.	[4]	436
Clematis heracleifolia DC.	[4]	438
Clematis huchouensis Tamura	[4]	440
Clematis lasiandra Maxim	[4]	442
Clematis leschenaultiana DC.	[4]	444
Clematis montana Buch.-Ham. ex DC.	[4]	446
Clematis montana Buch.-Ham. ex DC. var. *grandiflora* Hook.	[4]	448
Clematis otophora Franch. ex Finet et Gagnep.	[4]	450
Clematis parviloba Gardn. et Champ.	[4]	452
Clematis peterae Hand.-Mazz.	[4]	454
Clematis pogonandra Maxim.	[4]	456
Clematis pseudootophora M. Y. Fang	[4]	458
Clematis quinquefoliolata Hutch.	[4]	460
Clematis terniflora DC.	[4]	462
Clematis uncinata Champ.	[4]	464
Clematis uncinata Champ. var. *coriacea* Pamp.	[4]	466
Clematis urophylla Franch.	[4]	468
Cleome gynandra L.	[5]	366
Cleome spinosa Jacq.	[5]	368
Cleome viscosa L.	[5]	370
Clerodendrum bungei Steud.	[10]	384
Clerodendrum canescens Wall.	[10]	386
Clerodendrum colebrookianum Walp.	[10]	388
Clerodendrum cyrtophyllum Turcz.	[10]	390
Clerodendrum fortunatum L.	[10]	392
Clerodendrum japonicum (Thunb.) Sweet	[10]	394
Clerodendrum kwangtungense Hand.-Mazz.	[10]	396

Clerodendrum luteopunctatum Péi et S. L. Chen	[10]	398
Clerodendrum thomsonae Balf.	[10]	402
Clerodendrum trichotomum Thunb.	[10]	404
Clerodendrum mandarinorum Diels	[10]	400
Clethra bodinieri Lévl.	[9]	178
Clethra fargesii Franch.	[9]	180
Clethra kaipoensis Lévl.	[9]	182
Clethra monostachya Rehd. et Wils.	[9]	184
Cleyera japonica Thunb.	[5]	222
Clinopodium chinense (Benth.) O. Ktze.	[10]	448
Clinopodium confine (Hance) O. Ktze.	[10]	450
Clinopodium polycephalum (Vaniot) C. Y. Wu et Hsuan ex P. S. Hsu	[10]	454
Clinopodium repens (Buch.-Ham. ex D. Don.) Wall. ex Benth.	[10]	456
Clinopodium gracile (Benth.) Matsum.	[10]	452
Cnidium monnieri (L.) Cuss.	[9]	86
Cnidocampa flavescens (Walker)	[14]	87
Cocculus laurifolius DC.	[5]	2
Cocculus orbiculatus (L.) DC.	[5]	4
Codariocalyx motorius (Houtt.) H. Ohashi	[6]	466
Codonopsis lanceolata (Sieb. et Zucc.) Trautv.	[11]	548
Codonopsis pilosula (Franch.) Nannf. subsp. *tangshen* (Oliver) D. Y. Hong	[11]	550
Codoriocalyx gyroides (Roxburgh ex Link) Hasskarl	[6]	468
Coelogyne fimbriata Lindl.	[13]	684
Coilia mystus (Linnaeus)	[14]	139
Coix chinensis Tod.	[13]	208
Coix lacryma-jobi L.	[13]	210

Coleus carnosifolius (Hemsl.) Dunn	[10]	458
Colocasia antiquorum Schott	[13]	442
Colocasia esculenta (L.) Schott	[13]	444
Colocasia gigantea (Blume) Hook. f.	[13]	448
Columba livia domestica	[14]	306
Columba rupestris Pallas	[14]	307
Colysis elliptica (Thunb.) Ching	[2]	482
Colysis hemitoma (Hance) Ching	[2]	486
Colysis henryi (Baker) Ching	[2]	490
Colysis leveillei (H. Christ) Ching	[2]	494
Comanthosphace ningpoensis (Hemsl.) Hand.-Mazz.	[10]	460
Combretum alfredii Hance	[8]	502
Commelina benghalensis L.	[13]	124
Commelina communis L.	[13]	126
Commelina diffusa Burm. f.	[13]	128
Commelina paludosa Blume	[13]	130
Coniogramme emeiensis Ching et Shing	[2]	202
Coniogramme intermedia Hieron.	[2]	206
Coniogramme japonica (Thunb.) Diels	[2]	208
Conocephalum conicum (L.) Dum.	[1]	370
Conyza bonariensis (L.) Cronq.	[12]	174
Conyza canadensis (L.) Cronq.	[12]	176
Conyza japonica (Thunb.) Less.	[12]	178
Conyza sumatrensis (Retz.) Walker	[12]	180
Copsychus saularis (Linnaeus)	[14]	332
Coptis chinensis Franch.	[4]	470
Coptis chinensis Franch. var. *brevisepala* W. T. Wang et Hsiao	[4]	472
Coptosapelta diffusa (Champ. ex Benth.) Van Steenis	[10]	140

Coptotermes formosanus (Shiraki)	[14]	61
Corallodiscus cordatulus (Craib) B. L. Burtt	[11]	308
Corbicula fluminca (Muller)	[14]	31
Corbicula nitens (Philippi)	[14]	32
Corchoropsis psilocarpa Harms et Loes. ex Loes.	[8]	152
Corchoropsis tomentosa (Thunb.) Makino	[8]	154
Corchorus aestuans L.	[8]	156
Corchorus capsularis L.	[8]	158
Cordyceps sobolifera (Hill ex Watson) Berk. et Broome	[1]	268
Coreopsis grandiflora Hogg ex Sweet	[12]	182
Coreopsis lanceolata L.	[12]	184
Coreopsis tinctoria Nutt.	[12]	186
Coriandrum sativum L.	[9]	88
Coriaria nepalensis Wall.	[7]	302
Cornus chinensis Wanger.	[8]	584
Cornus officinalis Sieb. et Zucc.	[8]	586
Coronopus didymus (L.) J. E. Smith	[5]	430
Corvus frugilegus (Linnaeus)	[14]	327
Corvus macrorhynchos (Wagler)	[14]	326
Corvus monedula (Linnaeus)	[14]	328
Corydalis acuminata Franch.	[5]	314
Corydalis balansae Prain	[5]	316
Corydalis cheilanthifolia Hemsl.	[5]	318
Corydalis decumbens (Thunb.) Pers.	[5]	320
Corydalis incisa (Thunb.) Pers.	[5]	322
Corydalis ophiocarpa Hook. f. et Thoms.	[5]	326
Corydalis pallida (Thunb.) Pers.	[5]	328
Corydalis racemosa (Thunb.) Pers.	[5]	330

Corydalis saxicola Bunting	[5]	332
Corydalis sheareri S. Moore	[5]	334
Corydalis temulifolia Franch.	[5]	336
Corydalis tomentella Franch.	[5]	338
Corydalis yanhusuo W. T. Wang ex Z. Y. Su et C. Y. Wu	[5]	340
Corylopsis multiflora Hance	[5]	462
Corylopsis sinensis Hemsl.	[5]	464
Corylopsis sinensis Hemsl. var. *calvescens* Rehd. et Wils.	[5]	466
Corylus chinensis Franch.	[3]	118
Corylus heterophylla Fisch. var. *sutchuenensis* Franch.	[3]	120
Cosmos bipinnata Cav.	[12]	188
Cosmos sulphureus Cav.	[12]	190
Costus speciosus (Koen.) Smith	[13]	600
Cotinus coggygria Scop.	[7]	306
Cotinus coggygria Scop. var. *pubescens* Engl.	[7]	308
Cotoneaster acutifolius Turcz.	[6]	38
Cotoneaster adpressus Bois	[6]	40
Cotoneaster horizontalis Dcne.	[6]	42
Coturnix coturnix (Linnaeus)	[14]	293
Crassocephalum crepidioides (Benth.) S. Moore	[12]	192
Crataegus cuneata Sieb. et Zucc.	[6]	44
Crataegus hupehensis Sarg.	[6]	48
Crataegus pinnatifida Bge.	[6]	54
Crataegus pinnatifida Bge. var. *major* N. E. Br.	[6]	50
Crateva formosensis (Jacobs) B. S. Sun	[5]	372
Crawfurdia pricei (Marq.) H. Smith	[9]	584
Cremastra appendiculata (D. Don) Makino	[13]	686
Crinum asiaticum L. var. *sinicum* (Roxb. ex Herb.) Baker	[13]	8

Cristaria plicata (Leach)	[14]	23
Crocosmia crocosmiflora (Nichols.) N. E. Br.	[13]	92
Crocothemis servillia (Drury)	[14]	52
Crocus sativus L.	[13]	94
Croomia japonica Miq.	[13]	2
Crossostephium chinense (L.) Makino	[12]	194
Crotalaria albida Heyne ex Roth	[6]	470
Crotalaria ferruginea Grah. ex Benth.	[6]	472
Crotalaria linifolia L. f.	[6]	474
Crotalaria pallida Ait.	[6]	476
Crotalaria sessiliflora L.	[6]	478
Crotalaria zanzibarica Benth.	[6]	480
Croton lachnocarpus Benth.	[7]	48
Croton tiglium L.	[7]	50
Cryptocarya concinna Hance	[4]	272
Cryptomeria fortunei Hooibrenk ex Otto et Dietr.	[2]	638
Cryptomeria japonica (Thunb. ex L. f.) D. Don	[2]	640
Cryptotaenia japonica Hassk.	[9]	90
Cryptotympana atrata (Fabricius)	[14]	74
Ctenitis rhodolepis (Clarke) Ching	[2]	464
Ctenolepisma villosa (Fabricius)	[14]	51
Ctenopharyngodon idellus (Cuvier et Valenciennes)	[14]	148
Cucubalus baccifer L.	[4]	20
Cucumis sativus L.	[8]	348
Cucumis melo L.	[8]	342
Cucumis melo L. var. *conomon* (Thunb.) makino	[8]	346
Cucurbita maxima Duch. ex Lam.	[8]	351
Cucurbita pepo L.	[8]	356

Cucurbita moschata (Duch. ex Lam.) Duch. ex Poiret	[8]	353
Cudrania cochinchinensis (Lour.) Kudo et Masam.	[3]	254
Cudrania tricuspidata (Carr.) Bur. ex Lavallee	[3]	258
Culter alburnus (Basilewsky)	[14]	145
Culter erthropterus (Basilewsky)	[14]	155
Cuneopsis capitata (Heude)	[14]	30
Cuneopsis heudei (Heude)	[14]	26
Cunninghamia lanceolata (Lamb.) Hook.	[2]	644
Cuon alpinus (Pallas)	[14]	361
Cuora flavomarginata (Gray)	[14]	215
Cupressus funebris Endl.	[3]	2
Curculigo capitulata (Lour.) O. Kuntze	[13]	10
Curculigo orchioides Gaertn.	[13]	12
Curcuma aromatica Salisb.	[13]	602
Curcuma longa L.	[13]	604
Curcuma zedoaria (Christm.) Rosc.	[13]	606
Cuscuta australis R. Br.	[10]	276
Cuscuta chinensis Lam.	[10]	278
Cuscuta japonica Choisy	[10]	280
Cyathula officinalis Kuan	[4]	124
Cybister japonicus (Sharp)	[14]	102
Cybister tripunctatus orientalis (Gschwendtner)	[14]	103
Cycas revoluta Thunb.	[2]	588
Cyclea hypoglauca (Schauer) Diels	[5]	6
Cyclea racemosa Oliv.	[5]	8
Cyclea sutchuenensis Gagnep.	[5]	10
Cyclobalanopsis delavayi (Franch.) Schott.	[3]	154
Cyclobalanopsis glauca (Thunb.) Oerst.	[3]	156

Cyclobalanopsis gracilis (Rehd. et Wils.) Cheng et T. Hong [3] 158

Cyclobalanopsis hui (Chun) Chun ex Y. C. Hsu et H. W. Jen [3] 160

Cyclobalanopsis myrsinifolia (Blume) Oerst. [3] 162

Cyclobalanopsis sessilifolia (Blume) Schott. [3] 164

Cyclocarya paliurus (Batal.) Iljinsk. [3] 58

Cyclogramma omeiensis (Bak.) Tagawa [2] 264

Cyclopelta parva (Distana) [14] 86

Cyclophiops major (Guenther) [14] 233

Cyclophorus marensianus (Moellendorff) [14] 4

Cyclosorus acuminatus (Houtt.) Nakai [2] 266

Cyclosorus aridus (Don) Tagawa [2] 268

Cyclosorus dentatus (Forssk.) Ching [2] 270

Cyclosorus parasiticus (L.) Farwell [2] 272

Cygnus cygnus (Linnaeus) [14] 267

Cymbidium ensifolium (L.) Sw. [13] 688

Cymbidium faberi Rolfe [13] 690

Cymbidium floribundum Lindl. [13] 694

Cymbidium goeringii (Reichb. f.) Reichb. f. [13] 696

Cymbidium kanran Makino [13] 698

Cymbidium lancifolium Hook. [13] 702

Cymbidium sinense (Jackson ex Andr.) Willd. [13] 704

Cymbopogon goeringii (Steud.) A. Camus [13] 212

Cynanchum amplexicaule (Sieb. et Zucc.) Hemsl. var.

    castaneum Makino [10] 58

Cynanchum atratum Bunge [10] 60

Cynanchum auriculatum Royle ex Wight. [10] 62

Cynanchum chekiangense M. Cheng ex Tsiang et P. T. Li [10] 64

Cynanchum corymbosum Wight [10] 66

Cynanchum fordii Hemsl.	[10]	68
Cynanchum inamoenum (Maxim.) Loes	[10]	72
Cynanchum officinale (Hemsl.) Tsiang et Zhang	[10]	76
Cynanchum paniculatum (Bunge) Kitagawa	[10]	78
Cynanchum stauntonii (Decne.) Schltr. ex Lévl.	[10]	82
Cynanchum thesioides (Freyn) K. Schum.	[10]	84
Cynanchum versicolor Bunge	[10]	86
Cynanchum wilfordii (Maxim.) Hemsl.	[10]	88
Cynanchum glaucescens (Decne.) Hand.-Mazz.	[10]	70
Cynanchum mooreanum Hemsl.	[10]	74
Cynara scolymus L.	[12]	196
Cynodon dactylon (L.) Pars.	[13]	214
Cynoglossum lanceolatum Forsk.	[10]	310
Cynoglossum zeylanicum (Vahl) Thunb. ex Lehm.	[10]	312
Cynops orientalis (David)	[14]	182
Cyperus amuricus Maxim.	[13]	514
Cyperus compressus L.	[13]	516
Cyperus cuspidatus H. B. K.	[13]	518
Cyperus difformis L.	[13]	520
Cyperus haspan L.	[13]	522
Cyperus iria L.	[13]	524
Cyperus microiria Steud.	[13]	526
Cyperus pilosus Vahl	[13]	528
Cyperus rotundus L.	[13]	530
Cyprinus carpio (Linnaeus)	[14]	142
Cypripedium henryi Rolfe	[13]	706
Cypripedium japonicum Thunb.	[13]	708
Cyrtogonellum fraxinellum (Christ) Ching	[2]	386

Cyrtomium balansae (Christ) C. Chr.	[2]	388
Cyrtomium caryotideum (Wall. ex Hook. et Grev.) Presl	[2]	390
Cyrtomium devexiscapulae (Koidz.) Ching	[2]	392
Cyrtomium fortunei J. Smith	[2]	394
Cyrtomium macrophyllum (Makino) Tagawa	[2]	398
Cyrtomium urophyllum Ching	[2]	400
Cyrtotruchelus longimanus (Fabr.)	[14]	122
Cyrtotruchelus longimanus (Fabriciu)	[14]	121

D

Dacrymyces palmatus Bres.	[1]	320
Dacryopinax spathularia (Schwein.) G. W. Martin	[1]	322
Dahlia pinnata Cav.	[12]	198
Dalbergia balansae Prain	[6]	482
Dalbergia dyeriana Harms	[6]	484
Dalbergia hancei Benth.	[6]	486
Dalbergia hupeana Hance	[6]	488
Dalbergia millettii Benth.	[6]	490
Dalbergia mimosoides Franch.	[6]	492
Damnacanthus indicus Gaertn. f.	[10]	144
Damnacanthus labordei (Lévl.) Lo	[10]	146
Damnacanthus officinarum Huang	[10]	148
Damnacanthus giganteus (Mak.) Nakai	[10]	142
Daphne acutiloba Rehd.	[8]	184
Daphne championii Benth.	[8]	186
Daphne kiusiana Miq. var. *atrocaulis* (Rehd.) F. Maekawa	[8]	190
Daphne odora Thunb.	[8]	192
Daphne papyracea Wall. ex Steud.	[8]	194

Daphne genkwa Sieb. et Zucc. [8] 188

Daphniphyllum calycinum Benth. [7] 146

Daphniphyllum macropodum Miq. [7] 148

Daphniphyllum oldhamii (Hemsl.) Rosenthal [7] 150

Datura arborea L. [11] 18

Datura innoxia Mill. [11] 20

Datura metel L. [11] 24

Datura stramonium L. [11] 28

Daucus carota L. [9] 92

Daucus carota L. var. *sativa* Hoffm. [9] 94

Davidia involucrata Baill. [8] 564

Debregeasia orientalis C. J. Chen [3] 358

Decaisnea insignis (Griff.) Hook. f. et Thoms. [4] 624

Decumaria sinensis Oliv. [5] 552

Deinagkistrodon acutus (Günther) [1]255/[14]252

Deinanthe caerulea Stapf [5] 554

Delphinium anthriscifolium Hance [4] 474

Delphinium anthriscifolium Hance var. *calleryi* (Franch.)

   Finet et Gagnep. [4] 476

Delphinium anthriscifolium Hance var. *majus* Pamp. [4] 478

Dendranthema indicum (L.) Des Moul. [12] 200

Dendranthema lavandulifolium (Fisch. ex Trautv.) Ling et Shih [12] 202

Dendranthema morifolium (Ramat.) Tzvel. [12] 204

Dendrobenthamia angustata (Chun) Fang [8] 588

Dendrobenthamia capitata (Wall.) Hutch. [8] 590

Dendrobenthamia gigantea (Hand.-Mazz.) Fang [8] 592

Dendrobenthamia hongkongensis (Hemsl.) Hutch. [8] 594

Dendrobenthamia japonica (DC) Fang var. *chinensis*

(Osborn) Fang	[8]	596
Dendrobium falconeri Hook.	[13]	710
Dendrobium hercoglossum Rchb. f.	[13]	712
Dendrobium lohohense T. Tang et F. T. Wang	[13]	714
Dendrobium moniliforme (L.) Sw.	[13]	716
Dendrobium nobile Lindl.	[13]	718
Dendrobium officinale Kimura et Migo	[13]	720
Dendrocalamus latiflorus Munro	[13]	216
Dendrocopos hyperythrus (Vigors)	[14]	318
Dendrocopos major (Linnaeus)	[14]	319
Dendropanax dentiger (Harms) Merr.	[9]	34
Dendropanax proteus (Champ.) Benth.	[9]	36
Dennstaedtia pilosella (Hook.) Ching	[2]	88
Dennstaedtia scabra (Wall.) Moore	[2]	90
Dennstaedtia scabra (Wall.) Moore var. *glabrescens*		
(Ching) C. Chr.	[2]	94
Dennstaedtia wilfordii (Moore) Christ	[2]	96
Dermatocarpon miniatum (L.) W. H. Mann.	[1]	332
Derris fordii Oliv.	[6]	494
Descurainia sophia (L.) Webb. ex Prantl	[5]	432
Desmodium caudatum (Thunb.) DC.	[6]	496
Desmodium heterocarpon (L.) DC.	[6]	498
Desmodium laxiflorum DC.	[6]	500
Desmodium microphyllum (Thunb.) DC.	[6]	502
Desmodium multiflorum DC.	[6]	504
Desmodium sequax Wall.	[6]	506
Desmodium styracifolium (Osbeck) Merr.	[6]	508
Deutzia ningpoensis Rehd.	[5]	556

Deutzia setchuenensis Franch. [5] 558

Dianella ensifolia (L.) DC. [12] 570

Dianthus caryophyllus L. [4] 22

Dianthus chinensis L. [4] 24

Dianthus longicalyx Miq. [4] 26

Dianthus superbus L. [4] 28

Dicentra macrantha Oliv. [5] 342

Dichocarpum dalzielii (Drumm. et Hutch.) W. T. Wang et Hsiao [4] 480

Dichocarpum fargesii (Franch.) W. T. Wang et Hsiao [4] 482

Dichocarpum franchetii (Finet et Gagnep.) W. T. Wang et Hsiao [4] 484

Dichocarpum sutchuenense (Franch.) W. T. Wang et Hsiao [4] 486

Dichondra repens Forst. [10] 282

Dichroa febrifuga Lour. [5] 560

Dichroa yaoshanensis Y. C. Wu [5] 564

Dichrocephala auriculata (Thunb.) Druce [12] 206

Dichrocephala benthamii C. B. Clarke [12] 208

Dickinsia hydrocotyloides Franch. [9] 96

Dicliptera chinensis (L.) Juss. [11] 272

Dicranopteris pedata (Houttuyn) Nakaike [2] 32

Dictyocline griffithii Moore [2] 274

Dictyocline sagittifolia Ching [2] 276

Dictyocline wilfordii (Hook.) J. Smith [2] 278

Dictyophora indusiata (Vent.) Desv. [1] 288

Didymocarpus hancei Hemsl. [11] 310

Didymocarpus heucherifolius Hand.-Mazz. [11] 312

Didymocarpus yuenlingensis W. T. Wang [11] 314

Didymostigma obtusum C. B. (Clarke) W. T. Wang [11] 316

Digitaria ciliaris (Retz.) Koel. [13] 218

Digitaria cruciata (Nees) A. Camus	[13]	220
Digitaria sanguinalis (L.) Scop.	[13]	222
Digitaria violascens Link	[13]	224
Dinodon flavozonatum (Pope)	[14]	239
Dinodon rufozoatum (Cantor)	[14]	237
Dioscorea alata L.	[13]	40
Dioscorea bulbifera L.	[13]	42
Dioscorea cirrhosa Lour.	[13]	46
Dioscorea collettii Hook. f.	[13]	48
Dioscorea collettii Hook. f. var. *hypoglauca* (Palibin) Pei et C. T. Ting et al.	[13]	50
Dioscorea futschauensis Uline ex R. Knuth	[13]	52
Dioscorea gracillima Miq.	[13]	54
Dioscorea hemsleyi Prain et Burkill	[13]	56
Dioscorea japonica Thunb.	[13]	58
Dioscorea kamoonensis Kunth	[13]	60
Dioscorea nipponica Makino	[13]	62
Dioscorea opposita Thunb.	[13]	64
Dioscorea panthaica Prain et Burkill	[13]	68
Dioscorea pentaphylla L.	[13]	70
Dioscorea persimilis Prain et Burkill	[13]	72
Dioscorea septemloba Thunb.	[13]	74
Dioscorea subcalva Prain et Burkill	[13]	76
Dioscorea tenuipes Franch. et Savat.	[13]	78
Dioscorea tokoro Makino	[13]	80
Dioscorea zingiberensis C. H. Wright	[13]	82
Diospyros cathayensis Steward	[9]	420
Diospyros kaki Thunb.	[9]	424

Diospyros kaki Thunb. var. *silvestris* Makino	[9]	428
Diospyros lotus L.	[9]	432
Diospyros oleifera Cheng	[9]	438
Diospyros rhombifolia Hemsl.	[9]	442
Diospyros glaucifolia Metc.	[9]	422
Diospyros montana Roxb.	[9]	434
Diospyros morrisiana Hance	[9]	436
Dipelta floribunda Maxim.	[11]	378
Diphasiastrum complanatum (L.) Holub	[1]	386
Diplazium crassiusculum Ching	[2]	250
Diplazium donianum (Mett.) Trad.-Blot	[2]	252
Diplazium subsinuatum (Wall. ex Hook. et Grev.) Tagawa	[2]	254
Diploclisia affinis (Oliv.) Diels	[5]	12
Diploclisia glaucescens (Bl.) Diels	[5]	14
Diplopterygium chinense (Rosenstock) De Vol	[2]	36
Diplopterygium glaucum (Thunberg ex Houttuyn) Nakai	[2]	38
Diplopterygium laevissimum (Christ) Nakai	[2]	40
Diplospora dubia (Lindl.) Masam.	[10]	150
Diplospora fruticosa Hemsl.	[10]	152
Dipsacus asperoides C. Y. Cheng et T. M. Ai	[11]	520
Dipsacus japonicus Miq.	[11]	522
Dischidanthus urceolatus (Dence.) Tsiang	[10]	90
Disporopsis aspersa (Hua) Engl. ex Krause	[12]	572
Disporopsis fuscopicta Hance	[12]	574
Disporopsis pernyi (Hua) Diels	[12]	576
Disporum bodinieri (Lévl. et Vant.) Wang et Tang	[12]	578
Disporum brachystemon Wang et Tang	[12]	580
Disporum cantoniense (Lour.) Merr.	[12]	584

Disporum megalanthum Wang et Tang	[12]	586
Disporum sessile D. Don	[12]	588
Distylium buxifolium (Hance) Merr.	[5]	468
Distylium myricoides Hemsl.	[5]	470
Distylium racemosum Sieb. et Zucc.	[5]	472
Dodonaea viscosa (L.) Jacq.	[7]	364
Doellingeria marchandii (Lévl.) Ling	[12]	210
Doellingeria scabra (Thunb.) Nees	[12]	212
Dolichos lablab L.	[6]	510
Dregea sinensis Hemsl.	[10]	92
Drosera peltata Smith	[5]	310
Drymaria diandra Bl. Bijdr.	[4]	30
Drynaria roosii Nakaike	[2]	576
Dryoathyrium okuboanum (Makino) Ching	[2]	256
Dryoathyrium unifurcatum (Baker) Ching	[2]	258
Dryopteris bissetiana (Baker) C. Chr.	[2]	404
Dryopteris championii (Benth.) C. Chr.	[2]	406
Dryopteris chinensis (Bak.) Koidz.	[2]	408
Dryopteris decipiens (Hook.) O. Ktze.	[2]	410
Dryopteris erythrosora (Eaton) O. Ktze.	[2]	412
Dryopteris fuscipes C. Chr.	[2]	416
Dryopteris immixta Ching	[2]	419
Dryopteris labordei (Christ) C. Chr.	[2]	421
Dryopteris peninsulae Kitag.	[2]	424
Dryopteris pycnopteroides (Christ) C. Chr.	[2]	426
Dryopteris scottii (Bedd.) Ching ex C. Chr.	[2]	428
Dryopteris sieboldii (van Houtte ex Mett.) O. Ktze.	[2]	430
Dryopteris sparsa (Buch.-Ham. ex D. Don) O. Ktze.	[2]	434

Dryopteris varia (L.) O. Ktze.	[2]	436
Duchesnea indica (Andr.) Focke	[6]	56
Duchesnea racemosa (Lindl.) Rehd.	[6]	66
Dumasia truncata Sieb. et Zucc.	[6]	512
Dumasia villosa DC.	[6]	514
Dumortiera hirsuta (Sw.) Nees	[1]	372
Dunbaria rotundifolia (Lour.) Merr.	[6]	516
Dunbaria villosa (Thunb.) Makino	[6]	518
Dysophylla sampsonii Hance	[10]	462
Dysophylla stellata (Lour.) Benth.	[10]	464
Dysophylla yatabeana Makino	[10]	466
Dysosma difformis (Hemsl. et Wils.) T. H. Wang ex Ying	[4]	570
Dysosma majorensis (Gagnep.) Ying	[4]	572
Dysosma versipellis (Hance) M. Cheng	[4]	574

E

Ecdysanthera rosea Hook. et Arn.	[10]	12
Echinochloa caudata Roshev.	[13]	226
Echinochloa crusgalli (L.) Beauv.	[13]	228
Echinochloa crusgalli (L.) Beauv. var. *zelayensis* (H. B. K.) Hitchc.	[13]	232
Echinochloa crus-galli (L.) P. Beauv. var. *mitis* (Pursh) Peterm.	[13]	230
Echinops grijisii Hance	[12]	214
Eclipta prostrate L.	[12]	216
Edgeworthia chrysantha Lindl.	[8]	196
Egretta alba (Linnaeus)	[14]	282
Egretta garzetta (Linnaeus)	[14]	280
Ehretia longiflora Champ. ex Benth.	[10]	314

Ehretia thyrsiflora (Sieb. et Zucc.) Nakai	[10]	318
Ehretia macrophylla Wall.	[10]	316
Eichhornia crassipes (Mart.) Solms	[13]	84
Elaeagnus argyi Lévl.	[8]	212
Elaeagnus bockii Diels	[8]	214
Elaeagnus difficilis Serv.	[8]	216
Elaeagnus henryi Warb. apud Piels	[8]	222
Elaeagnus lanceolata Warb.	[8]	224
Elaeagnus magna Rehd.	[8]	226
Elaeagnus pungens Thunb.	[8]	230
Elaeagnus stellipila Rehd.	[8]	232
Elaeagnus umbellata Thunb.	[8]	234
Elaeagnus glabra Thunb.	[8]	218
Elaeagnus gonyanthes Benth.	[8]	220
Elaeagnus multiflora Thunb.	[8]	228
Elaeocarpus chinensis (Gardn. et Chanp.) Hook. f. ex Benth.	[8]	86
Elaeocarpus decipiens Hemsl.	[8]	88
Elaeocarpus duclouxii Gagnep.	[8]	90
Elaeocarpus japonicus Sieb. et Zucc.	[8]	92
Elaeocarpus sylvestris (Lour.) Poir.	[8]	94
Elaphe bimaculate (Schmidt)	[14]	232
Elaphe carinata (Gtinther)	[14]	228
Elaphe mandarina (Cantor)	[14]	230
Elaphe porphyracea (Cantor)	[14]	231
Elaphe taeniura (Cope)	[14]	229
Elaphodus cephalophus (Milne-Edwards)	[14]	397
Elaphoglossum yoshinagae (Yatabe) Makino	[2]	438
Elaphurus davidianus (Milne-Edwards)	[14]	398

Elatostema brachyodontum (Hand.-Mazz.) W. T. Wang	[3]	360
Elatostema cuspidatum Wight	[3]	362
Elatostema cyrtandrifolium (Zoll. et Mor.) Miq.	[3]	364
Elatostema ichangense H. Schröter	[3]	366
Elatostema involucratum Franch. et Sav.	[3]	368
Elatostema myrtillus (Lévl.) Hand.-Mazz.	[3]	370
Elatostema oblongifolium Fu ex W. T. Wang	[3]	372
Elatostema obtusum Wedd.	[3]	374
Elatostema stewardii Merr.	[3]	376
Elatostema sublineare W. T. Wang	[3]	378
Elatostema trichocarpum Hand.-Mazz.	[3]	380
Elephantopus scaber L.	[12]	218
Eleusine coracana (L.) Gaertn.	[13]	234
Eleusine indica (L.) Gaertn.	[13]	236
Eleutherine plicata Herb.	[13]	96
Ellisiophyllum pinnatum (Wall.) Makino	[11]	114
Elopichthys bambusa (Richardson)	[14]	149
Elsholtzia argyi Lévl.	[10]	468
Elsholtzia ciliata (Thunb.) Hyland.	[10]	470
Elsholtzia cypriani (Pavol.) S. Chow ex Hsu	[10]	472
Elsholtzia kachinensis Prain	[10]	474
Elsholtzia splendens Nakai ex F. Maekawa	[10]	476
Embelia laeta (L.) Mez	[9]	300
Embelia longifolia (Benth.) Hemsl.	[9]	302
Embelia oblongifolia Hemsl.	[9]	304
Embelia parviflora Wall. ex A. DC.	[9]	306
Embelia rudis Hand.-Mazz.	[9]	308
Embelia scandens (Lour.) Mez	[9]	310

Embelia vestita Roxb.	[9]	312
Emberiza aureola (Pallas)	[14]	336
Emilia sonchifolia (L.) DC.	[12]	220
Emmenopterys henryi Oliv.	[10]	154
Engelhardia fenzelii Merr.	[3]	60
Engelhardia roxburghiana Wall.	[3]	62
Enhydris chinensis (Gray)	[14]	246
Enkianthus chinensis Franch.	[9]	196
Enkianthus serrulatus (Wils.) Schneid.	[9]	198
Entodon compressus (Hedw.) C. Müll.	[1]	360
Eomecon chionantha Hance	[5]	344
Epicauta gorhami (Marseul)	[14]	108
Epicauta ruficeps (Illiger)	[14]	104
Epicauta tibialis (Waterhouse)	[14]	105
Epigeneium fargesii (Finet) Gagnep.	[13]	722
Epilobium amurense Hausskn.	[8]	512
Epilobium amurense Hausskn. subsp. *cephalostigma* (Hausskn.) C. J. Chen	[8]	514
Epilobium brevifolium D. Don subsp. *trichoneurum* (Hausskn.) Raven.	[8]	516
Epilobium hirsutum L.	[8]	518
Epilobium parviflorum Schreber	[8]	520
Epilobium pyrricholophum Franch. et Savat.	[8]	522
Epimedium davidii Franch.	[4]	576
Epimedium franchetii Stearn	[4]	578
Epimedium hunanense (Hand.-Mazz.) Hand.-Mazz.	[4]	580
Epimedium leptorrhizum Stearn	[4]	582
Epimedium lishihchenii Stearn	[4]	584

Epimedium sagittatum (Sieb. et Zucc.) Maxim.	[4]	586
Epimedium tianmenshanense T. Deng, D. G. Zhang & H. Sun	[4]	588
Epimeredi indica (L.) Rothm.	[10]	478
Epipactis helleborine (L.) Crantz	[13]	724
Equisetum arvense L.	[1]	436
Equisetum diffusum D. Don	[1]	438
Equisetum pratense Ehrhart	[1]	440
Equisetum ramosissimum Desf.	[1]	442
Equisetum ramosissimum Desf. subsp. *debile* (Roxb. ex Vauch.) Á. Löve et D. Löve	[1]	446
Equus asinus (Linnaeus) × *Equus caballus orientalis* (Noack)	[14]	380
Equus asinus (Linnaeus)	[14]	375
Equus caballus orientalis (Noack)	[14]	377
Eragrostis cilianensis (All.) Link ex Vign. Lut.	[13]	238
Eragrostis ferruginea (Thunb.) Beauv.	[13]	240
Eragrostis japonica (Thunb.) Trin.	[13]	242
Eragrostis minor Host.	[13]	244
Eragrostis pilosa (L.) Beauv.	[13]	246
Eremochloa ophiuroides (Munro) Hack.	[13]	248
Ericerus pela (Chavannes)	[14]	80
Erigeron annuus (L.) Pers.	[12]	222
Erigeron breviscapus (Vaniot) Hand.-Mazz.	[12]	224
Erinaceus europaeus (Linnaeus)	[14]	337
Eriobotrya cavaleriei (Lévl.) Rehd.	[6]	60
Eriobotrya japonica (Thunb.) Lindl.	[6]	62
Eriocaulon brownianum Mart.	[13]	156
Eriocaulon buergerianum Koern.	[13]	158
Eriocaulon cinereum R. Br.	[13]	160

Eriocaulon decemflorum Maxim.	[13]	162
Eriocaulon sexangulare L.	[13]	164
Eriocheir sinensis (H. Milne-Edwards)	[14]	35
Eriochloa villosa (Thunb.) Kunth	[13]	250
Erionota thorax (Linnaeus)	[14]	93
Eriophorum comosum Nees	[13]	534
Eriosema chinense Vog.	[6]	520
Eristalis tenax (Linnaeus)	[14]	98
Eryngium foetidum L.	[9]	98
Erythrina corallodendron L.	[6]	522
Erythroculter ilishaeformis (Bleeker)	[14]	154
Erythroxylum sinense C. Y. Wu (Wall.) Kurz	[7]	32
Eschscholzia californica Cham.	[5]	348
Eucalyptus exserta F. V. Muell.	[8]	460
Eucalyptus robusta Smith	[8]	462
Euchresta japonica Hook. f. ex Regel	[6]	524
Euchresta tubulosa Dunn	[6]	526
Eucommia ulmoides Oliv.	[1]	130
Eucommia ulmoides Oliver	[3]	240
Eumeces chinensis (Gray)	[14]	223
Eumeces elegans (Boulenger)	[14]	225
Eumenes pomefomis (Fabr.)	[14]	124
Euonymus acanthocarpus Franch.	[7]	524
Euonymus aculeatus Hemsl.	[7]	526
Euonymus alatus (Thunb.) Sieb	[7]	528
Euonymus carnosus Hemsl.	[7]	530
Euonymus centidens Lévl.	[7]	532
Euonymus cornutus Hemsl.	[7]	534

Euonymus dielsianus Loes. ex Diels	[7]	536
Euonymus euscaphis Hand.-Mazz.	[7]	538
Euonymus fortunei (Turcz.) Hand.-Mazz.	[7]	540
Euonymus grandiflorus Wall.	[7]	542
Euonymus hamiltonianus Wall.	[7]	544
Euonymus hederaceus Champ. ex Benth.	[7]	546
Euonymus japonicus Thunb.	[7]	548
Euonymus laxiflorus Champ. ex Benth.	[7]	550
Euonymus maackii Rupr.	[7]	552
Euonymus myrianthus Hemsl.	[7]	554
Euonymus oblongifolius Loes. et Rehd.	[7]	556
Euonymus oxyphyllus Miq.	[7]	558
Euonymus subsessilis Sprague	[7]	560
Eupatorium chinense L.	[12]	226
Eupatorium fortunei Turcz.	[12]	228
Eupatorium heterophyllum DC.	[12]	230
Eupatorium japonicum Thunb.	[12]	232
Eupatorium lindleyanum DC.	[12]	234
Euphorbia cyathophora Murr.	[7]	52
Euphorbia esula L.	[7]	54
Euphorbia helioscopia L.	[7]	56
Euphorbia heterophylla L.	[7]	58
Euphorbia hirta L.	[7]	60
Euphorbia humifusa Willd.	[7]	62
Euphorbia hylonoma Hand.-Mazz.	[7]	64
Euphorbia hypericifolia L.	[7]	66
Euphorbia lathyris L.	[7]	68
Euphorbia maculata L.	[7]	70

Euphorbia milii Ch. des Moulins	[7]	72
Euphorbia pekinensis Rupr.	[7]	74
Euphorbia prostrata Ait.	[7]	76
Euphorbia sieboldiana Morr. et Decne.	[7]	78
Euphorbia thymifolia L.	[7]	80
Eupolyphaga sinensis (Walker)	[14]	59
Euptelea pleiospermum Hook. f. et Thoms.	[4]	374
Eurya acutisepala Hu et L. K. Ling	[5]	224
Eurya alata Kobuski	[5]	226
Eurya brevistyla Kobuski	[5]	228
Eurya chinensis R. Br.	[5]	230
Eurya distichophylla Hemsl.	[5]	232
Eurya hebeclados Ling	[5]	234
Eurya loquaiana Dunn	[5]	236
Eurya muricata Dunn	[5]	238
Eurya nitida Korthals	[5]	240
Eurya obtusifolia H. T. Chang	[5]	242
Eurya patentipila Chun	[5]	244
Eurya rubiginosa H. T. Chang var. *attenuata* H. T. Chang	[5]	246
Eurya stenophylla Merr.	[5]	248
Eurya tetragonoclada Merrill et Chun	[5]	252
Eurya weissiae Chun	[5]	254
Euryale ferox Salisb. ex Konig et Sims	[5]	46
Euscaphis japonica (Thunb.) Dippel	[7]	568
Evodia austrosinensis Hand.-Mazz.	[7]	178
Evodia daniellii (Benn.) F. B. Forbes et Hemsl.	[7]	180
Evodia fargesii Dode	[7]	182
Evodia glabrifolia (Champ. ex Benth.) Huang	[7]	184

Evodia rutaecarpa (Juss.) Benth. [1]175/[7]186

Evodia rutaecarpa (Juss.) Benth. var. *bodinieri* (Dode) Huang [7] 188

Evodia rutaecarpa (Juss.) Benth. var. *officinalis* (Dode) Huang [7] 190

Evolvulus alsinoides (L.) L. [10] 284

Exbucklandia tonkinensis (Lec.) Steenis [5] 474

F

Fagopyrum dibotrys (D. Don) Hara [3] 508

Fagopyrum esculentum Moench [3] 512

Fagopyrum gracilipes (Hemsl.) Damm. ex Diels [3] 516

Fagopyrum tataricum (L.) Gaertn. [3] 518

Fagus engleriana Seem. [3] 166

Fagus longipetiolata Seem. [3] 168

Fallopia multiflora (Thunb.) Harald. [3] 560

Farfugium japonicum (L.) Kitam. [12] 236

Fargesia spathacea Franch. [13] 252

Fatoua villosa (Thunb.) Nakai [3] 262

Fatsia japonica (Thunb.) Decne. et Planch. [9] 38

Favolus arcularius (Batsch : Fr.) Ames. [1] 308

Felis ocreata domestica (Brisson) [14] 346

Ficus abelii Miq. [3] 264

Ficus carica L. [3] 266

Ficus erecta Thunb. [3] 268

Ficus erecta Thunb. var. *beecheyana* (Hook. et Arn.) King [3] 270

Ficus erecta Thunb. var. *beecheyana* (Hook. et Arn.) King f.

   koshunensis (Hayata) Corner [3]272

Ficus formosana Maxim. [3] 274

Ficus gasparriniana Miq. var. *esquirolii* (Lévl. et Vant.) Corner [3] 280

Ficus gasparriniana Miq. var. *laceratifolia* (Lévl. et Vant.) Corner [3] 276

Ficus gasparriniana Miq. var. *viridescens*

(Lévl. et Vant.) Corner [3] 278

Ficus henryi Warb. ex Diels [3] 282

Ficus heteromorpha Hemsl. [3] 284

Ficus hirta Vahl [3] 286

Ficus ischnopoda Miq. [3] 288

Ficus microcarpa L. f. [3] 292

Ficus pandurata Hance [3] 296

Ficus pandurata Hance var. *angustifolia* Cheng [3] 298

Ficus pandurata Hance var. *holophylla* Migo [3] 300

Ficus pumila L. [3] 302

Ficus pyriformis Hook. et Arn. [3] 304

Ficus sarmentosa Buch.-Ham. ex J. E. Sm. var. *henryi*

(King ex Oliv.) Corner [3] 306

Ficus sarmentosa Buch.-Ham. ex J. E. Sm. var. *impressa*

(Champ.) Corner [3] 312

Ficus sarmentosa Buch.-Ham. ex J. E. Sm. var. *lacrymans*

(Lévl. et Vant.) Corner [3] 308

Ficus sarmentosa Buch.-Ham. ex J. E. Sm. var. *nipponica*

(Fr. et Sav.) Corner [3] 310

Ficus stenophylla Hemsl. [3] 314

Ficus tikoua Bur. [3] 316

Ficus tinctoria Forst. f. subsp. *gibbosa* (Bl.) Corner [3] 320

Ficus tsiangii Merr. ex Corner [3] 322

Ficus variolosa Lindl. ex Benth. [3] 324

Fimbristylis bisumbellata (Forsk.) Bubani [13] 536

Fimbristylis dichotoma (L.) Vahl [13] 538

Fimbristylis miliacea (L.) Vahl	[13]	540
Firmiana platanifolia (L. f.) Marsili	[8]	176
Fissistigma oldhamii (Hemsl.) Merr.	[4]	232
Fissistigma retusum (Lévl.) Rehd.	[4]	234
Fissistigma uonicum (Dunn) Merr.	[4]	236
Flavoparmelia caperata (L.) W. Hale	[1]	334
Flemingia macrophylla (Willdenow) Prain	[6]	528
Flemingia prostrata Roxburgh	[6]	530
Floscopa scandens Lour.	[13]	132
Flueggea suffruticosa (Pall.) Baill.	[7]	82
Flueggea virosa (Roxb. ex Willd.) Voigt	[7]	84
Foeniculum vulgare Mill.	[9]	100
Fokienia hodginsii (Dunn) Henry et Thomas	[3]	4
Fordiophyton faberi Stapf	[8]	484
Forsythia viridissima Lindl.	[9]	508
Fortunearia sinensis Rehd. et Wils.	[5]	476
Fortunella japonica (Thunb.) Swingle	[7]	192
Fortunella margarita (Lour.) Swingle	[7]	194
Fragaria × *ananassa* Duch.	[6]	68
Fragaria nilgerrensis Schlecht. ex Gay var. *mairei* (Lévl.) Hand.-Mazz.	[6]	72
Fragaria nilgerrensis Schltdl. ex Gay	[6]	70
Francolinus pintadeanus (Scopoli)	[14]	297
Fraxinus bungeana DC.	[9]	510
Fraxinus chinensis Roxb.	[9]	512
Fraxinus hupehensis Ch'ü, Shang et Su	[9]	516
Fraxinus insularis Hemsl.	[9]	518
Fraxinus griffithii C. B. Clarke	[9]	514

Fritillaria hupehensis Hsiao et K. C. Hsia [12] 590

Fritillaria taipaiensis P. Y. Li [12] 592

Fritillaria thunbergii Miq. [12] 594

Fruticicola ravida (Benson) [14] 21

Fuchsia hybrida Hort. ex Sieb. et Voss. [8] 524

Fugu ocellatus (Osbeck) [14] 179

Funaria hygrometrica Hedw. [1] 356

G

Gahnia tristis Nees [13] 542

Galactia tenuiflora (Klein ex Willd.) Wight et Arn. [6] 532

Galeobdolon chinense (Benth.) C. Y. Wu [10] 480

Galeola lindleyana (Hook. f. et Thoms.) Rchb. f. [13] 726

Galinsoga parviflora Cav. [12] 238

Galinsoga quadriradiata Ruiz et Pav. [12] 240

Galium aparine L. var. *echinospermum* (Wallr.) Cuf. [10] 156

Galium asperuloides Edgew. ssp. *hoffmeisteri* (Klotzsch) Hara [10] 158

Galium bungei Steud. [10] 160

Galium bungei Steud. var. *angustifolium*

    (Loesen.) Cuf. [10] 164

Galium bungei Steud. var. *trachyspermum* (A. Gray) Cuif. [10] 162

Galium kinuta Nakai et Hara [10] 166

Galium paradoxum Maxim. [10] 168

Galium trifidum L. [10] 170

Galium verum L. [10] 172

Gallinula chloropus (Linnaeus) [14] 304

Gallus gallus domesticus (Brisson) [14] 291

Ganoderma applanatum (Pers. ex Wall.) Pat. [1] 302

Ganoderma lucidum (Curtis) P. Karst.	[1]	298
Ganoderma sinense J. D. Zhao et al.	[1]	300
Garcinia multiflora Champ. ex Benth.	[5]	274
Garcinia oblongifolia Champ. ex Benth.	[5]	278
Gardenia jasminoides Ellis	[1]191/[10]174	
Gardenia jasminoides Ellis var. *fortuniana* (Lindl.) Hara	[10]	176
Gardenia stenophylla Merr.	[10]	178
Gardneria multiflora Makino	[9]	576
Gastrodia elata Bl.	[1]240/[13]728	
Gaultheria leucocarpa Bl. var. *crenulata* (Kurz) T. Z. Hsu	[9]	200
Gekko japonicus (Dumeril et Bibron)	[14]	220
Gekko subpalmtus (Guinther)	[14]	222
Gelsemium elegans (Gardn. et Champ.) Benth.	[9]	578
Gentiana davidii Franch.	[9]	586
Gentiana loureirii (G. Don) Griseb.	[9]	588
Gentiana panthaica Prain et Burk.	[9]	592
Gentiana rhodantha Franch. ex Hemsl.	[9]	594
Gentiana rigescens Franch. ex Hemsl.	[9]	596
Gentiana rubicunda Franch.	[9]	598
Gentiana yokusai Burk.	[9]	600
Gentiana manshurica Kitag.	[9]	590
Geranium carolinianum L.	[7]	8
Geranium franchetii R. Knuth	[7]	10
Geranium nepalense Sweet	[7]	12
Geranium rosthornii R. Kunth	[7]	14
Geranium sibiricum L.	[7]	16
Geranium wilfordii Maxim.	[7]	18
Gerbera piloselloides (L.) Cass.	[12]	244

Geum aleppicum Jacq.	[6]	74
Geum japonicum Thunb. var. *chinense* F. Bolle	[6]	76
Ginkgo biloba L.	[2]	590
Girardinia diversifolia (Link) Friis	[3]	382
Girardinia suborbiculata C. J. Chen subsp. *triloba* (C. J. Chen) C. J. Chen	[3]	384
Gladiolus gandavensis Van Houtte	[13]	98
Glaucidium cuculoides (Vigors)	[14]	314
Gleadovia ruborum Gamble et Prain.	[11]	346
Glechoma biondiana (Diels) C. Y. Wu et C. Chen	[10]	482
Glechoma biondiana (Diels) C. Y. Wu var. *angustituba* C. Y. Wu et C. Chen	[10]	484
Glechoma longituba (Nakai) Kupr.	[10]	486
Gleditsia fera (Lour.) Merr.	[6]	534
Gleditsia japonica Miq.	[6]	536
Gleditsia japonica Miq. var. *velutina* L. C.	[6]	538
Gleditsia sinensis Lam.	[6]	540
Globba racemosa Smith	[13]	608
Glochidion daltonii (Muell. Arg.) Kurz.	[7]	86
Glochidion eriocarpum Champ. ex Benth.	[7]	88
Glochidion puberum (L.) Hutch.	[7]	90
Glochidion wilsonii Hutch.	[7]	92
Glycine max (L.) Merr.	[6]	542
Glycine soja Siebold et Zuccarini	[6]	544
Glyptostrobus pensilis (Staunt.) Koch	[2]	648
Gnaphalium adnatum (Wall. ex DC.) Kitam.	[12]	246
Gnaphalium affine D. Don	[12]	248
Gnaphalium hypoleucum DC.	[12]	250

Gnaphalium japonicum Thunb.	[12]	252
Gnaphalium pensylvanicum Willd.	[12]	254
Gnaphalium polycaulon Pers.	[12]	256
Gnetum parvifolium (Warb.) W. C. Cheng	[3]	50
Goldfussia pentastemonoides Nees	[11]	274
Gomphostemma chinense Oliv.	[10]	488
Gomphrena globosa L.	[4]	128
Gonostegia hirta (Bl.) Miq.	[3]	386
Goodyera foliosa (Lindl.) Benth. ex Clarke	[13]	732
Goodyera repens (L.) R. Br.	[13]	734
Goodyera schlechtendaliana Rchb. f.	[13]	736
Gordonia acuminata Chang	[5]	256
Gossypium hirsutum L.	[8]	114
Grewia biloba G. Don Gen.	[8]	160
Grewia biloba G. Don Gen. var. *parviflora* (Bunge.)		
Hand.-Mazz. Symb. Sin.	[8]	162
Gryllotalpa africana Palisot et Boauvois	[14]	73
Gryllotalpa orientalis (Burmeister)	[14]	72
Gymnema sylvestre (Retz.) Schult. Syst.	[10]	14
Gymnocladus chinensis Baill.	[6]	546
Gymnodiptychus pachychus (Herzenstein)	[14]	156
Gymnogrammitis dareiformis (Hook.) Ching ex Tard.-Blot		
et C. Chr.	[2]	574
Gymnotheca chinensis Decne.	[5]	62
Gynostemma laxum (Wall.) Cogn.	[8]	358
Gynostemma pentagynum Z. P. Wang	[8]	360
Gynostemma pentaphyllum (Thunb.) Makino	[8]	362
Gynura bicolor (Willd.) DC.	[12]	258

Gynura divaricata (L.) DC. [12] 260

Gynura formosana Kitamura [12] 262

Gynura japonica (L. f.) Juel [12] 264

Gynura procumbens (Lour.) Merr. [12] 266

H

Habenaria ciliolaris Kraenzl. [13] 738

Habenaria davidii Franch. [13] 740

Habenaria dentata (Sw.) Schltr. [13] 742

Habenaria petelotii Gagnep. [13] 744

Habenaria rhodocheila Hance [13] 746

Halenia elliptica D. Don [9] 602

Haliaeetus albicilla (Linnaeus) [14] 288

Haloragis micranthus (Thunb.) R. Br. ex Sieb. et Zucc. [8] 546

Hamamelis mollis Oliver [5] 478

Haplopteris flexuosa (Fée) E. H. Crane [2] 212

Haplopteris fudzinoi (Makino) E. H. Crane [2] 216

Hedera nepalensis K. Koch var. *sinensis* (Tobl.) Rehd. [9] 40

Hedychium coronarium Koen. [13] 610

Hedychium flavum Roxb. [13] 612

Hedyotis caudatifolia Merr. et Metcalf [10] 180

Hedyotis chrysotricha (Palib.) Merr. [10] 182

Hedyotis corymbosa (L.) Lam. [10] 184

Hedyotis diffusa Willd. [10] 186

Hedyotis tenelliflora Blume Bijdr. [10] 190

Hedyotis uncinella Hook. et Arn [10] 192

Hedyotis mellii Tutch. [10] 188

Heleocharis dulcis (Burm. f.) Trin. [13] 544

Heleocharis tetraquetra Nees [13] 546

Heleocharis yokoscensis (Franchet et Savatier)

Tang et F. T. Wang [13] 548

Helianthus annuus L. [12] 268

Helianthus tuberosus L. [12] 272

Helicia reticulata W. T. Wang [3] 456

Helicteres angustifolia L. [8] 180

Helwingia chinensis Batal. [8] 598

Helwingia himalaica Hook. f. et Thoms. ex C. B. Clarke [8] 600

Helwingia japonica (Thunb.) Dietr. [8] 604

Helwingia japonica (Thunb.) Dietr. var. *hppoleuca* Hemsl. ex Rehd. [8] 602

Hemarthria compressa (L. f.) R. Br. [13] 254

Hemerocallis citrina Baroni [12] 596

Hemerocallis fulva (L.) L. [12] 598

Hemibarbus labeo (Pallas) [14] 157

Hemiboea cavaleriei H. Lél. [11] 318

Hemiboea follicularis Clarke [11] 320

Hemiboea gracilis Franch. [11] 322

Hemiboea henryi C. B. Clarke [11] 324

Hemiboea subacaulis Hand.-Mazz. [11] 326

Hemiboea subcapitata C. B. Clarke [11] 328

Hemiculter leucisculus (Basilewsky) [14] 158

Hemiphragma heterophyllum Wall. [11] 116

Hemiptelea davidii (Hance) Planch. [3] 212

Hemisteptia lyrata (Bunge) Bunge [12] 274

Hemsleya chinensis Cogn. ex Forbes et Hemsl. [8] 364

Hemsleya graciliflora (Harms) Cogn. [8] 366

Hemsleya sphaerocarpa Kuang et A. M. Lu [8] 368

Hepatica henryi (Oliv.) Steward	[4]	488
Heracleum tiliifolium Wolff	[9]	106
Heracleum moellendorffii Hance	[9]	102
Heracleum moellendorffii Hance var. *paucivittatum* Shan et		
T. S. Wang	[9]	104
Herminium lanceum (Thunb. ex Sw.) Vuijk	[13]	748
Heterolamium debile (Hemsl.) C. Y. Wu	[10]	490
Heterolamium debile (Hemsl.) C. Y. Wu var.		
cardiophyllum (Hemsl.) C. Y. Wu	[10]	492
Heteropappus hispidus (Thunb.) Less.	[12]	276
Heteropogon contortus (L.) Beauv. ex Roem. et Schult.	[13]	256
Heterosmilax chinensis Wang	[12]	600
Heterosmilax japonica Kunth	[12]	602
Heterostemma alatum Wight	[10]	94
Hibiscus mutabilis L. f. *plenus* (Andrews) S. Y. Hu Fl.	[8]	118
Hibiscus paramutabilis Bailey	[8]	120
Hibiscus rosa-sinensis L.	[8]	122
Hibiscus sabdariffa L.	[8]	124
Hibiscus sinosyriacus Bailey	[8]	126
Hibiscus syriacus L.	[8]	128
Hibiscus syriacus L. f. *violaceus* Gagnep. f.	[8]	130
Hibiscus trionum L.	[8]	132
Hibiscus mutabilis L.	[8]	116
Hieracium umbellatum L.	[12]	278
Hippeastrum rutilum (Ker-Gawl.) Herb.	[13]	14
Hippeastrum vittatum (L'Her.) Herb.	[13]	16
Hipposideros armiger (Hodgson)	[14]	343
Hirudo nipponica (Whitman)	[14]	5

Hirundo daurica (Linnaues)	[14]	321
Hirundo rustica (Linnaeus)	[14]	320
Holboellia fargesii Reaub.	[4]	626
Holboellia coriacea Diels	[4]	628
Holboellia grandiflora Reaub.	[4]	630
Holotrichia oblita (Faldermann)	[14]	120
Holotrichia parallela (Waterhouse)	[14]	119
Homalium cochinchinense (Lour.) Druce	[8]	238
Hosta ventricosa (Salisb.) Stearn	[12]	604
Houttuynia cordata Thunb.	[5]	64
Hovenia acerba Lindl.	[7]	624
Hovenia trichocarpa Chun et Tsiang	[7]	626
Hovenia trichocarpa Chun et Tsiang var. *robusta* (Nakai et Y. Kimura) Y. L. Chon et P. K. Chou	[7]	628
Huechys sanguinea (De Geer)	[14]	78
Humata griffithiana (Hook.) C. Chr.	[2]	474
Humulus scandens (Lour.) Merr.	[3]	326
Huperzia crispata (Ching ex H. S. Kung) Ching	[1]	378
Huperzia serrata (Thunb.) ex Murray Trevis.	[1]	380
Hydrangea anomala D. Don	[5]	566
Hydrangea aspera D. Don	[5]	568
Hydrangea chinensis Maxim.	[5]	570
Hydrangea hypoglauca Rehd.	[5]	572
Hydrangea macrophylla (Thunb.) Ser.	[5]	574
Hydrangea paniculata Sieb.	[5]	576
Hydrangea strigosa Rehd.	[5]	578
Hydrilla verticillata (L. f.) Royle	[12]	494
Hydrocharis dubia (Blume) Backer	[12]	496

Hydrocotyle chinensis (Dunn) Craib	[9]	108
Hydrocotyle nepalensis Hook.	[9]	110
Hydrocotyle sibthorpioides Lam.	[9]	112
Hydrocotyle sibthorpioides Lam. var. *batrachium* (Hance) Hand.-Mazz. ex Shan	[9]	114
Hydrocotyle wilfordii Maxim.	[9]	116
Hydropotes inermis (Swinhoe)	[14]	385
Hygrophila salicifolia (Vahl) Nees	[11]	276
Hyla arborea immaculate (Boettger)	[14]	191
Hyla chinensis (Guenther)	[14]	189
Hylarana (Sylvirana) *guentheri* (Boulenger)	[14]	192
Hylocereus undatus (Haw.) Britt. et Rose	[4]	130
Hylomecon japonica (Thunb.) Prantl et Kündig	[5]	350
Hylomecon japonica (Thunb.) Prantl et Kündig var. *dissecta* (Franch. et Savat.) Fedde	[5]	352
Hylotelephium erythrostictum (Miq.) H. Ohba	[5]	492
Hylotelephium mingjinianum (S. H. Fu) H. Ohba	[5]	494
Hymenocallis littoralis (Jacq.) Salisb.	[13]	18
Hymenophyllum barbatum (v. d. B.) Bak.	[2]	54
Hypericum ascyron L.	[5]	280
Hypericum attenuatum Choisy	[5]	282
Hypericum elodeoides Choisy	[5]	284
Hypericum erectum Thunb. ex Murray	[5]	286
Hypericum faberi R. Keller	[5]	288
Hypericum hengshanense W. T. Wang	[5]	290
Hypericum japonicum Thunb. ex Murray	[5]	292
Hypericum longistylum Oliv.	[5]	296
Hypericum monogynum L.	[5]	298

Hypericum patulum Thunb. ex Murray	[5]	302
Hypericum perforatum L.	[5]	304
Hypericum petiolulatum Hook. f. et Thoms. ex Dyer	[5]	306
Hypericum sampsonii Hance	[5]	308
Hypodematium crenatum (Forssk.) Kuhn	[2]	260
Hypodematium hirsutum (Don) Ching	[2]	262
Hypolepis punctata (Thunb.) Mett.	[2]	98
Hypophthalmichthys molitvix (Cuvier et Valencinnes)	[14]	153
Hypoxis aurea Lour.	[13]	20
Hyriopsis cumingii (Lea)	[14]	25
Hystrix brachyuran (Linnaeus)	[14]	428

I

Ichnocarpus frutescens (L.) W. T. Aiton	[10]	16
Ichthyoxenus japonensis (Richardson)	[14]	33
Idesia polycarpa Maxim.	[8]	240
Idesia polycarpa Maxim. var. *vestita* Diels	[8]	242
Ilex aculeolata Nakai	[7]	446
Ilex asprella (Hook. et Arn.) Champ. ex Benth.	[7]	448
Ilex bioritsensis Hayata	[7]	450
Ilex centrochinensis S. Y. Hu	[7]	452
Ilex chinensis Sims	[7]	454
Ilex corallina Franch.	[7]	456
Ilex cornuta Lindl. et Paxt.	[7]	458
Ilex elmerrilliana S. Y. Hu	[7]	462
Ilex ficoidea Hemsl	[7]	464
Ilex hainanensis Merr.	[7]	466
Ilex kwangtungensis Merr.	[7]	468

Ilex latifolia Thunb.	[7]	470
Ilex lohfauensis Merr.	[7]	472
Ilex macrocarpa Oliv.	[7]	474
Ilex macropoda Miq.	[7]	476
Ilex micrococca Maxim.	[7]	478
Ilex nitidissima C. J. Tseng	[7]	480
Ilex pedunculosa Miq.	[7]	482
Ilex pernyi Franch.	[7]	484
Ilex pubescens Hook. et Arn.	[7]	486
Ilex rotunda Thunb.	[7]	488
Ilex serrata Thunb	[7]	490
Ilex suaveolens (H. Lévl.) Loes.	[7]	492
Ilex szechwanensis Loes.	[7]	494
Ilex triflora Blume	[7]	496
Ilex tsoii Merr. et Chun	[7]	498
Ilex viridis Champ. ex Benth.	[7]	500
Ilex wilsonii Loes.	[7]	502
Illicium brevistylum A. C. Smith	[4]	138
Illicium difengpi K. I. B. et K. I. M. ex B. N. Chang	[4]	140
Illicium dunnianum Tutch	[4]	142
Illicium henryi Diels	[4]	144
Illicium jiadifengpi B. N. Chang	[4]	146
Illicium lanceolatum A. C. Smith	[4]	148
Illicium majus Hook. f. et Thoms.	[4]	150
Illicium micranthum Dunn	[4]	152
Illicium pachyphyllum A. C. Smith	[4]	154
Illicium verum Hook. f.	[4]	156
Impatiens balsamina L.	[7]	406

Impatiens blepharosepala Pritz. ex E. Pritz. ex Diels	[7]	410
Impatiens chinensis L.	[7]	412
Impatiens chlorosepala Hand.-Mazz.	[7]	414
Impatiens commelinoides Hand.-Mazz.	[7]	418
Impatiens cyanantha Hook. f.	[7]	420
Impatiens davidii Franch.	[7]	422
Impatiens dicentra Franch. ex Hook. F	[7]	424
Impatiens lasiophyton Hook. f.	[7]	426
Impatiens leptocaulon Hook. f.	[7]	428
Impatiens noli-tangere L.	[7]	430
Impatiens pinfanensis Hook. f.	[7]	432
Impatiens polyneura K. M. Liu	[7]	434
Impatiens pterosepala Hook. f.	[7]	436
Impatiens siculifer Hook. f.	[7]	438
Impatiens siculifer Hook. f. var. *porphyea* Hook. f.	[7]	440
Impatiens stenosepala Pritz. ex Diels	[7]	442
Impatiens tubulosa Hemsl.	[7]	444
Imperata cylindrica (L.) Beauv.	[13]	258
Indigofera amblyantha Craib	[6]	548
Indigofera atropurpurea Buch.-Ham.	[6]	550
Indigofera decora Lindl. var. *ichangensis* (Craib) Y. Y. Fang et C. Z. Zheng	[6]	552
Indigofera pseudotinctoria Matsum.	[6]	554
Indocalamus latifolius (Keng) McClure	[13]	260
Indocalamus longiauritus Hand.-Mazz.	[13]	262
Indocalamus tessellatus (Munro) Keng f.	[13]	264
Inula britannica L.	[12]	280
Inula cappa (Buch.-Ham.) DC.	[12]	282

Inula helenium L.	[12]	286
Inula japonica Thunb.	[12]	288
Inula lineariifolia Turcz.	[12]	290
Ipomoea aquatica Forsk.	[10]	286
Ipomoea batatas (L.) Lam.	[10]	288
Ipomoea nil (Linnaeus) Roth.	[10]	298
Ipomoea triloba L.	[10]	290
Iris confusa Sealy	[13]	100
Iris japonica f. var. *pallescens* P. L. Chiu et Y. T. Zhao	[13]	104
Iris japonica Thunb.	[13]	102
Iris proantha Diels	[13]	106
Iris pseudacorus L.	[13]	108
Iris speculatrix Hance	[13]	110
Iris tectorum Maxim.	[13]	112
Isachne globosa (Thunb.) Kuntze	[13]	266
Isatis indigotica Fortune	[5]	434
Itea chinensis Hook. et Arn.	[5]	580
Itea coriacea Y. C. Wu	[5]	582
Itea glutinosa Hand.-Mazz.	[5]	584
Itea oblonga Hand.-Mazz.	[5]	586
Ixeridium chinense (Thunb.) Tzvel.	[12]	292
Ixeridium dentatum (Thunb.) Tzvel.	[12]	294
Ixeridium gracile (DC.) Shih	[12]	296
Ixeridium sonchifolium (Maxim.) Shih	[12]	298
Ixeris denticulata (Houtt.) Stebb.	[12]	300
Ixeris japonica (Burm. f.) Nakai	[12]	302
Ixeris polycephala Cass.	[12]	304
Ixora chinensis Lam.	[10]	194

J

Jacquemontia paniculata (Burm. f.) Hall. f.	[10]	292
Jasminum floridum Bunge	[9]	520
Jasminum lanceolarium Roxb.	[9]	522
Jasminum nudiflorum Lindl.	[9]	526
Jasminum sambac (L.) Ait.	[9]	528
Jasminum seguinii Lévl.	[9]	530
Jasminum sinense Hemsl.	[9]	532
Jasminum urophyllum Hemsl.	[9]	534
Jasminum mesnyi Hance	[9]	524
Juglans cathayensis Dode	[3]	64
Juglans mandshurica Maxim.	[3]	66
Juncellus serotinus (Rottb.) C. B. Clarke	[13]	550
Juncus alatus Franch. et Savat.	[13]	114
Juncus bufonius L.	[13]	116
Juncus effusus L.	[13]	118
Juncus prismatocarpus R. Br.	[13]	120
Juncus setchuensis Buchen.	[13]	122
Juniperus formosana Hayata	[3]	6
Jynx torquilla (Linnaeus)	[14]	317

K

Kadsura coccinea (Lem.) A. C. Smith	[4]	158
Kadsura heteroclita (Roxb.) Craib	[4]	160
Kadsura longipedunculata Finet et Gagnep.	[4]	164
Kalimeris indica (L.) Sch.-Bip.	[12]	306
Kalimeris integrifolia Turcz. ex DC.	[12]	308

Kalimeris shimadai (Kitam.) Kitam. [12] 310

Kalopanax septemlobus (Thunb.) Koidz. [9] 42

Keiskea elsholtzioides Merr. [10] 494

Kerria japonica (L.) DC. [6] 78

Keteleeria cyclolepis Flous [2] 598

Keteleeria davidiana (Bertr.) Beissn. [2] 600

Kinostemon alborubrum (Hemsl.) C. Y. Wu et S. Chow [10] 496

Kinostemon ornatum (Hemsl.) Kudo [10] 498

Kochia scoparia (L.) Schrad. [4] 86

Koelreuteria bipinnata Franch. [7] 366

Koelreuteria bipinnata var. *integrifoliola* [7] 368

Koelreuteria paniculata Laxm. [7] 370

Korthalsella japonica (Thunb.) Engl. [3] 466

Kummerowia stipulacea (Maxim.) Makino [6] 556

Kummerowia striata (Thunb.) Schindl. [6] 558

Kyllinga brevifolia Rottb. [13] 552

Kyllinga monocephala Rottb. [13] 556

L

Lactuca sativa L. [12] 312

Lagenaria siceraria (Molina) Standl. [8] 370

Lagenaria siceraria (Molina) Standl. var. *depressa* (Ser.) H. Hara [8] 372

Lagenaria siceraria (Molina) Standl. var. *hispida* (Thunb.)

  H. Hara [8] 374

Lagerstroemia excelsa (Dode) Chun ex S. Lee et L. Lau [8] 438

Lagerstroemia indica L. [8] 440

Lagerstroemia subcostata Koehne [8] 442

Laggera alata (D. Don) Sch.-Bip. ex Oliv. [12] 314

Lagopsis supina (Stephan ex Willd.) Ikonnikov

    Galitzky ex Knorring   [10]   500

Lamium amplexicaule L.   [10]   502

Lamium barbatum Sieb. et Zucc.   [10]   504

Lanccolaria grayana (Lea)   [14]   29

Lanius cristatus (Linnaeus)   [14]   262

Lantana camara L.   [10]   406

Laportea bulbifera (Sieb. et Zucc.) Wedd.   [3]   388

Laportea cuspidata (Wedd.) Friis   [3]   390

Lapsana apogonoides Maxim.   [12]   316

Larus ridibundus (Linnaeus)   [14]   305

Lasianthus chinensis (Champ.) Benth.   [10]   196

Lasianthus japonicus Miq.   [10]   198

Lasianthus japonicus Miq. var. *lancilimbus* (Merr.) Lo   [10]   200

Latouchea fokiensis Franch.   [9]   604

Laurocerasus spinulosa (Sieb. et Zucc.) Schneid.   [6]   80

Laurocerasus undulata (D. Don) Rocm.   [6]   82

Laurocerasus zippeliana (Miq.) Yu et Lu   [6]   84

Lecanthus peduncularis (Wall. ex Royle) Wedd.   [3]   392

Leersia japonica (Makino) Honda   [13]   268

Leersia sayanuka Ohwi   [13]   270

Leibnitzia anandria (L.) Turcz.   [12]   242

Leiocassis longirostris (Günther)   [14]   169

Lemmaphyllum microphyllum C. Presl   [2]   496

Lemna minor L.   [13]   466

Lentinula edodes (Berk.) Pegler   [1]   282

Lenzites betulina (L.) Fr.   [1]   306

Leontopodium japonicum Miq.   [12]   318

Leonurus artemisia (Lour.) S. Y. Hu [10] 506

Leonurus artemisia (Lour.) S. Y. Hu var. *albiflorus*

(Migo) S. Y. Hu [10] 510

Lepidium virginicum L. [5] 436

Lepidogrammitis diversa (Ros.) Ching [2] 498

Lepidogrammitis drymoglossoides (Baker) Ching [2] 500

Lepidogrammitis intermedia Ching [2] 504

Lepidogrammitis pyriformis (Ching) Ching [2] 506

Lepidomicrosorum buergerianum (Miq.) Ching [2] 508

Lepisma saccharina (Linnaeus) [14] 49

Lepisma saccharinum (Linnaeus) [14] 48

Lepisorus angustus Ching [2] 510

Lepisorus asterolepis (Baker) Ching [2] 512

Lepisorus contortus (Christ) Ching [2] 514

Lepisorus lewisii (Baker) Ching [2] 516

Lepisorus macrosphaerus (Baker) Ching [2] 518

Lepisorus obscure-venulosus (Hayata) Ching [2] 520

Lepisorus oligolepidus (Baker) Ching [2] 522

Lepisorus thunbergianus (Kaulf.) Ching [2] 524

Lepisorus tosaensis (Makino) H. Ito [2] 526

Lepisorus ussuriensis (Regel et Maack) Ching [2] 528

Leptochloa chinensis (L.) Ness [13] 272

Leptodermis potanini Batal. [10] 202

Leptopus chinensis (Bunge) Pojark. [7] 94

Lepus capensis (Linnaeus) [14] 434

Lepus sinensis (Gray) [14] 432

Lespedeza bicolor Turcz. [6] 560

Lespedeza buergeri Miq. [6] 562

Lespedeza chinensis G. Don	[6]	564
Lespedeza cuneata (Dum.-Cours.) G. Don	[6]	566
Lespedeza davidii Franch.	[6]	568
Lespedeza floribunda Bunge	[6]	570
Lespedeza formosa (Vog.) Koehne	[6]	572
Lespedeza pilosa (Thunb.) Sieb. et Zucc.	[6]	574
Lespedeza tomentosa (Thunb.) Sieb. ex Maxim.	[6]	576
Lespedeza virgata (Thunb.) DC.	[6]	578
Ligularia dentata (A. Gray) Hara	[12]	320
Ligularia fischeri (Ledeb.) Turcz.	[12]	322
Ligularia hodgsonii Hook.	[12]	324
Ligularia intermedia Nakai	[12]	326
Ligularia japonica (Thunb.) Less.	[12]	328
Ligularia sibirica (L.) Cass.	[12]	330
Ligularia stenocephala (Maxim.) Matsum. et Koidz.	[12]	332
Ligularia veitchiana (Hemsl.) Greenm.	[12]	334
Ligularia wilsoniana (Hemsl.) Greenm.	[12]	336
Ligusticum chuanxiong Hort.	[9]	118
Ligusticum sinense Oliv.	[9]	120
Ligustrum henryi Hemsl.	[9]	536
Ligustrum japonicum Thunb.	[9]	538
Ligustrum leucanthum (S. Moore) P. S. Green	[9]	540
Ligustrum lucidum Ait.	[9]	542
Ligustrum pricei Hayata	[9]	546
Ligustrum quihoui Carr.	[9]	548
Ligustrum sinense Lour.	[9]	550
Ligustrum sinense Lour. var. *coryanum* (W. W. Smith) Hand.-Mazz.	[9]	552

Ligustrum sinense Lour. var. *myrianthum* (Diels) Höfk.	[9]	554
Lilium brownii F. E. Brown ex Miellez	[12]	606
Lilium brownii F. E. Brown ex Miellez var. *viridulum* Baker	[12]	608
Lilium brownii F. E. Brown var. *viridulum* Baker	[1]	215
Lilium callosum Sieb. et Zucc.	[12]	612
Lilium concolor Salisb.	[12]	614
Lilium henryi Baker	[12]	616
Lilium lancifolium Thunb.	[1]219/[12]618	
Lilium longiflorum Thunb.	[12]	620
Lilium rosthornii Diels	[12]	622
Lilium speciosum Thunb. var. *gloriosoides* Baker	[12]	624
Lilium taliense Franch.	[12]	626
Limax flavus (Linnaeus)	[14]	16
Limnophila aromatica (Lam.) Merr.	[11]	118
Limnophila sessiliflora (Vahl) Blume.	[11]	120
Lindenbergia muraria (Roxburgh ex D. Don) Bruhl	[11]	122
Lindera aggregata (Sims) Kosterm.	[1]144/[4]274	
Lindera angustifolia Cheng	[4]	276
Lindera communis Hemsl.	[4]	278
Lindera erythrocarpa Makino	[4]	280
Lindera floribunda (Allen) H. P. Tsui	[4]	282
Lindera fragrans Oliv.	[4]	284
Lindera fruticosa Hemsl.	[4]	286
Lindera glauca (Sieb. et Zucc.) Bl.	[4]	288
Lindera megaphylla Hemsl.	[4]	290
Lindera megaphylla Hemsl. f. *touyunensis* (Lévl.) Rehd.	[4]	292
Lindera obtusiloba Bl.	[4]	294
Lindera prattii Gamble	[4]	296

Lindera pulcherrima (Wall.) Benth. var. *attenuata* Allen	[4]	298
Lindera pulcherrima (Wall.) Benth. var. *hemsleyana* (Diels)		
H. P. Tsui	[4]	300
Lindera reflexa Hemsl.	[4]	302
Lindera rubronervia Gamble	[4]	304
Lindera supracostata Lec.	[4]	306
Lindernia anagallis (Burm. f.) Pennell	[11]	124
Lindernia angustifolia (Benth.) Wettst.	[11]	126
Lindernia antipoda (L.) Alston	[11]	128
Lindernia crustacea (L.) F. Muell	[11]	132
Lindernia nummulariifolia (D. Don) Wettstein.	[11]	134
Lindernia procumbens (Krock.) Philcox	[11]	136
Lindernia ruellioides (Colsm.) Pennell	[11]	138
Lindsaea cultrata (Willd.) Sw.	[2]	76
Lindsaea orbiculata (Lam.) Mett. ex Kuhn	[2]	80
Linum perenne L.	[7]	26
Linum usitatissimum L.	[7]	28
Liparis bootanensis Griff.	[13]	750
Liparis campylostalix Rchb. f.	[13]	756
Liparis cathcartii Hook. f.	[13]	752
Liparis fargesii Finet	[13]	754
Liparis nervosa (Thunb. ex A. Murray) Lindl.	[13]	760
Liparis odorata (Willd.) Lindl.	[13]	762
Liparis pauliana Hand.-Mazz.	[13]	764
Lipocarpha microcephala (R. Br.) Kunth	[13]	558
Lipotes vexllifer (Miller)	[14]	430
Liquidambar acalycina Chang	[5]	480
Liquidambar formosana Hance	[5]	482

Liriodendron chinense (Hemsl.) Sarg. [4] 166

Liriope graminifolia (L.) Baker [12] 628

Liriope platyphylla Wang et Tang [12] 630

Liriope spicata (Thunb.) Lour. [12] 632

Listera grandiflora Rolfe [13] 766

Lithocarpus corneus (Lour.) Rehd. [3] 170

Lithocarpus glaber (Thunb.) Nakai [3] 172

Lithocarpus henryi (Seem.) Rehd. et Wils. [3] 174

Lithocarpus litseifolius (Hance) Chun [3] 176

Lithocarpus paniculatus Hand.-Mazz. [3] 178

Lithospermum arvense L. [10] 320

Lithospermum erythrorhizon Sieb. et Zucc. [10] 322

Lithospermum zollingeri DC. [10] 324

Litsea coreana Lévl. var. *lanuginosa* (Migo) Yang et P. H. Huang [4] 308

Litsea coreana Lévl. var. *sinensis* (Allen) Yang et P. H. Huang [4] 10

Litsea cubeba (Lour.) Pers. [4] 312

Litsea elongata (Wall. ex Nees) Benth. et Hook. f. [4] 316

Litsea elongata var. *faberi* (Hemsl.) Yang et P. H. Huang [4] 318

Litsea euosma W. W. Smith [4] 320

Litsea ichangensis Gamble [4] 322

Litsea mollis Hemsl. [4] 324

Litsea pungens Hemsl. [4] 326

Litsea rubescens Lec. [4] 328

Litsea veitchiana Gamble [4] 330

Livistona chinensis (Jacq.) R. Br. [13] 388

Lobaria retigera (Bory) Trevis. [1] 338

Lobelia chinensis Lour. [11] 552

Lobelia davidii Franch. [11] 554

Lobelia melliana E. Wimm.	[11]	556
Locusta migratoria migratoria (Meyen)	[14]	68
Lolium perenne L.	[13]	274
Lonicera chrysantha Turcz.	[11]	382
Lonicera confusa (Sweet) DC.	[11]	384
Lonicera crassifolia Batal.	[11]	386
Lonicera fragrantissima Lindl. et Paxt. subsp. *standishii* (Carr.) Hsu et H. J. Wang	[11]	388
Lonicera fulvotomentosa Hsu et S. C. Cheng	[11]	390
Lonicera gynochlamydea Hemsl.	[11]	392
Lonicera hypoglauca Miq.	[11]	394
Lonicera japonica Thunb.	[11]	396
Lonicera ligustrina Wall.	[11]	400
Lonicera maackii (Rupr.) Maxim.	[11]	402
Lonicera macrantha (D. Don) Spreng.	[11]	404
Lonicera macranthoides Hand.-Mazz.	[1]199/[11]406	
Lonicera modesta Rehder.	[11]	408
Lonicera pampaninii H. Lévl.	[11]	410
Lonicera pileata Oliv.	[11]	412
Lonicera rhytidophylla Hand.-Mazz.	[11]	414
Lonicera similis Hemsl.	[11]	416
Lonicera tangutica Maxim.	[11]	420
Lonicera tragophylla Hemsl.	[11]	422
Lophatherum gracile Brongn.	[13]	276
Lophura nycthemera (Linnaeus)	[14]	295
Loranthus delavayi Van Tiegh.	[3]	468
Loropetalum chinense (R. Br.) Oliver	[5]	484
Loropetalum chinense (R. Br.) Oliver var. *rubrum* Yieh	[5]	486

Lotus corniculatus L.	[6]	580
Loxoblemmus doenitzi (Stein)	[14]	69
Loxocalyx urticifolius Hemsl.	[10]	512
Loxogramme salicifolia (Makino) Makino	[2]	578
Luciobrana macrocephalus (Lacepede)	[14]	159
Ludwigia adscendens (L.) Hara	[8]	526
Ludwigia epilobioides Maxim.	[8]	528
Ludwigia hyssopifolia (G. Don) Exell	[8]	530
Ludwigia octovalvis (Jacq.) Raven	[8]	532
Ludwigia peploides (Kunth) Kaven subsp. *stipulacea*		
(Ohwi) Raven	[8]	534
Ludwigia prostrata Roxb.	[8]	536
Luffa acutangula (L.) Roxb.	[8]	376
Luffa cylindrica (L.) Roem.	[8]	380
Lutra lutra (Linnaeus)	[14]	367
Lychnis coronata Thunb.	[4]	32
Lychnis fulgens Fisch.	[4]	34
Lychnis senno Sieb. et Zucc.	[4]	36
Lycianthes biflora (Lour.) Bitter	[11]	32
Lycianthes lysimachioides (Wall.) Bitter	[11]	34
Lycianthes lysimachioides (Wall.) Bitter var. *sinensis* Bitter	[11]	36
Lycianthes lysimachioides var. *purpuriflora* C. Y. Wu et		
S. C. Huang	[11]	38
Lycium chinense Mill.	[11]	40
Lycoperdon perlatum Pers.	[1]	276
Lycopersicon esculentum Mill.	[11]	44
Lycopodiastrum casuarinoides (Spring) Holub ex R. D. Dixit	[1]	388
Lycopodium japonicum Thunb.	[1]	390

Lycopus coreanus Lévl.	[10]	514
Lycopus lucidus Turcz. var. *hirtus* Regel	[10]	516
Lycoris aurea (L'Her.) Herb.	[13]	22
Lycoris chinensis Traub	[13]	24
Lycoris radiata (L'Her.) Herb.	[13]	26
Lycoris sprengeri Comes ex Baker	[13]	28
Lygodium flexuosum (L.) Sw.	[2]	44
Lygodium japonicum (Thunb.) Sw.	[1]135/[2]	46
Lygodium scandens (L.) Sw.	[2]	50
Lyonia ovalifolia (Wall.) Drude	[9]	202
Lyonia ovalifolia (Wall.) Drude var. *elliptica* (Sieb. et Zucc.) Hand.-Mazz.	[9]	204
Lyonia ovalifolia (Wall.) Drude var. *lanceolata* (Wall.) Hand.-Mazz.	[9]	206
Lysimachia alfredii Hance	[9]	338
Lysimachia barystachys Bunge	[9]	340
Lysimachia brittenii R. Kunth	[9]	342
Lysimachia candida Lindl.	[9]	344
Lysimachia capillipes Hemsl.	[9]	346
Lysimachia christinae Hance	[9]	348
Lysimachia circaeoides Hemsl.	[9]	350
Lysimachia clethroides Duby	[9]	352
Lysimachia congestiflora Hemsl.	[9]	354
Lysimachia decurrens Forst. f.	[9]	356
Lysimachia fistulosa Hand.-Mazz.	[9]	358
Lysimachia fistulosa Hand.-Mazz. var. *wulingensis* Chen et C. M. Hu	[9]	360
Lysimachia foenum-graecum Hance	[9]	362

Lysimachia fordiana Oliv.	[9]	364
Lysimachia fortunei Maxim.	[9]	366
Lysimachia fukienensis Hand.-Mazz.	[9]	368
Lysimachia hemsleyana Maxim. ex Oliv.	[9]	372
Lysimachia henryi Hemsl.	[9]	374
Lysimachia heterogenea Klatt.	[9]	376
Lysimachia longipes Hemsl.	[9]	378
Lysimachia ophelioides Hemsl.	[9]	382
Lysimachia paridiformis Franch.	[9]	384
Lysimachia paridiformis Franch. var. *stenophylla* Franch.	[9]	386
Lysimachia patungensis Hand.-Mazz.	[9]	388
Lysimachia pseudohenryi Pamp.	[9]	392
Lysimachia punctatilimba C. Y. Wu	[9]	394
Lysimachia rubiginosa Hemsl.	[9]	396
Lysimachia sciadophylla Chen et C. M. Hu	[9]	398
Lysimachia sikokiana Miq. subsp. *petelotii* (Merr.) C. M. Hu	[9]	390
Lysimachia stenosepala Hemsl.	[9]	400
Lysimachia thyrsiflora L.	[9]	402
Lysimachia xiangxiensis D. G. Zhang, C. Mou et Y. Wu	[9]	404
Lysimachia grammica Hance	[9]	370
Lysimachia melampyroides R. Knuth	[9]	380
Lysionotus pauciflorus Maxim.	[11]	330
Lythrum salicaria L.	[8]	444
Lytta caragane (Pallas)	[14]	107

M

Maackia hupehensis Takeda	[6]	582
Macaca mulatta (Zimmermann)	[14]	413

Macaca specioas (F. Cuvier)	[14]	417
Machilus grijsii Hance	[4]	332
Machilus ichangensis Rehd. et Wils.	[4]	334
Machilus leptophylla Hand.-Mazz.	[4]	336
Machilus microcarpa Hemsl.	[4]	338
Machilus pauhoi Kanehira	[4]	340
Machilus salicina Hance	[4]	342
Machilus thunbergii Sieb. et Zucc.	[4]	344
Machilus velutina Champ. ex Benth.	[4]	346
Macleaya cordata (Willd.) R. Br.	[5]	354
Macleaya microcarpa (Maxim.) Fedde	[5]	356
Macrobrachium nipponensis (de Haan)	[14]	34
Macropanax rosthornii (Harms) C. Y. Wu ex Hoo	[9]	44
Macropodus opercularis (Linnaeus)	[14]	180
Macrosolen cochinchinensis (Lour.) Van Tiegh.	[3]	470
Macrothelypteris oligophlebia (Bak.) Ching var. *elegans* (Koidz.) Ching	[2]	284
Macrothelypteris oligophlebia (Baker) Ching	[2]	280
Macrura reeuesii (Richardson)	[14]	138
Maesa hupehensis Rehd.	[9]	314
Maesa insignis Chun	[9]	316
Maesa japonica (Thunb.) Moritzi. ex Zoll.	[9]	318
Maesa perlaria (Lour.) Merr.	[9]	320
Magnolia biondii Pamp.	[4]	168
Magnolia denudata Desr.	[4]	172
Magnolia grandiflora L.	[4]	174
Magnolia liliflora Desr.	[4]	176
Magnolia officinalis Rehd. et wils.	[4]	178

Magnolia officinalis Rehd. et Wils. var. *biloba*

    Rehd. et Wils.   [1]139/[4]182

Magnolia sieboldii K. Koch   [4]   184

Magnolia soulangeana Soul.-Bod.   [4]   186

Magnolia sprengeri Pamp.   [4]   188

Mahonia bealei (Fort.) Carr.   [4]   590

Mahonia bodinieri Gagnep.   [4]   594

Mahonia breviracema Y. S. Wang et Hsiao   [4]   596

Mahonia eurybracteata Fedde   [4]   598

Mahonia fordii Schneid.   [4]   600

Mahonia fortunei (Lindl.) Fedde   [4]   602

Mahonia japonica (Thunb.) DC.   [4]   604

Mahonia napaulensis DC.   [4]   606

Mahonia shenii W. Y. Chun   [4]   608

Malaxis microtatantha (Schltr.) T. Tang et F. T. Wang   [13]   768

Mallotus apelta (Lour.) Müll. Arg.   [7]   96

Mallotus barbatus (Wall.) Muell. Arg.   [7]   98

Mallotus japonicus (Thunb.) Muell. Arg.   [7]   100

Mallotus japonicus (Thunb.) Muell. Arg. var. *floccosus*

    (Muell. Arg.) S. M. Hwang   [7]   102

Mallotus philippensis (Lam.) Müll. Arg. var. *philippensis*   [7]   104

Mallotus repandus (Rottler) Müll. Arg.   [7]   106

Mallotus repandus (Willd.) Muell. Arg. var. *chrysocarpus*

    (Pamp.) S. M. Hwang   [7]   108

Malus doumeri (Boiss.) Chev.   [6]   86

Malus halliana Koehne   [6]   88

Malus hupehensis (Pamp.) Rehd.   [6]   90

Malus micromalus Makino   [6]   92

Malus sieboldii (Regel) Rehd.	[6]	94
Malva sinensis Cavan.	[8]	134
Malva verticillata L.	[8]	136
Malvastrum coromandelianum (L.) Gurcke	[8]	138
Mananthes leptostachya (Hemsl.) H. S. Lo	[11]	278
Manglietia chingii Dandy	[4]	190
Manglietia fordiana Oliv.	[4]	192
Manglietia insignis (Wall.) Bl.	[4]	194
Manglietia patungensis Hu	[4]	196
Manilkara zapota (L.) van Royen	[9]	418
Manis pentadactyla (Linnaeus)	[14]	419
Mappianthus iodoides Hand.-Mazz.	[7]	606
Maranta arundinacea L.	[13]	632
Marchantia polymorpha L.	[1]	374
Mariscus umbellatus Vahl	[13]	560
Marsdenia sinensis Hemsl.	[10]	96
Marsdenia tinctoria R. Br.	[10]	98
Marsilea quadrifolia L.	[2]	580
Matricaria recutita L.	[12]	338
Matteuccia orientalis (Hook.) Trev.	[2]	346
Mazus gracilis Hemsl.	[11]	140
Mazus japonicus (Thunb.) O. Kuntze	[11]	142
Mazus miquelii Makino	[11]	144
Mazus pulchellus Hemsl. ex Forbes et Hemsl.	[11]	148
Mazus spicatus Vant.	[11]	150
Mazus stachydifolius (Turcz.) Maxim.	[11]	152
Mecodium badium (Hook. et Grev.) Cop.	[2]	58
Mecodium osmundoides (v. d. B.) Ching	[2]	60

Medicago lupulina L. [6] 584

Medicago polymorpha L. [6] 586

Meehania fargesii (Lévl.) C. Y. Wu [10] 518

Meehania fargesii (Lévl.) C. Y. Wu var. *pedunculata*
(Hemsl.) C. Y. Wu [10] 520

Meehania fargesii (Lévl.) C. Y. Wu var. *radicans* (Vaniot)
C. Y. Wu [10] 522

Meehania henryi (Hemsl.) Sun ex C. Y. Wu [10] 524

Megalobatrachus japonicus davidianus (Blanchard) [14] 181

Megalobatrama terminalis (Richardson) [14] 144

Melampyrum roseum Maxim. [11] 154

Melaphis chinensis (Bell) Baker [1]246/[14]82

Melaphis peitan (Tsai et Tang) [14] 83

Melastoma dodecandrum Lour. [8] 486

Melia azedarach L. [7] 264

Melilotus alba Medic. ex Desr. [6] 588

Melilotus officinalis (L.) Pall. [6] 590

Meliosma cuneifolia Franch. var. *glabriuscula* Cufod. [7] 380

Meliosma flexuosa Pamp. [7] 382

Meliosma fordii Hemsl. [7] 384

Meliosma myriantha Sieb. et Zucc. [7] 386

Meliosma oldhamii Maxim. [7] 388

Meliosma rigida Sieb. et Zucc. [7] 390

Melissa axillaris (Benth.) Bakh. f. [10] 526

Melles leucurus (Hodgson) [14] 369

Melliodendron xylocarpum Hand.-Mazz. [9] 446

Melochia corchorifolia L. [8] 182

Melodinus fusiformis Champ. ex Benth. [10] 18

Melogale moschata (Gray)	[14]	373
Mentha crispata Schrad. ex Willd.	[10]	528
Mentha haplocalyx Briq.	[10]	530
Mentha spicata L.	[10]	534
Mergus merganser (Linnaeus)	[14]	276
Mergus merganser merganser (Linnaeus)	[14]	277
Merremia hederacea (Burm. f.) Hall. f.	[10]	294
Merremia sibirica (L.) Hall. f.	[10]	296
Metaplexis hemsleyana Oliv.	[10]	100
Metaplexis japonica (Thunb.) Makino	[10]	102
Metasequoia glyptostroboides Hu et Cheng	[2]	650
Metathelypteris laxa (Franch. et Sav.) Ching	[2]	286
Michelia alba DC.	[4]	198
Michelia chapensis Dandy	[4]	200
Michelia crassipes Law	[4]	202
Michelia figo (Lour.) Spreng.	[4]	204
Michelia foveolata Merr. ex Dandy	[4]	206
Michelia macclurei Dandy	[4]	208
Michelia maudiae Dunn	[4]	210
Michelia platypetala Hand.-Mazz.	[4]	212
Michelia skinneriana Dunn	[4]	214
Microhyla pulchra (Hallowell)	[14]	208
Microlepia hancei Prantl	[2]	102
Microlepia marginata (Houtt.) C. Chr.	[2]	106
Microlepia strigosa (Thunb.) Presl	[2]	108
Microsorum fortunei (T. Moore) Ching	[2]	530
Microsorum insigne (Blume) Copel.	[2]	536
Microsorum membranaceum (D. Don) Ching	[2]	534

Microsorum punctatum (L.) Copel.	[2]	538
Microsorum steerei (Harr.) Ching	[2]	540
Microtoena prainiana Diels	[10]	536
Miliusa chunii W. T. Wang	[4]	238
Millettia championi Benth.	[6]	592
Millettia congestiflora T. P. Chen	[6]	594
Millettia dielsiana Harms	[6]	596
Millettia dielsiana Harms var. *heterocarpa* (Chun ex T. Chen) Z. Wei	[6]	598
Millettia dielsiana Harms var. *solida* T. Chen ex Z.Wei	[6]	600
Millettia nitida Benth.	[6]	602
Millettia nitida Benth. var. *hirsutissima* Z. Wei	[6]	604
Millettia oosperma Dunn	[6]	606
Millettia pachycarpa Benth.	[6]	608
Millettia pulchra Kurz var. *laxior* (Dunn) Z. Wei	[6]	610
Millettia reticulata Benth.	[6]	612
Millettia speciosa Champ.	[6]	614
Millettia tsui Metc.	[6]	616
Milvus korschun (Gray)	[14]	286
Mimosa pudica L.	[6]	618
Mimulus szechuanensis Pai	[11]	156
Mimulus tenellus Bunge	[11]	158
Mimulus tenellus Bunge var. *nepalensis* (Benth.) Tsoong	[11]	160
Mirabilis jalapa L.	[3]	628
Miscanthus floridulus (Lab.) Warb. ex Schum. et Laut.	[13]	278
Miscanthus sacchariflorus (Maxim.) Nakai	[13]	280
Miscanthus sinensis Anderss.	[13]	282
Misgurnus anguillicaudatus (Cantor)	[14]	165

Misgurnus mizolepis (Gunther) [14] 166

Mitreola pedicellata Benth. [9] 580

Mollugo stricta L. [3] 632

Momordica charantia L. [8] 384

Momordica cochinchinensis (Lour.) Spreng. [8] 386

Monachosorum flagellare (Maxim.) Hay. [2] 72

Monachosorum henryi Christ [2] 74

Monochasma savatieri Franch. ex Maxim. [11] 162

Monochasma sheareri Maxim. ex Franch. et Savat. [11] 166

Monochoria korsakowii Regel et Maack [13] 86

Monochoria vaginalis (Burm. f.) Presl [13] 88

Monopterus allbus (Zuieuw) [14] 173

Monotropa uniflora L. [9] 188

Monotropastrum humile (D. Don) H. Hara [9] 186

Morinda umbellata L. ssp. *obovata* Y. Z. Ruan. [10] 204

Morus alba L. [3] 328

Morus australis Poir. [3] 332

Morus mongolica (Bur.) Schneid. [3] 334

Moschus berezovskii (Flerov) [14] 387

Mosla cavaleriei Lévl. [10] 538

Mosla chinensis Maxim. [10] 540

Mosla dianthera (Buch.-Ham.) Maxim. [10] 542

Mosla scabra (Thunb.) C. Y. Wu et H. W. Li [10] 544

Mosla soochowensis Matsuda [10] 546

Mucuna birdwoodiana Tutch. [6] 620

Mucuna lamellata Wilmot-Dear [6] 622

Mucuna pruriens (L.) Candolle var. *utilis* (Wall. ex

    Wight) Baker ex Burck [6] 624

Mucuna sempervirens Hemsl.	[6]	626
Munronia unifoliolata Oliv.	[7]	268
Muntiacus reevesi (Ogilby)	[14]	389
Murdannia keisak (Hassk.) Hand.-Mazz.	[13]	134
Murdannia loriformis (Hassk.) Rolla Rao et Kammathy	[13]	136
Murdannia nudiflora (L.) Brenan	[13]	138
Murdannia triquetra (Wall.) Bruckn.	[13]	140
Murraya paniculata (L.) Jack.	[7]	196
Musa basjoo Sieb. et Zucc.	[13]	588
Mussaenda erosa Champ.	[10]	206
Mussaenda esquirolii Lévl.	[10]	208
Mussaenda hirsutula Miq.	[10]	210
Mussaenda pubescens W. T. Aiton	[10]	212
Mustela sibirica (Pallas)	[14]	372
Mycetia sinensis (Hemsl.) Craib	[10]	214
Mylabris phalerata (Pallas)	[14]	106
Mylopharyngodon piceus (Richardson)	[14]	146
Myosoton aquaticum (L.) Moench	[4]	38
Myriactis nepalensis Less.	[12]	340
Myrica rubra (Lour.) Sieb. et Zucc.	[3]	54
Myriophyllum spicatum L.	[8]	548
Myriophyllum verticillatum L.	[8]	550
Myrsine africana L.	[9]	322
Myrsine semiserrata Wall.	[9]	324
Myrsine stolonifera (Koidz.) Walker	[9]	326

N

Nadezhdiella cantori (Hope)	[14]	111

Naemorhedus goral (Hardwicke)	[14]	411
Naja naja (Linnaeus)	[14]	250
Nandina domestica Thunb.	[4]	610
Nanocnide japonica Bl.	[3]	394
Nanocnide lobata Wedd.	[3]	396
Narcissus tazetta L. var. *chinensis* Roem.	[13]	30
Nasturtium officinale R. Br.	[5]	438
Natrix piscator (Schneider)	[14]	244
Neanotis hirsuta (L. f.) Lewis	[10]	216
Neanotis ingrata (Wall. ex Hook. f.) W. H. Lewis	[10]	218
Neanotis kwangtungensis (Merr. et F. P. Metcalf) W. H. Lewis	[10]	220
Neillia sinensis Oliv.	[6]	96
Nelumbo nucifera Gaertn.	[1]148/[5]48	
Neofelis nebulosa (Griffith)	[14]	352
Neolepisorus ovatus (Bedd.) Ching	[2]	542
Neolepisorus ovatus (Bedd.) Ching f. *deltoideus* (Baker) Ching	[2]	546
Neolitsea aurata (Hay.) Koidz.	[4]	348
Neolitsea aurata (Hay.) Koidz. var. *chekiangensis* (Nakai)		
Yang et P. H. Huang	[4]	350
Neolitsea cambodiana Lec.	[4]	352
Neolitsea chuii Merr.	[4]	354
Neolitsea confertifolia (Hemsl.) Merr.	[4]	356
Neolitsea levinei Merr.	[4]	358
Neomartinella violifolia (Lévl.) Pilger	[5]	440
Neomeris phocaenoides (G. Cuvier)	[14]	431
Neosinocalamus affinis (Rendle) Keng f.	[13]	186
Nepeta fordii Hemsl.	[10]	550
Nephrolepis auriculata (L.) Trimen.	[2]	470

Nerium indicum Mill.	[10]	20
Nerium indicum Mill. cv. 'Paihua'	[10]	22
Nertera sinensis Hemsl.	[10]	222
Neyraudia reynaudiana (Kunth) Keng ex Hitchc.	[13]	286
Nicandra physalodes (L.) Gaertn.	[11]	46
Nicotiana tabacum L.	[11]	48
Nigella damascena L.	[4]	492
Nostoc commune Vauch.	[1]	348
Nothapodytes pittosporoides (Oliv.) Sleum.	[7]	608
Notholaena chinensis Bak.	[2]	166
Nothopanax davidii (Franch.) Harms ex Diels	[9]	46
Nothopanax delavayi (Franch.) Harms ex Diels	[9]	48
Nothosmyrnium japonicum Miq.	[9]	122
Nothosmyrnium japonicum Miq.var. *sutchuensis* de Boiss.	[9]	124
Nuphar pumila (Hoffm.) DC.	[5]	52
Nuphar sinensis Hand.-Mazz.	[5]	54
Nyctereutes procyonoides (Gray)	[14]	362
Nymphaea alba L.	[5]	56
Nymphaea tetragona Georgi	[5]	58
Nymphoides peltatum (Gmel.) O. Kuntze	[9]	606
Nyssa sinensis Oliv.	[8]	566
Nytalus noctula (Schreber)	[14]	341

O

Ocimum basilicum L.	[10]	552
Ocimum basilicum L. var. *pilosum* (Willd.) Benth.	[10]	554
Odontobutis obscura (Temminck et Schlegel)	[14]	177
Odontosoria chinensis J. Sm.	[2]	84

Odorrana schmackeri (Boettger)	[14]	204
Oenanthe benghalensis Benth. et Hook. f.	[9]	126
Oenanthe dielsii de Boiss. var. *stenophylla* de Boiss.	[9]	128
Oenanthe javanica (Bl.) DC.	[9]	130
Oenanthe linearis Wall. ex DC.	[9]	132
Oenanthe rosthornii Diels	[9]	134
Oenothera biennis L.	[8]	538
Oenothera rosea L. Her. ex Ait.	[8]	542
Oenothera stricta Ledeb. et Link	[8]	544
Oenothera glazioviana Mich.	[8]	540
Oncotympana maculaticollis (Motschulsky)	[14]	76
Onychium japonicum (Thunb.) Kunze	[2]	168
Onychium japonicum (Thunb.) Kuntze var. *lucidum* (D. Don) Christ	[2]	172
Ophiocephalus argus (Cantor)	[14]	176
Ophiocordyceps xuefengensis T. C. Wen, R. C. Zhu, J. C. Kang et K. D. Hyde	[1]	272
Ophioglossum reticulatum L.	[2]	2
Ophioglossum thermale Kom.	[2]	4
Ophioglossum vulgatum L.	[2]	6
Ophiophagus hannah (Cantor)	[14]	251
Ophiopogon bockianus Diels	[12]	634
Ophiopogon bockianus Diels var. *angustifoliatus* Wang et Tang	[12]	636
Ophiopogon bodinieri Lévl.	[12]	638
Ophiopogon chingii Wang et Tang	[12]	640
Ophiopogon clavatus C. H. Wright ex Oliv.	[12]	642
Ophiopogon intermedius D. Don	[12]	644
Ophiopogon japonicus (L. f.) Ker-Gawl.	[12]	646

Ophiopogon mairei Lévl.	[12]	648
Ophiopogon sylvicola Wang et Tang	[12]	650
Ophiorrhiza cantoniensis Hance	[10]	224
Ophiorrhiza chinensis Lo	[10]	226
Ophiorrhiza japonica Bl.	[10]	228
Ophisaurus harti (Boulenger)	[14]	210
Oplismenus undulatifolius (Arduino) Beauv.	[13]	288
Opuntia monacantha (Willd.) Haw.	[4]	132
Opuntia stricta (Haw.) Haw. var. *dillenii* (Ker-Gawl.) Benson	[4]	134
Oreocharis auricula (S. Moore) C. B. Clarke	[11]	332
Oreocharis xiangguiensis W. T. Wang et K. Y. Pan	[11]	334
Oreocnide frutescens (Thunb.) Miq.	[3]	398
Oreocnide obovata (C. H. Wright) Merr.	[3]	400
Oreorchis fargesii Finet	[13]	770
Oresitrophe rupifraga Bunge	[5]	588
Origanum vulgare L.	[10]	556
Orixa japonica Thunb.	[7]	198
Ormosia henryi Prain	[6]	628
Ormosia hosiei Hemsl. et E. H. Wilson	[6]	630
Orobanche coerulescens Steph.	[11]	348
Oryza sativa L.	[13]	290
Oryza sativa L. subsp. *indica* Kato	[13]	292
Oryza sativa L. subsp. *japonica* Kato	[13]	294
Osbeckia chinensis L.	[8]	488
Osbeckia sikkimensis Craib	[8]	490
Osmanthus armatus Diels	[9]	556
Osmanthus fragrans (Thunb.) Lour.	[9]	558
Osmorhiza aristata (Thunb.) Makino et Yabe	[9]	136

Osmunda cinnamomea L.	[2]	22
Osmunda japonica Thunb.	[2]	14
Osmunda vachellii Hook.	[2]	18
Ostericum citriodorum (Hance) Yuan et Shan	[9]	138
Otis tarda (Linnaeus)	[14]	300
Ottelia alismoides (L.) Pers.	[12]	498
Ovis aries (Linnaeus)	[14]	404
Ovophis monticola (Güennther)	[14]	254
Oxalis acetosella L. subsp. *griffithii* (Edgew. et Hook. f.) Hara	[7]	6
Oxalis corniculata L.	[7]	2
Oxalis maritima Zucc.	[7]	4
Oxya chinensis (Thunberg)	[14]	66

P

Paa boulengeri (Gunther)	[14]	202
Pachyrhizus erosus (L.) Urban	[6]	632
Pachysandra axillaris Franch.	[7]	596
Pachysandra terminalis Sieb. et Zucc.	[7]	598
Padus brachypoda (Batal.) Schneid.	[6]	98
Padus buergeriana (Miq.) Yu et Ku	[6]	100
Paederia cavaleriei H. Lévl.	[10]	230
Paederia pertomentosa Merr. ex Li	[10]	232
Paederia scandens (Lour.) Merr.	[10]	234
Paederia scandens (Lour.) Merr. var. *tomentosa* (Bl.) Hand.-Mazz.	[10]	236
Paederus densipennis (Bernh)	[14]	101
Paeonia lactiflora Pall.	[4]	494
Paeonia lactiflora Pall. var. *trichocarpa* (Bung.) Stern	[4]	496
Paeonia obovata Maxim.	[4]	498

Paeonia suffruticosa Andr.	[4]	500
Palhinhaea cernua (L.) Vasc. et Franco	[1]	394
Paliurus hemsleyanus Rehd.	[7]	630
Paliurus hirsutus Hemsl.	[7]	632
Paliurus ramosissimus (Lour.) Poir.	[7]	634
Panax japonicus C. A. Mey.	[9]	50
Panax japonicus C. A. Mey. var. *major* (Burk.) C. Y. Wu et K. M. Feng	[9]	52
Pandion haliaetus (Linnaeus)	[14]	290
Panthera pardus (Linnaeus)	[14]	348
Papaver rhoeas L.	[5]	358
Papaver somniferum L.	[5]	360
Papilio machaon (Linnaeus)	[14]	91
Papilio xuthus (Linnaeus)	[14]	92
Parabarium huaitingii Chun et Tsiang	[10]	24
Parabarium micranthum (A. DC.) Pierre	[10]	26
Paraboea crassifolia (Hemsl.) Burtt	[11]	336
Paraboea sinensis (Oliv.) Burtt	[11]	338
Paramesotriton chinensis (Gray)	[14]	183
Paraphlomis albiflora (Hemsl.) Hand.-Mazz.	[10]	558
Paraphlomis javanica (Bl.) Prain	[10]	562
Paraphlomis javanica (Bl.) Prain var. *coronate* (Vaniot) C. Y. Wu et H. W. Li	[10]	564
Paraphlomis gracilis Kudo	[10]	560
Paraprenanthes sororia (Miq.) Shih	[12]	342
Paraprenanthes sylvicola Shih	[12]	344
Parasenecio ainsliiflorus (Franch.) Y. L. Chen	[12]	346
Parasenecio bulbiferoides (Hand.-Mazz.) Y. L. Chen	[12]	348

Parasenecio otopteryx (Hand.-Mazz.) Y. L. Chen	[12]	350
Parasilurus asotus (Linnaeus)	[14]	170
Paratenodera sinensis (Saussure)	[14]	64
Parathelypteris glanduligera (Kunze) Ching	[2]	290
Parathelypteris japonica (Bak.) Ching	[2]	292
Parathelypteris nipponica (Franch. et Sav.) Ching	[2]	294
Paris cronquistii (Takhtajan) H. Li	[12]	652
Paris delavayi Franchet	[12]	654
Paris fargesii Franch.	[12]	656
Paris fargesii Franch. var. *petiolata* (Baker ex C. H. Wright)		
Wang et Tang	[12]	658
Paris polyphylla Sm. var. *appendiculata* Hara	[12]	660
Paris polyphylla Sm. var. *chinensis* (Franch.) Hara	[12]	662
Paris polyphylla Sm. var. *stenophylla* Franch.	[12]	664
Paris polyphylla Sm. var. *yunnanensis* (Franch.) Hand.-Mzt.	[12]	666
Paris pubescens (Hand.-Mzt.) Wang et Tang	[12]	668
Paris qiliangiana H. Li，J. Yang et Y. H. Wang	[12]	670
Parmelia saxatilis (L.) Ach.	[1]	336
Parnassia delavayi Franch.	[5]	590
Parnassia foliosa Hook. f. et Thomson.	[5]	592
Parthenocissus dalzielii Gagnep.	[8]	42
Parthenocissus henryana (Hemsl.) Diels et Gilg	[8]	44
Parthenocissus laetevirens Rehd.	[8]	46
Parthenocissus semicordata (Wall.) Planch.	[8]	48
Parthenocissus tricuspidata (Sieb. et Zucc.) Planch.	[8]	50
Paspalum paspaloides (Michx.) Scribn.	[13]	296
Paspalum thunbergii Kunth ex Steud.	[13]	298
Passer montanus subsp. *saturatus* (Brisson)	[14]	334

Passiflora edulis Sims	[8]	304
Passiflora kwangtungensis Merr.	[8]	306
Patrinia heterophylla Bunge	[11]	498
Patrinia heterophylla Bunge subsp. *angustifolia* (Hemsl.)		
H. J. Wang	[11]	500
Patrinia monandra C. B. Clarke	[11]	502
Patrinia punctiflora P. S. Hsu et H. J. Wang	[11]	504
Patrinia rupestris (Pall.) Juss.	[11]	506
Patrinia scabiosifolia Fisch. ex Trevir.	[11]	508
Patrinia villosa (Thunb.) Juss.	[11]	510
Paulownia australis Gong Tong	[11]	168
Paulownia catalpifolia Gong Tong	[11]	170
Paulownia elongata S. Y. Hu	[11]	172
Paulownia fargesii Franch.	[11]	174
Paulownia fortunei (Seem.) Hemsl.	[11]	176
Paulownia kawakamii Ito.	[11]	180
Paulownia tomentosa (Thunb.) Steud.	[11]	182
Pavetta hongkongensis Bremek.	[10]	238
Pedicularis henryi Maxim.	[11]	186
Pedicularis resupinata L.	[11]	188
Pelargonium graveolens L'Herit.	[7]	22
Pelargonium hortorum Bailey	[7]	20
Pelecanus philippensis (Gmelin)	[14]	263
Peliosanthes macrostegia Hance	[12]	672
Pellionia brevifolia Benth.	[3]	402
Pellionia radicans (Sieb. et Zucc.) Wedd.	[3]	404
Pellionia scabra Benth.	[3]	406
Pelteobagrus fulvidraco (Richardson)	[14]	167

Pennisetum alopecuroides (L.) Spreng.	[13]	300
Pennisetum purpureum Schum.	[13]	302
Penthorum chinense Pursh	[5]	594
Peperomia dindygulensis Miq.	[5]	70
Peracarpa carnosa (Wall.) Hook. f. et Thoms.	[11]	558
Percocypris pingi (Tchang)	[14]	160
Pericampylus glaucus (Lam.) Merr.	[5]	16
Perilla frutescens (L.) Britt.	[10]	566
Perilla frutescens (L.) Britt. var. *acuta* (Thunb.) Kudo	[10]	568
Perilla frutescens (L.) Britt. var. *crispa* (Thunb.) Hand.-Mazz.	[10]	570
Periplaneta americana (Linnaeus)	[14]	55
Periploca calophylla (Wight) Falc.	[10]	104
Periploca forrestii Schltr.	[10]	106
Peristrophe japonica (Thunb.) Bremek.	[11]	280
Peristylus densus (Lindl.) Santapau et Kapadia	[13]	772
Peristylus goodyeroides (D. Don) Lindl.	[13]	774
Perrottetia racemosa (Oliv.) Loes.	[7]	562
Petasites japonicus (Sieb. et Zucc.) F. Schmidt (Maxim)	[12]	352
Petasites tricholobus Franch.	[12]	354
Petaurista alborufus (Milne-Edwards)	[14]	422
Petrocodon dealbatus Hance	[11]	340
Petunia hybrida Vilm.	[11]	50
Peucedanum dielsianum Fedde ex Wolff	[9]	140
Peucedanum henryi Wolff	[9]	142
Peucedanum praeruptorum Dunn	[9]	146
Peucedanum medicum Dunn	[9]	144
Phacellanthus tubiflorus Sieb. et Zucc.	[11]	350
Phaenosperma globosa Munro ex Benth.	[13]	304

Phaius flavus (Bl.) Lindl. [13] 776

Phaius tankervilleae (Banks ex L'Herit.) Bl. [13] 780

Phalacrocorax carbo (Linnaeus) [14] 279

Phalaris arundinacea L. [13] 306

Phallus rubicundus (Bosc.) Fr. [1] 290

Phanerophlebiopsis blinii (Lévl.) Ching [2] 440

Pharbitis purpurea (L.) Voigt [10] 300

Phaseolus lunatus L. [6] 634

Phaseolus vulgaris L. [6] 636

Phasianus colchicus Linnaeus [14] 296

Phedimus aizoon L. [5] 498

Phegopteris decursive-pinnata (van Hall) Fée [2] 296

Phellodendron chinense Schneid. [1]178/[7]200

Phellodendron chinense Schneid. var. *glabriusculum* Schneid. [7] 202

Pheretima aspergillum (E. Perrier) [14] 2

Philadelphus incanus Koehne [5] 596

Philadelphus sericanthus Koehne [5] 598

Philomycus bilineatus (Benson) [14] 18

Phlegmariurus fordii (Baker) Ching [1] 382

Phlegmariurus minchegensis (Ching) L. B. Zhang [1] 384

Phlomis umbrosa Turcz. [10] 572

Phlomis umbrosa Turcz. var. *australis* Hemsl. [10] 574

Phoebe bournei (Hemsl.) Yang [4] 360

Phoebe faberi (Hemsl.) Chun [4] 362

Phoebe hunanensis Hand.-Mazz. [4] 364

Phoebe neurantha (Hemsl.) Gamble [4] 366

Phoebe sheareri (Hemsl.) Gamble [4] 368

Phoebe zhennan S. Lee et F. N. Wei [4] 370

Pholidota cantonensis Rolfe	[13]	782
Pholidota chinensis Lindl.	[13]	784
Pholidota yunnanensis Rolfe	[13]	786
Photinia beauverdiana Schneid.	[6]	102
Photinia bodinieri Lévl.	[6]	104
Photinia glabra (Thunb.) Maxim.	[6]	106
Photinia lasiogyna (Franch.) Schneid.	[6]	110
Photinia parvifolia (Pritz.) Schneid.	[6]	112
Photinia prunifolia (Hook. et Arn.) Lindl.	[6]	114
Photinia schneideriana Rehd. et Wils.	[6]	116
Photinia serrulata Lindl.	[6]	118
Photinia villosa (Thunb.) DC.	[6]	120
Phragmites australis (Cav.) Trin. ex Steud.	[13]	308
Phryma leptostachya L. subsp. *asiatica* (Hara) Kitamura	[11]	356
Phtheirospermum japonicum (Thunb.) Kanitz	[11]	190
Phyla nodiflora (L.) Greene	[10]	408
Phyllagathis cavaleriei (Lévl. et Van.) Guillaum.	[8]	494
Phyllagathis cavaleriei (Lévl. et Van.) Guillaum. var. *tankahkeei* (Merr.) C. Y. Wu ex C. Chen	[8]	492
Phyllagathis fordii (Hance) C. Chen	[8]	496
Phyllanthus flexuosus (Sieb. et Zucc.) Muell. Arg	[7]	110
Phyllanthus glaucus Wall. ex Muell. Arg.	[7]	112
Phyllanthus reticulatus Poir.	[7]	114
Phyllanthus urinaria L.	[7]	116
Phyllanthus ussuriensis Rupr. et Maxim.	[7]	118
Phyllanthus virgatus Forst. f.	[7]	120
Phyllodium pulchellum (L.) Desv.	[6]	638
Phyllostachys bambusoides Sieb. et Zucc.	[13]	310

Phyllostachys bambusoides Sieb. et Zucc. f. *lacrima-deae*

  Keng f. et Wen [13] 322

Phyllostachys glauca McClure [13] 312

Phyllostachys heteroclada Oliver [13] 314

Phyllostachys heterocycla (Carr.) Mitford [13] 316

Phyllostachys mitis A. et C. Riv. [13] 324

Phyllostachys nigra (Lodd. ex Lindl.) Munro [13] 318

Phyllostachys nigra (Lodd. ex Lindl.) Munro var. *henonis*

  (Mitford) Stapf ex Rendle [13] 320

Phyllostachys praecox C. D. Chu et C. S. Chao [13] 326

Phymatopteris conjuncta (Ching) Pic. Serm. [2] 548

Phymatopteris hastata (Thunb.) Pic. Serm. [2] 550

Physaliastrum heterophyllum (Hemsl.) Migo [11] 52

Physalis alkekengi L. [11] 54

Physalis alkekengi L. var. *francheti* (Mast.) Makino [11] 56

Physalis angulata L. [11] 60

Physalis minima L. [11] 62

Phytolacca acinosa Roxb. [3] 616

Phytolacca americana L. [3] 620

Phytolacca japonica Makino [3] 622

Pica pica (Linnaeus) [14] 325

Picrasma quassioides (D. Don) Benn. [7] 256

Picris hieracioides L. [12] 356

Picus canus (Gmelin) [14] 316

Pieris formosa (Wall.) D. Don [9] 208

Pieris japonica (Thunb.) D. Don ex G. Don [9] 210

Pieris rapae (Linnaeus) [14] 90

Pilea angulata (Bl.) Bl. [3] 408

Pilea angulata subsp. *petiolaris* (Sieb. et Zucc.) C. J. Chen [3] 410

Pilea aquarum Dunn [3] 412

Pilea aquarum Dunn subsp. *brevicornuta* (Hayata) C. J. Chen [3] 414

Pilea cadierei Gagnep. et Guill. [3] 416

Pilea cavaleriei Lévl. [3] 418

Pilea cavaleriei Lévl. subsp. *valida* C. J. Chen [3] 420

Pilea gracilis Hand.-Mazz. [3] 446

Pilea japonica (Maxim.) Hand.-Mazz. [3] 422

Pilea martini (Lévl.) Hand.-Mazz. [3] 424

Pilea microphylla (L.) Liebm. [3] 426

Pilea monilifera Hand.-Mazz. [3] 428

Pilea notata C. H. Wright [3] 430

Pilea peltata Hance [3] 432

Pilea peploides (Gaudich.) Hook. et Arn. [3] 434

Pilea plataniflora C. H. Wright [3] 436

Pilea pumila (L.) A. Gray [3] 438

Pilea semisessilis Hand.-Mazz. [3] 440

Pilea sinocrassifolia C. J. Chen [3] 442

Pilea sinofasciata C. J. Chen [3] 444

Pileostegia tomentella Hand.-Mazz. [5] 600

Pileostegia viburnoides Hook. f. et Thoms. [5] 602

Pimpinella arguta Diels [9] 148

Pimpinella diversifolia DC. Prodr. [9] 150

Pimpinella fargesii de Boiss. [9] 152

Pimpinella rhomboidea Diels [9] 154

Pinellia cordata N. E. Brown [13] 450

Pinellia pedatisecta Schott [13] 452

Pinellia ternata (Thunb.) Breit. [1]236/[13]454

Pinus armandii Franch. [2] 602

Pinus elliottii Engelm. [2] 604

Pinus fenzeliana Hand.-Mzt. [2] 606

Pinus henryi Mast. [2] 608

Pinus kwangtungensis Chun ex Tsiang [2] 610

Pinus massoniana Lamb. [2] 612

Pinus parviflora Siebold et Zucc. [2] 616

Pinus tabuliformis Carr. [2] 620

Pinus taiwanensis Hayata [2] 624

Pinus thunbergii Parl. [2] 626

Piper hancei Maxim. [5] 72

Piper martinii C. DC. [5] 74

Piper wallichii (Miq.) Hand.-Mazz. [5] 76

Pipistrellus abramus (Temminck) [14] 342

Pistacia chinensis Bunge [7] 310

Pistia stratiotes L. [13] 458

Pisum sativum L. [6] 640

Pithecellobium lucidum Benth. [6] 642

Pittosporum brevicalyx (Oliv.) Gagnep. [5] 624

Pittosporum glabratum Lindl. [5] 626

Pittosporum glabratum Lindl. var. *neriifolium* Rehd. et Wils. [5] 628

Pittosporum illicioides Makino [5] 630

Pittosporum parvicapsulare Chang et Yan [5] 632

Pittosporum pauciflorum Hook. et Arn. [5] 634

Pittosporum podocarpum Gagnep. [5] 636

Pittosporum podocarpum Gagnep. var. *angustatum* Gowda [5] 638

Pittosporum tobira (Thunb.) Ait. [5] 640

Pittosporum trigonocarpum Lévl. [5] 642

Pittosporum truncatum Pritz.	[5]	644
Plagiogyria euphlebia Mett.	[2]	26
Plagiogyria japonica Nakai	[2]	28
Plagiogyria stenoptera (Hance) Diels	[2]	30
Plantago asiatica L.	[11]	358
Plantago asiatica L. subsp. *erosa* (Wall.) Z. Y. Li	[11]	360
Plantago depressa Willd.	[11]	362
Plantago major L.	[11]	364
Plantago virginica L.	[11]	368
Platanthera hologlottis Maxim.	[13]	788
Platanthera japonica (Thunb. ex A. Murray) Lindl.	[13]	790
Platanthera mandarinorum Rchb. f.	[13]	794
Platanthera minor (Miq.) Rchb. f.	[13]	796
Platanus occidentalis L.	[5]	458
Platanus orientalis L.	[5]	456
Platycarya strobilacea Sieb. et Zucc.	[3]	68
Platycladus orientalis (L.) Franco 'Sieboldii'	[3]	10
Platycladus orientalis (L.) Franco	[3]	8
Platycodon grandiflorus (Jacq.) A. DC.	[11]	560
Platysternon megacephalum (Gray)	[14]	217
Pleioblastus amarus (Keng) Keng f.	[13]	328
Pleione bulbocodioides (Franch.) Rolfe	[13]	798
Plumbago auriculata Lam.	[9]	414
Plumbago zeylanica L.	[9]	416
Poa annua L.	[13]	330
Poa pratensis L.	[13]	332
Poa sphondylodes Trin.	[13]	334
Podiceps ruficollis (Pallas)	[14]	261

Podocarpium leptopus (Benth.) Y. C. Yang et P. H. Huang [6] 644

Podocarpium oldhamii (Oliv.) Yang et Huang [6] 646

Podocarpium podocarpum (DC.) Yang et Huang [6] 648

Podocarpium podocarpum (DC.) Yang et Huang var. *fallax*
Schneid. Yang et Huang [6] 650

Podocarpium podocarpum (DC.) Yang et Huang var. *oxyphyllum*
(DC.) Yang et Huang [6] 654

Podocarpium podocarpum (DC.) Yang et Huang var.
szechuenense (Craib.) Yang et Huang [6] 652

Podocarpus macrophyllus (Thunb.) D. Don [3] 18

Podocarpus macrophyllus (Thunb.) D. Don var. *maki* Endl. [3] 22

Podocarpus nagi (Thunb.) Zoll. et Mor. ex Zoll. [3] 24

Podocarpus neriifolius D. Don [3] 26

Pogonatherum crinitum (Thunb.) Kunth [13] 336

Pogonatherum paniceum (Lam.) Hack. [13] 338

Pogonatum inflexum (Lindb.) Sande Lac. [1] 364

Pogonia japonica Rchb. f. [13] 802

Poliothyrsis sinensis Oliv. [8] 244

Polistes olivaceous (De Geer) [14] 132

Pollia japonica Thunb. [13] 142

Pollia miranda (Lévl.) Hara [13] 144

Polygala arillata Buth.-Nam. ex D. Don [7] 274

Polygala caudata Rehd. et E. H. Wils. [7] 276

Polygala chinensis L. [7] 280

Polygala fallax Hemsl. [7] 278

Polygala hongkongensis Hemsl. [7] 282

Polygala hongkongensis var. *stenophylla* Migo [7] 284

Polygala japonica Houtt. [7] 286

Polygala koi Merr.	[7]	288
Polygala latouchei Franch.	[7]	290
Polygala sibirica L.	[7]	292
Polygala tatarinowii Regel	[7]	294
Polygala tenuifolia Willd.	[7]	296
Polygala wattersii Hance	[7]	298
Polygonatum cirrhifolium (Wall.) Royle	[12]	674
Polygonatum cyrtonema Hua	[1]223/[12]676	
Polygonatum filipes Merr.	[12]	678
Polygonatum kingianum Coll. et Hemsl.	[12]	680
Polygonatum odoratum (Mill.) Druce	[1]227/[12]682	
Polygonatum verticillatum (L.) All.	[12]	684
Polygonatum zanlanscianense Pamp.	[12]	686
Polygonum amphibium L.	[3]	520
Polygonum amplexicaule D. Don var. *sinense* Forb. et Hemsl. ex Stew.	[3]	522
Polygonum aviculare L.	[3]	524
Polygonum barbatum L.	[3]	526
Polygonum bistorta L.	[3]	506
Polygonum capitatum Buch.-Ham. ex D. Don	[3]	528
Polygonum chinense L.	[3]	530
Polygonum chinense L. var. *hispidum* Hook. f.	[3]	532
Polygonum criopolitanum Hance	[3]	534
Polygonum darrisii Lévl.	[3]	538
Polygonum dissitiflorum Hemsl.	[3]	540
Polygonum hastatosagittatum Mak.	[3]	542
Polygonum hydropiper L.	[3]	544
Polygonum japonicum Meisn.	[3]	546

Polygonum jucundum Meisn.	[3]	548
Polygonum lapathifolium L.	[3]	550
Polygonum lapathifolium L. var. *salicifolium* Sibth.	[3]	552
Polygonum longisetum De Br.	[3]	556
Polygonum longisetum De Br. var. *rotundatum* A. J. Li	[3]	554
Polygonum microcephalum D. Don	[3]	558
Polygonum muricatum Meisn.	[3]	564
Polygonum nepalense Meisn.	[3]	566
Polygonum orientale L.	[3]	568
Polygonum palmatum Dunn	[3]	572
Polygonum perfoliatum L.	[3]	574
Polygonum persicaria L.	[3]	576
Polygonum plebeium R. Br.	[3]	578
Polygonum posumbu Buch.-Ham. ex D. Don	[3]	580
Polygonum pubescens Blume	[3]	582
Polygonum runcinatum Buch.-Ham. ex D. Don	[3]	584
Polygonum runcinatum Buch.-Ham. ex D. Don var. *sinense* Hemsl.	[3]	586
Polygonum senticosum (Meisn.) Franch. et Sav.	[3]	588
Polygonum sieboldii Meisn.	[3]	590
Polygonum suffultum Maxim.	[3]	592
Polygonum thunbergii Sieb. et Zucc.	[3]	594
Polygonum viscoferum Mak.	[3]	596
Polygonum viscosum Buch.-Ham. ex D. Don	[3]	598
Polypodiodes amoena (Wall. ex Mett.) Ching	[2]	552
Polypodiodes niponica (Mett.) Ching	[2]	554
Polypogon fugax Nees ex Steud.	[13]	340
Polyrhachis lamellidens F. Smith	[14]	123

Polystichum acutidens Christ	[2]	442
Polystichum baoxingense Ching et H. S. Kung	[2]	444
Polystichum craspedosorum (Maxim.) Diels	[2]	446
Polystichum deltodon (Bak.) Diels	[2]	448
Polystichum ichangense Christ	[2]	452
Polystichum longipaleatum Christ	[2]	454
Polystichum makinoi (Tagawa) Tagawa	[2]	456
Polystichum neolobatum Nakai	[2]	458
Polystichum tripteron (Kunze) Presl	[2]	460
Polystichum tsus-simense (Hook.) J. Smith	[2]	462
Polytrichum commune Hedw.	[1]	366
Poncirus trifoliata (L.) Raf.	[7]	204
Populus adenopoda Maxim.	[3]	75
Populus tomentosa Carr.	[3]	80
Populus×canadensis Moench	[3]	78
Porana racemosa Roxb.	[10]	302
Poria cocos (Schw.) Wolf	[1]125/[1]310	
Portulaca grandiflora Hook.	[4]	2
Portulaca oleracea L.	[4]	4
Potamogeton crispus L.	[12]	502
Potamogeton cristatus Rgl. et Maack	[12]	504
Potamogeton distinctus A. Benn.	[12]	506
Potamogeton malaianus Miq.	[12]	508
Potamogeton natans L.	[12]	510
Potamogeton perfoliatus L.	[12]	512
Potentilla ancistrifolia Bge.	[6]	122
Potentilla chinensis Ser.	[6]	124
Potentilla discolor Bge.	[6]	126

Potentilla fragarioides L.	[6]	128
Potentilla freyniana Bornm.	[6]	130
Potentilla freyniana Bornm. var. *sinica* Ago	[6]	132
Potentilla kleiniana Wight et Arn.	[6]	134
Potentilla reptans L.	[6]	136
Potentilla supina L.	[6]	138
Pothos chinensis (Raf.) Merr.	[13]	460
Pottsia laxiflora (Bl.) O. Ktze.	[10]	30
Pottsia grandiflora Markgr.	[10]	28
Pouzolzia zeylanica (L.) Benn.	[3]	448
Pouzolzia zeylanica (L.) Benn. var. *microphylla* (Wedd.) W. T. Wang	[3]	450
Pratia nummularia (Lam.) A. Br. et Aschers.	[11]	562
Premna cavaleriei Lévl.	[10]	410
Premna puberula Pamp.	[10]	414
Premna puberula Pamp. var. *bodinieri* (H. Lévl.) C. Y. Wu et S. Y. Pao	[10]	416
Premna microphylla Turcz.	[10]	412
Primula cicutariifolia Pax	[9]	410
Primula obconica Hance	[9]	406
Primula ovalifolia Franch.	[9]	408
Prionailurus bengalensis (Kerr)	[14]	350
Pronephrium lakhimpurense (Rosenst.) Holtt.	[2]	298
Pronephrium penangianum (Hook.) Holtt.	[2]	300
Protobothrops mucrosquamatus (Cantor)	[14]	259
Protowoodsia manchuriensis (Hook.) Ching	[2]	348
Prunella vulgaris L.	[10]	576
Prunus japonica (Thunb.) Lois.	[6]	144

Prunus salicina Lindl.	[6]	156
Psephurus gladius (Martens)	[14]	137
Pseudocyclosorus esquirolii (Christ) Ching	[2]	304
Pseudocyclosorus falcilobus (Hook.) Ching	[2]	306
Pseudocyclosorus subochthodes (Ching) Ching	[2]	308
Pseudolarix amabilis (Nelson) Rehd.	[2]	630
Pseudostellaria heterophylla (Miq.) Pax	[4]	40
Pseudotsuga sinensis Dode	[2]	634
Psilopeganum sinense Hemsl.	[7]	208
Psoralea corylifolia L.	[6]	656
Psychotria rubra (Lour.) Poir.	[10]	240
Psychotria serpens L. Mant.	[10]	242
Pteridium aquilinum (L) Kuhn var. *latiusculum* (Desv.)		
Underw. ex Heller	[2]	112
Pteris actiniopteroides Christ	[2]	116
Pteris cretica L. var. *nervosa* (Thunb.) Ching et S. H. Wu	[2]	120
Pteris deltodon Baker	[2]	124
Pteris dispar Kunze	[2]	126
Pteris ensiformis Burm.	[2]	128
Pteris excelsa Gaud.	[2]	130
Pteris fauriei Hieron.	[2]	134
Pteris henryi Christ	[2]	136
Pteris insignis Mett. ex Kuhn	[2]	138
Pteris multifida Poir.	[2]	140
Pteris plumbea Christ	[2]	144
Pteris semipinnata L.	[2]	146
Pteris vittata L.	[2]	150
Pteris wallichiana Agardh	[2]	154

Pternopetalum davidii Franch. [9] 156

Pternopetalum nudicaule (de Boiss) Hand.-Mazz. [9] 158

Pternopetalum nudicaule (de Boiss) Hand.-Mazz. var.

    esetosum Hand.-Mazz. [9] 160

Pternopetalum rosthornii (Diels) Hand.-Mazz. [9] 162

Pternopetalum trichomanifolium (Franch.) Hand.-Mazz. Symb. Sin. [9] 164

Pternopetalum vulgare (Dunn) Hand.-Mazz. [9] 166

Pterocarya hupehensis Skan [3] 70

Pterocarya stenoptera C. DC. [3] 72

Pteroceltis tatarinowii Maxim. [3] 214

Pterocypsela elata (Hemsl.) Shih [12] 358

Pterocypsela formosana (Maxim.) Shih [12] 360

Pterocypsela indica (L.) Shih [12] 362

Pterocypsela laciniata (Houtt.) Shih [12] 364

Pterocypsela raddeana (Maxim.) Shih [12] 366

Pterolobium punctatum Hemsl. [6] 658

Pterostyrax corymbosus Sieb. et Zucc. [9] 448

Pterostyrax psilophyllus Diels ex Perk. [9] 450

Ptyas korros (Schlegel) [14] 241

Ptyas mucosus (Linnaeus) [14] 243

Pueraria lobata (Willd.) Ohwi [1]160/[6]660

Pueraria lobata (Willd.) Ohwi var. *montana* (Lour.)

    Vaniot der Maesen [6] 662

Pueraria lobata (Willd.) Ohwi var. *thomsonii* (Benth.)

    van der Maesen [6] 664

Pueraria phaseoloides (Roxb.) Benth. [6] 666

Punica granatum L. [8] 472

Pycnoporus cinnabarinus (Jacq.) P. Karst [1] 314

Pycnoporus sanguineus (Fr.) Bond. et Sing.	[1]	316
Pycreus globosus (All.) Reichb.	[13]	562
Pycreus sanguinolentus (Vahl) Nees	[13]	564
Pyracantha atalantioides (Hance) Stapf	[6]	160
Pyracantha crenulata (D. Don) Roem.	[6]	162
Pyracantha fortuneana (Maxim.) Li	[6]	164
Pyrola calliantha H. Andr.	[9]	190
Pyrola decorata H. Andr.	[9]	192
Pyrola elegantula H. Andr.	[9]	194
Pyrrosia assimilis (Baker) Ching	[2]	556
Pyrrosia calvata (Baker) Ching	[2]	558
Pyrrosia davidii (Baker) Ching	[2]	560
Pyrrosia drakeana (Franch.) Ching	[2]	562
Pyrrosia lingua (Thunb.) Farwell	[2]	564
Pyrrosia petiolosa (Christ) Ching	[2]	566
Pyrrosia porosa (C. Presl) Hovenk.	[2]	568
Pyrrosia sheareri (Baker) Ching	[2]	570
Pyrularia edulis (Wall.) A. DC.	[3]	462
Pyrus betulaefolia Bge.	[6]	166
Pyrus bretschneideri Rehd.	[6]	168
Pyrus calleryana Dcne.	[6]	172
Pyrus communis L. var. *sativa* (DC.) DC.	[6]	176
Pyrus pyrifolia (Burm. f.) Nakai	[6]	178
Pyrus serrulata Rehd.	[6]	182

Q

Quamoclit pennata (Desr.) Boj.	[10]	304
Quercus acutissima Carruth.	[3]	180

Quercus aliena Bl. var. *acutiserrata* Maxim. ex Wenz.	[3]	184
Quercus aliena Blume	[3]	182
Quercus chenii Nakai	[3]	186
Quercus dentata Thunb.	[3]	188
Quercus dolicholepis A. Camus	[3]	190
Quercus fabri Hance	[3]	192
Quercus serrata Thunb.	[3]	194
Quercus serrata Thunb. var. *brevipetiolata* (A. DC.) Nakai	[3]	196
Quercus variabilis Bl.	[3]	198
Quisqualis indica L.	[8]	504

R

Rabdosia amethystoides (Benth.) Hara	[10]	578
Rabdosia coetsa (Buch.-Ham. ex D. Don) Hara	[10]	580
Rabdosia inflexus (Thunb.) Hara	[10]	582
Rabdosia lophanthoides (Buch.-Ham. ex D. Don) H. Hara	[10]	584
Rabdosia nervosus (Hemsl.) C. Y. Wu et H. W. Li	[10]	588
Rabdosia racemosus (Hemsl.) Hara	[10]	590
Rabdosia rubescens (Hemsl.) Hara	[10]	592
Rabdosia serra (Maxim.) Hara	[10]	594
Rabdosia macrocalyx (Dunn) Hara	[10]	586
Radermachera sinica (Hance) Hemsl.	[11]	256
Rana limnocharis (Boie)	[14]	194
Rana nigromaculata (Hallowell)	[14]	196
Rana plancyi (Lataste)	[14]	198
Rana spinosa (David)	[14]	201
Rana tigrina rugulosa (Wiegmann)	[14]	199
Ranunculus cantoniensis DC.	[4]	502

Ranunculus chinensis Bunge	[4]	504
Ranunculus ficariifolius Lévl. et Vaniot	[4]	506
Ranunculus japonicus Thunb.	[4]	508
Ranunculus muricatus L.	[4]	510
Ranunculus polii Franch. ex Hemsl.	[4]	512
Ranunculus sceleratus L.	[4]	514
Ranunculus sieboldii Miq.	[4]	516
Ranunculus ternatus Thunb.	[4]	518
Rapanea neriifolia (Sieb. et Zucc.) Mez	[9]	328
Raphanus sativus L.	[5]	442
Raphiolepis indica (L.) Lindl.	[6]	184
Raphiolepis lanceolata Hu	[6]	186
Rattus flavipectus (Milne-Edwards)	[14]	427
Rattus norvegicus (Berkenhout)	[14]	425
Rauvolfia verticillata (Lour.) Baill.	[10]	32
Reboulia hemisphaerica (L.) Raddi	[1]	368
Rehmannia henryi N. E. Br.	[11]	192
Reineckea carnea (Andr.) Kunth	[12]	688
Reynoutria japonica Houtt.	[3]	536
Rhacophorus leucomystax (Gravenhorst)	[14]	206
Rhamnella franguloides (Maxim.) Weberb.	[7]	636
Rhamnella martinii (Lévl.) Schneid.	[7]	638
Rhamnus brachypoda C. Y. Wu ex Y. L. Chen	[7]	640
Rhamnus crenata Sieb. et Zucc.	[7]	642
Rhamnus esquirolii Lévl.	[7]	644
Rhamnus leptophylla Schneid.	[7]	648
Rhamnus napalensis (Wall.) Laws.	[7]	650
Rhamnus rosthornii Pritz.	[7]	652

Rhamnus rugulosa Hemsl.	[7]	654
Rhamnus utilis Decne.	[7]	656
Rhamnus wilsonii Schneid.	[7]	658
Rhamnus globosa Bunge	[7]	646
Rhinolophus affinis (Himalayanus)	[14]	345
Rhizolmys sinensis (Gray)	[14]	423
Rhodeus ocellatus (Kner)	[14]	151
Rhodiola henryi (Diels) S. H. Fu	[5]	496
Rhodobryum giganteum (Schwaegr) Par.	[1]	358
Rhododendron auriculatum Hemsl.	[9]	214
Rhododendron bachii Lévl.	[9]	216
Rhododendron brevinerve Chun et Fang	[9]	218
Rhododendron cavaleriei Lévl.	[9]	220
Rhododendron championae Hook.	[9]	222
Rhododendron discolor Franch.	[9]	224
Rhododendron fortunei Lindl.	[9]	226
Rhododendron hypoglaucum Hemsl.	[9]	228
Rhododendron latoucheae Franch.	[9]	230
Rhododendron moulmainense Hook. f.	[9]	240
Rhododendron ovatum (Lindl.) Planch. ex Maxim.	[9]	242
Rhododendron pulchrum Sweet	[9]	212
Rhododendron rhuyuenense Chun ex Tam	[9]	244
Rhododendron rivulare Hand.-Mazz.	[9]	246
Rhododendron seniavinii Maxim.	[9]	248
Rhododendron simiarum Hance	[9]	250
Rhododendron simsii Planch.	[9]	252
Rhododendron stamineum Franch.	[9]	254
Rhododendron sutchuenense Franch.	[9]	256

Rhododendron mariae Hance	[9]	232
Rhododendron mariesii Hemsl. et Wils.	[9]	234
Rhododendron micranthum Turcz.	[9]	236
Rhododendron molle (Blume) G. Don	[9]	238
Rhodomyrtus tomentosa (Ait.) Hassk.	[8]	464
Rhus chinensis Mill.	[7]	312
Rhus chinensis Mill. var. *roxburghii* (DC.) Rehd.	[7]	314
Rhus punjabensis Stew. var. *sinica* (Diels) Rehd. et Wils	[7]	316
Rhynchosia dielsii Harms	[6]	668
Rhynchosia volubilis Lour.	[6]	670
Rhynchospermum verticillatum Reinw.	[12]	368
Rhynchospora rubra (Lour.) Makino	[13]	566
Ribes davidii Franch.	[5]	604
Ribes glaciale Wall.	[5]	606
Ribes moupinense Franch.	[5]	608
Ribes tenue Jancz.	[5]	610
Ricinus communis L.	[7]	122
Riparia riparia (Linnaeus)	[14]	322
Robinia pseudoacacia L.	[6]	672
Roegneria kamoji Ohwi	[13]	342
Rohdea japonica (Thunb.) Roth	[12]	690
Rorippa cantoniensis (Lour.) Ohwi	[5]	446
Rorippa dubia (Pers.) Hara	[5]	448
Rorippa globosa (Turcz.) Hayek	[5]	450
Rorippa indica (L.) Hiern	[5]	452
Rorippa islandica (Oed.) Borb.	[5]	454
Rosa banksiae Ait.var. *normalis* Regel	[6]	188
Rosa bracteata Wendl.	[6]	190

Rosa chinensis Jacq.	[6]	194
Rosa cymosa Tratt.	[6]	198
Rosa henryi Bouleng.	[6]	202
Rosa laevigata Michx.	[1]155/[6]	204
Rosa multiflora Thunb.	[6]	208
Rosa multiflora Thunb. var. *carnea* Thory.	[6]	212
Rosa multiflora Thunb. var. *cathayensis* Rehd. et Wils.	[6]	214
Rosa roxburghii Tratt.	[6]	216
Rosa roxburghii Tratt. f. *normalis* Rehd. et Wils.	[6]	218
Rosa rubus Lévl. et Vant.	[6]	220
Rosa rugosa Thunb.	[6]	222
Rosa saturata Baker	[6]	224
Rosa sertata Rolfe	[6]	226
Rosmarinus officinalis L.	[10]	596
Rostellularia procumbens (L.) Nees	[11]	284
Rotala indica (Willd.) Koehne	[8]	446
Rotala rotundifolia (Buch.-Ham. ex Roxb.) Koehne	[8]	448
Rottboellia exaltata L.	[13]	344
Rourea microphylla (Hook. et Arn.) Planch.	[6]	376
Rubia alata Roxb.	[10]	244
Rubia argyi (Lévl. et Vaniot) Hara ex Lauener et D. K. Ferguson	[10]	246
Rubia cordifolia L.	[10]	248
Rubia ovatifolia Z. Y. Zhang	[10]	252
Rubia wallichiana Decne. Recherch. Anat. et Physiol.	[10]	254
Rubia membranacea Diels	[10]	250
Rubus adenophorus Rolfe	[6]	230
Rubus alceaefolius Poir. var. *diversilobatus* (Merr. et Chun) Yu et Lu	[6]	232

Rubus amphidasys Focke ex Diels [6] 234

Rubus bambusarum Focke [6] 236

Rubus buergeri Miq. [6] 238

Rubus chingii Hu [6] 240

Rubus chroosepalus Focke [6] 244

Rubus columellaris Tutcher [6] 246

Rubus corchorifolius L. f. [6] 248

Rubus coreanus Miq. [6] 250

Rubus eustephanus Focke ex Diels [6] 252

Rubus hanceanus Ktze. [6] 254

Rubus hastifolius Lévl. et Vant. [6] 256

Rubus henryi Hemsl. et Ktze. [6] 258

Rubus hirsutus Thunb. [6] 260

Rubus ichangensis Hemsl. et Ktze. [6] 262

Rubus innominatus S. Moore [6] 264

Rubus innominatus var. *kuntzeanus* (Hemsl.) Bailey [6] 266

Rubus inopertus (Diels) Focke [6] 268

Rubus irenaeus Focke [6] 270

Rubus kwangsiensis Li [6] 272

Rubus lambertianus Ser. [6] 274

Rubus lambertianus Ser. var. *paykouangensis* (Lévl.) Hand.-Mazz. [6] 280

Rubus lambertianus var. *glaber* Hemsl. [6] 276

Rubus lambertianus var. *glandulosus* Card. [6] 278

Rubus leucanthus Hance [6] 282

Rubus malifolius Focke [6] 284

Rubus mesogaeus Focke [6] 286

Rubus multibracteatus Lévl. et Vant. [6] 288

Rubus pacificus Hance [6] 290

Rubus parkeri Hance	[6]	292
Rubus parvifolius L.	[6]	294
Rubus pectinellus Maxim.	[6]	298
Rubus peltatus Maxim.	[6]	300
Rubus phoenicolasius Maxim.	[6]	302
Rubus pileatus Focke	[6]	304
Rubus pinfaensis Lévl. et Vant.	[6]	306
Rubus pirifolius Smith	[6]	308
Rubus playfairianus Hemsl. ex Focke	[6]	310
Rubus pungens var. *oldhamii* (Miq.) Maxim.	[6]	312
Rubus reflexus Ker	[6]	314
Rubus reflexus Ker var. *hui* (Diels apud Hu) Metc.	[6]	318
Rubus reflexus Ker var. *lanceolobus* Metc.	[6]	316
Rubus rosifolius Smith	[6]	320
Rubus setchuenensis Bureau et Franch.	[6]	322
Rubus sumatranus Miq.	[6]	324
Rubus swinhoei Hance	[6]	326
Rubus tephrodes Hance	[6]	328
Rubus tephrodes Hance var. *ampliflorus* (Lévl. et Vant.) Hand.-Mazz.	[6]	330
Rubus trianthus Focke	[6]	332
Rubus xanthoneurus Focke ex Diels	[6]	334
Rudbeckia hirta L.	[12]	370
Rudbeckia laciniata L.	[12]	372
Rumex acetosa L.	[3]	600
Rumex crispus L.	[3]	602
Rumex dentatus L.	[3]	604
Rumex japonicus Houtt.	[3]	606

Rumex nepalensis Spreng. [3] 608

Rumex obtusifolius L. [3] 610

Rumex patientia L. [3] 612

Rumex trisetifer Stokes [3] 614

Rungia densiflora H. S. Lo [11] 286

S

Sabia campanulata Wall. ex Roxb. subsp. *ritchieae*

(Rehd. et Wils.) Y. F. Wu [7] 392

Sabia discolor Dunn. [7] 394

Sabia emarginata Lec. [7] 396

Sabia japonica Maxim. [7] 398

Sabia schumanniana Diels [7] 400

Sabia schumanniana Diels subsp. *pluriflora* (Rehd. et Wils.)

Y. F. Wu [7] 402

Sabia swinhoei Hemsl. ex Forb. et Hemsl. [7] 404

Sabina chinensis (L.) Ant. [3] 12

Saccharum arundinaceum Retz. [13] 346

Saccharum officinarum L. [13] 348

Saccharum spontaneum L. [13] 350

Sacciolepis indica (L.) A. Chase [13] 352

Sageretia hamosa (Wall.) Brongn. [7] 660

Sageretia henryi Drumm. et Sprague [7] 662

Sageretia lucida Merr. [7] 664

Sageretia rugosa Hance [7] 668

Sageretia subcaudata Schneid. [7] 670

Sageretia thea (Osbeck) Johnst. [7] 672

Sageretia thea (Osbeck) Johnst. var. *tomentosa* (Schneid.)

Y. L. Chen et P. K. Chou	[7]	674
Sageretia melliana Hand.-Mazz.	[7]	666
Sagina japonica (Sw.) Ohwi	[4]	42
Sagittaria guyanensis H. B. K. subsp. *lappula* (D. Don) Bojin	[12]	484
Sagittaria pygmaea Miq.	[12]	486
Sagittaria trifolia L.	[12]	488
Sagittaria trifolia L. var. *sinensis* (Sims) Makino	[12]	490
Salacia sessiliflora Hand.-Mazz.	[7]	580
Salix babylonica L.	[3]	84
Salix chaenomeloides Kimura	[3]	88
Salix chienii Cheng	[3]	90
Salix fargesii Burk.	[3]	92
Salix matsudana Koidz.	[3]	94
Salix wallichiana Anderss.	[3]	96
Salix wilsonii Seemen	[3]	98
Salomonia cantoniensis Lour.	[7]	300
Salvia bowleyana Dunn	[10]	598
Salvia cavaleriei Lévl.	[10]	600
Salvia cavaleriei Lévl. var. *erythrophylla* (Hemsl.) E. Peter	[10]	602
Salvia cavaleriei Lévl. var. *simplicifolia* Stib.	[10]	604
Salvia chinensis Benth.	[10]	606
Salvia japonica Thunb.	[10]	608
Salvia kiangsiensis C. Y. Wu	[10]	610
Salvia nanchuanensis Sun	[10]	616
Salvia plebeia R. Brown	[10]	618
Salvia plectranthoides Griff.	[10]	620
Salvia scapiformis Hance	[10]	622
Salvia splendens Ker-Gawl.	[10]	624

Salvia substolonifera Stib.	[10]	626
Salvia miltiorrhiza Bunge	[10]	612
Salvinia natans (L.) All.	[2]	582
Sambucus chinensis Lindl.	[11]	424
Sambucus williamsii Hance	[11]	428
Samolus valerandii L.	[9]	412
Sanghuangporus sanghuang (Sheng H. Wu, T. Hatt. et Y. C. Dai)	[1]	296
Sanguisorba officinalis L.	[6]	336
Sanguisorba officinalis var. *longifolia* (Bertol) Yü et Li	[6]	338
Sanicula chinensis Bunge	[9]	168
Sanicula lamelligera Hance	[9]	170
Sanicula orthacantha S. Moore	[9]	172
Sapindus mukorossi Gaertn.	[7]	372
Sapium discolor (Champ. ex Benth.) Muell. Arg.	[7]	126
Sapium japonicum (Sieb. et Zucc.) Pax et Hoffm.	[7]	128
Sarcandra glabra (Thunb.) Nakai	[5]	90
Sarcococca hookeriana Baill.	[7]	600
Sarcococca longipetiolata M. Cheng	[7]	602
Sarcococca ruscifolia Stapf	[7]	604
Sarcopyramis bodinieri Lévl. et. Van.	[8]	498
Sarcopyramis nepalensis Wall.	[8]	500
Sargentodoxa cuneata (Oliv.) Rehd. et Wils.	[4]	632
Sassafras tzumu (Hemsl.) Hemsl.	[4]	372
Saururus chinensis (Lour.) Baill.	[5]	66
Saussurea cordifolia Hemsl.	[12]	374
Saussurea costus (Falc.) Lipsch.	[12]	376
Saussurea deltoidea (DC.) Sch.-Bip.	[12]	378

Saussurea dolichopoda Diels	[12]	380
Saussurea japonica (Thunb.) DC.	[12]	382
Saxifraga rufescens Balf. f.	[5]	612
Saxifraga stolonifera Curt.	[5]	614
Saxiglossum angustissimum (Gies.) Ching	[2]	572
Scapsipedus aspersus (Walker)	[14]	71
Schefflera bodinieri (Lévl.) Rehd.	[9]	54
Schefflera delavayi (Franch.) Harms ex Diels	[9]	56
Schefflera minutistellata Merr. ex Li	[9]	58
Schima argentea Pritz. ex Diels	[5]	258
Schima superba Gardn. et Champ.	[5]	260
Schisandra bicolor Cheng	[4]	216
Schisandra bicolor Cheng var. *tuberculata* (Law) Law	[4]	218
Schisandra grandiflora (Wall.) Hook. f. et Thoms.	[4]	220
Schisandra henryi Clarke.	[4]	222
Schisandra propinqua (Wall.) Baill. var. *sinensis* Oliv.	[4]	224
Schisandra sphenanthera Rehd. et Wils.	[4]	226
Schisandra viridis A. C. Smith	[4]	228
Schizopepon dioicus Cogn. ex Oliv.	[8]	388
Schizophragma hypoglaucum Rehd.	[5]	616
Schizophragma integrifolium Oliv.	[5]	618
Schizophragma integrifolium Oliv. var. *glaucescens* Rehd.	[5]	620
Schizophyllum commune Fr.	[1]	280
Schlumbergera truncata (Haw.) Moran	[4]	136
Schnabelia oligophylla Hand.-Mazz.	[10]	628
Schoepfia chinensis Gardn. et Champ.	[3]	458
Schoepfia jasminodora Sieb. et Zucc.	[3]	460
Scilla scilloides (Lindl.) Druce	[12]	692

Scirpus juncoides Roxb.	[13]	568
Scirpus lushanensis Ohwi	[13]	574
Scirpus rosthornii Diels	[13]	576
Scirpus triangulatu Roxb.	[13]	570
Scirpus triqueter L.	[13]	578
Scirpus validus Vahl	[13]	572
Scirpus wallichii Nees	[13]	580
Scirpus yagara Ohwi	[13]	582
Scleria herbecarpa Nees	[13]	584
Scleria hookeriana Boeckeler	[13]	586
Scleroderma citrinum Pers	[1]	286
Scolopendra subspinipes mutilans L. Koch	[1]249/[14]46	
Scorzonera albicaulis Bunge	[12]	384
Scrophularia ningpoensis Hemsl.	[11]	194
Scurrula parasitica L.	[3]	472
Scutellaria barbata D. Don	[10]	630
Scutellaria franchetiana Lévl.	[10]	632
Scutellaria indica L.	[10]	634
Scutellaria indica L. var. *elliptica* Sun ex C. H. Hu	[10]	636
Scutellaria indica L. var. *parvifolia* (Makino) Makino	[10]	638
Scutellaria pekinensis Maxim. var. *purpureicaulis* (Migo)		
C. Y. Wu et H. W. Li	[10]	640
Scutellaria tayloriana Dunn	[10]	642
Scutellaria tuberifera C. Y. Wu et C. Chen	[10]	644
Scutellaria yingtakensis Sun ex C. H. Hu	[10]	646
Sechium edule (Jacq.) Swartz	[8]	390
Sedum alfredii Hance	[5]	500
Sedum amplibracteatum K. T. Fu.	[5]	518

Sedum bulbiferum Makino	[5]	502
Sedum drymarioides Hance	[5]	504
Sedum emarginatum Migo	[5]	506
Sedum filipes Hemsl.	[5]	508
Sedum japonicum Sieb. ex Miq.	[5]	510
Sedum lineare Thunb.	[5]	512
Sedum majus (Hemsl.) Migo	[5]	514
Sedum odontophyllum Frod.	[5]	516
Sedum polytrichoides Hemsl.	[5]	520
Sedum sarmentosum Bunge	[5]	522
Sedum tetractinum Fröd.	[5]	524
Sedum yvesii Hamet	[5]	526
Selaginella braunii Baker	[1]	398
Selaginella davidii Franch.	[1]	400
Selaginella delicatula (Desv.) Alston	[1]	402
Selaginella doederleinii Hieron.	[1]	406
Selaginella heterostachys Baker	[1]	410
Selaginella involvens (Sw.) Spring	[1]	412
Selaginella labordei Hieron. ex Christ	[1]	414
Selaginella moellendorffii Hieron.	[1]	416
Selaginella nipponica Franch. et Sav.	[1]	420
Selaginella pulvinata (Hook. et Grev.) Maxim.	[1]	422
Selaginella remotifolia Spring	[1]	424
Selaginella tamariscina (P. Beauv.) Spring	[1]	426
Selaginella trichoclada Alston	[1]	430
Selaginella uncinata (Desv.) Spring	[1]	434
Selenarctos thibetanus (G. Cuvier)	[14]	365
Semiaquilegia adoxoides (DC.) Makino	[4]	520

Semiliquidambar cathayensis Chang	[5]	488
Senecio actinotus Hand.-Mazz.	[12]	386
Senecio laetus Edgew.	[12]	388
Senecio nemorensis L.	[12]	390
Senecio scandens Buch.-Ham. ex D. Don	[12]	392
Senecio stauntonii DC.	[12]	394
Serissa japonica (Thunb.) Thunb.	[10]	256
Serissa serissoides (DC.) Druce	[10]	258
Serratula chinensis S. Moore	[1]212/[12]	396
Sesamum indicum L.	[11]	292
Sesbania cannabina (Retz.) Poir.	[6]	674
Setaria faberii Herrm.	[13]	354
Setaria glauca (L.) Beauv.	[13]	356
Setaria palmifolia (Koen.) Stapf	[13]	358
Setaria plicata (Lam.) T. Cooke	[13]	360
Setaria viridis (L.) Beauv.	[13]	362
Sheareria nana S. Moore	[12]	398
Shiraia bambusicola P. Henn.	[1]	270
Sida acuta Burm. f. Fl. Ind.	[8]	140
Sida cordata (Burm. f.) Borss. Blumea	[8]	142
Sida rhombifolia L.	[8]	144
Siegesbeckia orientalis L.	[12]	400
Siegesbeckia pubescens Makino	[12]	404
Sigesbeckia glabrescens (Makino) Makino	[12]	406
Silene aprica Turcz. ex Fisch. et Mey.	[4]	44
Silene firma Sieb. et Zucc.	[4]	46
Silene fortunei Vis.	[4]	48
Silene tatarinowii Regel	[4]	50

Silphium perfoliatum L.	[12]	408
Sinacalia tangutica (Maxim.) B. Nord.	[12]	410
Sindechites henryi Oliv.	[10]	34
Sinilabeo rendahli (Kimura)	[14]	161
Siniperca chuatsi (Basilewsky)	[14]	174
Sinoadina racemosa (Sieb. et Zucc.) Rsisd.	[10]	260
Sinocrassula indica (Decne.) A. Berger	[5]	528
Sinocrassula indica (Decne.) Berger var. *viridiflora* K. T. Fu	[5]	530
Sinofranchetia chinensis (Franch.) Hemsl.	[4]	634
Sinojohnstonia chekiangensis (Migo) W. T. Wang ex Z. Y. Zhang	[10]	326
Sinojohnstonia moupinensis (Franch.) W. T. Wang ex Z. Y. Zhang	[10]	328
Sinomenium acutum (Thunb.) Rehd. et Wils.	[5]	18
Sinomenium acutum (Thunb.) Rehd. et Wils. var. *cinereum*		
Rehd. et Wils.	[5]	20
Sinosenecio bodinieri (Vaniot) B. Nord.	[12]	412
Sinosenecio eriopodus (Cumm.) C. Jeffrey et Y. L. Chen	[12]	414
Sinosenecio guangxiensis C. Jeffrey et Y. L. Chen	[12]	416
Sinosenecio oldhamianus (Maxim.) B. Nord.	[12]	418
Siphocranion nudipes (Hemsl.) Kudo	[10]	648
Siphonostegia chinensis Benth.	[11]	198
Siphonostegia laeta S. Moore	[11]	200
Siraitia grosvenorii (Swingle) C. Jeffrey ex Lu et		
Z. Y. Zhang	[8]	392
Skimmia reevesiana Fort.	[7]	210
Sloanea hemsleyana (Ito) Rehd. et Wils.	[8]	96
Sloanea leptocarpa Diels	[8]	98
Sloanea sinensis (Hance) Hemsl.	[8]	100
Smallanthus sonchifolius (Poepp.) H. Rob.	[12]	420

Smilacina henryi (Baker) Wang et Tang	[12]	696
Smilacina japonica A. Gray	[12]	700
Smilacina paniculata (Baker) Wang et Tang	[12]	702
Smilax aberrans Gagnep.	[12]	704
Smilax arisanensis Hay	[12]	706
Smilax bockii Warb.	[12]	708
Smilax bracteata Presl	[12]	710
Smilax china L.	[12]	712
Smilax chingii Wang et Tang	[12]	716
Smilax discotis Warb.	[12]	718
Smilax ferox Wall. ex Kunth	[12]	720
Smilax glabra Roxb.	[12]	722
Smilax glaucochina Warb.	[12]	726
Smilax hypoglauca Benth.	[12]	728
Smilax lanceifolia Roxb. var. *opaca* A. DC.	[12]	730
Smilax megacarpa Bl.	[12]	732
Smilax microphylla C. H. Wright	[12]	734
Smilax nigrescens Wang et Tang ex P. Y. Li	[12]	736
Smilax nipponica Miq.	[12]	738
Smilax ocreata A. DC.	[12]	740
Smilax riparia A. DC.	[12]	742
Smilax riparia A. DC. var. *acuminata* (C. H. Wright)		
F. T. Wang et T. Tang.	[12]	744
Smilax scobinicaulis C. H. Wright.	[12]	746
Smilax sieboldii Miq.	[12]	748
Smilax stans Maxim.	[12]	750
Solanum cathayanum C. Y. Wu et S. C. Huang	[11]	64
Solanum coagulans Forsk.	[11]	66

Solanum japonense Nakai	[11]	68
Solanum khasianum C. B. Clarke	[11]	70
Solanum lyratum Thunb.	[11]	74
Solanum melongena L.	[11]	76
Solanum nigrum L.	[11]	80
Solanum photeinocarpum Nakamura et Odashima.	[11]	84
Solanum pittosporifolium Hemsl.	[11]	86
Solanum pseudocapsicum L.	[11]	88
Solanum pseudocapsicum L. var. *diflorum* (Vell.) Bitter.	[11]	90
Solanum sisymbriifolium Lam.	[11]	92
Solanum surattense Burm. f.	[11]	94
Solanum tuberosum L.	[11]	96
Solanum xanthocarpum Schrad. et Wendl.	[11]	98
Solena amplexicaulis (Lam.) Gandhi.	[8]	394
Solidago canadensis L.	[12]	422
Solidago decurrens Lour.	[12]	424
Soliva anthemifolia (Juss.) R. Br.	[12]	426
Sonchus arvensis L.	[12]	428
Sonchus asper (L.) Hill.	[12]	430
Sonchus oleraceus L.	[12]	432
Sophora davidii (Franch.) Skeels	[6]	676
Sophora flaves Ait.	[6]	678
Sophora japonica L.	[6]	680
Sorbus alnifolia (Sieb. et Zucc.) K. Koch	[6]	340
Sorbus caloneura (Stapf) Rehd.	[6]	342
Sorbus folgneri (Schneid.) Rehd.	[6]	344
Sorbus megalocarpa Rehd.	[6]	346
Sorbus wilsoniana Schneid.	[6]	348

Sorghum bicolor (L.) Moench	[13]	364
Sorghum propinquum (Kunth) Hitchc.	[13]	366
Sparganium stoloniferum (Graebn) Buch.-Ham.	[13]	470
Spathoglottis pubescens Lindl.	[13]	804
Spatholirion longifolium (Gagnep.) Dunn	[13]	146
Speranskia cantonensis (Hance) Pax et Hoffm.	[7]	136
Speranskia tuberculata (Bunge) Baill.	[7]	138
Sphagnum palustre L.	[1]	354
Sphenomorphus indicus (Gray)	[14]	226
Spilanthes paniculata Wall. ex DC.	[12]	434
Spinacia oleracea L.	[4]	88
Spiraea cantoniensis Lour.	[6]	350
Spiraea chinensis Maxim.	[6]	352
Spiraea henryi Hemsl.	[6]	354
Spiraea hirsuta (Hemsl.) Schneid.	[6]	356
Spiraea japonica L. f.	[6]	358
Spiraea japonica var. *acuminata* Franch.	[6]	362
Spiraea japonica var. *glabra* (Regel) Koidz.	[6]	360
Spiraea prunifolia Sieb. et Zucc.	[6]	364
Spiraea prunifolia Sieb. et Zucc. var. *simpliciflora* Nakai	[6]	366
Spiranthes sinensis (Pers.) Ames	[13]	806
Spirobolus bungii (Brandt)	[14]	44
Spirodela polyrrhiza (L.) Schleid.	[13]	468
Spirogyra nitida (Dillw.) Link	[1]	350
Spodiopogon cotulifer (Thunb.) A. Camus	[13]	368
Spodiopogon sibiricus Trin.	[13]	370
Sporobolus fertilis (Stend.) W. D. Clayt.	[13]	372
Squaliobarbus curriculus (Richardson)	[14]	150

Stachys japonica Miq.	[10]	654
Stachys oblongifolia Benth.	[10]	658
Stachys sieboldii Miq.	[10]	660
Stachys geobombycis C. Y. Wu	[10]	652
Stachyurus chinensis Franch.	[8]	298
Stachyurus himalaicus Hook. f. et Thoms.	[8]	300
Stachyurus yunnanensis Franch.	[8]	302
Staphylea bumalda DC.	[7]	572
Staphylea holocarpa Hemsl.	[7]	574
Stauntonia brunoniana Wall. ex Hems.	[4]	636
Stauntonia cavalerieana Gagnep.	[4]	638
Stauntonia chinensis DC.	[4]	640
Stauntonia obovata Hemsl.	[4]	642
Stauntonia obovatifoliola Hayata subsp. *urophylla* (Hand.-Mazz.)		
H. N. Qin	[4]	644
Stellaria chinensis Regel	[4]	54
Stellaria media (L.) Cyr.	[4]	56
Stellaria neglecta Weihe ex Bluff et Fingerh.	[4]	58
Stellaria omeiensis C. Y. Wu et Y. W. Tsui ex P. Ke	[4]	60
Stellaria palustris Ehrh.	[4]	62
Stellaria uliginosa Murr.	[4]	52
Stellaria vestita Kurz	[4]	64
Stellaria wushanensis Williams	[4]	66
Stemona tuberosa Lour.	[13]	4
Stephanandra chinensis Hance	[6]	368
Stephania cepharantha Hayata	[5]	22
Stephania dielsiana Y. C. Wu	[5]	26
Stephania excentrica Lo	[5]	28

Stephania hernandifolia (Willd.) Walp.	[5]	30
Stephania japonica (Thunb.) Miers	[5]	32
Stephania sinica Diels	[5]	34
Stephania tetrandra S. Moore	[5]	36
Stephanotis chunii Tsiang	[10]	108
Stephanotis mucronata (Blanco) Merr.	[10]	110
Stevia rebaudiana (Bertoni) Hemsl.	[12]	436
Stewartia sinensis Rehd. et Wils.	[5]	262
Stranvaesia amphidoxa Schneid.	[6]	370
Stranvaesia davidiana Dcne.	[6]	372
Stranvaesia davidiana Dcne. var. *undulata* (Dcne.) Rehd et Wils.	[6]	374
Streptolirion volubile Edgew.	[13]	148
Streptopelia chinensis (Scopoli)	[14]	311
Streptopelia decaocto (Frivaldszky)	[14]	310
Streptopelia orientalis (Latham)	[14]	308
Striga asiatica (L.) Kuntze	[11]	202
Strobilanthes atropurpurea Nees	[11]	282
Strobilanthes cusia (Nees) Kuntze	[11]	264
Strobilanthes oligantha Miq.	[11]	288
Struthiopteris eburnea (Christ) Ching	[2]	356
Sturnus cineraceus (Temminck)	[14]	324
Styrax calvescens Perk.	[9]	452
Styrax confusus Hemsl.	[9]	454
Styrax dasyanthus Perk.	[9]	456
Styrax faberi Perk.	[9]	458
Styrax hemsleyanus Diels	[9]	460
Styrax japonicus Sieb. et Zucc.	[9]	462
Styrax odoratissimus Champ.	[9]	464

Styrax suberifolius Hook. et Arn.	[9]	466
Styrax tonkinensis (Pierre) Craib ex Hartw.	[9]	468
Sus scrofa (Linnnaeus)	[14]	383
Sus scrofa domestica (Brisson)	[14]	381
Swertia angustifolia Buch.-Ham. ex D. Don	[9]	608
Swertia bimaculata (Sieb. et Zucc.) Hook. f. et Thoms.		
ex C. B. Clarke	[9]	610
Swertia davidii Franch.	[9]	612
Swertia hickinii Burk.	[9]	614
Swertia kouitchensis Franch.	[9]	616
Swertia macrosperma (C. B. Clarke) C. B. Clarke	[9]	618
Swertia nervosa (G. Don) Wall. ex C. B. Clarke	[9]	620
Swertia punicea Hemsl.	[9]	622
Swida alba Opiz	[8]	582
Swida parviflora (Chien) Holub	[8]	610
Swida paucinervis (Hance) Sojak	[8]	612
Swida walteri (Wanger.) Sojak	[8]	614
Swida macrophplla (Wall.) Sojak	[8]	606
Sycopsis sinensis Oliver	[5]	490
Sympetrum darwinianum (Selys)	[14]	53
Symphyotrichum subulatum (Michx.) G. L. Nesom	[12]	98
Symphytum officinale L.	[10]	330
Symplocos anomala Brand	[9]	472
Symplocos botryantha Franch.	[9]	474
Symplocos chinensis (Lour.) Druce	[9]	476
Symplocos confusa Brand	[9]	478
Symplocos congesta Benth.	[9]	480
Symplocos decora Hance	[9]	482

Symplocos lancifolia Sieb. et Zucc. [9] 486

Symplocos laurina (Retz.) Wall. [9] 488

Symplocos paniculata (Thunb.) Miq. [9] 490

Symplocos phyllocalyx Clarke [9] 492

Symplocos ramosissima Wall. ex G. Don [9] 494

Symplocos setchuensis Brand [9] 496

Symplocos stellaris Brand [9] 498

Symplocos sumuntia Buch.-Ham. ex D. Don [9] 500

Symplocos wikstroemiifolia Hayata [9] 504

Symplocos glauca (Thunb.) Koidz. [9] 484

Synedrella nodiflora (L.) Gaertn. [12] 438

Syneilesis aconitifolia (Bunge) Maxim. [12] 440

Synotis nagensium (C. B. Clarke) C. Jeffrey et Y. L. Chen [12] 442

Synurus deltoides (Ait.) Nakai [12] 444

Syringa oblata Lindl. [9] 562

Syringa vulgaris L. [9] 564

Syrmaticus ellioti (Swinhoe) [14] 299

Syzygium austrosinense (Merr. et Perry) Chang et Miau [8] 466

Syzygium buxifolium Hook. et Arn. [8] 468

Syzygium grijsii (Hance) Merr. et Perry [8] 470

T

Tabanus bivittatus (Schiner) [14] 97

Tacca chantrieri Andre [13] 38

Tacca plantaginea Hance [13] 36

Tadehagi pseudotriquetrum (DC.) Yang et Huang [6] 682

Tadorna ferruginea (Pallas) [14] 268

Tagetes erecta L. [12] 446

Talinum paniculatum (Jacq.) Gaertn.	[4]	6
Tamarix chinensis Lour.	[8]	308
Tapiscia sinensis Oliv.	[7]	576
Taraxacum mongolicum Hand.-Mazz.	[12]	448
Taraxacum ohwianum Kitam.	[12]	450
Tarenna attenuata (Voigt) Hutch.	[10]	262
Tarenna mollissima (Hook. et Arn.) Rob.	[10]	264
Taxillus chinensis (DC) Danser	[3]	474
Taxillus chinensis (Lecomte) Danser	[3]	482
Taxillus levinei (Merr.) H. S. Kiu	[3]	478
Taxillus nigrans (Hance) Danser	[3]	480
Taxillus sutchunensis (Lecomte) Danser var. *duclouxii* (Lecomte) H. S. Kiu	[3]	484
Taxodium ascendens Brongn.	[3]	14
Taxodium distichum (L.) Rich.	[2]	652
Taxus chinensis (Pilger) Rehd.	[3]	40
Taxus chinensis (Pilger) Rehd. var. *mairei* (Lemée et Lévl.) Cheng et L. K. Fu	[3]	42
Taxus ×media Rehder	[3]	38
Tecomaria capensis (Thunb.) Spach	[11]	258
Teleogryllus testaceus (Walker)	[14]	70
Tenodera sinensis (Saussure)	[14]	62
Tephroseris kirilowii (Turcz. ex DC.) Holub	[12]	452
Ternstroemia gymnanthera (Wight et Arn.) Beddome	[5]	264
Ternstroemia kwangtungensis Merr.	[5]	268
Ternstroemia luteoflora L. K. Ling	[5]	270
Tetrapanax papyrifer (Hook.) K. Koch	[9]	60
Tetrastigma hemsleyanum Diels et Gilg	[8]	52

Tetrastigma obtectum (Wall.) Planch.	[8]	54
Tetrastigma serrulatum (Roxb.) Planch. var. *seerulatum*	[8]	56
Teucrium bidentatum Hemsl.	[10]	662
Teucrium japonicum Willd.	[10]	664
Teucrium pernyi Franch.	[10]	666
Teucrium pilosum (Pamp.) C. Y. Wu et S. Chow	[10]	668
Teucrium quadrifarium Buch.-Ham. ex D. Don	[10]	670
Teucrium viscidum Bl.	[10]	672
Teucrium viscidum Bl. var. *nepetoides* (Lévl.)		
C. Y. Wu et S. Chow	[10]	674
Thalictrum acutifolium (Hand.-Mazz.) Boivin	[4]	522
Thalictrum aquilegifolium L. var. *sibiricum* Regel et Tiling	[4]	524
Thalictrum faberi Ulbr.	[4]	526
Thalictrum fargesii Franch. ex Finet et Gagn.	[4]	528
Thalictrum fortunei S. Moore	[4]	530
Thalictrum ichangense Lecoy. ex Oliv.	[4]	532
Thalictrum javanicum Bl.	[4]	534
Thalictrum microgynum Lecoy. ex Oliv.	[4]	536
Thalictrum minus L. var. *hypoleucum* (Sieb. et Zucc.) Miq.	[4]	538
Thalictrum przewalskii Maxim.	[4]	540
Thalictrum ramosum Boivin	[4]	542
Thalictrum umbricola Ulbr.	[4]	544
Themeda japonica (Willd.) Tanaka	[13]	374
Themeda villosa (Poir.) A. Camus	[13]	376
Thesium chinense Turcz.	[3]	464
Thladiantha cordifolia (Bl.) Cogn.	[8]	396
Thladiantha dentata Cogn.	[8]	398
Thladiantha henryi Hemsl.	[8]	400

Thladiantha hookeri C. B. Clarke	[8]	402
Thladiantha longifolia Cogn. ex Oliv.	[8]	404
Thladiantha nudiflora Hemsl. ex Forbes et Hemsl.	[8]	406
Thladiantha oliveri Cogn. ex Mottet	[8]	408
Thrixspermum japonicum (Miq.) Rchb. f.	[13]	808
Thyrocarpus sampsonii Hance	[10]	332
Thysanolaena maxima (Roxb.) Kuntze	[13]	378
Tiarella polyphylla D. Don	[5]	622
Tilia chinensis Maxim.	[8]	164
Tilia oliveri Szyszyl.	[8]	166
Tilia paucicostata Maxim.	[8]	168
Tilia tuan Szyszyl.	[8]	170
Tinospora capillipes Gagnep.	[5]	38
Tinospora sagittata (Oliv.) Gagnep.	[5]	42
Tirpitzia sinensis (Hemsl.) H. Hall.	[7]	30
Tithonia divarsifolia A. Gray	[12]	454
Toddalia asiatica (L.) Lam.	[7]	212
Tofieldia thibetica Franch.	[12]	752
Tolypanthus maclurei (Merr.) Danser	[3]	486
Toona ciliata M. Roem.	[7]	270
Toona sinensis (Juss.) Roem.	[7]	272
Torenia asiatica L.	[11]	204
Torenia fordii Hook. f.	[11]	206
Torenia fournieri Linden. Ex Benth	[11]	208
Torenia glabra Osbeck	[11]	210
Torenia violacea (Azaola) Pennell	[11]	212
Toricellia angulata Oliv.	[8]	616
Toricellia angulata Oliv. var. *intermedia* (Harms) Hu	[8]	618

Torilis japonica (Houtt.) DC.	[9]	174
Torilis scabra (Thunb.) DC.	[9]	176
Torreya fargesii Franch.	[3]	46
Torreya grandis Fort. et Lindl.	[3]	48
Toxicodendron radicans (L.) Kuntze subsp.		
hispidum (Engl.) Gillis	[7]	318
Toxicodendron succedaneum (L.) O. Kuntze	[7]	320
Toxicodendron sylvestre (Siebold et Zucc.) Kuntze	[7]	322
Toxicodendron trichocarpum (Miq.) Kuntze	[7]	324
Toxicodendron vernicifluum (Stokes) F. A. Barkley	[7]	326
Toxocarpus villosus (Blume) Decne.	[10]	112
Trachelospermum axillare Hook. f.	[10]	36
Trachelospermum bodinieri (Lévl.) Woods. ex Rehd.	[10]	38
Trachelospermum brevistylum Hand.-Mazz.	[10]	40
Trachelospermum dunnii (Lévl.) Lévl.	[10]	42
Trachelospermum jasminoides (Lindl.) Lem.	[10]	46
Trachelospermum gracilipes Hook. f.	[10]	44
Trachycarpus fortunei (Hook.) H. Wendl.	[13]	390
Tradescantia fluminensis Vell.	[13]	150
Tradescantia ohiensis Raf	[13]	152
Tradescantia zebrina Bosse	[13]	154
Trametes versicolor (L.) LIoyd	[1]	318
Trapa bispinosa Roxb.	[8]	450
Trapa incisa Sieb. et Zucc.	[8]	452
Trapa manimowiezii Korsh.	[8]	454
Trema angustifolia (Planch.) Bl.	[3]	216
Trema cannabina Lour.	[3]	218
Trema cannabina Lour. var. *dielsiana* (Hand.-Mazz.) C. J. Chen	[3]	220

Trema tomentosa (Roxb.) Hara	[3]	222
Tremella cinnabarina Retz.	[1]	324
Tremella fuciformis Berk.	[1]	326
Triadica rotundifolia (Hemsley) Esser	[7]	130
Triadica sebifera (Linnaeus) Small	[7]	132
Triaenophora rupestris (Hemsl.) Solereder.	[11]	214
Tribulus terrestris L.	[7]	24
Trichosanthes anguina L.	[8]	410
Trichosanthes cucumeroides (Ser.) Maxim.	[8]	412
Trichosanthes hylonoma Hand.-Mazz.	[8]	414
Trichosanthes kirilowii Maxim.	[8]	417
Trichosanthes laceribractea Hayata	[8]	420
Trichosanthes ovigera Bl.	[8]	422
Trichosanthes pedata Merr. et Chun	[8]	424
Trichosanthes rosthornii Harms	[8]	426
Trichosanthes rubriflos Thorel ex Cayla	[8]	430
Tricyrtis macropoda Miq.	[12]	754
Tricyrtis maculata (D. Don) Machride	[12]	756
Trifolium pratense Linnaeus	[6]	684
Trifolium repens L.	[6]	686
Trigonotis cavaleriei (Lévl.) Hand.-Mazz.	[10]	334
Trigonotis peduncularis (Trev.) Benth. ex Baker et Moore	[10]	338
Trigonotis mollis Hemsl.	[10]	336
Trimeresurus mucrosquamatus (Cantor)	[14]	257
Trimeresurus stejnegeri (Schmidt)	[14]	255
Tringa ochropus (Linnaeus)	[14]	303
Trionyx sinensis Wiegmann	[1]	252
Triosteum himalayanum Wall.	[11]	432

Triplostegia glandulifera Wall. ex DC.	[11]	524
Tripterospermum chinense (Migo) H. Smith	[9]	624
Tripterospermum cordatum (Marq.) H. Smith	[9]	626
Tripterospermum discoideum (Marq.) H. Smith	[9]	628
Tripterospermum filicaule (Hemsl.) H. Smith	[9]	630
Tripterygium hypoglaucum (Devl.) Hutch.	[7]	564
Tripterygium wilfordii Hook. f.	[7]	566
Triticum aestivum L.	[13]	380
Triumfetta annua L. Mant.	[8]	172
Triumfetta rhomboidea Jacq. Enum. Pl. Carib.	[8]	174
Troglodytes troglodytes (Linnaeus)	[14]	331
Tsoongiodendron odorum Chun	[4]	230
Tsuga longibracteata Cheng	[2]	636
Tubocapsicum anomalum (Franch. et Sav.) Makino.	[11]	100
Tulipa edulis (Miq.) Baker	[12]	540
Tulipa gesneriana L.	[12]	758
Tulotis ussuriensis (Reg. et Maack) H. Hara	[13]	810
Tupistra chinensis Baker	[12]	760
Turczaninovia fastigiata (Fisch.) DC.	[12]	456
Turnix tanki (Blyth)	[14]	301
Turpinia arguta (Lindl.) Seem.	[7]	578
Tutcheria championi Nakai	[5]	272
Tylophora floribunda Miq.	[10]	114
Tylophora koi Merr.	[10]	118
Tylophora ovata (Lindl.) Hook. ex Steud.	[10]	120
Tylophora silvestris Tsiang	[10]	122
Typha angustata Bory et Chaubard	[13]	472
Typha angustifolia L.	[13]	474

Typha orientalis Presl	[13]	476
Typhonium divaricatum (L.) Decne.	[13]	462
Typhonium giganteum Engl.	[13]	464

U

Ulmus bergmanniana Schneid.	[3]	224
Ulmus castaneifolia Hemsl.	[3]	226
Ulmus changii Cheng	[3]	228
Ulmus parvifolia Jacq.	[3]	230
Ulmus pumila L.	[3]	232
Umbilicaria esculenta (Miyoshi) Minks	[1]	330
Uncaria rhynchophylla (Miq.) Mig. ex Havil.	[1]195/[10]266	
Uncaria sinensis (Oliv.) Havil	[10]	268
Unio douglasise (Gray)	[14]	28
Upupa epops (Linnaeus)	[14]	313
Urena lobata L.	[8]	146
Urena lobata L. var. *scabriuscula* (DC.) Walp.	[8]	148
Urena procumbens L.	[8]	150
Urophysa henryi (Oliv.) Ulbr.	[4]	546
Urtica fissa E. Pritz.	[3]	452
Urtica laetevirens Maxim.	[3]	454
Usnea diffracta Vain.	[1]	340
Usnea longissima Ach.	[1]	342
Utricularia aurea Lour.	[11]	352
Utricularia bifida L.	[11]	354

V

Vaccaria segetalis (Neck.) Garcke	[4]	68
Vaccinium bracteatum Thunb.	[9]	258
Vaccinium carlesii Dunn	[9]	260
Vaccinium iteophyllum Hance	[9]	262
Vaccinium japonicum Miq. var. *sinicum* (Nakai) Rehd.	[9]	264
Vaccinium mandarinorum Diels	[9]	266
Valeriana flaccidissima Maxim.	[11]	512
Valeriana hardwickii Wall.	[11]	514
Valeriana jatamansi Jones	[11]	516
Valeriana officinalis L.	[11]	518
Vallisneria natans (Lour.) Hara	[12]	500
Vandenboschia auriculata (Bl.) Cop.	[2]	62
Vandenboschia naseana (Christ) Ching	[2]	64
Velpes vulpes (Linnaeus)	[14]	363
Veratrum grandiflorum (Maxim.) Loes. f.	[12]	762
Veratrum schindleri Loes. f.	[12]	764
Verbena officinalis L.	[10]	418
Vernicia fordii (Hemsl.) Airy Shaw	[7]	140
Vernicia montana Lour.	[7]	144
Vernonia cinerea (L.) Less.	[12]	458
Veronica anagallis-aquatica L.	[11]	216
Veronica arvensis L.	[11]	218
Veronica didyma Tenore	[11]	220
Veronica henryi Yamazaki	[11]	222
Veronica javanica Bl.	[11]	224
Veronica peregrina L.	[11]	226
Veronica persica Poir.	[11]	228

Veronica undulata Wall.	[11]	230
Veronicastrum axillare (Sieb. et Zucc.) T. Yamazaki	[11]	232
Veronicastrum brunonianum (Benth.) D. Y. Hong	[11]	234
Veronicastrum caulopterum (Hance) T. Yamazaki	[11]	236
Veronicastrum latifolium (Hemsl.) T. Yamazaki	[11]	238
Veronicastrum longispicatum (Merr.) T. Yamazaki	[11]	240
Veronicastrum robustum (Diels) Hong subsp. *grandifotium* T. L. Chin et Hong	[11]	242
Veronicastrum stenostachyum (Hemsl.) T. Yamaz.	[11]	244
Veronicastrum stenostachyum (Hemsl.) Yamazaki	[11]	246
Vespa mandarinia mandarinia (Smith)	[14]	133
Vespertilio sinensis (Peters)	[14]	339
Viburnum betulifolium Batalin.	[11]	434
Viburnum brachybotryum Hemsl.	[11]	436
Viburnum chinshanense Graebn.	[11]	438
Viburnum corymbiflorum P. S. Hsu et S. C. Hsu	[11]	440
Viburnum cylindricum Buch.-Ham. ex D. Don	[11]	442
Viburnum dilatatum Thunb.	[11]	446
Viburnum erosum Thunb.	[11]	448
Viburnum erubescens Wall.	[11]	450
Viburnum erubescens Wall. var. *prattii* (Graebn.) Rehder	[11]	452
Viburnum foetidum Wall. var. *rectangulatum* (Graebn.) Rehder.	[11]	454
Viburnum fordiae Hance	[11]	456
Viburnum henryi Hemsl.	[11]	458
Viburnum macrocephalum Fort. f. *keteleeri* (Carr.) Rehd.	[11]	462
Viburnum macrocephalum Fortune	[11]	460
Viburnum melanocarpum Hsu	[11]	464
Viburnum nervosum D. Don.	[11]	466

Viburnum odoratissimum Ker-Gawl. [11] 468

Viburnum odoratissimum Ker-Gawl. var. *awabuki* (K. Koch)

   Zabel ex Rümpler [11] 470

Viburnum opulus L. var. *calvescens* (Rehd.) Hara [11] 472

Viburnum plicatum Thunb. [11] 474

Viburnum plieatum Thunb. var. *tomentosam* (Thunb.) Miq. [11] 476

Viburnum propinquum Hemsl. [11] 478

Viburnum rhytidophyllum Hemsl. [11] 480

Viburnum sempervirens K. Koch [11] 482

Viburnum setigerum Hance [11] 484

Viburnum sympodiale Graebn. [11] 486

Viburnum taitoense Hayata [11] 488

Viburnum ternatum Rehder. [11] 490

Viburnum utile Hemsl. [11] 492

Vicia chinensis Franch. [6] 688

Vicia cracca L. [6] 690

Vicia faba L. [6] 692

Vicia hirsuta (L.) S. F. Gray [6] 696

Vicia kulingiana Bailey [6] 698

Vicia sativa L. [6] 700

Vicia sepium L. [6] 702

Vicia tetrasperma (L.) Schreber [6] 704

Vicia unijuga [6] 706

Vigna angularis (Willd.) Ohwi [6] 708

Vigna minima (Roxb.) Ohwi et Ohashi [6] 710

Vigna radiata (L.) Wilczek [6] 712

Vigna umbeuagta Ohwi et Ohashi [6] 714

Vigna unguiculata (L.) Walp. [6] 716

Vigna unguiculata (L.) Walp. ssp. *sesquipedalis* (L.) Verdc.	[6]	720
Vigna unguiculata (L.) Walp. subsp. *cylindrica* (L.) Verdc.	[6]	718
Vigna vexillata (L.) Benth.	[6]	722
Vinca major L.	[10]	48
Vinca major L. cv. 'Variegata'	[10]	50
Viola acuminata Ledeb.	[8]	250
Viola betonicifolia J. E. Smith	[8]	252
Viola bulbosa Maxim.	[8]	254
Viola chaerophylloides (Regel) W. Beck.	[8]	256
Viola collina Bess.	[8]	258
Viola concordifolia C. J. Wang	[8]	260
Viola davidii Franch.	[8]	262
Viola diffusa Ging.	[8]	264
Viola diffusoides C. J. Wang	[8]	266
Viola hamiltoniana D. Don.	[8]	272
Viola inconspicua Blume	[8]	274
Viola kiangsiensis W. Beck.	[8]	276
Viola lactiflora Nakai	[8]	278
Viola philippica Cav.	[8]	296
Viola principis H.de Boiss.	[8]	284
Viola prionantha Bunge	[8]	286
Viola stewardiana W. Beck.	[8]	288
Viola szetschwanensis W. Beck. et H. de Boiss.	[8]	290
Viola triangulifolia W. Beck.	[8]	292
Viola tricolor L.	[8]	294
Viola grandisepala W. Beck.	[8]	268
Viola grypoceras A. Gray	[8]	270
Viola magnifica C. J. Wang et X. D. Wang	[8]	280

Viola moupinensis Franch.	[8]	282
Viscum articulatum Burm. f.	[3]	488
Viscum coloratum (Kom.) Nakai	[3]	490
Viscum liquidambaricolum Hayata	[3]	492
Vitex canescens Kurz	[10]	420
Vitex negundo L.	[10]	422
Vitex negundo L. var. *cannabifolia* (Sieb. et Zucc.) Hand.-Mazz.	[10]	424
Vitex quinata (Lour.) Will.	[10]	426
Vitex trifolia L.	[10]	428
Vitex trifolia L. var. *simplicifolia* Cham.	[10]	430
Vitis betulifolia Diels et Gilg	[8]	58
Vitis chunganensis Hu	[8]	60
Vitis chungii Metcalf	[8]	62
Vitis davidii (Roman. du Caill.) Foex.	[8]	64
Vitis flexuosa Thunb.	[8]	66
Vitis heyneana Roem. et Schult	[8]	68
Vitis lanceolatifoliosa C. L. Li	[8]	70
Vitis pseudoreticulata W. T. Wang	[8]	72
Vitis romaneti Roman. du Caill. ex Planch.	[8]	74
Vitis sinocinerea W. T. Wang	[8]	76
Vitis vinifera L.	[8]	78
Vitis wilsoniae H. J. Veitch	[8]	80
Viverra zibetha (Linnaeus)	[14]	353
Viverricula indica (Desmarest)	[14]	355

W

Wahlenbergia marginata (Thunb.) A. DC.	[11]	564
Wedelia wallichii Less.	[12]	460

Weigela japonica var. *sinica* (Rehd.) L. H. Bailey [11] 496

Whitmania laevis (Baird) [14] 7

Whitmania pigra (Whitman) [14] 6

Wikstroemia indica (L.) C. A. Mey [8] 198

Wikstroemia nutans Champ. ex Benth. [8] 206

Wikstroemia pilosa Cheng [8] 208

Wikstroemia trichotoma (Thunb.) Makino [8] 210

Wikstroemia micrantha Hemsl. [8] 200

Wikstroemia micrantha Hemsl. var. *paniculata* (Li) S. C. Huang [8] 202

Wikstroemia monnula Hance [8] 204

Wisteria sinensis (Sims) Sweet [6] 724

Woodwardia japonica (L. f.) Smith [2] 360

Woodwardia orientalis Sw. [2] 364

Woodwardia prolifera Hook. et Arn. [2] 366

Woodwardia unigemmata (Makino) Nakai [2] 368

X

Xanthium sibiricum Patrin ex Widder [12] 462

Xenocypris argentea (Gunther) [14] 163

Xenocypris davidi (Bleeker) [14] 162

Xylaria nigripes (Kl.) Sacc. [1] 274

Xylosma controversum Clos [8] 248

Xylosma racemosum (Sieb. et Zucc.) Miq. [8] 246

Y

Youngia erythrocarpa (Vant.) Babc. et Stebb. [12] 464

Youngia heterophylla (Hemsl.) Babcock & Stebbins [12] 466

Youngia japonica (L.) DC. [12] 468

Youngia pratti (Babcock) Babcock et Stebbins [12] 470

Ypsilandra thibetica Franch [12] 766

Yua austro-orientalis (Metcalf) C. L. Li [8] 82

Yua thomsoni (Laws.) C. L. Li [8] 84

Yucca gloriosa L. [12] 768

Yulania cylindrica (E. H. Wilson) D. L. Fu [4] 170

Z

Zacco platypus (Temminck et Schegel) [14] 164

Zanthoxylum ailanthoides Sieb. et Zucc. [7] 214

Zanthoxylum armatum DC. [7] 216

Zanthoxylum austrosinense Huang [7] 218

Zanthoxylum avicennae (Lam.) DC. [7] 220

Zanthoxylum bungeanum Maxim. [7] 222

Zanthoxylum dissitum Hemsl. [7] 224

Zanthoxylum echinocarpum Hemsl. [7] 228

Zanthoxylum micranthum Hemsl. [7] 230

Zanthoxylum molle Rehd. [7] 232

Zanthoxylum myriacanthum Wallich ex J. D. Hooker [7] 234

Zanthoxylum ovalifolium Wight [7] 236

Zanthoxylum ovalifolium Wight var. *spinifolium* (Rehd. et Wils.)

Huang [7] 238

Zanthoxylum scandens Bl. [7] 240

Zanthoxylum schinifolium Sieb. et Zucc. [7] 242

Zanthoxylum simulans Hance [7] 244

Zanthoxylum stenophyllum Hemsl. [7] 246

Zanthoxylum stipitatum C. C. Huang [7] 248

Zanthoxylum undulatifolium Hemsl. [7] 250

Zaocys dhmnades (Cantor)	[14]	235
Zea mays L.	[13]	382
Zehneria indica (Lour.) Keraudren	[8]	432
Zehneria maysorensis (Wight et Arn.) Arn.	[8]	434
Zelkova schneideriana Hand.-Mazz.	[3]	236
Zelkova serrata (Thunb.) Makino	[3]	238
Zephyranthes candida (Lindl.) Herb.	[13]	32
Zephyranthes grandiflora Lindl.	[13]	34
Zingiber mioga (Thunb.) Rosc.	[13]	614
Zingiber officinale Rosc.	[13]	616
Zingiber striolatum Diels	[13]	618
Zinnia elegans Jacq.	[12]	472
Zizania latifolia (Griseb.) Stapf	[13]	384
Ziziphus jujuba Mill.	[7]	676

附录　湖南省中药资源名录

　　湖南的中药资源除包括下篇以图文形式展示的中药资源外，还包括湖南第四次中药资源普查中发现但因缺少合适图片本书未收录的中药资源，以及文献调查中确认分布在湖南的中药资源。本书以名录形式将这些未收录的中药资源列在下文，以待进一步完善。

附表 1-1　湖南省中药资源名录

序号	中文名	拉丁学名
1	粗柄羊肚菌	*Morchella crassipes* (Vent.) Pers
2	梯棱羊肚菌	*Morchella importuna* M. Kuo, O' Donnell et T. J. Volk
3	蛹虫草	*Cordyceps militaris* (L.) Link
4	亚黄蜂虫草	*Cordyceps oxycephala* Penz. et Sacc.
5	粉被虫草	*Cordyceps pruinosa* Petch
6	红座虫草	*Cordyceps roseostromata* Kobayasi et Shimizu
7	发线虫草	*Ophiocordyceps crinalis* (Sheng H. Wu, T. Hatt. et Y. C. Dai) Sheng H. Wu, L. W. Zhou et Y. C. Dai
8	下垂线虫草	*Ophiocordyceps nutans* (Pat.) G. H. Sung et al.
9	黑轮层炭壳	*Daldinia concentrica* (Bolton) Ces. et De Not.
10	痂状炭角菌	*Xylaria escharoidea* (Berk.) Sacc.
11	斯氏炭角菌	*Xylaria schweinitzii* Berk. et M. A. Curtis
12	隆纹黑蛋巢菌	*Cyathus striatus* (Huds.) Willd.
13	钩刺马勃	*Lycoperdon caudatum* J. Schröt.
14	脱皮大环柄菇	*Macrolepiota detersa* Z. W. Ge et al.
15	粗糙毛皮伞	*Crinipellis scabella* (Alb. et Schwein.) Murrill
16	黄小蜜环菌	*Armillaria cepistipes* Velen.
17	金针菇	*Flammulina filiformis* (Z. W. Ge et al.) P. M. Wang et al.
18	红皮丽口蘑	*Calostoma cinnabarinum* Desv.
19	多根硬皮马勃	*Scleroderma polyrhizum* (J. F. Gmel.) Pers.
20	木生地星	*Geastrum mirabile* Mont
21	袋形地星	*Geastrum saccatum* Fr.
22	红托竹荪	*Dictyophora rubrovolvata* M. Zang et al.
23	白鬼笔	*Phallus impudicus* L.
24	黑木耳	*Auricularia heimuer* F. Wu et al.
25	短毛木耳	*Auricularia villosula* Malysheva
26	南方灵芝	*Ganoderma australe* (Fr.) Pat.
27	灰树花孔菌	*Grifola frondosa* (Dicks.) Gray
28	猴头菇	*Hericium erinaceus* (Bull.) Pers.

续表

序号	中文名	拉丁学名
29	木蹄层孔菌	*Fomes fomentarius* (L.) Fr.
30	翘鳞香菇	*Lentinus squarrosulus* Mont.
31	新粗毛革耳	*Panus neostrigosus* Drechsler-Santos et Wartchow
32	变形多孔菌	*Polyporus varius* (Pers.) Fr.
33	红汁乳菇	*Lactarius hatsudake* Nobuj. Tanaka
34	鲜艳乳菇	*Lactarius vividus* X. H. Wang et al.
35	松乳菇	*Lactarius deliciosus* (L.) Gray
36	粗糙肉齿菌	*Sarcodon scabrosus* (Fr.) P. Karst.
37	干巴菌	*Thelephora ganbajun* M. Zang
38	桂花耳	*Dacryopinax spathularia* (Schwein.) G. W. Martin
39	褐暗色银耳	*Phaeotremella fimbriata* (Pers.) Spirin et V. Malysheva
40	茶色暗色银耳	*Phaeotremella roseotincta* (Lloyd) V. Malysheva
41	大叶梅	*Parmotrema tinctorum* (Nyl.) Hale.
42	裂芽肺衣	*Lobaria isidios* (Nyl.) Hale.
43	光肺衣	*Lobaria kurokavae* (Nyl.) Hale.
44	沼泽念珠藻	*Nostoc paludosum* Kütz.
45	匐灯藓	*Plagiomnium cuspidatum* (Hedw.) T. Kop.
46	万年藓	*Climacium dendroides* (Hedw.) Web. et Mohr
47	小石藓	*Weissia controversa* Hedw.
48	绒紫萁	*Osmunda claytoniana* L. var. *pilosa* (Wall.) Ching
49	旱蕨	*Cheilanthes nitidula* Hook.
50	川黔肠蕨	*Diplaziopsis cavaleriana* (H. Christ) C. Chr.
51	普通针毛蕨	*Macrothelypteris torresiana* (Gaud.) Ching
52	紫柄蕨	*Pseudophegopteris pyrrhorachis* (Kunze) Ching
53	切边铁角蕨	*Asplenium excisum* C. Presl
54	细裂铁角蕨	*Asplenium tenuifolium* D. Don
55	中华荚果蕨	*Matteuccia intermedia* C. Chr.
56	小羽贯众	*Cyrtomium lonchitoides* (H. Christ) H. Christ
57	阔叶鳞毛蕨	*Dryopteris austriaca* (Jacq.) Waynar ex Schinz et Thell
58	太平鳞毛蕨	*Dryopteris pacifica* (Nakai) Tagawa
59	曲边线蕨	*Colysis elliptica* Ching var. *flexiloba* (Christ) L. Shi et X. C. Zhang
60	宽底假瘤蕨	*Phymatopteris majoensis* (C. Chr.) Pic. Serm.
61	喙叶假瘤蕨	*Phymatopteris rhynchophylla* (Hook.) Pic. Serm.
62	龙柏	*Sabina chinensis* (L.) Ant. cv. 'Kaizuca'
63	香榧	*Torreya grandis* 'Merrillii'

续表

序号	中文名	拉丁学名
64	墨西哥落羽杉	*Taxodium mucronatum* Ten.
65	南川柳	*Salix rosthornii* Seemen
66	金毛柯	*Lithocarpus chrysocomus* Chun et Tsiang
67	乌冈栎	*Quercus phillyraeoides* A. Gray
68	匍茎榕	*Ficus sarmentosa* Buch.-Ham. ex J. E. Sm.
69	花叶鸡桑	*Morus australis* Poir. var. *inusitata* (Lévl.) C. Y. Wu
70	华中冷水花	*Pilea angulata* (Bl.) Bl. subsp. *latiuscula* C. J. Chen
71	翅茎冷水花	*Pilea subcoriacea* (Hand.-Mazz.) C. J. Chen
72	齿叶荨麻	*Urtica laetevirens* Maxim. subsp. *dentata* (Hand.-Mazz.) C. J. Chen
73	柳叶刺蓼	*Polygonum bungeanum* Turcz.
74	圆穗蓼	*Polygonum macrophyllum* D. Don
75	叶子花	*Bougainvillea spectabilis* Willd.
76	毛叶五味子	*Schisandra pubescens* Hemsl. et Wils.
77	黄心夜合	*Michelia martinii* (H. Lévl.) H. Lévl.
78	沉水樟	*Cinnamomum micranthum* (Hayata) Hayata
79	绒毛山胡椒	*Lindera nacusua* (D. Don) Merr.
80	豺皮樟	*Litsea rotundifolia* Hemsl. var. *oblongifolia* (Nees) C. K. Allen
81	建润楠	*Machilus oreophila* Hance
82	云贵铁线莲	*Clematis vaniotii* H. Lévl.
83	保靖淫羊藿	*Epimedium baojingense* Q. L. Chen et B. M. Yang
84	偏斜淫羊藿	*Epimedium truncatum* H. R. Liang
85	金粟兰	*Chloranthus spicatus* (Thunb.) Makino
86	花叶尾花细辛	*Asarum caudigerum* Hance var. *cardiophyllum* (Franch.) C. Y. Cheng et C. S. Yang
87	尖叶川杨桐	*Adinandra bockiana* E. Pritz. ex Diels var. *acutifolia* (Hand.-Mazz.) Kobuski
88	浙江山茶	*Camellia chekiangoleosa* Hu
89	心叶毛蕊茶	*Camellia cordifolia* (Metcalf) Nakai
90	长瓣短柱茶	*Camellia grijsii* Hance
91	川鄂连蕊茶	*Camellia rosthorniana* Hand.-Mazz.
92	凹脉柃	*Eurya impressinervis* Kobuski
93	密腺小连翘	*Hypericum seniawinii* Maxim.
94	地丁草	*Corydalis bungeana* Turcz.
95	欧洲油菜	*Brassica napus* L.
96	珠芽山葵菜	*Eutrema bulbiferum* Y. Xiao et D. K. Tian
97	山葵菜	*Eutrema yunnanense* Franch.
98	诸葛菜	*Orychophragmus violaceus* (L.) O. E. Schulz

续表

序号	中文名	拉丁学名
99	球茎虎耳草	*Saxifraga sibirica* L.
100	长江溲疏	*Deutzia schneideriana* Rehd.
101	粤西绣球	*Hydrangea kwangsiensis* Hu
102	莼兰绣球	*Hydrangea longipes* Franch.
103	柳叶绣球	*Hydrangea stenophylla* Merr. et Chun
104	花红	*Malus asiatica* Nakai
105	毛鼠刺	*Itea indochinensis* Merr.
106	鸡肫梅花草	*Parnassia wightiana* Wall. ex Wight et Arn.
107	绿花茶藨子	*Ribes viridiflorum* (Cheng) L. T. Lu et G. Yao
108	克纲虎耳草	*Saxifraga kegangii* D. G. Zhang, Ying Meng et M. H. Zhang
109	木果海桐	*Pittosporum xylocarpum* Hu et Wang
110	微毛樱桃	*Cerasus clarofolia* (C. K. Schneid.) T. T. Yu et C. L. Li
111	法国蔷薇	*Rosa gallica* L.
112	木帚枸子	*Cotoneaster dielsianus* E. Pritz. ex Diels
113	散生枸子	*Cotoneaster divaricatus* Rehder et E. H. Wilson
114	西北枸子	*Cotoneaster zabelii* Schneid.
115	香花枇杷	*Eriobotrya fragrans* Champ. ex Benth.
116	腺叶桂樱	*Laurocerasus phaeosticta* (Hance) Schneid.
117	海棠花	*Malus spectabilis* (Ait.) Borkh.
118	毛叶绣线梅	*Neillia ribesioides* Rehd.
119	灰叶稠李	*Padus grayana* (Maxim.) C. K. Schneid.
120	绢毛稠李	*Padus wilsonii* C. K. Schneid.
121	椤木石楠	*Photinia davidsoniae* Rehd. et Wils.
122	球穗花楸	*Sorbus glomerulata* Koehne
123	棕红悬钩子	*Rubus rufus* Focke
124	江南花楸	*Sorbus hemsleyi* (C. K. Schneid.) Rehder
125	光叶粉花绣线菊	*Spiraea japonica* L. f. var. *fortunei* (Planchon) Rehd.
126	银荆	*Acacia dealbata* Link
127	天香藤	*Albizia corniculata* (Lour.) Druce
128	中国猪屎豆	*Crotalaria chinensis* L.
129	黑叶木蓝	*Indigofera nigrescens* Kurz ex King & Prain
130	宽序崖豆藤	*Millettia eurybotrya* Drake
131	光叶红豆	*Ormosia glaberrima* Y. C. Wu
132	软荚红豆	*Ormosia semicastrata* Hance
133	疏花长柄山蚂蝗	*Podocarpium laxum* (DC.) Y. C. Yang et P. H. Huang

续表

序号	中文名	拉丁学名
134	华中枳	*Citrus × pubinervia* D. G. Zhang, Zu H. Xiang et Yu Wu
135	龙爪槐	*Sophora japonica* L. f. *pendula* Hort.
136	窄叶野豌豆	*Vicia angustifolia* L. ex Reichard
137	湖南山麻杆	*Alchornea hunanensis* H. S. Kiu
138	日本五月茶	*Antidesma japonicum* Sieb. et Zucc.
139	喙果黑面神	*Breynia rostrata* Merr.
140	大叶土蜜树	*Bridelia fordii* Hemsl.
141	细齿大戟	*Euphorbia bifida* Hook. et Arn.
142	崖豆藤野桐	*Mallotus millietii* H. Lévl.
143	红叶野桐	*Mallotus paxii* Pamp.
144	山靛	*Mercurialis leiocarpa* Sieb. et Zucc.
145	苍叶守宫木	*Sauropus garrettii* Craib
146	毛齿叶黄皮	*Clausena dunniana* Lévl. var. *robusta* (Tanaka) Huang
147	湖北凤仙花	*Impatiens pritzelii* Hook. f.
148	密序吴萸	*Evodia henryi* Dode
149	毛竹叶花椒	*Zanthoxylum armatum* DC. var. *ferrugineum* (Rehd. et Wils.) Huang
150	大花花椒	*Zanthoxylum macranthum* (Hand.-Mazz.) Huang
151	毛脉南酸枣	*Choerospondias axillaris* (Roxb.) B. L. Burtt et A. W. Hill var. *pubinervis* (Rehder et E. H. Wilson) B. L. Burtt et A. W. Hill
152	密花假卫矛	*Microtropis gracilipes* Merr. et Metc.
153	革叶槭	*Acer coriaceifolium* H. Lévl.
154	房县槭	*Acer franchetii* Pax
155	葛萝槭	*Acer grosseri* Pax
156	小鸡爪槭	*Acer palmatum* Thunb. var. *thunbergii* Pax
157	柔毛泡花树	*Meliosma myriantha* Sieb. et Zucc. var. *pilosa* (Lecomte) Law
158	细花泡花树	*Meliosma parviflora* Lecomte
159	毡毛泡花树	*Meliosma rigida* Sieb. et Zucc. var. *pannosa* (Hand.-Mazz.) Law
160	暖木	*Meliosma veitchiorum* Hemsl.
161	小花清风藤	*Sabia parviflora* Wall. ex Roxb.
162	翼核果	*Ventilago leiocarpa* Benth.
163	新几内亚凤仙花	*Impatiens hawkeri* W. Bull
164	短梗冬青	*Ilex buergeri* Miq.
165	龙陵冬青	*Ilex cheniana* T. R. Dudley
166	齿叶冬青	*Ilex crenata* Thunb.
167	黄毛冬青	*Ilex dasyphylla* Merr.

续表

序号	中文名	拉丁学名
168	光叶细刺枸骨	*Ilex hylonoma* Hu et Tang var. *glabra* S. Y. Hu
169	长梗冬青	*Ilex macrocarpa* Oliv. var. *longipedunculata* S. Y. Hu
170	河滩冬青	*Ilex metabaptista* Loes. ex Diels
171	疏齿冬青	*Ilex oligodonta* Merr. et Chun
172	薄叶南蛇藤	*Celastrus hypoleucoides* P. L. Chiu
173	毛脉显柱南蛇藤	*Celastrus stylosus* Wall. var. *puberulus* (Hsu) C. Y. Cheng et T. C. Kao
174	棘刺卫矛	*Euonymus echinatus* Wall.
175	中华卫矛	*Euonymus nitidus* Bentham
176	石枣子	*Euonymus sanguineus* Loes. ex Diels
177	福建假卫矛	*Microtropis fokienensis* Dunn
178	蘡薁	*Vitis bryoniifolia* Bunge
179	秃瓣杜英	*Elaeocarpus glabripetalus* Merr.
180	多花水苋	*Ammannia multiflora* Roxb.
181	山桂花	*Bennettiodendron leprosipes* (Clos) Merr.
182	空心柴胡	*Bupleurum longicaule* Wall. et DC. var. *franchetii* de Boiss
183	多花野牡丹	*Melastoma affine* D. Don
184	倒披针叶珊瑚	*Aucuba himalaica* Hook. f. et Thoms. var. *oblanceolata* Fang et Soong
185	峨眉青荚叶	*Helwingia omeiensis* (Fang) Hara et Kuros.
186	柔毛五加	*Acanthopanax gracilistylus* W. W. Smith var. *villosulus* (Harms) Li
187	罗伞	*Brassaiopsis glomerulata* (Bl.) Regel
188	团花山矾	*Symplocos glomerata* King ex Gamble
189	枝花李榄	*Linociera ramiflora* (Roxb.) Wall. ex G. Don
190	厚边木犀	*Osmanthus marginatus* (Champ. ex Benth.) Hemsl.
191	牛矢果	*Osmanthus matsumuranus* Hayata
192	柳叶蓬莱葛	*Gardneria lanceolata* Rehd. et Wilson
193	假婆婆纳	*Stimpsonia chamaedryoides* Wright ex A. Gray.
194	密脉木	*Myrioneuron fabri* Hemsl.
195	细花线纹香茶菜	*Rabdosia lophanthoides* (Buch.-Ham. ex D. Don) Hara var. *graciliflora* (Benth.) Hara
196	藤长苗	*Calystegia pellita* (Ledeb.) G. Don
197	变色牵牛	*Pharbitis indica* (Burm.) R. C. Fang
198	橙红茑萝	*Quamoclit coccinea* (L.) Moench
199	光叶紫珠	*Callicarpa lingii* Merr.
200	四轮香	*Hanceola sinensis* (Hemsl.) Kudo
201	疏花婆婆纳	*Veronica laxa* Benth.
202	假鬃尾草	*Leonurus chaituroides* C. Y. Wu et H. W. Li

续表

序号	中文名	拉丁学名
203	簇生椒	*Capsicum annuum* L. var. *fasciculatum* (Sturtev.) Irish
204	鄂红丝线	*Lycianthes hupehensis* (Bitter) C. Y. Wu et S. C. Huang
205	胡麻草	*Centranthera cochinchinensis* (Lour.) Merr.
206	抱茎石龙尾	*Limnophila connata* (Buch.-Ham. ex D. Don) Hand.-Mazz.
207	炮仗竹	*Russula equisetiformis* Schlecht. et Cham.
208	大独脚金	*Striga masuria* (Ham. ex Benth.) Benth.
209	小婆婆纳	*Veronica serpyllifolia* L.
210	中南蒿	*Artemisia simulans* Pamp.
211	黄猄草	*Championella tetrasperma* (Champ. ex Benth.) Bremek.
212	野芝麻马蓝	*Strobilanthes lamium* C. B. Clarke et W. W. Smith
213	密毛蚂蝗七	*Chirita fimbrisepala* Hand.-Mazz. var. *mollis* W. T. Wang
214	粗齿天名精	*Carpesium trachelifolium* Less.
215	来凤唇柱苣苔	*Chirita laifengensis* W. T. Wang
216	羽裂唇柱苣苔	*Chirita pinnatifida* (Hand.-Mazz.) Burtt
217	神农架唇柱苣苔	*Chirita tenuituba* (W. T. Wang) W. T. Wang
218	小叶吊石苣苔	*Lysionotus microphyllus* W. T. Wang
219	大叶石上莲	*Oreocharis benthamii* C. B. Clarke
220	中华石蝴蝶	*Petrocosmea sinensis* Oliv.
221	淡红忍冬	*Lonicera acuminata* Wall.
222	蝶花荚蒾	*Viburnum hanceanum* Maxim.
223	小溪沙参	*Adenophora xiaoxiensis* D. G. Zhang, D. Xie et X. Y. Yi
224	宽叶下田菊	*Adenostemma lavenia* (L.) O. Kuntze var. *latifolium* (D. Don) Hand.-Mazz.
225	蛛毛香青	*Anaphalis busua* (Buch.-Ham. ex D. Don) DC.
226	牛尾蒿	*Artemisia dubia* Wall. ex Bess.
227	红足蒿	*Artemisia rubripes* Nakai
228	狭叶三脉紫菀	*Aster ageratoides* Turcz. var. *gerlachii* (Hce) Chang
229	卵叶三脉紫菀	*Aster ageratoides* Turcz. var. *oophyllus* Ling
230	金鸡菊	*Coreopsis drummondii* Torr. et Gray
231	小一点红	*Emilia prenanthoidea* DC.
232	宿根天人菊	*Gaillardia aristata* Pursh
233	天人菊	*Gaillardia pulchella* Foug.
234	同白秋鼠曲草	*Gnaphalium hypoleucum* DC. var. *amoyense* (Hance) Hand.-Mazz.
235	细梗紫菊	*Notoseris gracilipes* Shih
236	紫菊	*Notoseris psilolepis* Shih
237	深山蟹甲草	*Parasenecio profundorum* (Dunn) Y. L. Chen

续表

序号	中文名	拉丁学名
238	矢镞叶蟹甲草	*Parasenecio rubescens* (S. Moore) Y. L. Chen
239	黔蒲儿根	*Sinosenecio guizhouensis* C. Jeffrey et Y. L. Chen
240	小眼子菜	*Potamogeton pusillus* L.
241	龙爪茅	*Dactyloctenium aegyptium* (L.) Beauv.
242	多秆画眉草	*Eragrostis multicaulis* Steud.
243	四川蜘蛛抱蛋	*Aspidistra sichuanensis* K. Y. Lang et Z. Y. Zhu
244	银边吊兰	*Chlorophytum capense* (L.) O. Kuntze var. *variegatum* Hort.
245	人面竹	*Phyllostachys aurea* Rivière et C. Rivière
246	毛百合	*Lilium dauricum* Ker Gawl.
247	山丹	*Lilium pumilum* DC.
248	阴生沿阶草	*Ophiopogon umbraticola* Hance
249	长药隔重楼	*Paris polyphylla* Sm. var. *thibetica* (Franch.) Hara
250	杖藤	*Calamus rhabdocladus* Burret
251	刺葵	*Phoenix hanceana* Naud.
252	七叶灯台莲	*Arisaema sikokianum* Franch. et Sav. var. *henryanum* (Engl.) H. Li
253	绿萝	*Epipremnum aureum* (Linden et André) G. S. Bunting
254	密疣菝葜	*Smilax chapaensis* Gagnep.
255	银叶菝葜	*Smilax cocculoides* Warb.
256	筐条菝葜	*Smilax corbularia* Kunth
257	小果菝葜	*Smilax davidiana* A. DC.
258	马甲菝葜	*Smilax lanceifolia* Roxb.
259	折枝菝葜	*Smilax lanceifolia* Roxb. var. *elongata* Wang et Tang
260	防己叶菝葜	*Smilax menispermoidea* A. DC.
261	矮菝葜	*Smilax nana* F. T. Wang
262	武当菝葜	*Smilax outanscianensis* Pamp.
263	红果菝葜	*Smilax polycolea* Warb.
264	白穗花	*Speirantha gardenii* (Hook.) Baill.
265	筒花开口箭	*Tupistra delavayi* Franch.
266	小果丫蕊花	*Ypsilandra cavaleriei* H. Lévl. et Vaniot
267	湖南石蒜	*Lycoris* × *hunanensis* M. H. Quan, L. J. Ou et C. W. She
268	大青薯	*Dioscorea benthamii* Prain et Burkill
269	羽毛地杨梅	*Luzula plumosa* E. Mey.
270	长花枝杜若	*Pollia secundiflora* (Bl.) Bakh. f.
271	石芒草	*Arundinella nepalensis* Trin.
272	白羊草	*Bothriochloa ischaemum* (L.) Keng

续表

序号	中文名	拉丁学名
273	假苇拂子茅	*Calamagrostis pseudophragmites* (Haller f.) Koeler
274	方竹	*Chimonobambusa quadrangularis* (Fenzi) Makino
275	湖南稗子	*Echinochloa frumentacea* (Roxb.) Link
276	宿根画眉草	*Eragrostis perennans* Keng
277	心叶稷	*Panicum notatum* Retz.
278	圆果雀稗	*Paspalum orbiculare* Forst.
279	鸭姆草	*Paspalum scrobiculatum* L.
280	篌竹	*Phyllostachys nidularia* Munro
281	金竹	*Phyllostachys sulphurea* (Carr.) A. et C. Riv.
282	纤毛鹅观草	*Roegneria ciliaris* (Trin.) Nevski
283	西南莩草	*Setaria forbesiana* (Nees ex Steud.) Hook. f.
284	粱	*Setaria italica* (L.) P. Beauv.
285	苏丹草	*Sorghum sudanense* (Piper) Stapf
286	苞子草	*Themeda caudata* (Ness) A. Camus
287	棒头南星	*Arisaema clavatum* Buchet
288	湖南半夏	*Pinellia hunanensis* C. L. Long et X. J. Wu
289	马蹄莲	*Zantedeschia aethiopica* (L.) Spreng.
290	曲轴黑三棱	*Sparganium fallax* Graebn.
291	短尖薹草	*Carex brevicuspis* C. B. Clarke
292	二形鳞薹草	*Carex dimorpholepis* Steud.
293	签草	*Carex doniana* Spreng.
294	蕨状薹草	*Carex filicina* Nees
295	柄状薹草	*Carex pediformis* C. A. Mey.
296	类头状花序藨草	*Scirpus subcapitatus* Thw.
297	峨眉舞花姜	*Globba emeiensis* Z. Y. Zhu
298	兰花美人蕉	*Canna orchioides* Bailey
299	圆叶石豆兰	*Bulbophyllum drymoglossum* Maxim. ex Okubo
300	台湾吻兰	*Collabium formosanum* Hayata
301	绒叶斑叶兰	*Goodyera velutina* Maxim.
302	线瓣玉凤花	*Habenaria fordii* Rolfe
303	长苞羊耳蒜	*Liparis inaperta* Finet
304	山兰	*Oreorchis patens* (Lindl.) Lindl.
305	带唇兰	*Tainia dunnii* Rolfe